經學研究叢書・臺灣高等經學研討論集叢刊

第九屆中國經學國際學術研討會論文選集

董金裕　主編

陳逢源　編輯

目次

序

　　中國經學研究會自民國八十五年年底報請內政部同意,而於民國八十六年正式成立以後,為促進經學的研究與推廣,並與世界各國的經學研究者相互切磋,以收集思廣益之效,即於民國八十八年舉辦首屆經學國際研討會,以後約每隔兩年皆陸續舉辦一次,迄今(民國一〇四年),已進入第九屆。

　　這屆會議由本會與明道大學國學研究所、中國文學系,暨中央研究院文哲研究所共同舉辦,於民國一〇四年四月十一至十二日,在明道大學寒梅大樓國際會議廳舉行。除邀請世界各地的經學研究者,包括中國大陸、香港、日本、美國、英國之學者外,更廣邀臺灣北、中、南、東各地方的經學研究者齊聚一堂。會中於發表論文外,也進行熱烈的討論交流。其內容涵蓋五經、四書,以及不同時代的經學流變與特色,兼包義理、考據與應用,也涉及版本及出土文獻等,範圍十分廣泛。

　　本次會議的最大意義為:以往歷屆經學國際研討會皆在臺灣北部各大學舉行,此次則轉到中部的明道大學舉行;而且論文發表人,以及會議主持人、討論人,扣除外籍學者,臺灣中、南、東部學者居半數以上。此舉對經學的推廣與擴大影響力,無疑將起更大的作用。

　　會議既已舉辦完畢,爰將所發表的論文於徵求作者修改並同意後,彙編成冊,以供經學研究者、愛好者參考,期能發揮更大的作用。本論文選集之所以能集結成書,除明道大學國學研究所及中國文學系、中央研究院文哲研究所以外,又得到臺灣古籍保護學會會長林登昱先生的資助,謹在此一併表達誠摯的謝意。

中國經學研究會第八屆理事長　董金裕 敬識於臺北

顧亭林「通經致用」的為學精神

胡楚生

國立中興大學名譽教授

提要

　　顧亭林生於晚明清初之際，遭逢異族入侵、國家滅亡之變，因此，在他的學術著述之中，往往強調「通經致用」的精神，本文試就顧亭林的《日知錄》之中，枚舉研究的例證，以說明顧氏的為學精神。

一、引言

顧亭林（1613-1680）初名絳，字寧人，江蘇崑山人，國變後，改名炎武，學者稱為亭林先生。

明思宗崇禎十七年（1644）三月，流寇李自成攻陷北京，思宗自縊於萬壽山，四月，山海關守將吳三桂因愛妾陳圓圓為李自成部將劉宗敏所掠，憤而開關，引清兵入境，進入北京，次年五月，清兵南下，攻破南京，亭林先生與友人起義兵於崑山，六月，清兵圍攻崑山，七月，城破，官員民眾，被殺者約四萬人，亭林因省母在外，未及於難，其弟子曼，子武，並遭難，亭林生母何氏，為清兵所傷，右臂折斷。七月，清兵下常熟，亭林嗣母王氏，絕食十五日而歿，遺命亭林，勿事二姓。

明亡之後，亭林先生六謁孝陵，六謁思陵，變姓名為蔣山傭，往來各地，密謀恢復，又遍觀天下，地理險要，著書之說，以備異日，經世致用。

亭林先生著述宏富，而《日知錄》三十二卷，尤為亭林先生平生志業寄寓之書，亭林先生，〈與人書二十五〉云：「君子之為學，以明道也，以救世也。」又云：「別著《日知錄》，上篇經術，中篇治道，下篇博聞，共三十餘卷，有王者起，將以見諸行事，以躋斯世於治古之隆，而未敢為今人道也。」[1]又〈與友人論門人書〉云：「所著《日知錄》三十餘卷，平生之志與業，皆在其中，惟多寫數本，以貽之同好，庶不為惡其害己者之所去。而有王者起，得以酌取焉，其亦可以畢區區之願矣。」[2]因此，《日知錄》中，自然有致用之精神存在。

另外，傳統學術發展到宋代，理學盛行，到了明代，心學更是盛極一時，至於晚明時期，心學末流，入於狂禪，以至士人游談無根，束書不觀，影響人心世道很深，亭林先生有見於此，起而拯救流弊，他以實事求是，信而有徵，引導學風，亭林先生〈與友人論學書〉云：「竊歎夫百餘年以來之

---

[1] 《顧亭林文集》卷四，（臺北：漢京文化公司，1984年）頁98。

[2] 《顧亭林文集》卷三，頁47。

為學者，往往言心言性，而茫乎不得其解也。命與仁，夫子之所罕言也，性與天道，子貢之所未得聞也。」又云：「愚所謂聖人之道如之何？曰『博學於文』，曰『行己有恥』，自一身以至於天下國家，皆學之事也，自子臣弟友以至出入、往來、辭受、取與之間，皆有恥之事也。」[3]亭林先生針對晚明空疎不實的學風，而提出關切於身心行為，有益於天下國家的徵實學風，倡導經世致用，一時風氣逐漸改變，亭林先生也因此被世人尊稱為清代學術之開山大師。

因此，亭林先生所以倡導「經邦濟世」、「通經致用」，有兩項重要的背景：

其一，在時代背景上，他處在明室覆亡，亟待挽救沉淪，以圖光復之際。

其二，在學術背景上，他處在晚明心學末流弊端叢生，亟待加以改革之時。

由於這兩種背景，才更增加了亭林先生對「通經致用」為學精神的推展。

二　顧亭林「通經致用」之實踐

清康熙九年（1670），亭林先生初刻《日知錄》八卷，康熙二十一年（1682），亭林先生去世，其弟子潘耒，從亭林先生家中求得《日知錄》手稿，再三校勘，訂為三十二卷，於康熙三十四年（1695）刻印行世。道光十六年（1836），黃汝成撰成《日知錄集釋》，但是，由於清廷網禁的嚴密，這兩次的刑行，多有竄改，故所行世的，並非原書的本來面貌。民國二十二年（1933），張繼（溥泉）先生在北平購得原抄本《日知錄》，持與章太炎黃季剛兩位先生共同校閱，黃張二位先生，並撰成校勘記，太炎先生為之作序，然後亭林先生在此書中的志節苦心，精神意趣，才得以重視人間。民國四十七年，溥泉先生夫人崔震華女士，委請徐文珊教授整理原抄本《日知錄》，在台刊印出版。

3　《顧亭林文集》卷三，頁40。

　　二〇〇六年，上海古籍出版社重印黃汝成之《日知錄集釋》，由欒保群、呂宗力二位先生點校整理，並將黃季剛、張溥泉二位先生所撰的《日知錄校勘記》，依據《日知錄》原書之目錄或相關條文，散入《集釋》之中，也使得《日知錄》更多增一種接近原貌的傳本。

　　以下，即從黃汝成《日知錄集釋》之中，選取一些例子，以說明亭林先生「通經致用」的為學精神。

（一）暗斥清兵入關

　　《春秋》魯宣公九年（西元前600）記載：

　　　　陳殺其大夫洩冶。

又十一年（西元前598）記載：

　　　　納公孫寧、儀行父于陳。[4]

《左傳》記載，陳靈公與寵臣公孫寧、儀行父三人，都與夏姬私通，宣淫於國內，毫不避諱，大臣洩冶，極力諫勸，為陳靈公所殺，魯宣公十年，三人飲酒於夏姬家中，陳靈公對二人說，夏姬之子夏徵舒像你們二人，二人回答說，也像國君，三人引以為樂，夏徵舒聞知，十分忿怒，因此，伺機射殺陳靈公，公孫寧與儀行父二人，懼而出奔楚國。魯宣公十一年，楚莊王率軍討伐陳國，殺夏徵舒，因而以陳國作為楚國的屬縣，由於大臣申叔時的諫勸，應以號召諸侯為重，才將陳國土地復歸陳國，送陳成公回國，（陳靈公之子，時在晉國），並且將公孫寧、儀行父二人遣返陳國。對於此事，杜預的《左傳注》說：「二子淫昏，亂人也，君弒之後，能外託楚，以求報君之讎。」又說：「靈公成喪，賊討國復，功足以補過。」[5]

4　孔穎達：《左傳正義》卷二十二，（臺北：藝文印書館，1993年）頁380、383。

5　孔穎達：《左傳正義》卷二十二，頁383。

對於公孫寧、儀行父的行為，顧亭林《日知錄》卷四評論說：

> 孔寧、儀行父從靈公宣淫于國，殺忠諫之泄冶，君弒不能死，從楚子而入陳，《春秋》之罪人也，故書曰：「納公孫寧、儀行父于陳」。杜預乃謂二子託楚以報君之讎，靈公成喪，賊討國復，功足以補過。嗚呼，使無申叔時之言，陳為楚縣矣，二子者楚之臣僕矣，尚何功之有？幸而楚子復封，成公反國，二子無秋毫之力，而杜氏為之曲說，使後世詐諼不忠之臣，得援以自解，嗚呼，其亦愈于今之已為他人郡縣而猶言報讎者與！有盜于此，將劫一富室，至中途而其主為僕所弒，盜遂入其家，殺其僕，曰，吾報爾讎矣，遂有其田宅貨財，子其子孫其孫，其子孫亦遂奉之為祖父，嗚呼，有是理乎？《春秋》之所謂亂臣賊子者，非此而誰邪？[6]

顧亭林反駁杜預的看法，他以為陳成公的能夠返回陳國，陳國的不被滅亡，完全是因為申叔時的諫勸楚莊王以號召諸侯為重，而公孫寧及儀行父二人，並無半點功勞，而杜預歪曲是非的言辭，適足以使得後世不忠不義的人臣，藉此作為文過飾非的例證，足以誤導世人的觀感，故不得不加以辯駁。同時，顧亭林所提出的「有盜於此，將劫一富室」的一長段文字中，則實質上更是針對明代末年吳三桂因私人怨怒，乞師女真，引導滿人入關，而不返，遂據有中原大地而發揮，文末稱「遂有其田宅貨財，子其子而孫其孫，其子孫亦遂奉之為祖父」，又稱「《春秋》之所謂亂臣賊子者，非此而誰邪」，其指斥之嚴，用意之深，豈不灼然可見！至於文中所謂「今之已為他人郡縣而猶言報讎者」，也實係隱指清人入關之後，明代大臣降志辱身，罔顧大義，投降清廷之後，又復昌言反清，如吳三桂、錢謙益之流而言，也無可疑。蓋吳三桂既引清人南下，受封為平西王，又弒明永曆帝於雲南，晚年，清帝削藩，吳三桂乃以反清復明為號召，事敗而死。而錢謙益降清之後，不受滿廷重用，抑鬱不得志，遂有復明之意，而志終不能申。故顧亭林隱然指斥此等

6　黃汝成：《日知錄集釋》卷四，（上海：上海古籍出版社，2006年）頁219。

反復之人，而於解釋經典之時，激於義憤，才以沉痛之心情，批判亂臣賊子之背棄國族。

（二）憂心文化沉淪

《論語·憲問》云：

> 子路曰：「桓公殺公子糾，召忽死之，管仲不死，曰，未仁乎？」子曰：「桓公九合諸侯，不以兵車，管仲之力也，如其仁，如其仁。」

又云：

> 子貢曰：「管仲非仁者與？桓公殺公子糾，不能死，又相之。」子曰：「管仲相桓公，霸諸侯，一匡天下，民到于今受其賜，微管仲，吾其被髮左衽矣，豈若匹夫匹婦之為諒也，自經於溝瀆，而莫之知也。」[7]

春秋初期，齊襄公昏庸無道，大臣鮑叔牙知齊國將亂，奉公子小白出奔於魯國，管仲與召忽也奉公子糾出奔於魯國，公子糾與公子小白都是齊襄公的庶弟。春秋魯莊公八年（西元前686），齊襄公為大夫連稱所弒，而立公孫無知為君，稍後，公孫無知又被大夫雍廩所弒，公子糾及公子小白聞訊，都立即返國，而公子小白先返齊國，被立為齊桓公，並逼迫魯國殺死公子糾，獻出管仲與召忽，召忽自殺，管仲被送返齊國，桓公卻重用管仲為相，因而稱霸天下。

《論語》中記載子路及子貢對於管仲人格的質疑，而孔子卻採取肯定管仲為仁者」的態度，對於這種情形，何晏《論語集解》引述馬融之言說：「無管仲，則君不君，臣不臣，皆為夷狄。」本來是很平允的看法，但是，何晏《論語集解》又引述王肅之言卻說：「管仲召忽之於公子糾，君臣之義

7　邢昺：《論語注疏》卷十四，（臺北：藝文印書館，1993年）頁126。

未成，故死之未足深嘉，不死未足多非。」[8]照王肅的說法，公子糾當時並未登上君位，因此，管仲召忽對於公子糾而言，也並未成為臣子，因而，君臣之義，雙方還並未正式成立，故召忽之死，並不足以多所嘉許，管仲不死，也不必多所責備，只是，這種騎牆之見，如果成立，則召忽之死，豈非多此一舉？

另外，朱熹在《四書集注》中說：「匡，正也，尊周室，攘夷狄，皆所以正天下也。」又引述程子之言說：「桓公，兄也，子糾，弟也。仲私於所事，輔之以事國，非義可知，桓公殺之雖過，而糾之死實當。」又說：「若使桓弟而糾兄，管仲所輔者正，桓奪其國而殺之，則管仲之與桓，不可同世之讎也。」[9]公子糾與公子小白，誰是兄？誰是弟？清儒毛奇齡等人辨之甚明，都以為公子糾是兄，小白是弟，[10]朱子本人的注語，尚屬中肯，但是，他所引述的程子之言，卻未免使人有畫蛇添足的感覺，個人覺得，對於《論語》這兩章的解釋，說得最明確最具有深層意涵的，是顧亭林的看法，《日知錄》卷七〈管仲不死子糾〉條說：

> 君臣之分，所關者在一身，夷夏之防，所繫者在天下，故夫子之於管仲，略其不死子糾之罪，而取其一匡九合之功，蓋權衡於大小之間，而以天下為心也，夫以君臣之分，猶不敵夷夏之防，春秋之志，可知矣。有謂管仲之於子，未成為君臣者，子糾於齊未君，於仲與忽，則成為君臣矣，狐突之子毛及偃，從文公在秦，而曰：「今臣之子，名在重耳，有年數矣。」若毛、偃為重耳之臣，而仲與忽不得為糾之臣，是以成敗定君臣也，可乎？又謂桓兄糾弟，此亦強為之說，夫子之意，以被髮左袵之禍，尤重於忘君事讎也。論至於尊周室攘夷狄之大功，則公子與其臣，區區一身之名分小矣，雖然，其君臣之分，故

---

8 邢昺：《論語注疏》卷十四，頁127。

9 朱熹：《論語集注》卷七，（臺北：學海出版社，1984年）頁151。

10 參拙稿〈清初諸儒論「管仲不死子糾」申義〉，載《清代學術史研究》，（臺北：學生書局，1988年）頁125。

在也，遂謂之無罪，非也。[11]

顧亭林所謂的「君臣之分，所關者在一身，夷夏之防，所繫者在天下，故夫子之於管仲，略其不死子糾之罪，而取其一匡九合之功，蓋權衡於大小之間，而以天下為心也」，以天下為心，以種族文化的存亡為重，應該才是孔子贊許管仲為「仁人」最重要的條件，「夫子之意，以被髮左衽之禍，尤重於忘君事讎也」，這十九個字，一般通行本《日知錄》都沒有，而張繼所發現的原抄本《日知錄》卻有，則是為清代刊本所刪去，這十九個字，卻正是孔子的用意所在，也正是顧亭林的用意所在，因為，清兵入關之後，明朝高官顯宦，「忘君事讎」的情形不在少數，雖然令人痛恨，但是，激勵國人如何去捍衛疆土，保全文化命脈，應該才是顧亭林從孔子言論中所體會到的更加重要的時代義涵。

亭林先生《日知錄》卷十三〈正始〉條云：

> 有亡國，有亡天下，亡國與亡天下奚辨？曰：易姓改號，謂之亡國，仁義充塞，而至於率獸食人，人將相食，謂之亡天下。

又云：

> 是故知保天下，然後知保其國。保國者，其君其臣肉食者謀之，保天下者，匹夫之賤，與有責焉耳矣。[12]

亭林先生在晚明之際的處境，既已親身經歷「亡國」之痛，又極度憂心「亡天下」之慘禍，憂心文化沉淪的災難降臨，因此，在他的心靈深處，在他《日知錄》此條之中隱示的，不僅是「保國」的圖謀，也更是「保天下」的壯志與宏願。他說孔子之於管仲，許其為仁者，是「以天下為心」，是「春秋之志」，則既是尊崇孔子的看法，同時也是亭林先生的「夫子自道」。

---

11 黃汝成：《日知錄集釋》卷七，頁412。

12 黃汝成：《日知錄集釋》卷十三，頁755。

（三）表彰節烈精神

《論語‧先進》記載：

> 季路問事鬼神？子曰：「未能事人，焉能事鬼！」曰：「敢問死？」曰：「未知生，焉知死！」[13]

推尋孔子之意，主要以為，鬼神及死後之事，都屬於邈不可知，故勉勵子路，應該重視人生在世之時，把握當下，進修德業，孝養雙親，善待家人朋友，才是人生在世的正軌。顧亭林《日知錄》卷七〈季路問事鬼神〉條說：

> 「未能事人，焉能事鬼？」「左右就養無方」，故其祭也，「洋洋如在其上，如在其左右」。「未知生，焉知死？」「人之生也直」，故其死也，「無求生以害仁，有殺身以成仁」。

又說：

> 「天地有正氣，雜然賦流形，下則為河岳，上則為日星」，可以謂之知生矣。「孔曰成仁，孟曰取義，而今而後，庶幾無愧」，可以謂之知死矣。[14]

針對子路所問，孔子所答的兩個問題，顧亭林提出他自己的看法和解釋。對於「事人」與「事鬼」方面，顧亭林以為，「事人」之道，以事奉雙親最為切要，由此才能推而及於他人，亭林引用《禮記‧檀弓》所說的「左右就養無方」，以說明為人子女者，事奉雙親，應當在雙親身旁，晨定昏省，就近侍養，卻不必拘泥於一定的方式，又引述《禮記‧中庸》所說的「洋洋乎如在其上，如在其左右」，以說明如果不幸父母亡故，為人子女者，在祭祀雙親時，應保持「祭如在，祭神如神在」（《論語‧八佾》）的虔敬心情。對於

---

13 邢昺：《論語注疏》卷 ，頁97。
14 黃汝成：《日知錄集釋》卷七，頁407。

「知生」與「知死」方面，顧亭林引用《論語・雍也》中的「人之生也直」，以說明人生在世之時，應當謹守正道而行，又引用《論語・衛靈公》中的「無求生以害仁，有殺身以成仁」，以說明人們如果不幸而必須面對死亡之時，也應當成就仁德，而不應該貪生畏死，而致損害仁德。

在《日知錄》此條的前段文字之中，顧亭林主要是在闡釋孔子所言，人們對於「鬼神」與「生死」應有的態度，仍然是就人生在世時一般的常情而立論，但是，在下一段文字中，他卻引述了南宋丞相文天祥〈正氣歌〉的文辭，用以說明「知生」的意義，引述文天祥〈衣帶贊〉的文辭，用以說明「知死」的意義，則是轉就國家社會處在特殊變動艱難的情況下而作出的抒發之言。顧亭林三十二歲（1644年）時，流寇李自成攻陷北京，明思宗自縊，同年，明山海關守將吳三桂因愛妾陳圓圓為李自成部將劉宗敏所掠，憤而開關，迎清兵入關，清兵進入北京之後，乘勢南下，次年（1645年），史可法督師堅守揚州，城破之後，壯烈殉國，死節之事，天下相傳，咸共嘆惋，因此，亭林在《日知錄》此條之中，既已闡釋孔子的心意，又再不避辭費，引述文天祥的言辭，以作為士大夫「知生」、「知死」的準則，以為能具備浩然正氣，方才不愧於生，能成仁取義，方才無愧於死。推測亭林的用意，豈非有感於史閣部的壯烈成仁，有似於文丞相，而處在清廷高壓之下，卻不便於明言！其實，文公、史公，精忠殉國，頌文丞相，也就等於是頌史閣部，否則，討論孔子的言論，又何必遠自春秋，而下引宋人之言，以相質證呢？亭林之言，重點在悼念史閣部，因為有所諱避，故不得不出於借古喻今之途徑。（後世相傳，昔年史母夢見文天祥入家室而生史公，故道光間進士嚴保庸有聯輓史公曰：「生有自來文信國；死而後已武鄉侯。」乾隆間進士蔣士銓有聯輓史公曰：「讀前生浩氣之歌，廢書而嘆；結再世孤臣之局，過墓興哀。」也都是以史可法的前世為文天祥。）

顧亭林在史可法殉國後次年（1646年），撰有〈海上〉詩四首，感慨於當時的國家局勢，其中第四首云：「長看白日下蕪城，又見孤雲海上生，感慨河山追失計，艱難戎馬發深情。埋輪拗鏃周千畝，蔓草枯楊漢二京，今日

大梁非舊國，夷門愁殺老侯嬴。」[15]則更是措意於史閣部守揚州之事，王冀
民《顧亭林詩箋釋》，即言亭林以「蕪城」指揚州，以「白日」喻史可法，
以侯嬴自喻，以誌哀輓之意。詩中「蕪城」一辭，雖然取自於鮑照〈蕪城
賦〉之名，但史閣部殉國之後，清兵屠戮百姓，「揚州十日」，城郭幾成廢
墟，亭林先生時在崑山一帶，耳聞目擊，他在詩中使用「蕪城」一語，相信
在心也一定是倍感傷痛。

（四）慨歎閹宦亂政

《周禮・天官冢宰》云：

> 惟王建國，辨方正位，體國經野，設官分職，以為民極，乃立天官冢
> 宰，使帥其屬而掌邦治，以佐王均邦國。治官之屬，大宰，卿一人。
> 小宰，中大夫二人。」[16]

《周禮》記述職官，共有六大系列，計為天官、地官、春官、夏官、秋官、
冬官。天官之首為大宰一人，列於卿位，而以中大夫二人為小宰，以為太宰
之佐。天官之下，所屬官職，計有六十三職，其中有「閹人」、「寺人」等
官，《周禮・天官冢宰》云：

> 閹人：掌守王官之中門之禁，喪服、凶器不入宮，潛服、賊器不入
> 宮，奇服、怪民不入宮。凡內人、公器、賓客，無帥則幾其出入，以
> 時啟閉……。

> 寺人：掌王之內人及女宮之戒令，相道其出入之事而糾之。若有喪
> 紀、賓客、祭祀之事，則帥女宮而致于有司，佐世婦治禮事，掌內人
> 之禁令。……

---

15 王冀民：《顧亭林詩集釋》上冊，（北京：中華書局，1998年）頁70。
16 賈公彥：《周禮注疏》卷一，（臺北：藝文印書館，1993年）頁10。

九嬪：掌婦學之法，以教九御婦德、婦言、婦容、婦功，各帥其屬而以時御教于王所，……。

世婦：掌祭祀、賓客、喪紀之事，帥女宮而濯摡，為齍盛。……[17]

閹人之官，掌守王宮出入門禁，寺人之官，即是奄人宦官，九嬪之官，掌教導嬪妃之職，世婦之官，掌管理宮中侍女洗滌器皿之職，在王宮之中，都是易於接近君王之人，其他類似之官，如內豎、女御、女祝、女史、典婦功等，也與之相同，而《周禮》設官分職，這些官職都屬於太宰、小宰直接任命與督導管理。

顧亭林《日知錄》卷五〈閹人寺人〉條云：

閹人寺人屬於冢宰，則內廷無亂政之人，九嬪世婦屬於冢宰，則後宮無盛色之事。大宰之於王，不唯佐之治國，而亦誨之齊家者也。自漢以來，唯諸葛孔明為知此義，故其上表後主，謂宮中府中，俱為一體，而宮中之事，事無大小，悉以咨攸之、褘、允三人，於是後主欲采擇以充後宮，而終執不聽，宦人黃皓，終充之世，位不過黃門丞，可以為行周禮之效矣。後之人君，以為此吾家事，而為之大臣者，亦以為天子之家事，人臣不敢執而問也，其家之不正而何國之能理乎？

閹寺嬪御之繫於天官，周公所以為後世慮，至深遠矣，漢承秦制，有少府之官，中書謁者、黃門、鉤盾、尚方、御府、永巷、內者、宦者八官，令丞、諸僕射、署長、中黃門皆屬焉，然則奄寺之官，猶隸於外廷也。[18]

顧亭林以為，「閹人」、「寺人」、「九嬪」、「世婦」一類的官員，其職務都由冢宰治官所管轄，其官員也由太宰小宰直接任命督導，這些官員，都須向太宰和小宰負責，因此，這種制度的設計，可以使得「內廷無亂政之人」，「後

---

17 賈公彥：《周禮注疏》卷二，頁114。
18 黃汝成：《日知錄集釋》卷五，頁272。

宮無盛色之事」，亭林先生以為，家齊而後國治，國君在上，尤其是要作為萬民的表率，因此，《周禮》將閹人寺人等官職都歸屬於太宰，推其用意，不僅在使太宰輔佐君王治國，同時也是輔導君王齊家。他以為，諸葛亮在〈出師表〉中所說的「宮中府中，俱為一體，而宮中之事，事無大小，悉以咨之（郭）攸之、（費）褘、（董）允三人」一段話，是最能實踐《周禮》冢宰在這一方面精神的表現，所以，蜀漢劉後主雖不英明，他在位時，宦官近侍，卻始終不致為非作歹，因此，顧亭林說，「周公所以為後世慮，至深遠也」。

但是，到了後世，《周禮》之意，不復實行，而一般君主，也以為宮中之事，乃是皇族家事，外臣不宜過問，大臣震於帝王的威嚴，也遂不敢多問宮中之事，以致後代歷朝，宦官擅權之事，層出不窮，危害國家，其例不在少數。

顧亭林身當晚明清初之際，奄人宦官，專權擅政，如魏忠賢、劉瑾等人，設為東廠西廠，殘害大臣，毒害國家，以至明室覆亡，殷鑑不遠，亭林先生在《日知錄》此條之中，申論杜絕防止宦官為患之道，自然也是針對眼前的現實情況，心中有感而發。

（五）用兵當符正義

《周易‧師卦》云：

☷ 師，貞，丈人吉，无咎。[19]

〈師卦〉的〈彖傳〉云：「師，眾也，貞，正也，能以眾正，可以王矣，剛中而應，行險而順，以此毒天下，而民從之，吉又何咎。」〈象傳〉云：「地中有水，師，君子以容民畜眾。」師卦，下坎上坤，坎為水，坤為地，地中有水，為容眾聚民之象。〈師卦〉又云：

初六，師出以律，否臧凶。

---

19 孔穎達：《周易正義》卷一，（臺北：藝文印書館，1993年）頁35。

朱熹《周易本義》云:「律,法也。」指行軍出征,應當以律法綱紀部眾。

顧亭林《日知錄》卷一〈師出以律〉條云:

> 以湯、武之仁義為心,以桓、文之節制為用,斯之謂律。律即卦辭之
> 所謂「貞」也。《論語》言「子之所慎者戰」,長勺以詐而敗齊,泓以
> 不禽二毛而敗於楚,《春秋》皆不予之。故「先為不可勝,以待敵之
> 可勝,雖三王之兵,未有易此者也。[20]

亭林先生並不贊同朱熹釋「律」為「法」的解釋,他認為「律」的意義,
〈師卦〉卦辭中「貞,正也」的解釋較為正確,他認為,「師出以律」,引軍
出戰者,應該「以湯、武之仁義為心,以桓、文之節制為用」,因此,戰爭
的目的,應該是,捍衛正義,保護國家,才是英勇的行動,反之,窮兵黷
武,妄肆侵略,都是應該加以譴責的行為,因此,「軍以正興,兵以義動」,
才是正當的律則,在此條解說中,亭林先生已經將用兵的「師出以律」,從
戰術的層次,提高到戰略的層面,從節制軍隊紀律的技術層次,提升到「為
何而戰」,戰爭目標的精神層面。

由於亭林先生解釋「師出以律」,主張對於戰爭行為有更加高尚的期
許,因此,他對於春秋時代,魯莊公十年,齊魯戰於長勺,魯國用遭劌之謀
而取得勝利,以及魯僖公二十二年,宋楚戰於泓水,宋襄公因「不鼓不成
列,不禽二毛」而致失敗,《春秋》都不特別予以稱許,主要由於亭林先生
以為,戰爭殘酷,只有目的正當,目標符合正義,像商湯討伐夏桀,周武王
討伐商紂,弔民伐罪,以至仁伐至不仁,救民於水深火熱之中,才是符合正
義的戰爭。又像齊桓公的尊王攘夷,晉文公的拒斥外夷楚國的入寇,才是符
合正義的原則,才是真正值得稱譽的「師出以律」。

《孫子兵法・始計篇》說:「兵者,國之大事,死生之地,存亡之道,
不可不察也。」[21]這也是亭林先生處身在清人入關,明室覆亡之際,對於侵

---

20 黃汝成:《日知錄集釋》卷一,(上海:上海古籍出版社,2006年)頁15。

21 孫武:《孫子兵法》,(香港:太平書局,1966年)頁1。

略戰爭殘酷的痛恨，對於保家衛國的必要，感受深刻，從而也影響到他對軍事戰伐的見解。

（六）人貴修己自省

《周易·復卦》云：

> ䷗，復，亨，出入无疾，朋來无咎，反復其道，七日來復，利有攸往。[22]

〈復卦〉的〈彖傳〉云：「復，亨，剛反，動而以順行，是以出入无疾，朋來无咎，反復其道，七日來復，天行也。利有攸往，剛長也，復其見天地之心乎！」〈彖傳〉云：「雷在地中，復。」復卦，下震上坤，震為雷，坤為地，雷動於地下，一陽動於五陰之下，象徵陰氣凝結已極，陽氣開始回復，故得以亨通無所咎責，而歷經七日，可返於正道。

〈復卦〉又云：

> 初九，不遠復，无祗悔，元吉。〈象曰〉：「不遠之復，以修身也。」[23]

顧亭林《日知錄》卷一〈不遠復〉條云：

> 《復》之「初九」，動之初也。自此以前，喜怒哀樂之未發也。至一陽之生而動矣，故曰「復」，其見天地之心乎？顏子體此，故「有不善未嘗不知，知之未嘗復行」，此慎獨之學也。回之為人也，「擇乎中庸」；夫亦擇之於斯而已，是以「不遷怒，不貳過」。

> 其在凡人，則《復》之「初九」，日夜之所息，平旦之氣，其好惡與人相近也者幾希。苟其知之，則擴而充之矣。故曰「復小而辨於

---

22 孔穎達：《周易正義》卷三，頁64。
23 孔穎達：《周易正義》卷三，頁65。

物」。[24]

亭林先生在《日知錄》此條之中，首先引用〈中庸〉、〈大學〉以及顏回修己之學，以與〈復卦〉初九一爻之義，相互印證，程頤《易傳》解釋〈復卦〉初九一爻云：「一陽復於下，乃天地生物之心也，先儒皆以靜為見天地之心，蓋不知動之端，乃天地之心也。」[25]伊川以為，〈復卦〉初九一爻，始動於五陰之下，為天地萬物復甦之現象，而亭林先生，則將〈復卦〉初九一爻，依〈象傳〉之說，引歸人生道德之修養，他以為，〈復卦〉未動之前，正如《禮記·中庸》所謂的「喜怒哀樂之未發，謂之中」[26]，人們皆有喜怒哀樂之情，當其情尚未顯發，尚未產生偏倚之處時，則謂之為「中」，而〈復卦〉初九，一陽始動於五陰之下，則似〈中庸〉所謂「發而皆中節，謂之和」，人之感情，當其發出，而皆能切乎人情之正，則謂之為「和」，由「中」至「和」，也正如〈復卦〉初九一陽初動之際，顏回深深能夠體會此理，用以自修己身，故能「有不善未嘗不知，知之未嘗復行」（見《易·繫辭下傳》），所以，顏回能夠實踐「慎獨」之學，（〈大學〉、〈中庸〉）皆曾論及慎獨之義）能夠「擇乎中庸」之道，所以才能實踐「不遷怒，不貳過」（《論語·雍也》）道德的修養。

顏回被後世稱為復聖，又得到孔子為師，善加引導，故能聞一知十，自省自知，復於善道。至於一般平凡之人，亭林先生則以孟子所謂「平旦之氣」，而與〈復卦〉初九一爻相印證，《孟子·告子上》云：「雖存乎人者，豈無仁義之心哉！其所以放其良心者，亦猶斧斤之於木也，旦旦而伐之，可以為美乎？其日夜之所息，平旦之氣，其好惡與人相近也者幾希，則其旦晝之所為，有牿亡之矣。」朱熹《孟子集注》云：「平旦之氣，謂未與物接之時，清明之氣也。」[27]凡人之情，往往於喜怒哀樂之際，不能合於中和的境

---

24 黃汝成：《日知錄集釋》卷一，頁20。
25 程頤：《易傳》卷二，（臺北：河洛圖書出版社，1974年）頁211。
26 孔穎達：《禮記正義》卷五十二，（臺北：藝文印書館，1993年）頁879。
27 朱熹：《孟子集注》卷六，（臺北：學海出版社，1984年）頁360。

地，只有在靜夜初醒，清晨平旦之時，往往清明在躬，最易回復其感情的「中和」境界，因此，人們如能於平旦之時，自省己過，恢復心中本具的善端，進德修業，則正是〈復卦〉初九一爻的精神所在，故亭林先生對於一般常人，也特別以此多加激勵。

（七）公私宜加分別

《詩·小雅·大田》云：

> 有渰萋萋，興雨祁祁，雨我公田，遂及我私。[28]

〈大田〉之詩，共四章，多言農家耕作之情況，其中第三章前四句，言天降春雨，雨水既降於公田之中，也同時降落在私田之內。因周代實行井田制度，農夫共耕公田一畝，自耕私田八畝，故詩中有此言語。又《詩·豳風·七月》云：

> 四月秀葽，五月鳴蜩，八月其穫，十月隕蘀，一之日于貉，取彼狐狸，為公子裘，二之日其同，載纘武功，言私其豵，獻豜于公。[29]

〈七月〉之詩，共八章，全詩記述農家生活的情況，此第四章，言冬季到來，獵取狐皮，以為公子作皮裘，及至臘月降臨，教民田獵，講習武事，捕得小獸，留作民食，捕得大獸，則獻於國君。

顧亭林《日知錄》卷三〈言私其豵〉條云：

> 「雨我公田，遂及我私」，先公而後私也。「言私其豵，獻豜於公」，先私而後公也。自天下為家，各親其親，各子其子，而人之有私，固情之所不能免矣，故先王弗為之禁。非惟弗禁，且從而恤之。建國親侯，胙土命氏，畫井分田，合天下之私以成天下之公，此所以為王政

---

28 孔穎達：《毛詩正義》卷十四，（臺北：藝文印書館，1993年）頁472。
29 孔穎達：《毛詩正義》卷八，頁276。

也。至於當官之訓，則曰以公滅私，然而祿足以代其耕，田足以供其
祭，使之無將母之嗟，室人之讁，又所以恤其私也。此義不明久矣。
世之君子必曰「有公而無私」，此後代之美言，非先王之至訓矣。[30]

針對人們生活在社會上，面對公私之際，應該如何抉擇的問題，亭林先生將
人們區分為兩類，一類是廣大的庶民農夫，一類是出任公職的官員。他先論
庶民的情況，再論仕宦的官箴。

　　亭林先生以為，凡人都有七情六欲，利己之心，多不能免，「有公而無
私」的情形，並不能求之於人人，《詩經・大田》中所謂的「雨我公田，遂
及我私」，似乎是「先公後私」，主要是井田制度的規定行為，至於《詩經・
七月》中所謂的「言私其豵，獻豜于公」，似乎是「先私後公」，主要也是古
代教民田獵講武時的一種行為規範。因此，「人之有私，固情之所不能免
矣，故先王弗為之禁」，並且，還「從而恤之」，以滿足庶民正常的「小
私」，以達到安定庶民生活的目的。

　　至於一般出仕在官之人，亭林先生則以為，他們既已擁有公職，在各級
政府工作，自然應當「以公滅私」，奉公守法，不營私利，以妨礙公務，但
對於服務公職之人，亭林先生也提出，政府必需給予「祿足以代耕，田足以
供其祭」，使之能夠「無將母之嗟，室人之讁」，使在公職者，生活不虞匱
乏，免於凍餒其父母，饑餓其妻子兒女，薪俸足以養廉，才能使官員們專心
公務，心無旁鶩，不生非份之想，不貪圖私利。

　　因此，亭林先生分別就一般庶民與服有官職者，提出兩種面臨公私之
際，何者優先的辦法，確實屬於是比較貼近人情的見解。

（八）為政富民為本

　　《尚書・益稷》云：

---

30 黃汝成：《日知錄集釋》卷三，頁148。

帝曰：「來，禹，汝亦昌言。」禹拜曰：「都！帝，予何言？予思日孜孜。」皋陶曰：「吁！如何？」禹曰：「洪水滔天，浩浩懷山襄陵，下民昏墊。予乘四載，隨山刊木，暨益奏庶鮮食。予決九川距四海，浚畎澮距川。暨稷播，奏庶艱食鮮食。懋遷有無，化居。烝民乃粒，萬邦作乂。」皋陶曰：「俞！師汝昌言。」[31]

〈益稷〉篇，屬於古文《尚書》，記述禹與伯益及后稷二人治理洪水，教導民眾捕食鳥獸，教導民眾播種百穀，使百姓能均平貨物，互通有無，使得天下百姓，生活安定，而不致匱乏之事。今文《尚書》以此篇合上篇〈皋陶謨〉為一篇，總名為〈皋陶謨〉。

顧亭林《日知錄》卷二〈懋遷有無化居〉條云：

「懋遷有無，化居」。化者，貨也。運而不積則謂之化，留而不散則謂之貨。唐虞之世，曰化而已。至殷人始以貨名。《仲虺》有「不殖貨利」之言，「三風」有「殉於貨色」之儆，而《盤庚》之誥則曰「不肩好貨」，於是移「化」之字為化生化成之「化」，而厚斂之君、發財之主多不化之物矣。

又云：

舜作《南風》之歌，所謂勸之以「九歌」者也。讀之然後知「解吾民之慍」者，必在乎「阜吾民之財」。而自阜其財，乃以來天下之慍。[32]

亭林先生以為，〈益稷〉篇中的化字，是貨字之義，因此說，「化者，貨也」，以為「古化，貨二字多通用」（見《日知錄》原注），在「唐虞之世，曰化而已，至殷人始以貨名」，因此，化與貨二字，為古今字，唐虞時代，只用「化」字，殷商以後，才用「貨」字。

亭林先生，先引述《尚書・虞夏書》中〈益稷〉篇的「懋遷有無化

---

31 孔穎達：《尚書正義》卷五，（臺北：藝文印書館，1993年）頁66。
32 黃汝成：《日知錄集釋》卷二，（上海：上海古籍出版社，2006年）頁67。

居」，以說明為政當流通貨物，以應有無，才能造福民眾。亭林先生又引述《尚書‧商書》中〈仲虺之誥〉的商湯的大臣仲虺，稱讚商湯「惟王不邇聲色，不殖貨利」[33]，能夠深自約束，不接近聲色犬馬與貪求財利的行為。又引述《尚書‧商書》的〈伊訓〉篇所記，商湯去世之後，太甲繼立為君，大臣伊尹敘說商湯之言，作為對太甲的教導，商湯曾說：「敢有恆舞于宮，酣歌于室，時謂巫風。敢有殉于貨色，恆于游畋，時謂淫風。敢有侮聖言，逆忠直，遠耆德，比頑童，時謂亂風。惟茲三風十愆，（十愆，指舞、歌、貨、色、游、畋、侮、逆、遠、比。）卿士有一于身，家必喪，邦君有一于身，國必亡。臣下不匡，其刑墨，具訓于蒙士。」[34]商湯教訓子孫大臣，也提出了「殉于貨色」等等告誡。又引述《尚書‧商書》中的〈盤庚〉所記，商君盤庚自奄地遷都到安陽，勉勵群臣，提出「朕不好肩貨，敢恭生生。鞠人謀人之保居，敘敬。」[35]用以勉勵大臣，照顧百姓，切勿聚斂財寶，這些都在說明君主用人，應任用那些關切百姓生活安樂的大臣，而絕不任用貪財好貨之徒。

亭林先生引述《尚書》，說明唐虞之世，習用「化」字，殷代以後，習用「貨」字，而殷商以後，「化」字之義，逐漸轉為變化之用，而政治上的賢君漸少，昏君漸多，所以，「厚斂之君，發財之主」越來越多，也罔顧貨物流通對於人民生活的重要性，而百姓們的生活，也就越來越痛苦了。

在《日知錄》此條的第二節中，亭林先生提出了「南風之歌」以及「九歌」的情形，《禮記‧樂記》云：「昔者舜作五弦之琴以歌〈南風〉。」鄭玄注云：「〈南風〉，長養之風也，以言父母之長養己，其辭未聞。」孔穎達《禮記正義》云：「案《聖證論》引《尸子》及《家語》難鄭云：『昔者舜彈五弦之琴，其辭曰：南風之薰兮，可以解吾民之慍兮，南風之時兮，可以阜吾民之財兮。』」[36]又《左傳》文公七年記載晉國郤缺之言云：「《夏書》

33 孔穎達：《尚書正義》卷八，頁110。
34 孔穎達：《尚書正義》卷八，頁113。
35 孔穎達：《尚書正義》卷八，頁134。
36 孔穎達：《禮記正義》卷三十八，頁677。

曰：『戒之用休，董之用威，勸之以〈九歌〉，勿使壞。』九功之德，皆可歌也，謂之九歌。六府、三事，謂之九功。水、火、金、木、土、穀，謂之六府，正德、利用、厚生，謂之三事」[37]是六府、三事，謂之為九功，九功之德，都是關係於人民生活日用必需的事務，政府對九功之事，努力推動，能夠造福民眾，使百姓生活不虞匱乏，人人能夠獲得溫飽，則人民感激在心，口中所歌唱的，自然是〈南風〉中「阜吾民之財兮」的歌詞，反之，如果百姓無法獲得基本生活的保障，甚至陷入饑餓痛苦的地步，則民心積怨，口中所歌唱的，必然是憤懟之詞，〈南風〉中的「吾民之慍」，也就難以解除了。

孔子曾說：「百姓足，君孰與不足？百姓不足，君孰與足？」[38]《大學》上也說：「財聚則民散，財散則民聚。」[39]在上位者，自君主以至各級官員，如果其人一心只想設法去搜刮聚斂錢財，又怎能獲得百姓的信任與尊敬呢？故亭林先生藉著《尚書‧益稷》之言，抒發為政之道，應以富裕百姓，為其根本精神。

（九）治國鑑往知來

《論語‧為政》云：

> 子張問十世，可知也？子曰：「殷因於夏禮，所損益，可知也。周因於殷禮，所損益，可知也。其或繼周者，雖百世可知也。」

朱熹《論語集注》云：

> 三綱五常，禮之大體，三代相因，皆因之而不能變。其所損益，不過文章制度，小過不及之間。[40]

---

37 孔穎達：《左傳正義》卷十九，頁319。
38 朱熹：《論語集注》卷六，（臺北：學海出版社，1984年）頁135。
39 朱熹：《大學章句》，（臺北：學海出版社，1984年）頁14。
40 朱熹：《論語集注》卷一，頁66。

子張向孔子請問的，主要是世事未來的發展，孔子所回答的，卻是由古代可以推知後代，鑑往可以知來，孔子的回答，主要是落在典章制度與道德倫常方面。

顧亭林《日知錄集釋》卷七〈子張問十世〉條云：

> 《記》曰：「聖人南面而治天下，必自人道始矣。立權度量，考文章，改正朔，易服色，殊徽號，異器械，別衣服，此其所得與民變革者也。其不可得變革者則有矣，親親也，尊尊也，長長也，男女有別，此其不可得與民變革者也。」自春秋之并為七國，七國之并為秦，而大變先王之禮。然其所以辨上下，別親疏，決嫌疑，定是非，則固未嘗有異乎三王也。故曰：「其或繼周者，雖百世可知也。」

> 自古帝王相傳之統，至秦而大變。然而秦之所以亡，漢之所以興，則亦不待讖緯而識之矣。「不仁而得天下，未之有也」，此百世可知者也。「保民而王，莫之能禦也」，此百世可知者也。[41]

亭林先生在本條中指出，君王治理天下，所謂「立權度量，考文章，改正朔，易服色，殊徽號，異器械，別衣服」，都是屬於典章制度方面的儀節，這些儀節，可以因時間的轉易而加以變革，但是，所謂「親親也，尊尊也，長長也，男女有別」，都是屬於道德倫常方面的精神，卻不可以隨時間的轉易而加以變更，因此，子張所問，雖然並未專指那一方面的問題，但是，孔子回答，所側重的，卻是人生社會不可改易的道德倫常，所以才肯定地說那是「雖百世可知」的情形。

亭林先生又指出，傳統的道德倫常，典章制度，到秦始皇統一天下之後，卻大遭改變，只是，追究秦之所以滅亡，漢之所以振興，其原因，卻在暴秦以不仁而得天下，也以不仁而迅速地亡天下，從而推論為政治民，「仁」與「不仁」，才是真正興衰的根本原因，這種情形，也是「雖百世可知」的道理，並以此勗勉及警惕後世之為政者。

---

41 黃汝成：《日知錄集釋》卷七，頁393。

三　結語

　　經為常道，經義所論，本來就不離於人倫日用之間，西漢時代，君王提倡經學致用，大臣言事，也往往援引經義，以作判斷。

　　《漢書・平當傳》記載：「每有災異，當輒傅經術，言得失。」又記載：「當以經明〈禹貢〉，使行河，為騎都尉，領河隄。」[42] 這是以〈禹貢〉治黃河的例子。

　　《漢書・夏侯勝傳》記載，勝習《尚書》，說災異，漢昭帝崩後，昌邑王嗣立，大將軍霍光與車騎將軍張安世共謀欲廢昌邑王，慮涉謀，問於夏侯勝，勝對言，引〈洪範五行傳〉「皇之不極，厥罰常陰，時則下人有伐上者」回答，斷以為「臣下有謀」[43]，霍光與劉安世大驚，後十餘日，二人上奏太后，廢昌邑王，尊立宣帝，由此益重經術之士。這是以〈洪範〉察變的例子。

　　《漢書・雋不疑傳》記載，武帝末年，宦官江充埋蠱於宮中，密報武帝，誣告太子，太子與皇后密謀斬充，兵敗，皇后自殺，太子出亡，傳也自殺。昭帝元始五年，有一男子乘黃犢車，詣北闕，自稱太子，長安城中圍觀者數萬人，文武大臣至者，莫敢發言，京兆尹雋不疑後至，令從吏收縛此人，有人以為，是非尚未可知，應暫時觀察，雋不疑引《春秋》所說衛靈公世子蒯聵，出亡晉國，靈公卒後，使蒯聵之子蒯輒嗣位，後蒯聵欲入衛，蒯輒加以拒絕，《公羊傳》以為，蒯輒聽從祖父之令，而不從父親之令，其事甚當。由此判斷，即使武帝太子前來，也是身為罪人，因而送交獄中。[44] 這是以《春秋》斷事的例子。

　　《漢書・儒林傳》記載，王式為昌平王師，昭帝崩，昌邑王嗣立，以行淫亂，被廢，昌邑王群臣皆下獄，官吏責問王式，既為帝師，何以無諫諍之

42　班固：《漢書》卷七十一，（臺北：鼎文書局，1991年）頁3050。

43　班固：《漢書》卷七十五，頁3155。

44　班固：《漢書》卷七十五，頁3035。

書，王式回答：「臣以《詩》三百五篇朝夕授王，至於忠臣孝子之篇，未嘗不為王反覆誦之也，至於危亡失道之君，未嘗不流涕為王深陳之也。臣以三百五篇諫，是以亡諫書。」[45]這是以三百五篇《詩經》作為諫書的例子。

魏晉時代，玄學盛行，經學著述，也多漸染了玄理之風。唐代經學，專尚注疏之作。宋元時期，崇尚理學，明代心學尤盛，及至晚明，狂禪大行，亭林先生有感於此，因而倡導徵實致用之學，加以挽救。

拙稿前節之中，從《日知錄》中枚舉了九個例子，對於亭林先生「通經致用」的為學精神，只能算是嘗鼎一臠，未能窺見全豹。即此九例，可以窺見亭林先生研究經學的精神，至少有以下兩項特點：

其一，緊扣時代脈息，用為鑒戒。

其二，引歸修齊治平，國計民生。

亭林先生的經學，有徵實的一面，也有致用的一面，但是，經學在清代的發展，由於滿廷網禁的嚴苛，卻僅僅走上徵實而考證的途徑，至於經世致用的方向，則遭受到嚴重的扼殺。

經學研究，可以有許多種不同的方法，拙稿的撰寫，只是意在指出，顧亭林先生「通經致用」的研究態度，為學精神，值得經學愛好的同仁們去留意了解。

---

[45] 班固：《漢書》卷八十八，頁3610。

論蘇軾《易》與王弼《易》、
伊川《易》之異同[*]

楊自平

中央大學中文系教授

提要

　　學界對蘇軾《易》已有相當多的研究，然對蘇軾《易》與王弼《易》、伊川《易》作深入比較者較少。故分別從論《易》的定位及卦爻關係、論象數、論卦變與卦主、義理釋《易》四方面，比較三子說法之異同，藉以彰顯蘇軾《易》學的特色，又可為《易》學史明確指出三子《易》學鮮明的差異。蘇軾在卦、爻辭關係及《易》數議題有其獨特見解，對卦變的論法與伊川相同，且亦重視卦主，義理立場近於老莊。既承繼王弼《易》學，又有所開展，雖與伊川皆重視人事之理，但明顯異於伊川鮮明的儒學色彩。無論在卦、爻辭的解釋或《易》學哲學都有其獨特處。

關鍵詞：蘇軾　東坡易傳　王弼　伊川　易學

---

* 本文於「第九屆中國經學國際學術研討會」，承蒙明道大學中文系張麗珠教授講評，會後業經修改，刊登於《中國學術年刊》（THCI）第38期（2016年3月），頁1-26。

一　前言

　　蘇軾（字子瞻，號東坡居士，1037-1101），經學著作有《易傳》、《書傳》、《論語解》，目前僅存《易傳》及《書傳》。關於《易傳》之成書，實成於三蘇父子之手，[1]然該書以蘇軾的見解為主。

　　金生楊《《蘇氏易傳》研究》指出蘇軾《易》學的新意所在，言道：

> 比如以「卦合而言之」、「爻別而觀之」解決卦、爻關係，以多種方式取以為卦義解決卦義的問題，又提出卦皆有時，「用事之爻」等理論，還引入爭鬥的方式重樹爻爻關係等。蘇氏不排斥象數《易》學，在義理的基礎上適當地吸收並發展象數《易》學的部分理論為己服務。比如在卦變、卦象等問題上的新發展深得後人關注。[2]

並回應朱子批評蘇軾為雜學，言道：

> 蘇軾善於融會眾學於一爐，在《易傳》之中，他把性命義理與卦爻結構相結合，把政治主張與卦爻之義相聯繫，把各爻的眾多表現與現實人們的行為相比擬，其中更寄託了他個人的情感、理想，與程頤相較，蘇軾的解說是自然和諧的易學研究，而非程頤脫離《易》的理論闡發。[3]

　　金生楊異於朱子對蘇軾《易》學採批評的看法，而多予正面肯定，然對蘇軾的評論及論蘇、程差異則有待商榷。既然蘇軾釋《易》談了許多性命義理、政治主張及個人理想，為何仍評為「自然和諧的易學研究」，這不正像他對伊川的批評。此外，雖然朱子批評程頤釋《易》，義理上說得太多，然

1　這方面可參見金生楊《《蘇氏易》研究》第一章〈《蘇氏易傳》的撰述與流傳〉，金生楊：《《蘇氏易傳》研究》（成都市：巴蜀書社，2002年），頁51-67。

2　金生楊：《《蘇氏易傳》研究》，頁319-320。

3　金生楊：《《蘇氏易傳》研究》，頁327。

深究之，仍是扣緊卦、爻辭去談的，[4]而非如金生楊所批評「脫離《易》的理論闡發」。

　　近期學界對蘇軾《易》的研究，較關注解《易》作法及義理特色，尤以後者為多。鄧秀梅曾歸納蘇軾三類解《易》作法：以上下兩卦體解卦義、以應爻釋卦理、卦合吉、爻別凶之觀易法。[5]在義理方面，林麗真指出：「《東坡易傳》實是一套『本乎一』或『明乎一』的宇宙人生哲學。」[6]范立舟指出：「在他看來，此『自然之理』之奧妙可用『出於一而兩於所在』涵括之。」[7]鄧秀梅則認為，《東坡易傳》以人事之理為主。並由三點闡發蘇軾義理：陰柔、陽剛之特質，寬裕溫柔的處世之道、尚無用柔之玄理。[8]

　　鑑於前賢針對蘇軾《易》已作相當多的討論，然仍有兩個重要問題值得關注的，一是與王弼（字輔嗣，226-249）《易》的關聯，舒大剛據四庫館臣所云：「大體近於王弼，而弼之說惟暢玄風，軾之說多切人事。」[9]認為王弼《易》與蘇軾《易》的差別在於「王弼『唯暢玄風』，而蘇軾之說『多切人事』」[10]，並指出蘇軾具有漸變革新的思想，[11]及矛盾觀。[12]二是與程頤（字正叔，1033-1107）《易》的異同，這方面學界並未多所關注，故本文擬在前

4　以程頤釋〈屯〉初六「發蒙，利用刑人，用說桎梏，以往吝」，加入對聖人為治設刑的看法，言道：「自古聖王為治，設刑罰以齊其眾，明教化以善其俗，刑罰立而後教化行。雖聖人尚德而不尚刑，未嘗偏廢也。故為政之始，立法居先。」〔宋〕程頤：《易傳》，收入《二程集》（二）（臺北市：漢京文化事業有限公司，1983年），頁720。雖然這段文字並非為解釋爻辭而設，然仍與爻辭有關，並非如金生楊所批評「脫離《易》的理論闡發」。

5　鄧秀梅：〈《東坡易傳》釋易方法與義理分析〉，《東海中文學報》第24期（2012年7月），頁118-128。

6　林麗真：《義理易學鉤玄》（臺北市：大安出版社，2004年），頁125。

7　范立舟：〈《東坡易傳》與蘇軾的哲學思想〉，《社會科學輯刊》2009年第5期，頁5。

8　鄧秀梅：〈《東坡易傳》釋易方法與義理分析〉，《東海中文學報》第24期（2012年7月），頁128、頁129-139。

9　〔清〕永瑢等：《四庫全書總目》（北京市：中華書局，1995年），頁6。

10　舒大剛：〈序〉，《《蘇氏易傳》研究》，頁19。

11　舒大剛：〈序〉，《《蘇氏易傳》研究》，頁19-20。

12　舒大剛：〈序〉，《《蘇氏易傳》研究》，頁19-20。

人成果後，進一步探討蘇軾《易》對王弼《易》的承繼及開展，並深入考察同期且皆重人事之理的伊川《易》對人事之理的闡發有何差別，透過比較分析見出蘇軾《易》的特色及價值。

二　論蘇軾與王弼、伊川論《易》的定位及卦爻關係之異同

　　三子對《易》的定位認定略有不同。蘇軾認為《易》為卜筮之書，《易》辭保存聖人之道。蘇軾云：「夫《易》本於卜筮，而聖人開言於其間，以盡天下之人情。」[13]又進一步指出，聖人作《易》辭以盡人情，與從事實際占筮的日者，據陰陽之數以論吉凶不同。蘇軾云：「挾策布卦，以分陰陽而明吉凶，此日者之事，而非聖人之道也。」[14]王弼與伊川未將《易》視為卜筮之書，均以義理之書視《易》。朱子曾論王弼云：「至王弼用老、莊解，後人便只以為理，而不以為卜筮。」[15]伊川亦云：「將以順性命之理，通幽明之故，盡事物之情，而示開物成務之道也。」[16]

　　即此而論，三子均認為《易》有聖人之道，稍出入處在於蘇軾指出《易》本為卜筮之書，然三子皆重視《易》辭，以義理解《易》。

　　至於「易」的涵義，蘇軾兼重不易與變易，認為恆並非執一不變，變則有窮而變及未窮而變之分，而恆之所以恆是未窮而變，方能終始循環無間。蘇軾云：

　　　物未有窮而不變者，故恆非能執一而不變，能及其未窮而變爾。窮而

13　〔宋〕蘇軾：〈易論〉，《東坡全集》，《景印文淵閣四庫全書》第1167冊（臺北市：臺灣商務印書館，1983-1986年），卷41，頁1b。

14　〔宋〕蘇軾：〈易論〉，《東坡全集》，卷41，頁1a。

15　〔宋〕黎靖德：《朱子語類》，《朱子全書》（16）（上海市：上海古籍出版社、合肥市：安徽教育出版社，2002年），卷66，頁2181。

16　〔宋〕程頤：〈易傳序〉，《周易程氏傳》，收入《二程集》（臺北市：漢京文化事業有限公司，1983年），頁689。

後變，則有變之形；及其未窮而變，則無變之名，此其所以為恆也。故居〈恆〉之世而利有攸往者，欲及其未窮也；夫能及其未窮而往，則終始相受如環之無端。[17]

蘇軾先肯定常道、常理，然亦指出不可執理不變，須於未窮之際求變，進而於變中保存常理。曾以卦「剛柔相交，上下相錯」[18]而稱「至錯」，卦顯常理，六爻展現變化，而變化中有卦之常理存焉。蘇軾云：「故卦者，至錯也；爻者，至變也。至錯之中有循理焉，不可惡也；至變之中有常守焉，不可亂也。」[19]

至於王弼則強調變易，然此變易非相對義，而是超越義的「至變」。陰陽變化無窮，藉由卦畫、卦辭以明時，由爻畫、爻辭以明變。王弼云：「範圍天地之化而不過，曲成萬物而不遺，通乎晝夜之道而無體，一陰一陽而無窮。非天下之至變，其孰能與於此哉！是故，卦以存時，爻以示變。」[20]

伊川雖似王弼重時變，言「易，變易也」，然實近於蘇軾變易須本於常道，但又略有不同，指出常道本身具有變化性。〈易傳序〉云：「易，變易也，隨時變易以從道也。」[21]又云：「天下之理未有不動而能恆者也，動則終而復始，所以恆而不窮。……唯隨時變易乃常道也。」[22]

綜觀三子論易的涵義，蘇軾強調不可執理不變，須於未窮之際求變，進而於變保存常理。王弼則談明時通變，較強調變易；至於伊川，表面看來只談易為變易，然深究則發現，伊川談變易是關聯常道而言的，一方面常道之所以為常道便是它本身不斷變化，另方面，人亦須依時而變化以順從於道。

---

17 〔宋〕蘇軾：《東坡先生易傳》，《無求備齋易經集成》第16冊（臺北市：成文書局，1976年），頁181。

18 〔宋〕蘇軾：《東坡先生易傳》，頁386。

19 〔宋〕蘇軾：《東坡先生易傳》，頁386。

20 〔魏〕王弼、〔晉〕韓康伯：《周易略例》，《周易王韓注》（臺北市：大安出版社，1999年），頁254。

21 〔宋〕程頤：〈易傳序〉，《周易程氏傳》，頁689。

22 〔宋〕程頤：《周易程氏傳》，卷3，頁862。

　　至於三子論卦畫、卦辭與爻畫、爻辭的關聯，蘇軾以整體與部分、常與變、性與情三組概念解釋二者的關係，認為卦畫、卦辭是整體，有其體性，具恆定性，類似人的性體；爻畫、爻辭是部分，以卦的部分特質適應環境變化，具變化性，類似人情。蘇軾云：「彖者材也，八卦相值，材全而體備；……爻者效天下之動，分卦之材，裂卦之體，而適險易之變也。」[23]又指出：「卦有成體，小、大不可易；而爻無常辭，隨其所適之險易。」[24]

　　順此，蘇軾提出「卦合而言之」、「爻別而觀之」的觀念，學者多簡稱為「卦合爻別」，此為蘇軾重要主張。蘇軾曾以此釋〈咸〉卦，言道：

> 是故在卦者，〈咸〉之全也，而在爻者〈咸〉之粗也。爻配一體，自拇而上至於口，當其處者有其德，德有優劣，而吉凶生焉。合而用之，則拇履、腓行、心慮、口言，六職並舉，而我不知，此其為卦也；離而觀之，則拇能履而不能捉，口能言而不能聽，此其為爻也。方其為卦也，見其咸而不見其所以咸，猶其為人也，見其人而不見其體也。六體各見，非全人也。見其所以咸非全德也，是故六爻未有不相應者而皆病焉，不凶則吝，其善者免於悔而已。[25]

蘇軾釋〈咸〉卦義為「以神交夫神者」，且強調須「遺其心」[26]，亦即無心無為的精神感通。因此，卦義既然強調無心的感通，故能忘身，遂云「六職並舉，而我不知」，卦辭亦就此此狀況言「亨」。至於六爻分別代表身體、感官，包括足、小腿、大腿、心、口各部位，並認為不可執著形軀、感官，曾云：「身忘而後神存，心不遺則身不忘，身不忘則神忘，故神與身非兩存也。」[27]六爻爻辭分別執於形軀、感官，故未能得〈咸〉之正，故爻辭多為凶、吝，較好的情況僅免於悔恨。

23　〔宋〕蘇軾：《東坡先生易傳》，頁418。

24　〔宋〕蘇軾：《東坡先生易傳》，頁372。

25　〔宋〕蘇軾：《東坡先生易傳》，頁176-177。

26　〔宋〕蘇軾：《東坡先生易傳》，頁176。

27　〔宋〕蘇軾：《東坡先生易傳》，頁176。

金生楊曾詮釋「卦合爻別」云：「他具體分析各爻的情況，又將六爻作為整體考察，從而求得六爻可齊之端。這樣就形成了局部與整體辯證的統一、共性與個性的統一。」[28]金生楊以局部與整體來理解，大抵無誤，唯「辯證的統一」有所不足，蘇軾的說法看不出有此意。

鄧秀梅亦詮釋「卦合爻別」，唯補充對「卦統而論之，故言其合之吉；爻別而觀之，故見其離之凶」的看法云：「但此處蘇子特提出『卦統而論之，故言其合之吉；爻別而觀之，故見其離之凶』的理論，恐怕重點應該放在下一句才是，亦即某些卦爻不能分離卦體而單一疏解，單一疏解唯見其凶，而不見其吉。」[29]

鄧秀梅的詮解，實誤解蘇軾的意思。蘇軾的原意是注意到卦、爻辭出現相關但不一致的情形，故對此現象提出以「卦合爻別」加以化解。以〈履〉卦來看，卦辭「履虎尾，不咥人，亨」，六三「履虎尾，咥人，凶」，蘇軾解釋同為「履虎尾」，卦辭言「不咥人」的原因是：「乾有九二，乾不能用，而使六三用之，九二者虎也。虎何為用於六三而莫之咥？以六三之應乎乾也。」六三言「咥人」是因：「夫三與五合，則三不見咥，而五不病；五與三離，則五至於危，而三見咥。」造成不同的論斷是因「卦統而論之，故言其合之吉；爻別而觀之，故見其離之凶，此所以不同也。」[30]亦即卦辭是就六爻整體來看，談三與五合；而爻辭是單就六三一爻來看，特就三、五爻不合而論。

至於王弼，首先就卦、爻關係而言，王弼認為「卦」是談卦時，如，〈乾〉卦代表處乾之時，〈否〉卦代表處閉塞之時。「爻」是指處於該卦時應有的因應作為。王弼「夫卦者，時也；爻者，適時之變者也。夫時有否泰，故用有行藏。」[31]至於卦辭、爻辭關係，卦有大、小之別，卦辭亦有吉凶險

28 金升楊：《《蘇氏易傳》研究》，頁107。

29 鄧秀梅：〈《東坡易傳》釋易方法與義理分析〉，《東海中文學報》第24期（2012年7月），頁125。

30 〔宋〕蘇軾：《東坡先生易傳》，頁66。

31 〔魏〕王弼、〔晉〕韓康伯：《周易略例》，《周易王韓注》，頁257。

易之別。各卦之反卦或對卦，卦時產生變化，爻辭亦隨之變易。王弼云：「卦有小大，辭有險易，……故卦以反對，而爻亦皆變。」[32]又云：「存其時，則動靜應其用。」[33]

至於伊川的觀點，彼嘗論《易》辭云：「觀卦之象而繫之以辭，明其吉凶之理，以剛柔相推而知變化之道。」[34]又據〈繫辭傳〉「彖者言乎象者也，爻者言乎變者也」分別論卦辭、爻辭的性質，指出：「彖言卦之象，爻隨時之變。」[35]亦即卦、爻辭是觀卦象而明吉凶及剛柔變化之理。至於「彖言卦之象」並非指卦辭專論卦象，而是卦辭重卦象整體，與爻辭只論一爻不同。至於爻辭談「隨時之變」，「時」是就卦而言，即卦時之意，此可由伊川「卦有小大，於時之中有小大」[36]見出，並認為爻辭乃論各爻因應卦時而有的變化。伊川論爻辭的看法與王弼一致。

綜觀三子所論，伊川與王弼在卦辭談卦時，爻辭談因應卦時的種種變化這點是相同的，唯一不同者，伊川提出「彖言卦之象」，伊川釋卦辭前，常就上、下二體談卦象及卦德，或談六畫卦的陰陽關係，足見對卦象的重視，這方面王弼談得少，就《周易註》來看，僅於八個卦的卦辭談到卦象、卦德。[37]王弼較常談卦象、卦德是在釋〈彖傳〉處。

蘇軾有一看法與伊川相同，皆承繼〈繫辭傳〉「彖者言乎象者也，爻者言乎變者也」論卦辭、爻辭，卦辭言卦整體之象，爻辭論所處情境之險易，唯補充爻未嘗無小大，只是強調適時之變。蘇軾云：

---

32 〔魏〕王弼、〔晉〕韓康伯：《周易略例》，《周易王韓注》，頁257-258。

33 〔魏〕王弼、〔晉〕韓康伯：《周易略例》，《周易王韓注》，頁257-258。

34 〔宋〕程頤：《河南程氏經說》《易說》，《二程集》（二），頁1027。

35 〔宋〕程頤：《河南程氏經說》《易說》，《二程集》（二），頁1028。

36 〔宋〕程頤：《河南程氏經說》《易說》，《二程集》（二），頁1028。

37 王弼釋〈屯〉云：「剛柔始交，是以屯也。」釋〈噬嗑〉云：「凡物之不親，由有間也。」釋〈坎〉云：「坎，險陷之名也。」釋〈夬〉云：「〈夬〉與〈剝〉反者也，……」釋〈升〉云：「巽順可以升。」釋〈漸〉云：「止而巽」，釋〈歸妹〉云：「兌為少陰，震為長陽，……說以動，嫁妹之象也。」釋〈巽〉云：「全以巽為德」。〔魏〕王弼、〔晉〕韓康伯：《周易王韓注》，頁14、頁66、頁90、頁133、頁143、頁166、頁169、頁178。

卦有成體，小大不可易，而爻無常辭，隨其所適之險易。故曰：「象者言乎象，爻者言乎變。」夫爻亦未嘗無小大，而獨以險易言者，明不在乎爻，而在乎所適也。同是人也，而賢於此，愚於彼，所適之不同也如此。[38]

至於蘇軾的「卦合爻別」，表面看來與王、程二子無異，都是談整體與部分關係，但不同的是，蘇軾並非僅就卦象及「時」的面向談，而是關注卦、爻辭出現不一致的情形，如占辭或所取之象，卦辭言吉，而爻辭卻言凶，針對此問題，提出卦、爻辭所據立場有整體與部分之別加以解決。相較下，王、程二子並未特別意識這個問題，而是在「夫卦者，時也；爻者，適時之變者也」的觀念下，解釋在這樣的卦時何以會有這樣的結果，而該爻是在怎樣的時位有此結果。

三　論蘇軾與王弼、伊川論象數之異同

首先談三子如何論象。蘇軾認為聖人畫卦的目的是因事物雜錯之處難以用言詞表達，故藉卦畫剛柔交錯之象來模寫，同時展現六爻的屈伸進退變化之理，進而說明行事之吉凶。蘇軾云：「物錯之際難言也，聖人有以見之，擬諸其形容，象其物宜，而畫以為卦。剛柔相交，上下相錯，而六爻進退屈信於其間，其進退屈信不可必，其順之則吉，逆之則凶者，可必也。」[39]

蘇軾亦解釋意與言、象的關係，指出聖人亦重視言辭，然亦有言辭所不能盡者，故立象以盡意。言道：「聖人非不欲正言也，以為有不可勝言者，惟象為能盡之。」[40]又指出聖人立象是以彷彿近似之形象表意，然真正明白者可藉象以見理，不能明白者則為象所限囿。蘇軾云：「象者，像也，像之言似也。其實有不容言者，故以其似者告也。達者因似以識真，不達則又見

38　〔宋〕蘇軾：《東坡先生易傳》，頁372-373。
39　〔宋〕蘇軾：《東坡先生易傳》，頁386。
40　〔宋〕蘇軾：《東坡先生易傳》，頁407。

其似似者而日以遠矣」。[41]

　　王弼就意、象、言，認為象以存意、盡意，言則為說明象而設，三者以意為根本，象、言是掌握意、象的媒介，進而提出一旦明象、得意，便要拋去媒介，勿再執著。王弼云：「言生於象，故可尋言以觀象；象生於意，故可尋象以觀意。意以象盡，象以言著。故言者所以明象，得象而忘言；象者，所以存意，得意而忘象。」[42]

　　王弼忘象說包含兩方面，除前面所云得意後須忘象，尚包括尋意的過程亦須忘象。正因王弼認為《易》以聖人之意為本，象只是媒介，因此釋卦、爻辭取象，只需釋象與卦義的關聯，無需依附〈說卦傳〉、互體、卦變等。王弼云：

> 是故觸類可為其象，合義可為其徵。……而或者定馬於乾，案文責卦，有馬無乾，偽說滋漫，難可紀矣。互體不足，遂及卦變；變又不足，推致五行。一失其原，巧愈彌甚。縱復或值，而義無所取，蓋存象忘意之由也。忘象以求其意，義斯見矣。[43]

　　至於伊川論象，則指出聖人所認識的世界，及聖人如何表現對世界的認識。他認為聖人對世界的認識是透過體悟天地之理，並藉由仰觀俯察，由事物之形跡加以驗證，故能知天地之理與事物的所以然。伊川云：「遍理天地之道，而復仰觀天文，俯察地理，驗之著見之跡，故能『知幽明之故』。在理為幽，成象為明，『知幽明之故』，知理與物之所以然也。」[44]伊川認為聖人認為世界具有普遍、無限的存在之理，此理便是乾坤天地之理，[45]此理是

---

41 〔宋〕蘇軾：《東坡先生易傳》，頁417-418。

42 〔魏〕王弼、〔晉〕韓康伯：《周易略例》，《周易王韓注》，頁262。

43 〔魏〕王弼、〔晉〕韓康伯：《周易略例》，《周易王韓注》，頁262。

44 〔宋〕程頤：《河南程氏經說》《易說》，《二程集》（二），頁1028。

45 伊川云：「天地之間，萬物之理，無有不同。乾，……惟其專直，故其生物之功大；……坤體動則開，應乾開闔而廣生萬物。」〔宋〕程頤：《河南程氏經說》《易說》，《二程集》（二），頁1029。

「平易簡直」的。[46]並指出有理而後有萬物之形象，言道：「天下之理，易簡而已。有理而後有象。」[47]聖人藉由卦象及卦、爻辭取象來比擬或象徵事物之類型、形象，伊川云：「聖人見天下深遠之事，而比擬其形容，體象其事類，故謂之象。」[48]聖人立象是為開顯事物之理。伊川云：「至微者理也，至著者象也。」[49]伊川釋乾初九爻辭云：「理無形也，故假象以顯義。」[50]指出透過卦、爻辭取龍象彰顯乾健之理。

綜觀三子論象，蘇軾認為象乃表達事物雜錯處無法以言辭表達者，視象的作用乃補言的不足，強調立象以盡意，不同於王弼是象為言的補充。而王弼認為意、象、言三者相關，且以意為本，象的作用在存意、盡意，而言是作為說明象的媒介，並認為在尋意的過程或得到聖人之意後，均須忘象，此乃王弼獨特見地。伊川則認為無論就聖人所認識的世界或《易》而言，理無形象，故假象以顯理。引入理來說明象，此為伊川之獨見。

關於三子釋象的共通處，三子均不取〈說卦傳〉「乾為馬」、「坤為牛」之類來釋象，僅採八卦所象徵的天地水火等，及八卦所象徵的方位與卦德說。其中，釋卦、爻辭方位取象之由，三子於〈蹇〉「利西南不利東北」，均取〈說卦傳〉以艮代表東北，以坤代表西南方。[51]

三子釋象主要運用爻位、爻性及兩爻間承、乘、比、應的關係。其中，在爻位議題上，王弼提出初、上無位的主張，即「初、上者是事之終始，無

---

46 伊川云：「乾始物之道易，坤成物之能簡。平易故人易知，簡直故人易從。」〔宋〕程頤：《河南程氏經說》《易說》，《二程集》（二），頁1027。

47 〔宋〕程頤：《河南程氏經說》《易說》，《二程集》（二），頁1027。

48 〔宋〕程頤：《河南程氏經說》《易說》，《二程集》（二），頁1030。

49 〔宋〕程頤：〈易傳序〉，《周易程氏傳》，收入《二程集》，頁689。

50 〔宋〕程頤：《周易程氏傳》，收入《二程集》（臺北市：漢京文化事業有限公司，1983年），卷1，頁695。

51 三子釋〈蹇〉「利西南不利東北」，蘇軾云：「艮，東北也；坎，北也。難在東北，則西南者無難之地也。」〔宋〕蘇軾：《東坡先生易傳》，《無求備齋易經集成》（臺北市：成文書局，1976年），冊16，頁215。王弼云：「西南，地也；東北，山也。」〔魏〕王弼、〔晉〕韓康伯：《周易王韓注》，頁120。伊川云：「西南，坤方；坤，地也，體順而易。東北，艮方；艮，山也。」〔宋〕程頤：《周易程氏傳》，卷3，頁895。

陰陽定位」。[52] 理由是：

> 〈象〉無初、上得位、失位之文，又〈繫辭〉但論三、五，二、四同
> 功異位，亦不及初、上，何乎？唯〈乾〉上九〈文言〉云「貴而無
> 位」，〈需〉上六云「雖不當位」。若以上為陰位邪，則〈需〉上六不
> 得云不當位也；若以上為陽位邪，則〈乾〉上九不得云「貴而無位」
> 也。[53]

伊川曾批評上述說法，認為六爻皆有陰陽之位，認為所舉〈乾〉、〈需〉
二例的「位」是指爵位。[54] 伊川的說法實具說服力，王弼初上無位的說法實
有商議處，不若以初上既具陰陽之位，又兼終始之地，較為穩妥。

蘇軾並未專門討論王弼初、上無位說，然從《東坡易傳》考察，蘇軾亦
常於初、上二爻言無位。如，釋〈屯〉初九云：「初九以貴下賤，有君之德
而無其位」[55] 釋〈頤〉上九云：「有其德而無其位，故厲而後吉。」[56] 然須進
一步探討的是，所謂的無位是否是王弼初、上無位之意？從所引二例來看，
答案是否定的。何以見得？因蘇軾於〈屯〉初九、〈頤〉上九均強調有德，
此乃就爻性陰陽而言，軾所說的無位，則是無爵位之意。可再舉數例印證，
釋〈巽〉初六云：「初六有其權而無其位。」[57] 釋〈明夷〉六四云：「近不明
之君，而位非用事之地，雖以遜免可也。」[58] 釋〈萃〉九四云：「非其位而
有聚物之權，五之所忌也。」[59] 從「有權」、「用事」的用語可見出蘇軾所說

52　〔魏〕王弼、〔晉〕韓康伯：《周易略例》，《周易王韓注》，頁265。

53　〔魏〕王弼、〔晉〕韓康伯：《周易略例》，《周易王韓注》，頁265。

54　此出自《朱子語類》，「問：『王弼說初、上無陰陽定位如何？』曰：『伊川說：陰陽奇
　　偶，豈容無也。〈乾〉上九『貴而無位』、〈需〉上六『不當位』，乃爵位之位，非陰陽
　　之位。』此說極好。」〔宋〕黎靖德編：《朱子語類》，卷67，頁2235。

55　〔宋〕蘇軾：《東坡先生易傳》，頁33。

56　〔宋〕蘇軾：《東坡先生易傳》，頁157。

57　〔宋〕蘇軾：《東坡先生易傳》，頁322。

58　〔宋〕蘇軾：《東坡先生易傳》，頁203。

59　〔宋〕蘇軾：《東坡先生易傳》，頁256。

的位是爵位之意。此外，蘇軾亦不認為初、上皆為無爵位之地，如，釋〈益〉上九云：「上者獨高之位，下之所疾也。」[60]

可見蘇軾認為初、上仍可論陰陽之位，即此提出「初上者，本末之地也」的主張，既為本末之地，當以陽爻為正。蘇軾藉以解釋〈大過〉棟橈之象及〈小過〉飛鳥之象，〈大過〉、〈小過〉兩卦初、上皆為陰爻。蘇軾云：「〈大過〉之棟、〈小過〉之飛鳥，皆以為一卦之象，而其於爻也，皆寄之於初、上者，本末之地也。」[61]又認為初、上既為本末之地，自當以陽居之。遂云：「上者，本末之地也，以陽居之則正，以陰居之則顛，故曰〈頤〉，養正也；〈大過〉，顛也。」[62]

至於數，王弼的看法僅見論大衍義，言道：

> 演天地之數，所賴者五十也。其用四十有九，則其一不用也。不用而用以之通，非數而數以之成，斯易之太極也。四十有九，數之極也。夫無不可以無，明必因於有，故常於有物之極，而必明其所由之宗也。[63]

然這段文字並非純粹論數，而是從存有論立場討論體用關係。一是數之體，是數之所以為數的根本，四十九是數，是數之極。

至於伊川，亦針對卦、爻辭「九」、「十」、「三」、「甲」等用語有所關注，釋〈乾〉初九云：「九，陽數之盛。」[64]釋〈屯〉六二云：「十，數之終也。」[65]釋〈蠱〉云：「甲，數之首，事之始也。」[66]

伊川亦曾就宇宙論立場討論數，言道：「有理則有氣，有氣則有

60 〔宋〕蘇軾：《東坡先生易傳》，頁240。
61 〔宋〕蘇軾：《東坡先生易傳》，頁346。
62 〔宋〕蘇軾：《東坡先生易傳》，頁469。
63 〔魏〕王弼、〔晉〕韓康伯：《周易王韓注》，頁212。
64 〔宋〕程頤：《周易程氏傳》，卷1，頁695。
65 〔宋〕程頤：《周易程氏傳》，卷1，頁716。
66 〔宋〕程頤：《周易程氏傳》，卷2，頁788。

數。……數，氣之用也。」[67]伊川認為理氣相即不離，有氣便有形質，有形質即成數。故伊川云：「凡物之大小、輕重、高下、文質，皆有數度。」[68]此外，伊川亦認為「推數可以知來物」。[69]

至於天地之數與大衍之數，首先，伊川注意到〈繫辭上傳〉第八章、第十章出現錯簡的現象，[70]主張將「天數五、地數五」一句，由第八章移至第十章「天九、地十」之後。伊川云：「自天一至地十，合在天數五、地數五上。簡編失其次也，天一生數、地六成數，才有上五者，便有下五者，二五合而成陰陽之功，萬物變化鬼神之用也。」[71]經過伊川調動文句後，這兩章的文意更形完整，這個發現相當重要，後世《易》家多依據此說法改動〈繫辭上傳〉的文字。除此，伊川亦言及生數、成數的概念，視天一為生數，視地六為成數；天一至天五為上五，地六至地十為下五。

至於大衍之數，伊川先說明大衍數五十如何得來，指出：「大衍之數五十，數始於一，備於五，小衍之而成十，大衍之則為五十。」[72]伊川稱十為小衍數，至於如何從小衍成為大衍，伊川未言。然從文句中「始於一，備於五」推斷，若小衍數代表一，大衍數為五倍的小衍數，則期數為五十。

對於一與四十九的關係，不同於王弼從存有論立場去談，而是從數本身去談，認為數成五十便成定數，不再變化，故去掉一，成為四十九，方能開始變化。伊川云：「五十，數之成也。成則不動，故損一以為用。」[73]

---

67 〔宋〕程頤：《河南程氏經說》《易說》，《二程集》（二），頁1030。

68 〔宋〕程頤：《周易程氏傳》，卷4，頁1006。

69 〔宋〕程頤：《河南程氏經說》《易說》，《二程集》（二）（臺北市：漢京文化事業有限公司，1983年），頁1029。

70 以王、韓《周易註》來看，〈繫辭上傳〉第十章為「天一、地二、……天九、地十。子曰：『夫《易》何為者也？夫《易》，開物成務，冒天下之道，……』……」。第八章為「大衍之數五十，……故再扐而後掛。天數五、地數五，……凡天地之數五十有五，此所以成變化，而行鬼神也。乾之第二百一十有六，坤之策百四十有四，……」〔魏〕王弼、〔晉〕韓康伯：《周易王韓注》，頁214、頁212。

71 〔宋〕程頤：《河南程氏經說》《易說》，《二程集》（二），頁1030-1031。

72 〔宋〕程頤：《河南程氏經說》《易說》，《二程集》（二），頁1028。

73 〔宋〕程頤：《河南程氏經說》《易說》，《二程集》（二），頁1028。

　　至於蘇軾對數的看法，他認為聖人作《易》雖以人事義理為主，然《易》有象、有數，雖非聖人作《易》的重心，然卻不可忽略不談。蘇軾云：

> 聖人之道，存乎其爻之辭，而不在其數，數非聖人之所盡心也。然《易》始於八卦至於六十四，此其為書，未離乎用數也。而世之人皆恥其言《易》之數，或者言而不得其要，紛紜迂闊而不可解，此高論之士所以不言歟？……而聖人開言於其間，以盡天下之人情，使其為數紛亂而不可考，則聖人豈肯以其有用之言，而託之無用之數哉？[74]

　　蘇軾論大衍數，雖與伊川所說「數始於一，備於五，小衍之而成十」相似，然特別處在於結合五行說。蘇軾將一、二、三、四與水、火、木、金相配，並稱為特數，即可見之數；將五與土配，稱五、土為不特數，即不可見之數，以其無特定之名、位、氣。然五行之數一、二、三、四及相因之數六、七、八、九皆賴之以成。而土本身亦因此得到水、火、木、金之數而成十。即此而言，五在六、七、八、九中，而一、二、三、四在十之中。蘇軾云：

> 五行蓋交相成也，水、火、木、金不得土，土不得是四者，皆不能成。夫五行之數，始於一而至於五足矣；自六以往者，相因之數也。水、火、木、金得土而後成，故一得五而成六，二得五而成七，三得五而成八，四得五而成九。土無定位，無成名，無專氣。水、火、木、金四者成，而土成矣。故得水之一、得火之二、得木之三、得金之四，而成十。言十則一、二、三、四在其中，而言六、七、八、九則五在其中矣。大衍之數五十者，五不特數，以為在六、七、八、九之中也。一、二、三、四在十之中，然而特數者何也？水、火、木、金特見於四時，而土不特見；言四時足以舉土，而言土不足以舉四時也。[75]

74　〔宋〕蘇軾：〈易論〉，《東坡全集》，卷41，頁1a-1b。

75　〔宋〕蘇軾：《東坡先生易傳》，頁389。

　　這個說法相當獨特，藉由五行、四時系統，藉由土居中的特性，發揮五的獨特處。宋代吳仁傑《易圖說》[76]及丁易東《大衍索隱》[77]皆收錄此說法。

　　至於「其用四十有九」，蘇軾則採王弼的說法，將其一不用的一，類似太極與兩儀關係中的太極。蘇軾云：「易有太極是生兩儀，分而為二，以象兩，則其一不用，太極之象也。」[78]

　　蘇軾釋「是故四營而成易，十有八變而成卦，八卦而小成」採唐代一行的說法，[79]於「參伍以變，錯綜其數」採《易緯乾鑿度》九宮之數的說法，並指出二者相為表裏，雖不見於經，但不可廢棄。[80]

　　就三子論數觀之，王弼從存有論立場討論一與四十九的體用關係，以一為數之體，四十九是數。關於一的說法，後為蘇軾所承繼。至於伊川，則從宇宙論立場論數與氣的關係，並提及小衍數與大衍數，對於其一不用解釋為，大衍數至五十便成定數，不再變化；若能減去一而成四十九，則又可產生變化。至於蘇軾乃三子中較重視數的，肯定《易》數的重要，並引入五行體系說明五行之數與相因之數的理論基礎，對於「五」的定位作出哲學性的說明，指出其無特定的氣、位與名號。此外，亦認可一行及九宮數可用於解釋《易》數。由蘇軾引五行體系、一行之學、九宮數以釋《易》數，雖代表蘇軾重視《易》數，但卻也產生引外部系統以釋《易》的疑慮，這恐怕是蘇軾必須面對的批評。

76　〔宋〕吳仁傑：《易圖說》，《通志堂經解》（一）（揚州市：江蘇廣陵古籍刻印社，1996年），冊1，卷3，頁634。

77　〔宋〕丁易東：《大衍索隱》，《景印文淵閣四庫全書》，第806冊（臺北市：臺灣商務印書館，1983-1986年），卷3，頁11b-12a。

78　〔宋〕蘇軾：《東坡先生易傳》，頁391。

79　〔宋〕蘇軾：《東坡先生易傳》，頁393-394。

80　蘇軾云：「此與一行之學不同，然吾以為相表裏者。二者雖不經見，而其說皆不可廢也。」〔宋〕蘇軾：《東坡先生易傳》，頁397。

四 論蘇軾與王弼、伊川於卦變、卦主釋《易》之異同

　　關於卦變，王弼批評卦變，亦不取卦變釋《易》。特別的是蘇軾、伊川與皆採三畫乾坤卦變說。蘇軾不取焦氏《易林》一卦變為六十三卦，亦不取一陽一陰之卦自〈復〉、〈姤〉所變的消息卦變。指出：

> 《易》有剛柔往來，上下相易之說，而其最著者，〈賁〉之〈象〉也。故學者沿是，爭推其所從變，曰〈泰〉變為〈賁〉，此大惑也。一卦之變為六十三，豈獨為〈賁〉也哉？學者徒知〈泰〉之為〈賁〉，又烏知〈賁〉之不為〈泰〉乎？[81]

　　伊川亦批評消息卦變，指出：「豈有乾、坤重而為〈泰〉，又由〈泰〉而變之理？」[82]主張：「卦之變皆自乾、坤」，「乾、坤變而為六子，八卦重而為六十四，皆由乾坤之變也。」[83]蘇軾則詳盡解釋乾、坤如何變為六子，言道：

> 凡《易》之所謂剛柔相易者，皆本諸乾、坤也。乾施一陽於坤，以化其一陰，而生三子，皆一陽而二陰。凡三子之卦，有言剛來者，明此本坤也，而乾來化之坤；施一陰於乾，以化其一陽，而生三女，皆一陰而二陽，凡三女之卦，有言柔來者，明此本乾也，而坤來化之。[84]

　　至於卦主釋《易》方面，三子均採卦主說。王弼解釋卦主即「成卦之體」[85]，提出一陽一陰之卦以少者為主的卦主原則，言道：「一卦之體必由一爻為主，則指明一爻之美以統一卦之義，〈大有〉之類是也。」[86]然考察

81　〔宋〕蘇軾：《東坡先生易傳》，頁126。

82　〔宋〕程頤：《周易程氏傳》，卷2，頁809。

83　〔宋〕程頤：《周易程氏傳》，卷2，頁809。

84　〔宋〕蘇軾：《東坡先生易傳》，頁126-127。

85　〔魏〕王弼、〔晉〕韓康伯：《周易王韓注》（臺北市：大安出版社，1999年），頁36。

86　〔魏〕王弼、〔晉〕韓康伯：《周易略例》，《周易王韓注》，頁258。

王弼釋經實踐卻發現例外的情形，於〈剝〉以六五為卦主，言道：「處〈剝〉之時，居得尊位，為〈剝〉之主者也。」[87]

另外，除一陽一陰之卦外，《周易註》以六爻整體言卦主者，最多的是第五爻，以其居尊位之故[88]，又於九五強調具中正當位。尚有以第二爻為卦主者，有〈蒙〉[89]、〈遯〉[90]，以上爻為主爻者〈需〉[91]、〈頤〉[92]、〈明夷〉[93]，亦有一例〈震〉卦以第四爻為卦主。[94]至於就上、下二體論卦主的唯一特例是〈蹇〉，以九三為下卦之主。[95]此外，亦有二主的特例，於〈噬嗑〉卦既言六五為六爻之卦主，又言九四為眾陰之主。[96]

綜觀上述，王弼並未建立嚴謹的卦主體系，否則不會有數個特例出現，此亦說明王弼是以配合卦義、卦、爻辭為主，而非只具符號形式義。此外，在配合卦義、卦、爻辭的前提下，再依據幾個重要原則，包括居尊位、中正、以一陽為眾陰之主，以及成卦之由。

蘇軾以卦主釋《易》，有承繼王弼說法者，有〈比〉主九五、〈剝〉主六五、〈坎〉主九五、〈遯〉主六二、〈明夷〉主上六、〈萃〉主九五、〈未濟〉主六五。[97]與王弼認定不同者有〈師〉與〈蹇〉二例。王弼認定〈師〉的卦主在九二，理由是九二為剛居中且得六五之君的信任，[98]蘇軾認定在六五，

87　〔魏〕王弼、〔晉〕韓康伯：《周易王韓注》，頁74。

88　以九五為卦主者有〈訟〉、〈觀〉、〈无妄〉、〈坎〉、〈益〉、〈萃〉、〈渙〉、〈節〉、〈中孚〉；以六五為卦主者有〈噬嗑〉、〈賁〉、〈大畜〉、〈恆〉、〈晉〉、〈未濟〉。

89　〔魏〕王弼、〔晉〕韓康伯：《周易王韓注》，頁18。

90　〔魏〕王弼、〔晉〕韓康伯：《周易王韓注》，頁104。

91　〔魏〕王弼、〔晉〕韓康伯：《周易王韓注》，頁23。

92　〔魏〕王弼、〔晉〕韓康伯：《周易王韓注》，頁86。

93　〔魏〕王弼、〔晉〕韓康伯：《周易王韓注》，頁23。

94　〔魏〕王弼、〔晉〕韓康伯：《周易王韓注》，頁162。

95　〔魏〕王弼、〔晉〕韓康伯：《周易王韓注》，頁122。

96　〔魏〕王弼、〔晉〕韓康伯：《周易王韓注》，頁66、頁68。

97　〔宋〕蘇軾：《東坡先生易傳》，冊16，頁57、頁134、頁169、頁188、頁200、頁257、頁354。

98　王弼云：「以剛居中而應於上，在師而得其中者也。承上之寵，為〈師〉之主。」〔魏〕王弼、〔晉〕韓康伯：《周易王韓注》，頁28。

言道：「夫以陰柔為〈師〉之主，不患其好勝而輕敵也，患其弱而多疑爾。」[99]二者的差別在於王弼以主帥論，而蘇軾以君王論。王弼是以九三為〈蹇〉卦內卦之主，蘇軾以九五為卦主，言道：「九五以大蹇為朋來之主。以中正為往來之節。」[100]以九五陽剛中正居尊故能濟蹇。二子說法的差別在於，王弼就上下卦分開論，蘇軾就六畫整體來看。

至於其他則王弼未言卦主者，而蘇軾認定為卦主者有〈姤〉主九五、〈旅〉主六五、〈兌〉主九五。然此數卦並非強調五為君位，釋〈姤〉九五云：「九五者〈姤〉之主也，知初六之勢將至於剝盡而後止。」[101]釋〈旅〉上九「六五〈旅〉之主也。」[102]釋〈兌〉六三云：「九五〈兌〉之主也。」[103]〈姤〉九五能預知陽有剝盡之勢，〈旅〉六五以陰爻居用事之地，得中應剛，故能接待旅人，而為〈旅〉之主，即以陰爻為主人，陽爻為旅人、為客。釋〈旅〉卦辭云：「〈旅〉六二、六五，二陰據用事之地；而九三、九四、上九三陽寓於其間，所以為旅也。小者為主，而大者為旅，為主者以得中而順乎剛為亨。」[104]〈兌〉九五則強調其當位，言道：「以正當之位，而孚於難知之小人。」[105]此三者皆是將第五爻與卦義及六爻整個關聯起來立論。

值得注意者，蘇軾論主爻，並非全針對一卦而言，亦常出現諸陽爻之主，或某爻之主。如，釋〈泰〉即以九二為下卦三陽之主，此乃將上下卦分開看。[106]又如，釋〈隨〉初九、[107]〈睽〉九四[108]就第二爻而言第五爻為其主，以解釋爻辭中「官」、「遇主」之意。釋〈巽〉六四則藉相比之爻為釋。[109]

---

99 〔宋〕蘇軾：《東坡先生易傳》，頁53。

100 〔宋〕蘇軾：《東坡先生易傳》，頁217。

101 〔宋〕蘇軾：《東坡先生易傳》，頁251。

102 〔宋〕蘇軾：《東坡先生易傳》，頁320。

103 〔宋〕蘇軾：《東坡先生易傳》，頁327。

104 〔宋〕蘇軾：《東坡先生易傳》，頁317。

105 〔宋〕蘇軾：《東坡先生易傳》，頁328。

106 〔宋〕蘇軾：《東坡先生易傳》，頁73。

107 〔宋〕蘇軾：《東坡先生易傳》，頁103。

108 〔宋〕蘇軾：《東坡先生易傳》，頁213。

109 〔宋〕蘇軾：《東坡先生易傳》，頁324。

此外，亦有藉六爻中的兩爻談君臣關係，如，〈既濟〉九三談〈既濟〉九三、九五與〈未濟〉九四、六五的君臣關係，言道：「〈未濟〉之主在六五，而九四為之臣，有震主之威者也。其威不用之於主，而用之於伐鬼方。」又云：「〈既濟〉之九三以九五為主，臣、主皆強，故曰『高宗伐鬼方』，以見三之為五用也。」[110]

相較王弼以九五為卦主皆因陽剛中正居尊位，德位兼備，蘇軾卻有否定九五為有德之君的說法。如，釋〈坎〉上六云：「夫有敵而深自屈以致人者，敵平則汰矣，故九五非有德之主也。無德以致人，則其所致者，皆有求於我者也。」[111]

此外，蘇軾不認為各卦都有卦主，如，〈屯〉卦、[112]〈渙〉卦，[113]天下草創之際或崩亂之時，不似太平時期有唯一共主，故於此二卦不言卦主。此外，蘇軾雖以六五為〈旅〉之卦主，然亦認為此卦主只是為旅人暫時的依靠，並非正主。[114]

綜觀蘇軾以卦主釋《易》，亦非取形式義，而是以相應解釋卦、爻辭為主，此立場與王弼是一致的。不同處在於，蘇軾論主爻，多了以六畫中的兩爻論主從這部分，以及與實際人事有更密切對應，包括君臣關係及所處時代環境，此乃蘇軾與王弼卦主釋《易》的明顯差異處。

伊川亦以卦主釋《易》，有以一爻為卦主者，有就二體論卦主者，甚至有二者兼含之例，實承繼王弼。其中較需留意者為以一爻為卦主者及二者兼含者。

以一爻為卦主者，除部分與二子一致者，有多處是王弼、蘇軾未言者，〈坤〉主六二、〈需〉主九五、〈小畜〉主六四、[115]〈豫〉主九四、[116]〈賁〉

110 〔宋〕蘇軾：《東坡先生易傳》，頁354、355。
111 〔宋〕蘇軾：《東坡先生易傳》，頁169。
112 〔宋〕蘇軾：《東坡先生易傳》，頁35。
113 〔宋〕蘇軾：《東坡先生易傳》，頁332。
114 〔宋〕蘇軾：《東坡先生易傳》，頁317。
115 〔宋〕程頤：《周易程氏傳》，卷1，頁744。
116 〔宋〕程頤：《周易程氏傳》，卷2，頁781。

主六二、〈咸〉主九四、〈解〉主六五、〈鼎〉主六五、〈中孚〉主六四。其中，較特別者，〈坤〉六二以陰爻居下卦之中為卦主，〈咸〉、〈鼎〉二例相近，〈咸〉以心之感通為義，四居心之位，故九四為卦主，〈鼎〉六五居鼎耳之要位而為卦主。〈賁〉因以離為明取義，故以六二為卦主，〈中孚〉以二陰爻中虛為誠信之意，然因四當位而為卦主。

至於與王弼解法全異者有兩例。伊川以六五為〈蒙〉之主，強調六五之君能用九二剛明之才，王弼則以九二為卦主。[117] 伊川以九二為〈訟〉之主，九二自外而來，而與五均為陽剛而起爭訟；王弼則以九五為聽訟之主。[118]

與蘇軾異者有二例，伊川以六五柔居尊位為〈泰〉之主，[119] 蘇軾則以下卦三陽論九二為陽之主。伊川以上六乃悅之極為〈兌〉之主，[120] 蘇軾則以上六為小人，以九五當位為卦主。

至於與王弼同與蘇軾異之例，伊川以九二陽剛居中之主帥為〈師〉之主，[121] 與王弼看法相同，與蘇軾以六五之君為卦主不同。尚有與蘇軾同與王弼異的例子，伊川認為〈无妄〉之卦主是因初爻變為震，震以初爻為主，故〈无妄〉之主在初九；[122] 蘇軾亦指初九，王弼以九五居尊位而為卦主。

除上述以一爻為主之例，尚有兼含二者之例，有四卦。伊川釋〈豐〉，既以六二、九四為二體之主，又言六五為〈豐〉之主。[123] 另有一例為〈同人〉，雖與王弼皆以六二為主爻，然加上二體之主爻，以合於卦義。[124] 尚有〈震〉、〈艮〉二例，於〈震〉既言初九為下卦震之主，又言六五為〈震〉之卦主。[125] 於〈艮〉既言二體之主爻在九三、上九，又指出〈艮〉之主爻在

117 〔宋〕程頤：《周易程氏傳》，卷1，頁719。

118 〔宋〕程頤：《周易程氏傳》，卷1，頁730。

119 〔宋〕程頤：《周易程氏傳》，卷1，頁757。

120 〔宋〕程頤：《周易程氏傳》，卷4，頁1000。

121 〔宋〕程頤：《周易程氏傳》，卷1，頁732。

122 〔宋〕程頤：《周易程氏傳》，卷2，頁823。

123 〔宋〕程頤：《周易程氏傳》，卷4，頁985、頁987、頁988。

124 〔宋〕程頤：《周易程氏傳》，卷1，頁763。

125 〔宋〕程頤：《周易程氏傳》，卷4，頁964、頁966。

六五。[126]

綜觀三子以卦主釋《易》，可見出三子均重視卦主，且皆以配合卦、爻辭為主，而非以形式為主，因此一陽一陰之卦未必以一陽一陰為卦主。三子皆常以九五為卦主，以其居尊位之故，王弼、伊川皆肯定九五有德有位，唯蘇軾認為九五未必有德。此外，蘇軾特別針對具體人事提出某些時機、情境未必有定主。三子言卦主多談以一爻為卦主者，唯王弼、伊川亦言二體之主，伊川甚至於一卦中兼言二者的情形。足見三子皆重卦主釋《易》，唯解釋有同有異耳。

五　論蘇軾與王弼、伊川義理釋《易》之異同

前言已指出四庫館臣言王弼重玄理，蘇軾重人事，此乃就二子《易》學的特色來說。然就王弼《易》整體觀之，除〈坤〉、〈復〉、〈艮〉諸卦的卦、爻辭適合以玄理解說者外，大抵是順著經文解釋。此外，值得留意者，《東坡易傳》所引王弼《易》皆非玄理性的部分。

就三子釋義實踐來看，王弼的文字較精要，個人義理發揮較少；伊川在義理發揮上較王弼為多，而蘇軾又較伊川為多。蘇軾藉「一陰一陽之謂道」這段文字，發揮他的宇宙觀，將「一陰一陽」解釋為陰陽未交，並指出此際廓然無一物，但不可視為空無。言道：「聖人知道之難言也，故借陰陽以言之。……一陰一陽者，陰陽未交，而物未生之謂也，喻道之似，莫密於此者矣。」[127]又云：「若夫水之未生，陰陽之未交，廓然無一物，而不可謂之無有，此真道之似也。」[128]蘇軾亦認為陰陽未交可稱之為道，亦可稱為太極。[129]

蘇轍對蘇軾以道乃陰陽未交有不同看法，認為陰陽未交是元氣而非

126　〔宋〕程頤：《周易程氏傳》，卷4，頁970、頁972、頁971。

127　〔宋〕蘇軾：《東坡先生易傳》，頁378。

128　〔宋〕蘇軾：《東坡先生易傳》，頁377-378。

129　蘇軾云：「太極者，有物之先也。」〔宋〕蘇軾：《東坡先生易傳》，頁404。

道。[130]關於蘇轍的批評,事實上,蘇軾所說的陰陽未交是強調萬物未生的狀態,可稱之為元氣,亦可就其為宇宙創生本體而稱之為道體。

至於萬物的生成,蘇軾認為最早出現的是水。理由是,物始生其形不定,水特性正好符合。言道:「陰陽一交而生物,其始為水。水者,有無之際也。始離於無,而入於有矣。老子識之,故其言曰:『上善若水』,又曰『水幾於道』。」[131]

關於人性議題,蘇軾認為前賢多就性的可見處談性,但他認為這只近似於性,而不是性。言道:「君子患性之難見也,故以可見者言性。夫以可見者言性,皆性之似也。」[132]蘇軾援用思考宇宙論的路數探討人性議題,認為人由道所生,道賦予人德性,但德性不是道。又指出道並沒有消失,而是隱於德性中。蘇軾云:

> 聖人之德,雖可以名言,而不囿於一物,若水之無常形,此善之上者,幾於道矣,而非道也。……陰陽交而生物,道與物接而生善。物生而陰陽隱,善立而道不見矣。[133]

蘇軾所稱天生的德性並非孟子的道德性,而是無善無惡的性體。蘇軾區分天生的德性與透過後天修為所得的善,強調德性是道所生。蘇軾云:

> 君子日修其善,以消其不善,不善者日消,有不可得而消者焉;小人日修其不善,以消其善,善者日消,亦有不可得而消者焉,夫不可得而消者。堯舜不能加焉,桀紂不能亡焉,是豈非性也哉?君子之至於是,用是為道,則去聖不遠矣。[134]

130　蘇轍云:「『《易》曰:『一陰一陽之謂道』,坡公以為陰陽未交,公以坡公所說為未允。』公曰:『陰陽未交,元氣也,非道也。……』」〔宋〕蘇籀:《欒城遺言》,《景印文淵閣四庫全書》第864冊(臺北市:臺灣商務印書館,1983-1986年),頁9b。

131　〔宋〕蘇軾:《東坡先生易傳》,頁378。

132　〔宋〕蘇軾:《東坡先生易傳》,頁12。

133　〔宋〕蘇軾:《東坡先生易傳》,頁402。

134　〔宋〕蘇軾:《東坡先生易傳》,頁12-13。

蘇軾又討論性與情的問題，情本於性，而有的感情、情緒等心理活動。
蘇軾云：「情者，性之動也。泝而上至於命，沿而下至於情，無非性者。性
之與情，非有善惡之別也，方其散而有為，則謂之情耳。」[135]

蘇軾認為人的德性是人之所以為人的根本，也是人能成聖、成道的樞
機。言道：「性者，其所以為人者也，非是無以成道矣。」[136]並依據「繼之
者善，成之者性」批評孟子的性善論，認為孟子是以善為性，以可見的善為
性，並非就性本身來論。言道：「昔者孟子以善為性，以為至矣。讀《易》
而後知其非也。孟子之於性，蓋見其繼者而已，夫善，性之效也。孟子不及
見性，而見夫性之效，因以所見者為性。」[137]

綜合上述，蘇軾認為人之為人在於由道所生的德性，而性能發用為情，
透過後天修為而能為善去惡，即此方可論善惡。並批評孟子從性的發用惻
隱、羞惡四端談性善，然孟子以天生本具的四端而稱性善，蘇軾的批評並不
恰當。

蘇軾《易》學哲學的核心是「通二為一」的思想，此觀念實得自《易》
太極、陰陽的觀念。就宇宙論觀之，蘇軾云：「天地一物也，陰陽一氣也，或
為象，或為形，所在之不同，故在云者明其一也。……由是觀之，世之所謂
變化者，未嘗不出於一，而兩於所在也。自兩以往，有不可勝計者矣。」[138]
天地、陰陽皆本於道，而萬物又自天地、陰陽所所化生。至於人性論，亦以
性體為本，以性之發用與情為兩，性之發用與情看似為二，其本則一。蘇軾
云：「方其變化，各之於情無所不至，反而循之，各直其性，以至於命，此
所以為貞也。」[139]

蘇軾雖指出明體的重要，但更強調透過通二為一方能真正明體。言道：
「《易》將明乎一，未有不用變化，晦明、寒暑、往來、屈信者也，此皆二

---

135 〔宋〕蘇軾：《東坡先生易傳》，頁13-14。

136 〔宋〕蘇軾：《東坡先生易傳》，頁380。

137 〔宋〕蘇軾：《東坡先生易傳》，頁379。

138 〔宋〕蘇軾：《東坡先生易傳》，頁364。

139 〔宋〕蘇軾：《東坡先生易傳》，頁11-12。

也。而以明一者，惟通二為一，然後其一可必。」[140]

　　至於如何達致通二為一的目標，蘇軾提出須無心的理念，此亦出自體悟天地生化萬物無心而功成。蘇軾云：「乾無心於知之，故易，坤無心於作之故簡；易故無所不知，簡故無所不能。」[141]故主張人應法天地無心應物，使物各自成其為自己。蘇軾云：「夫無心而一，一而信，則物莫不得盡其天理以生、以死。故生者不德，死者不怨，無怨無德，則聖人者豈不備位於其中哉！」[142]

　　蘇軾即此提出以「一」觀天下的慧見，將〈繫辭傳〉的「貞」解釋為「正」、「一」[143]，指出：「不以貞為觀者，自大觀之則以為小；自高觀之則以為下。不以貞為明者，意之所及則明，所不及則不明。故天地無異觀，日月無異明者，以其正且一也。」[144]若能以「一」觀天下，則物無大小、美惡之別，皆能如其本來面目；人亦可不起分別心，而消泯爭端。

　　整體來看，蘇軾對《易》的詮解實結合老子重視道，談無心無為，以及莊子齊物的思想。相較於王弼，王弼的體用哲學亦重視明體，在明體這部分，二子是一致的。不同的是，蘇軾發揮「用」這部分，提出即用以明體，談通二為一的主張。此外，二子皆引老子無心無為的思想，唯蘇軾側重在人的部分，而王弼則就天地無心以生化萬物來談，強調天地是無心無為而功自成。

　　至於伊川的《易》學哲學，在宇宙論方面，伊川從天地生物處談萬物生成，不談未生物前的狀態。曾云：「先儒皆以靜為見天地之心，蓋不知動之端，乃天地之心也，非知道者孰能識之。」[145]因此，從陰陽二氣相交生萬物談起，不談陰陽未交時的狀態，並言萬物的生死乃由於陰陽二氣之聚散，

140　〔宋〕蘇軾：《東坡先生易傳》，頁420。

141　〔宋〕蘇軾：《東坡先生易傳》，頁366。

142　〔宋〕蘇軾：《東坡先生易傳》，頁368。

143　〔宋〕蘇軾：《東坡先生易傳》，頁411。

144　〔宋〕蘇軾：《東坡先生易傳》，頁412。

145　〔宋〕程頤：《周易程氏傳》，卷2，頁819。

氣之聚散有理在其中主宰。釋〈萃〉〈彖〉云:「天地之化育,萬物之生成,凡有者皆聚也。有無動靜終始之理,聚散而已。」[146]然需強調的是,伊川談氣是連著理去談的,主張理在氣中。

　　此外,伊川認為天下事物看似千差萬別,然皆有通貫之理,殊途同歸,即此提出明理的重要。釋〈同人〉〈彖〉云:「天下之志,萬殊理則,一也。君子明理,故能通天下之志。」[147]至於如何明理,伊川提出「貞」,將貞解釋為「虛中無我」,即無私心之意。言道:「貞者,虛中無我之謂也。……夫貞一,則所感無不通,……以有係之私心,既主於一隅一事,豈能廓然無所不通乎?」[148]

　　就以「一」通貫事物的主張來看,表面與蘇軾、王弼相類,然實際卻明顯不同,伊川以「理」來解釋「一」,從分殊之事物見出通貫之理。伊川亦注意到事物具相對性,有上有下、有文有質之別。釋〈賁〉〈彖〉云:「質必有文,自然之理。理必有對待,生生之本也。有上則有下,有此則有彼,有質則有文,一不獨立,二則為文。非知道者,孰能識之!」[149]這點看似亦與蘇軾重視「兩」相類,但不同的是伊川從「理」上講,而蘇軾從體之用來談。

　　伊川亦提到「貞一」,且解釋為無我,看似亦與蘇軾主「無心」相類,但伊川仍是屬儒家的思維,儒家亦能談無我的觀念,《論語》便有「毋意、毋必、毋故、毋我」的說法,與近於老子的蘇軾仍有不同。

　　伊川更鮮明的儒家立場表現在重視陽剛、君子、倫常及義利之辨這幾點上。關於陽剛、君子這部分,釋〈剝〉上九云:「聖人發明此理,以見陽與君子之道不可亡也。」[150]亦曾言倫常乃人世之準則,言道:「夫有物必有則,父止於慈,子止於孝,君止於仁,臣止於敬。」[151]

---

146 〔宋〕程頤:《周易程氏傳》,卷3,頁930。

147 〔宋〕程頤:《周易程氏傳》,卷1,頁764。

148 〔宋〕程頤:《周易程氏傳》,卷3,頁857-858。

149 〔宋〕程頤:《周易程氏傳》,卷2,頁808。

150 〔宋〕程頤:《周易程氏傳》,卷2,頁816。

151 〔宋〕程頤:《周易程氏傳》,卷3,頁968。

又於〈損〉、〈益〉兩卦亦發揮孟子的義利之辨，及他所強調「存天理，去人欲」的主張。言道：「先王制其本者，天理也；後人流於末者，人欲也。〈損〉之義，損人欲以復天理而已。」[152]伊川指出若能出於公心，合於正理，則人亦樂於讓利。釋〈益〉上九〈小象〉云：「理者，天下之至公；利者，眾人所同欲。苟公其心，不失其正理，則與眾同利，無侵於人，人亦欲與之；若切於好利，蔽於自私，求自益以損於人，則人亦與之力爭。」[153]

綜觀三子的《易》學哲學，雖然三子皆被歸為義理釋《易》，而蘇軾與伊川亦被歸於重人事之理，然深究之可發現，三子實各有特色。王弼的特色在「統之有宗，會之有元」的體用哲學，蘇軾則表現在通一為二的哲學思想，伊川將他格物窮理的理念，結合《易》所談的人事及「時」的概念，於《易》發揮「因時而處宜，隨事而順理」[154]的觀點。

六 結論

鑑於學界對蘇軾《易》學已有不少討論，然對於蘇軾《易》學與王弼《易》學的承繼與開展，以及與伊川《易》學的差異，卻罕見深入而完整的比較。故本文基於前人成果，進一步就三子《易》學的異同作深入考察，一方面透過比較以彰顯蘇軾《易》學的特色，另方面又可為《易》學史明確指出三子《易》學鮮明的差異。

經由深入比較後，有四個重點特別值得關注。

其一，在卦、爻辭關係上，三子皆言及整體與部分的關係，然蘇軾的「卦合爻別」卻多關注卦、爻辭不一致的現象，藉此提出解決之道。

其二，在《易》數議題上，蘇軾是三子中最重視數的，他肯定《易》數的重要，並引入五行體系說明天地之數，對「五」作出哲學性的解釋，指出

---

152 〔宋〕程頤：《周易程氏傳》，卷3，頁907。

153 〔宋〕程頤：《周易程氏傳》，卷3，頁918。

154 釋〈豐〉初九云：「聖人因時而處宜，隨事而順理。」〔宋〕程頤：《周易程氏傳》，卷4，頁985。

「五」為不特數,以其無特定的氣、定位、定名,然卻能成就其他特定數,同時也受其他特定數的協助而成為十。

其三,蘇軾與王弼、伊川皆重視卦主釋《易》,且並非談形式義,而是扣緊卦、爻辭去談,且皆常以第五爻為卦主,以其居尊位故。唯蘇軾並不認為九五一定為有德之主,且從實際人事指出並非任何時代都有定主,這兩點相當獨特。

其四,在義理釋《易》方面,三子均被歸為義理派《易》學,蘇軾與王弼皆被認定受老莊思想影響,且蘇軾與伊川皆被認定重人事之理。蘇軾《易》學哲學的核心是通二為一的思想,一是本體,二是本體發用所致。蘇軾強調明體,然認為須通二為一方能真正明體。王弼只重「統之有宗,會之有元」的本體,不似蘇軾即用談通二明體。伊川則重視萬物一理。蘇軾的宇宙論將道解釋為陰陽未交,陰陽二氣既交,最早出現的是水。人性論則強調人的德性由道所生,此德性是無善無惡的本體。性能發用而為情,透過後天修為而能為善去惡,即此方有善可言。其宇宙論、人性論皆可涵蓋在通二為一的思想架構下,通陰陽以明太極,通性情以明性體。至於如何通二為一,蘇軾提出無心的概念,無心應物而使物各自成其為自己,此乃結合老子的無為及莊子的齊物思想。即此觀之,舒大剛認為蘇軾《易》是本於儒學,而稱「是王弼玄學《易》向新儒學《易》的過渡成果。」「雜採百家,歸本儒學。」[155]這樣的論定,值得商榷。

綜觀蘇軾《易》學,無論在卦、爻辭解釋或《易》學哲學都有獨到處,透過對比分析,更能彰顯與王弼《易》、伊川《易》的異同,即此見出義理派《易》學的精彩。

---

155 舒大剛:〈序〉,《《蘇氏易傳》研究》,頁18、19。

元人現存《易》學著作的文本考察

韓格平

北京師範大學古籍與傳統文化研究院教授

提要

現存元人《易》著與《易》序，是元代易學研究的主要文本。本文在核查海內外古籍目錄著作相關著錄、確認現存元人《易》學著作數量、查閱相關各書主要版本、收集現存《易》著序跋的基礎上，著重介紹了現存元人《易》著的存世情況和元人《易》序的基本內容。本文有助於人們更好地利用現存元代《易》學文本，以及更為全面地瞭解元代《易》學著作的整體風貌。

關鍵詞：元代《易》學　《易》學著作　《易》著版本　《易》著序跋

一　前言

　　元世祖忽必烈至元八年（1271）十一月頒佈〈建國號詔〉曰：「可建國號曰大元，蓋取《易經》『乾元』之意。」[1]有元一代，《易經》為朝野上下所重，君臣議政，士子撰文，多取《易》文為據，即如白珽皇慶元年（1312）所云「邇年以來，談《易》者棼棼藉藉」，[2]研讀《周易》成為一代時尚。亦如鄭玉〈周易大傳附註自序〉所云：「天地萬物之理，古今萬事之變，《易》無所不具；吉凶消長之故，進退存亡之幾，《易》可前知。所以為潔淨精微之教，而示人以『開物成務』之道也。《易》其可一日不講乎！」[3]鄭文作于至正十七年（1357）秋，元人重視《易》學可見一斑。元祚雖短，元人治《易》論著甚豐。時至今日，元人《易》學著作大多亡佚，然尚存者亦頗可觀。本文參稽前賢諸說，核以所知所見，就現存元人《易》學著作略予介紹，期望有助於人們更為真切地瞭解元代《易》學風貌，且對當前日漸興盛的元代《易》學研究略盡綿力。

二　現存元人《易》學著作文本簡述

　　明修《元史》，未及編纂《藝文志》。黃虞稷《千頃堂書目》、倪燦、盧文弨《補遼金元藝文志》、金門詔《補三史藝文志》、錢大昕《補元史藝文志》等廣為搜集元人著作，頗便學人。今人據以增刪訂補，漸趨完備。雒竹筠、李新乾《元史藝文志輯本》著錄元人《易》學著作兩百一十五種，其中存世三十八種；[4]黃沛榮〈元代《易》學平議〉著錄元人《易》學著作兩百

1　宋濂等：《元史》（北京市：中華書局，1976年），頁138。

2　白珽：《大易集說序》，引自李修生主編：《全元文》（南京市：鳳凰出版社，2004年），冊13，頁292。

3　引自李修生主編：《全元文》（南京市：鳳凰出版社，2004年），冊46，頁322。

4　雒竹筠遺稿、李新乾編補：《元史藝文志輯本》（北京市：燕山出版社，1999年），頁1-21。

四十種，其中確有流傳者五十七種；[5]陳甯甯、周鐵強等編輯《易學專著總目》著錄元人《易》學著作一百六十九種，其中存世四十種。[6]今將所見三十四位作者的四十四種著作簡述如下。前人歸入子部諸書（如俞琰《易外別傳》一卷、李道純《周易尚占》三卷、劉因《櫄菁記》一卷、鮑雲龍《天原發微》、陳致虛《周易參同契分章注》三卷等）未予收錄；已知存世但未經核驗者（如鄭滁孫《大易法象通贊》七卷等）暫付闕如。

周易集說四十卷　俞琰撰

有《通志堂經解》本、《四庫》本。卷首有元貞丙申（1296）五月俞氏自序、皇慶癸丑（1313）四月俞氏後序，後者謂「自至元甲申（1284）集諸說之善而為之說，凡四十卷，因名之曰《周易集說》云」。納蘭成德序謂俞氏《易圖纂要》一卷、《易外別傳》一卷附於本書，而今本無。朱彝尊《經義考》卷四十另有至大庚戌（1310）冬，資深大夫漢東孟淳能靜序；有至大庚戌（1310）冬至，王都中序；有皇慶元年（1312）春，將仕郎、江浙等處儒學副提舉白珽序；有皇慶二年（1313）七月，張瑛序；有至治壬戌（1322）春，中順大夫、僉江南浙西道肅政察訪司事李克寬書於吳江驛之序；有至治二年（1322）春，里人顏堯煥明可序；有至治壬戌（1322）冬，浦城楊載仲宏序；有泰定元年（1324）十月，黃溍序[7]；有至正六年（1346）七月，干文傳壽道序。嚴紹璗《日藏漢籍善本書錄》（以下簡稱《日藏漢籍》）謂靜嘉堂文庫藏元至正八年至十六年（1348-1356）存存齋刊

5　黃沛榮：〈元代《易》學平議〉，《元代經學國際研討會論文集》（台北市：中央研究院中國文哲研究所，2002年12月，初版再刷），頁159-194。

6　《中華易學大辭典》編輯委員會編：《中華易學大辭典》（上海市：上海古籍出版社，2008年），頁1022-1028。

7　按，《經義考新校》署為「嘉定元年十月」，校語云「文淵閣《四庫》本誤作泰定」。嘉定為宋寧宗年號，元年為一二〇八年，其時俞琰尚未出生，故從《四庫》本作「泰定」。

本附有《易圖纂要》一卷、《易外別傳》一卷，有「嗣男仲溫校正，命兒槙繕寫，謹鋟梓於家之讀易樓。至正八年歲在戊子十二月廿五日謹誌」等三條刊語。[8]《中國古籍善本書目》（以下簡稱《中善》）有元至正九年俞氏讀易樓刻公文紙印本，殘十一卷，藏國家圖書館；清鈔本十五卷，藏社科院圖書館；清鈔本，殘十四卷，藏上海圖書館。又，臺灣國家圖書館藏有至正十年俞氏讀易樓刊本殘一卷（象傳卷上）。據版式及刊語，北京國圖、臺北國圖藏元刊殘本與靜嘉堂所藏當為同一版本。

讀易舉要四卷　　俞琰撰

有《四庫》本，為《永樂大典》輯本。《中善》有清鈔本殘二卷（四庫底本），藏上海圖書館。《中國古籍總目》（以下簡稱《古總》）有清丁氏八千卷樓抄本，藏南京圖書館。

周易象義十二卷　　丁易東撰

有《中華再造善本》影印國家圖書館藏元刻本。卷首有至元甲午（1294）春劉辰翁序、至元二十八年（1291）三月李珏序、至元間章鑒序、丁易東柔兆閹茂（丙戌，至元二十三年，1286）蕤賓甲午（五月）自序及又序。書末有丁易東昭陽協洽（癸未，至元二十年，1283？）候豫卦所作後序。有《四庫》十六卷本，《四庫全書總目》稱其為《永樂大典》輯本。館臣稱：「然世僅存十之二三，又非彝尊之所見。惟散見《永樂大典》中者，排比其文，僅缺豫、隨、無妄、大壯、睽、蹇、中孚七卦及晉卦之後四爻，餘皆完具。與殘本互相參補，遂還舊觀。以篇頁頗繁，謹析為一十六卷，以便循覽。」[9]經館臣「參補」，《四庫》本尚缺豫、隨、無妄三卦。國圖元刻本與《四庫》

8　嚴紹璗：《日藏漢籍善本書錄》（北京市：中華書局，2007年），頁14-15。

9　永瑢等撰：《四庫全書總目》（北京市：中華書局，1983年6月，初版三刷），頁21。

本基本內容相同，亦缺豫、隨、無妄三卦，而文字稍有差異（如元刻本贞字缺末笔，書末丁氏後序署為「昭陽協洽侯豫外武林丁易東後序」，《四庫》本侯作候、外作卦）。《中善》又著錄有清張氏愛日精廬抄本十六卷，南京圖書館藏；清抄本十六卷，中山大學圖書館藏。《日藏漢籍》著錄靜嘉堂文庫藏有文瀾閣傳寫本十六卷。[10]

大衍索隱三卷　丁易東撰

有《四庫》本，為《永樂大典》輯本，館臣歸入子部術數類。考大衍之義為《易》學重要命題，故從黃虞稷、倪燦、盧文弨、錢大昕、朱彝尊諸說歸入經部易類。

易圖通變五卷易筮通變三卷　雷思齊撰

有《四庫》本。卷首有至元丙辰（按：至元無丙辰，當有字誤）嗣天師簡齋張宗演序、至順三年（1332）三月揭傒斯序、至順三年六月吳全節序、大德庚子（1300）雷思齊自序。有《通志堂經解》本，未收錄《易筮通變》三卷。有《道藏》本。《中善》著錄有明天一閣抄本五卷，藏上海圖書館；有明抄本五卷，藏北京大學圖書館。

讀易私言一卷　許衡撰

有《通志堂經解》本、《學海類編》本、《四庫》本等。又收錄於元蘇天爵《元文類》卷四十四。本文始收錄於許衡《魯齋遺書》卷六，後人輯出單行。《魯齋遺書》卷六尚有〈陰消長〉、〈揲蓍說〉二文，可參閱。

---

10 嚴紹璗：《日藏漢籍善本書錄》（北京市：中華書局，2007年），頁14。

周易本義附錄纂注十五卷　胡一桂撰

　　有《通志堂經解》本、《四庫》本。有日本文化十一年（1814）江戶昌平阪學問所據《通志堂經解》本重刊四冊本，藏日本名古屋市蓬左文庫、靜嘉堂文庫、東京都立中央特別買上文庫、新潟大學、早稻田大學、臺灣大學等處。《中善》著錄元刻本殘三卷，藏四川圖書館。《古總》有清抄本二卷，藏上海圖書館。另，名古屋市蓬左文庫藏有胡一桂《周易筮義》一卷附《變卦》一卷，為室町中期鈔墨界十行本，題駿河御讓本，一冊。考該書未見歷代著錄，待討。

周易本義啟蒙翼傳四卷　胡一桂撰

　　有《中華再造善本》影印上海圖書館藏元刻本。卷首有「皇慶癸丑歲（1313）一陽來復之日新安後學胡一桂庭芳父序」。有《通志堂經解》本，題為《周易發明啟蒙翼傳》三卷《外篇》一卷。有《四庫》本，題為《周易啟蒙翼傳》四卷，缺元刻本、《通志堂經解》本卷首目錄。《中善》著錄有元刻本殘三卷，藏寧波天一閣；有明刻本，藏北京大學、清華大學、徐州市圖、安徽省博等處。又，日本東京大學東文研藏有清嘉慶十七年（1812）胡氏慶餘堂刻本一帙八冊。《日藏漢籍》著錄內閣文庫藏有元皇慶年間刊本兩部。[11]據其提要，該書與上海圖書館藏元刻本當為同一版本。

周易本義附錄集註十一卷卷首一卷　張清子撰

　　有《日本宮內廳書陵部藏宋元版漢籍選刊》影印該處所藏元刊本。卷首有張氏自序，署為「大德癸卯（1303）冬至建安後學中溪張清子謹誌」。詳

---

11 嚴紹璗：《日藏漢籍善本書錄》（北京市：中華書局，2007年），頁15。

情可見顧永新撰該書〈影印說明〉。[12]《日藏漢籍》謂書陵部「此本係元代
張氏刊本初印本，尤可珍秘」。同時，著錄御茶之水圖書館藏有元張氏刊本
後印本四冊、靜嘉堂文庫藏周松靄影寫元刊本四冊。[13]按，張清子事蹟僅見
於朱彝尊《經義考》卷四十四。

易纂言十二卷卷首一卷　吳澄撰

有《通志堂經解》本。書末有「至治癸亥（1323）五月五日觀生（按：
疑為皮達觀。吳澄〈皮達觀詩序〉有言：「邇來太極先天之理融液於心，覗
故吾又有間矣。」）謹誌」之跋，稱「先生著是書幾四十年，其間彙成改易
者凡數四。壬戌（1322）秋，書成，然未嘗以示人。明年春，觀生固請鋟諸
梓以惠學者，先生幸慨然許之。……」[14]有《四庫》本。《中善》著錄有明
萬曆刻本，藏中國社科院歷史所、山東省圖。[15]《總目》著錄有清翻刻明
本，藏上海圖書館；清初抄本不分卷，藏山東圖書館。《日藏漢籍》著錄日
本尊經閣文庫藏有明萬曆間刊本七冊，靜嘉堂文庫藏有明刊十卷本二冊。[16]
又，日本東北大學藏有市川匡標注，安永八年（1779）謄寫市川鳴鶴稿本五
冊；日本早稻田大學藏有徂徠先生真跡跋本五冊。

易纂言外翼八卷　吳澄撰

有《中華再造善本》影印中國國家圖書館藏元刻本。卷首作者自序云

---

12 顧永新：〈《周易本義附錄集註》影印說明〉，《日本宮內廳書陵部藏宋元版漢籍選刊·
　 周易本義附錄集註》（上海市：上海古籍出版社，2013年），頁1-7。

13 嚴紹璗：《日藏漢籍善本書錄》（北京市：中華書局，2007年），頁18-20。

14 納蘭性德：《通志堂經解》（揚州市：廣陵書社，2007年，縮拼影印清刊本），冊3，頁
　 114。

15 據謝輝相告，范邦瑾：《美國國會圖書館藏中文善本書續錄》還著錄有明萬曆刻本一
　 部。

16 嚴紹璗：《日藏漢籍善本書錄》（北京市：中華書局，2007年），頁16。

「纂言者何？臨川吳澄纂昔人今人之言以釋羲文周孔之《易》也。外翼者何？言之夫備未明者。輯成類例，綴于所釋經傳之後，猶鳥翼之傅身外而為之左右也」，繼而介紹本書十二篇篇旨。[17]有《四庫》本，《四庫全書總目》稱其為《永樂大典》輯本。館臣稱：「此書則傳本漸罕，近遂散佚無存。……今缺卦變、變卦、互卦三篇，易流缺半篇，易原疑亦不完。」[18]經與元刻本相校，《四庫》本尚多有佚缺。《古總》著錄有清道光十五年刻本，藏上海圖書館、山東圖書館；易纂言外翼八卷校勘記一卷（魏元曠校勘），有《豫章叢書》本。《日藏漢籍》著錄日本靜嘉堂文庫藏有文淵閣傳寫本二冊。[19]又，日本東北大學亦藏有清道光十五年刻本五卷一冊。

新刊周易纂言集註四卷首一卷　吳澄撰

有東北師範大學圖書館藏明嘉靖元年（1522）宗文書堂刻本。黑口，四周雙邊，雙順黑魚尾。序文半頁九行，行十七字；正文半頁十行，行二十一字。卷首有〈周易纂言集注序〉，署為「成化三年丁亥（1467）正月己卯吉旦後學莆田翁世資序」。有跋文曰：「《周易纂言》，是書出自元儒吳澄所著，至成化年間復出有京本。且書坊乃謂：古今書籍，積聚之、所求之易，無有也坊間。江湖逸士鄭君伯剛者，因赴京華，得獲是書。玩其詞而味其意，乃倍其價而易之歸。筵滄溪周先生點校明盡，命工不日刊刻完備。蓋欲以廣天下窮是經君子之意也，抑亦發揮吳先生著書之意燦然復明於世矣。咦！鄭君用心之忠厚有如此夫。予固濫跋於是。嘉靖元年孟秋月宗文書堂刊行。」有「嘉靖元年孟秋宗文書堂刊行」、「宗文書堂謹依京本繡梓刊行」、「嘉靖元年孟秋宗文書堂新刊」牌記。正文題「新刊周易纂言集註卷之一」，署「後學

---

17 吳澄：《易纂言外翼》卷首，《中華再造善本》（北京市：北京圖書館出版社，2004年）。

18 永瑢等撰：《四庫全書總目》（北京市：中華書局，1983年6月，初版三刷），頁23。

19 嚴紹璗：《日藏漢籍善本書錄》（北京市：中華書局，2007年），頁16。

臨川草廬吳澄學著」。[20]臺灣中央研究院傅斯年圖書館藏有明天順間（1457-1464）刊本八冊，首有天順間□世資序，書末缺頁。

周易繫辭述二卷　保八撰

有《中華再造善本》影印中國國家圖書館藏元刻本（殘）。前有殘序兩頁（四面）。正文始於《繫辭》「是故君子所居而安者，易之序也；所樂而玩者，爻之辭也」，句末有雙行小字注釋。止於《雜卦》「小畜，寡也。履，不處也」。[21]

易原奧義一卷周易原旨八卷　保八撰

有《四庫》本。卷首有保八〈進太子箋〉。《總目》著錄北京大學有清影抄元本《易原奧義》一卷；有清影抄元本《周易原旨》六卷、清乾隆四十七年後抄本《周易原旨》八卷。《經義考》卷四十五有任士林序與牟巘跋。[22]《日藏漢籍》著錄日本靜嘉堂文庫藏有陸心源手識舊寫本《周易原旨》六卷、易原奧義一卷，謂：「是書有任士林序，並牟巘跋。跋文後署『丙午明年（1307）春熟食日，年八十有一』。」[23]《易原奧義》又作《易源奧義》，保八又作保巴、寶巴。《易原奧義》、《周易原旨》又統名《易體用》，任士林〈易體用序〉載其別集《松鄉集》卷四。

讀易考原一卷　蕭漢中撰

有《四庫》本。館臣謂：「明初朱升作《周易旁注》，始採錄其文，附於

20 吳澄：《新刊周易纂言集註》，東北師範大學圖書館藏明嘉靖元年（1522）宗文書堂刻本。

21 保八：《周易繫辭述》，《中華再造善本》（北京市：北京圖書館出版社，2004年）。

22 林慶彰等主編《經義考新校》（上海市：上海古籍出版社，2010年），冊3，頁819。

23 嚴紹璗：《日藏漢籍善本書錄》（北京市：中華書局，2007年），頁16。

末卷。升自記稱謹節縮為上下經二圖於右，而錄其原文於下，以廣其傳。則是書經升編輯，不盡漢中之舊。今升書殘缺，而漢中書反附以得存，此本即從升書中錄出別行者。」[24]另有朱升〈蕭漢中讀易考原序〉，其文曰：「《周易》卦序之義，自韓康伯、孔穎達以來，往往欲求之孔聖《序卦傳》之外，程朱諸儒用意尤篤。至於臨川吳先生《卦統》之序述，亦可謂求之至矣，而其中間精密比次之故，則猶有未當于人心者。愚求之半生，晚乃得豫章蕭氏《讀易考原》之書，以為二篇之卦，必先分而後序，閎奧精粹，貫通神聖，誠古今之絕學也。謹節縮為上下經二圖於右，而錄其全文於下，以廣其傳於不朽云。漢中字景元，吉之泰和人，其書成於泰定年間（1324-1327）。」[25]《古總》著錄有清翻刻明成氏本，藏上海圖書館；清抄本，藏南京圖書館；有《讀易考原》一卷（蕭漢中）校勘記一卷（魏元曠），《豫章叢書》本。

易學啟蒙通釋二卷　胡方平撰

有《中華再造善本》影印中國國家圖書館藏元刻明修本。卷首為熊禾殘跋，始於「不假安排，天地之間，開眼即見」，署為「壬辰（1292）仲夏望日後學武夷熊禾跋」；次為〈啟蒙所引姓氏〉、〈通釋所引姓氏〉；次為〈易學啟蒙序〉，署為「淳熙丙午（1186）莫春既望雲台真逸手記（按：四庫館臣已辯此序署名有誤）」。[26]有《通志堂經解》本，卷首有〈易學啟蒙序〉，亦署為「淳熙丙午（1186）莫春既望雲台真逸手記」；書末有劉涇跋，署為「至元壬辰（1292）季夏劉涇楫之謹跋」，有熊禾跋。[27]有《四庫》本。又，胡次焱撰有〈啟蒙通釋序〉，載其別集《梅岩文集》卷三；〈跋胡玉齋啟蒙通釋（至元壬辰七月）〉，載其別集《梅岩文集》卷七。《中善》著錄有明朱謐述解明刻本，藏南京圖書館；清嘉慶十五年慶餘堂刻本，藏杭州大學圖

---

24 永瑢等撰：《四庫全書總目》（北京市：中華書局，1983年6月，初版三刷），頁25-26。

25 引自李修生主編：《全元文》（南京市：鳳凰出版社，2004年），冊46，頁472。

26 胡方平：《易學啟蒙通釋》，《中華再造善本》（北京市：北京圖書館出版社，2005年）。

27 胡方平：《易學啟蒙通釋》，《通志堂經解》（清康熙十九年通志堂刊本）。

書館。《日藏漢籍》著錄尊經閣文庫藏元至元二十九年（1292年）熊禾刊本二冊，謂「首有跋文二則，題署『至元壬辰季夏朔雲莊侈人劉涇楫之謹跋』及『壬辰仲夏望日後學武夷熊禾跋』」；著錄東京都立中央圖書館藏元致和元年（1328年）環溪書院覆至元刊本二冊，劉涇跋文改署為「致和戊辰季夏朔環溪書院重刊謹跋」。[28]

周易程朱傳義折中三十三卷　趙采撰

有《四庫》本。卷首有作者自序，署為「趙采德亮原序」。一九三一年《三台縣誌》、四庫本《四川通志》載有趙采此序，後者署為「後學潼川趙采德亮謹序」。[29]《中善》著錄有清陳氏運甓齋抄本，有陳跋，藏天一閣文物保管所。又，臺灣國家圖書館藏有舊鈔本八冊，卷首自序題「後學潼川趙采德亮謹序」，有「翰林院印」滿漢朱文大方印。

周易衍義十六卷　胡震撰

有《四庫》本。卷首有〈周易衍義原序〉，署為「大德乙巳（1305）良月將仕佐郎南康路儒學致仕教授深溪胡震序」。次為胡震之子光大附語，謂「先子生平嗜書，貫穿經史，暮年尤研心《周易》，述為《衍義》，幾成書而下世。……先子棄背殆將十載，甫克遂成先志，纂集成編。」《中善》著錄有清抄本，不分卷，藏福建師範大學圖書館。謝輝稱「除了較為通行的四庫本外，目前所知《衍義》傳世者尚有三個抄本，分藏福建師範大學圖書館、韓國延世大學圖書館與日本京都大學文學部圖書館」，且對三個抄本均有詳細介紹。[30]

---

28 嚴紹璗：《日藏漢籍善本書錄》（北京市：中華書局，2007年），頁10-11。

29 引自李修生主編：《全元文》（南京市：鳳凰出版社，2004年），冊59，頁347-349。

30 謝輝：〈《周易衍義》與義理易學在元代的發展〉，《元代文獻與文化研究》第三輯，中華書局待出版。

大易輯說十卷　王申子撰

有《通志堂經解》本。卷首有三序，分別署為「大德七年（1303）良月朔廣平程文海書」、「大德辛丑（1301）日長至昌元王履序」、「延祐三年（1316）十一月望日前進士長沙李琳書」。又有〈續刊大易輯說始末〉，署為「延祐丙辰（1316）日長至承直郎前常德路總管府推官居延田澤拜首謹書」。《經義考》卷四十四有吳澂、鄧從仕評語。[31]有《四庫》本。《中善》著錄有清抄本，藏天津圖書館。王重民《中國善本書提要》著錄北京圖書館藏有鈔本（十二行二十二字）四冊。按，該鈔本後歸臺灣國家圖書館，現已移入臺北故宮博物院圖書館。

周易本義集成十二卷　熊良輔撰

有《中華再造善本》影印中國國家圖書館藏元刻明修本。卷首有序，署為「有宋元符二年己卯（1099）庚申河南桂頤序」。序文文字多有殘缺，「河南桂頤」事蹟無考，且本書成書於至治二年（1322），不應有二百餘年前之序，故卷首序文待討。[32]次為正文〈周易本義集成上經卷第一〉，題為「南昌熊良輔編，泉峰龔煥校正」。龔煥字幼文，號泉峰，進賢（今江西省進賢縣）人，事蹟見《宋元學案》卷八三。有《通志堂經解》本。卷首有二序，分別署為「至治壬戌（1322）五月辛卯南昌後學鄉貢進士熊良輔任重謹序」、「至治二年（1322）六月望日旴江陳櫟孟實父書」。有《四庫》本。《中善》著錄有元刻明修本，藏國圖、山東省圖書館（殘）。臺灣國家圖書館藏有清乾隆五十年（1785）內府刊本及清同治十二年（1873）粵東書局重刊本各一種。

---

31 林慶彰等主編《經義考新校》（上海市：上海古籍出版社，2010年），冊3，頁799。
32 據謝輝相告，卷前序文非「河南桂頤」，而是「程頤」，此序即是《伊川易傳》之序。

周易本義通釋十二卷輯錄雲峰文集易義一卷　胡炳文撰

　　有《通志堂經解》本。卷首有作者自序，署為「延祐丙辰春新安後學胡炳文仲虎父序」。次為〈周易總目〉及〈周易本義通釋例〉，次為《輯錄雲峰文集易義一卷》，前有九世孫胡琪識語。次為正文〈周易本義通釋卷一〉，題為「新安雲峰胡炳文通」。《四庫全書》收錄《周易本義通釋》十二卷，缺卷首作者自序。《中善》著錄有明胡琪輯嘉靖元年潘旦刻本，藏國圖、常熟市圖書館、安徽省博物館、南京圖書館。《古總》著錄有清抄本，藏國家圖書館；有日本享和二年（1802）京都官版書籍發行所刊本，藏上海圖書館、南京圖書館、山東圖書館、北師大圖書館、日本國會圖書館。又，臺灣國家圖書館藏有明嘉靖元年刻本、舊鈔本四冊、清乾隆五十年（1785）內府刊本、清同治十二年（1873）粵東書局重刊本；臺大圖書館藏有日本享和二年刊本。《日藏漢籍》著錄靜嘉堂文庫藏有明嘉靖年間（1522-1566）刊本十二冊。[33] 又，日本多家圖書館藏有享和二年刊本。

大易象數鈎深圖三卷　張理撰

　　有《通志堂經解》本。有《四庫》本。有《道藏》本。《中善》著錄有明抄本，藏國家圖書館。《日藏漢籍》著錄蓬左文庫藏有明刊本三冊（尾陽文庫舊藏）。[34] 又，日本內閣文庫、尊經閣文庫、東洋文庫等藏有明郭若維校《六經圖》一卷本；靜嘉堂文庫藏有《大易圖五種》本（十萬卷樓舊藏）。又，臺灣國家圖書館藏有清乾隆五十年（1785）內府刊本、清同治十二年（1873）粵東書局重刊本。[35]

33　嚴紹璗：《日藏漢籍善本書錄》（北京市：中華書局，2007年），頁16-17。

34　嚴紹璗：《日藏漢籍善本書錄》（北京市：中華書局，2007年），頁20。

35　據謝輝相告，王鐵《宋代易學》以為《大易象數鈎深圖》非張理所著，學界目前對此看法比較認可。

易象圖說內篇三卷外篇三卷　張理撰

有《通志堂經解》本。卷首有〈易象圖說序〉，署為「至正丁酉（1357）秋七月昭武紫雲山人黃鎮成謹序」；有作者自序，署為「至正二十有四年青龍甲辰（1364）三月上巳日清江後學張理書於三山之民所」。另有貢師泰〈易象圖序〉，其文略曰：「清江張理仲純讀《易》而有得焉，於朱子《本義》所列九圖之外，復推演為圖一十有二，以明陰陽、剛柔、奇偶之象，然後動靜、闔闢、往來、交互、變易、縱橫、上下坦然明著矣。」[36]另有蔣易〈周易象數圖說序〉，其文略曰：「今仲純乃復者，悟於《龍圖》之數而得，又交十合二八摩盪之妙，作為圖說，攜以示予。為之反復探玩，而知其用意之所在。雖其說不本邵子，然象、數既陳而義理昭著，要不害為一家之言也。」[37]有《四庫》本（入子部術數類）。有《道藏》本。又，靜嘉堂文庫藏有《大易圖五種》本（十萬卷樓舊藏）。又，臺灣國家圖書館藏有清乾隆五十年（1785）內府刊本、清同治十二年（1873）粵東書局重刊本。

學易記九卷　李簡撰

有《中華再造善本》影印中國國家圖書館、遼寧省圖書館藏元刻本。卷首有〈學易記序〉，署為「信都後學李簡序」。有《通志堂經解》本。卷首有〈學易記序〉，署為「中統建元庚申（1260）秋七月望日信都李簡序」。有《四庫》本。《古總》著錄有明配清抄本，藏南京圖書館。又，臺北故宮博物院藏有烏絲欄鈔本八冊；臺灣國家圖書館藏有清乾隆五十年（1785）內府刊本、清同治十二年（1873）粵東書局重刊本。

36　引自李修生主編：《全元文》（南京市：鳳凰出版社，2004年），冊45，頁167。

37　引自李修生主編：《全元文》（南京市：鳳凰出版社，2004年），冊48，頁36。

周易會通十四卷　董真卿撰

有《中華再造善本》影印中國國家圖書館藏元刻本。卷首有〈周易經傳集程朱解附錄纂註序〉，署為「天曆初元蒼龍戊辰（1328）天開之月陽復後十日庚辰後學鄱陽董真卿季真父自序于審安書室」。序後有其子董僎記語，署為「元統二年歲在甲戌（1334）九月朔旦男僎百拜專記」。有《通志堂經解》本，題為《周易經傳集程朱解附錄纂註（一作《周易會通》）十四卷首一卷。有《四庫》本。《中善》著錄有元刻本，藏國家圖書館（2）、中國歷史博物館（殘）、社科院民族所、上海圖書館、吉林省圖書館（殘）、曲阜文管會、社科院圖書館；明洪武二十一年（1388）建安務本堂刻本，藏上海圖書館；明刻本，藏山東圖書館（殘）。《古總》著錄有元刻本，藏北京市文物局；有明洪武二十一年建安務本堂刻本，藏日本國會圖書館；有後至元二年（1336）翠巖精舍刻本，藏日本東洋文庫。《日藏漢籍》著錄東洋文庫藏有元後至元二年（1336）翠巖精舍刻本十六冊（岩崎久彌舊藏）；國會圖書館藏有明洪武二十一年（1388）覆元後至元二年翠巖精舍刊本十六冊。[38]又，臺北故宮博物院藏有朝鮮舊刊本（存首五卷），元統二年董僎閩中刊本十六冊，明洪武二十一年（1388）建安虞氏務本堂重刊本；臺灣國家圖書館藏有清乾隆五十年（1785）內府刊本、清同治十二年（1873）粵東書局重刊本。

勿軒易學啟蒙圖傳通義七卷　熊禾撰

有《續修四庫》影印國家圖書館藏書鈔閣影元鈔本（即《中善》著錄之清抄本）。卷首有〈勿軒易學啟蒙通義序〉，署為「大元至正癸巳（1353）仲秋既望曾孫熊玩謹序」。次為正文《勿軒易學啟蒙圖傳通義》卷之一，題為「建安後學鼇峰熊禾去非述」。卷一中〈原易卦第二〉，即熊氏《勿軒集》之〈易卦說〉。

---

38 嚴紹璗：《日藏漢籍善本書錄》（北京市：中華書局，2007年），頁17-18。

易經訓解四卷　熊禾撰

有《續修四庫》影印復旦大學圖書館藏明崇禎十六年（1643）刻本（即《中善》著錄之明崇禎十六年（1643）刻本）。卷首有殘序，署為「大明崇禎癸未（1643）秋七雲間後學陳子龍臥子題於嶽裏堂」。次為程頤〈周易序〉，次為〈易經訓解總目〉。次為《易經訓解》正文，題為「宋先儒熊禾勿軒氏訓解，明後學陳子龍臥子父訂定」。

太易鈎玄三卷　鮑恂撰

有《續修四庫》影印國家圖書館藏清鈔本（即《中善》著錄之清鈔本）。卷首有〈太易鈎玄序〉，其文略曰：「然《易》之精者，獨鮑氏得其所傳之妙□，而勿行於世。先生崇德人，姓鮑名恂，字仲孚，元乙亥（1335）進士也。深得太易之旨，乃作是書，以宣太易之道，名曰《學易舉偶》，而授之連山陳先生亮，亮授之建安趙先生志道，志道授之黃州程先生伯昌。先生名蕃，生於至元十七年（1280）丁酉。生而英爽超卓，穎悟且奇，貫通三氏之學，深得太易之旨，而合乎神明之德。出於人也，大不凡矣，可謂奇士也。於是重加訂正，以明聖人作《易》之心。□十年間，屢欲刊行而事不果，□非造化之秘而不然乎？咦！然鮑氏之書，非先生不足以發其蘊；今先生之傳，非予不足以光先生之旨。傳于方輿，繼于萬世，使先生之德與是書同其耿光於無窮焉，其有功于《易》也大矣。惜乎！《易》之學者，不能造其閫域；得其傳者，莫過經學之大□儒者之門庭耳。入室之言未聞一語，此朴子所謂『在紗幌之外，不能察軒房之內』者也。徒揣湎妙於不測，推神化於虛誕。今觀是書，則造其閫域有是望矣。乃命壽諸梓以示後學，更其名曰《太易鈎玄》。是歲旃蒙單閼（乙卯）月在修玄（丙戌）朔有二日涵虛子臞仙（明甯王朱權）書。」[39]次為正文《太易鈎玄》卷之上，題為「崇德鮑恂

---

39 朱彝尊《經義考》卷四十九摘引此序：林慶彰等主編《經義考新校》（上海市：上海古籍出版社，2010年），冊3，頁876。

仲孚撰，黃州程蕃伯昌校正」。書末有「孫壯藏書印」、「國立北平圖書館收藏」二印。《四庫存目》著錄有鮑恂《學易舉偶》三卷，為浙江吳玉墀家藏本。館臣提要稱「是書本名《學易舉偶》，權為刊板，始更名《大易鉤玄》。」[40]

周易集傳八卷　龍仁夫撰

有《四庫》本。《中善》著錄有清影元抄本，有盛百二跋，藏上海圖書館。《古總》另著錄有明影抄元本，藏日本靜嘉堂文庫[41]；清乾隆五十三年後抄本，藏北大圖書館；清蔣光熙輯《別下齋叢書》本，藏國家圖書館[42]；清光緒十七年龍文彬永懷堂刻本，藏北大、湖北；清抄本，藏北大、人大。又，臺灣大學圖書館藏有清同治七年（1868）永新尹氏鼎吉堂刻本，附有補遺一卷考證一卷校正一卷。又，日本京都大學文學研究科、京大人文研、東洋文庫等藏有《別下齋叢書》本；京大人文研藏有清同治七年（1868）鼎吉堂刊本二冊；東北大學圖書館藏有鼎吉堂刊本四冊。又，韓國延世大學中央圖書館藏有《別下齋叢書》本。

易精蘊大義十二卷　解蒙撰

有《四庫》本。《總目》著錄有清乾隆間翰林院抄本（《四庫》底本），藏北京大學圖書館。《古總》著錄有《易經精義旁訓》三卷，解蒙精義，明朱升旁訓，清光緒九年四川新都魏氏古香閣刻本，藏上海圖書館、四川省圖書館。《日藏漢籍》著錄靜嘉堂文庫藏有陸心源十萬卷樓舊藏文瀾閣寫本四冊。[43]

40　永瑢等撰：《四庫全書總目》（北京市：中華書局，1965年），頁50。
41　嚴紹璗：《日藏漢籍善本書錄》（北京市：中華書局，2007年），頁18亦有著錄。
42　收入鄧瑞全主編：《中國易學文獻集成》（北京市：國家圖書館出版社，2013年），冊64。
43　嚴紹璗：《日藏漢籍善本書錄》（北京市：中華書局，2007年），頁20。

直音傍訓周易句解十卷　朱祖義撰

　　臺灣國家圖書館藏有清康熙間安樂齋烏絲欄鈔本十卷四冊。正文卷端題
「直音傍訓周易句解卷之一，廬陵朱祖義子由」。《古總》著錄有元泰定三年
（1326）敏德書堂刊本，藏日本內閣文庫；有日本小出立庭點，新井登祐
校，日本寬文十一年（1671）吉野屋惣兵衛刻本，藏日本國會圖書館。《日
藏漢籍》著錄內閣文庫藏有原昌平阪學問所等舊藏元泰定三年敏德書堂刊本
一冊，且云「日本靈元天皇寬文十一年（1671年）吉野屋惣兵衛刊《直音傍
訓周易句解》十卷，此本全仿元泰定刊本，由日人小出立庭點、新井登祐
校。桃園天皇寶曆九年（1759年）大阪野田莊右衛門刊《直音傍訓周易句
解》十卷。此本係寬文本之覆刊。其後，此本有淺野彌兵衛重印本」。[44]
按，日本靜嘉堂文庫藏有寬文年間刻本3冊；名古屋蓬左文庫、東北大學圖
書館藏有淺野彌兵衛重印本，前者為五冊，後者為三冊。

周易圖說二卷　錢義方撰

　　有《四庫》本。卷首有〈周易圖說原序〉，署為「至正六年龍集丙戌
（1346）夏四月甲子前進士吳興錢義方子宜父序」。又，日本靜嘉堂文庫藏
有十萬卷樓舊藏文瀾閣傳抄本一冊、及《大易圖五種》本錢義方《周易
圖》。

周易爻變易縕四卷　陳應潤撰

　　有《四庫》本。卷首有〈周易爻變易縕原序〉，署為「至正丙戌（1346）
正月既望中順大夫秘書少監致仕金華黃溍序」；有〈周易爻變易縕自序〉，署
為「至正丙戌（1346）春正月初吉天臺陳應潤序」；有〈圖說〉一篇。《中

---

44 嚴紹璗：《日藏漢籍善本書錄》（北京市：中華書局，2007年），頁15-16。

善》著錄有清抄本，藏南京圖書館。《古總》著錄有影抄元刻本，藏日本靜嘉堂文庫。《日藏漢籍》著錄靜嘉堂文庫藏有汪啟淑等舊藏舊鈔影寫元刊本四冊，首有〈圖說〉一篇，並引陸心源《儀顧堂續跋》卷一著錄此本云：「首有〈圖說〉。……《提要》不言有〈圖說〉，未知與此同否。」[45]

周易文銓四卷　趙汸撰

有《四庫》本。《古總》著錄有民國間廬江劉氏遠碧樓抄本，藏上海圖書館。

周易正訓童子便不分卷　趙汸撰

《中善》著錄有清抄本，藏上海圖書館。按，此書未見前人著錄，待討。

周易經義三卷　涂溍生撰

有《中華再造善本》影印中國國家圖書館藏元刻本。卷首有〈周易經義總目〉，謂「卷之一，上下經，凡七篇。卷之二，繫辭上，凡三十二篇。卷之三，繫辭下，凡二十七篇；說卦，凡六篇」。次為正文〈周易經義卷之一〉，題為「進士臨川涂溍生擬」。書末有朱筆跋文云：「按朱竹垞《經義考》載涂溍生《易主意》一卷，已佚，而無此書。又引楊士奇之言謂《易主意》『專為科舉設，近年獨廣陵謝子方有之，以教學者，於是吾鄉學《易》者皆資於此』，不知即此書耶？抑別有其書也。溍生字自昭，宜黃人。《江西通志》稱其『邃于《易》，三上春官不第，為贛州濂溪書院山長，著有《四書斷疑》、《易義矜式》行於世』。己亥（1839）十月望日，得此冊於鬻古書者。嘗質諸朱文遊丈（名奐），亦未之見也。延陵吳翌鳳伊仲記。」吳翌鳳字伊仲，

45 嚴紹璗：《日藏漢籍善本書錄》（北京市：中華書局，2007年），頁18。

號枚庵，嘉慶時諸生。少好學，手抄書數千百卷，多藏書家所未見。

周易經疑三卷　涂溍生撰[46]

有《續修四庫》影印《宛委別藏》本。卷首有〈周易經疑目錄〉，題為「至正己丑（1349）三月印行」，目錄卷之一列有「問乾元亨利貞」、「答」、「問仁義禮知」、「答」等一百一十七篇篇名，卷之二列有「彖言天地萬物之情」、「咸解取象於拇」、「咸艮取象於腓」等三十七篇篇名，卷之二列有「乾坤曰易曰簡同異」、「剛柔變化變通之象」、「問無咎何咎何其咎無大咎」、「又問」等八十三篇篇名。次為正文〈周易經疑卷之一〉，題為「進士臨川涂溍生易庵擬」。臺北故宮博物院圖書館藏有清嘉慶年間阮元進呈影鈔元刊本一冊，名《周易經疑》。

易經旁訓三卷　李恕撰

有《續修四庫》影印南通市圖書館藏明萬曆二十四年（1596）陳大科刻本。另有李恕〈周易旁訓自序〉，其文略曰：「恕伏讀三十年，常疑學者謂程《傳》專主義理，《本義》專主卜筮，乃取二先生之書，熟玩而參考之。每程《傳》有未安，《本義》必推原經旨，期於允當而後已。至於程《傳》之巍然炳然者，《本義》初未嘗別出新意。乃知《本義》所以補程《傳》之遺，而於占筮猶拳拳者，亦因程《傳》所略而著之，而後聖人吉凶與民同患之意始盡。學者徒見其異，不知合異乃所以為同也。余不諒淺陋，輒合程朱二家之說，及《本義附錄》、《何氏發揮》、《大易萃言》、《南軒解義》諸書，節而一之，以為《旁訓》。」[47]《中善》著錄有明萬曆二十三年鄭汝璧、田疇等刻《五經旁訓》本，清李承澍批點，章鈺跋，藏天津圖書館；有清翁方

---

46 本書承蒙孫劍秋、謝輝提示。
47 引自李修生主編：《全元文》（南京市：鳳凰出版社，2004年），冊35，頁317-318。

綱圈點，徐同柏跋，藏浙江海寧縣圖書館；明萬曆二十五年吳有川刻本，藏廣東省社科院圖書館。《古總》著錄有明天啟王氏刻《五經旁訓》本《易經旁訓》四卷，藏人大圖書館。又，臺灣國家圖書館藏有明刊《五經旁訓》三卷本（闕卷一、卷二）。

易學濫觴一卷　黃澤撰

有《四庫》本。卷首有〈易學濫觴原序〉，署為「延祐第七（1320）立秋之後四日臨川吳澄書于《易學濫觴》《春秋指要》之卷端」。書末有作者後序，署為「延祐七年夏五資中後學黃澤敬書」。《古總》著錄有《經苑》本（道光咸豐刻、同治印、民國補刻）；《涉聞梓舊》本（咸豐刻、民國影印）；《小萬卷樓叢書》本（咸豐刻、光緒刻）；《學易六種》本（抄本）；咸豐間沈氏抱經樓抄本，藏上海圖書館藏。又，臺灣國家圖書館藏有清道光八年（1828）福建重刊本；臺灣大學圖書館藏有清咸豐元年（1851）海昌蔣氏宜年堂刊本。

易學變通六卷　曾貫撰

有《四庫》輯《永樂大典》本，缺豫、隨等八卦。《中善》著錄有清抄本，存卷三至卷六，藏湖南省圖書館。《古總》著錄有清翻刻明成氏本，藏上海圖書館；有抄本，藏國家圖書館；有《豫章叢書》本，附魏元曠校勘記。又，日本靜嘉堂文庫藏有十萬卷樓藏舊抄本一冊。

周易參義十二卷　梁寅撰

有《通志堂經解》本。卷首有作者自序，署為「臨江後進生梁寅敘」；該序作於「至元六年（1340）歲名商橫執徐（庚辰）月名畢聚（甲寅，正月）」。有《四庫》本。《中善》著錄有明初刻本，藏國家圖書館（殘）、上海

圖書館；有天一閣抄本，藏上海圖書館；有翁同批註並跋本，藏國家圖書館；有清初抄本，藏遼寧省圖書館。又，臺北故宮博物院圖書館藏有元刊本一冊，存卷三至卷十，該書由北平圖書館入臺灣國圖，再轉入臺北故宮；臺灣國家圖書館藏有清乾隆五十年（1785）內府刊本及清同治十二年（1873）粵東書局重刊本。

周易通義八卷發例二卷識蒙一卷或問三卷　黃超然撰

有《續修四庫》影印上海圖書館藏明鈔本。卷首有〈周易通義敘〉，署為「咸淳八年（1272）秋八月吉日天臺黃超然立道謹序」；有〈通義敘〉，署為「至順改元庚午（1330）五月朔日孫饒州路初庵書院山長侃百拜書」。《發例》卷首有作者自序，署為「屠維單閼（己卯，1279）良月吉日書」。《識蒙》卷首云：「《易》之精蘊，聖人不盡言也。不盡言，故學者不盡知也。不盡知，則其於《易》也狹矣。玩辭之久，間得一二。附之《通義》則太繁，混之《發例》則無別，作《識蒙》。」《或問》卷首云：「《發例》，律也；《識蒙》，律意也；《或問》，通律與意之所不及也。或曰：『絜靜精微，《易》教也』，《易》豈如是費辭哉？曰：『君子所居而安者，《易》之序也；所樂而玩者，爻之辭也』。疑未釋，雖玩而不樂；玩未樂，雖居而不安。《或問》之作，將以釋疑也。若占則固絜靜精微，一聽之神明，無所庸吾力矣。然必平時學《易》，中無凝滯，《易》乃可占。作《或問》。」書末有作者所撰〈周易先儒精義序〉，云：「《通義》、《發例》、《識蒙》、《或問》既成，因思先儒之說。……總為若干條，題曰〈周易精義〉，以為入《易》之門戶，披道之堂奧焉。」

周易訂疑十五卷首一卷　董養性撰

有《續修四庫》影印南京圖書館藏清康熙年間正誼堂刻本。《四庫存目》著錄有《周易訂疑》十五卷《序例》一卷《易學啟蒙訂疑》四卷周易本

義原本》十二卷，為山東巡撫採進本，館臣提要云：「舊本題董養性撰，不著時代。考元末有董養性，字遇公，樂陵人。至正中嘗官昭化令，攝劍州事。入明不仕，終於家。所著有《高閒雲集》，或即其人歟？是書前有自序，謂用力三十餘年乃成。其說皆以朱子為宗，不容一字之出入，蓋亦胡一桂、陳櫟之末派也。」[48]本書扉頁抄錄館臣提要，文字略有出入。書前未見作者自序。有卷首一卷，收錄〈通論述古〉、〈古今本辯〉等九篇文章；次為正文〈周易訂疑卷之一〉，題為「樂陵董養性遇公輯著，旌德門人杜名齊朋李較正」。書中多引述前人之說。如卷首引有汪深（字所性）《周易占例》自序及全文，朱彝尊《經義考》僅錄其自序，而云其文「佚」。又卷一引有潘夢旂、鄭孩如、杜光本、程敬承等人之說，亦為罕見。然而，卷首〈易說綱領〉中引有張溥（字天如）〈易注疏大全序〉，張溥為明崇禎間進士；卷首〈四明洪常初刻本義序〉，署為「成化己丑（1469）冬十二月既望，四明後學洪常識」；卷首〈易學四同〉二條，署為「明浙東季本著」，季本為明正德年間進士。疑卷首中有後人增補。又，《四庫全書存目叢書》亦影印本書，署董養性為清人；亦有學者稱「此書作者董養性乃清康熙時人，四庫館臣誤」[49]，待討。

周易注四卷　董中行撰

有《續修四庫》影印國家圖書館分館藏南海孔氏嶽雪樓鈔本。卷首為正文〈周易上經〉，題為「元董中行若水參著」。按，董中行其人其書未見前人記載。

48　永瑢等撰：《四庫全書總目》（北京市：中華書局，1965年），頁50。

49　黃沛榮：〈元代《易》學平議〉，《元代經學國際研討會論文集》（臺北市：辰益出版有限公司，2002年12月，初版再刷），頁179。

三 現存元人《易》序概述

為了更好地介紹與傳播《易》學著作，元代學者為自著《易》作或他人《易》作撰寫了許多序文（含跋文）。這些序文一般具有兩方面內容，其一，介紹該書作者及其撰著過程；其二，概括該書學術主張並且予以評價。其中，作者自序便於更為明瞭地表述其《易》著的撰寫原委與學術創見，可以視為該書的重要組成部分；為他人所撰序文雖難免溢美之詞，卻亦從觀者視角對該書有所介紹，且間有序文作者的《易》學觀點。因此，元人《易》序亦是我們研究元代《易》學著作的可靠資料。據本人不完全統計，現存元人《易》序近百篇，散見於現存《易》著或不同的別集、總集。

（一）《易》著作者自撰之序文

元代《易》著作者踵司馬遷〈太史公自序〉後塵，著書時往往藉〈自序〉傾述寫作動機、撰著宗旨等，行文明晰，情感真摯，讀來令人印象深刻。例如，郝經〈周易外傳序〉略云：

> 夫《易》，聖人所以用道之書也。伏羲氏按圖畫卦以述道，造書契以開斯文之統。歷數千百年，至於黃帝、堯、舜氏，而法制始備。又歷夏、商千有餘年，而文王受命作周，重伏羲之卦，繫之辭，而命之為《易》。聖子周公心傳口述，分其文而繫之辭，以斷其吉凶。復六百有餘年，而孔子出焉，晚年讀《易》，而韋編三絕，以求三聖之意。於是退而脩經，推皇、帝、王、伯之世，而本乎伏羲，終於五霸，列為四經。而為《易》作傳，尊之為經，以冠夫《書》、《詩》、《春秋》。使天下萬世共用一道，舉畫前之固有、重後之逆數，造無窮之形器，壞無窮之形器，而一《易》之用不可勝窮矣。則伏羲氏述道，文王述伏羲，周公述文王，孔子述三聖。世代相去若此其甚遠也，聖人之作若此其鮮也，以聖述聖若此其恭也。至孔子而僅為成書，猶以

為書不盡言，言不盡意，加我數年，「五十以學《易》，可以無大過」。則《易》之大，不能一聖人當一世而為之，必數聖人數十百世而僅成。……且自孔子沒，曾子、子思、孟子得其傳而著之書，雖皆《易》道，而不及《易》中一言。繼而火于秦，雖幸而以卜筮之故，《易》之書獨存，天下之人祇以卜筮視之，而其道不明也。漢興，言《易》自田何，本其所自，謂孔子授之商瞿子木，而授受及何，何為傳數篇而不傳。自是學各專門，原遠而末益分矣。揚雄之學最為深刻，準《易》作《玄》，而不述《易》道。東觀學者雖盛，而祇為傳註之學，亦各專門自私，而明夫《易》道者亦鮮。魏正始間，王弼以二漢之學為之註，唐世以為至當，而孔穎達為之疏，學者至今宗之，亦殆專門之學也。寥寥千載，竟無聖人而述聖人，家異傳，人異義，《易》道不可復聞矣。今王通謂「九師興而《易》道微，三《傳》作而《春秋》散」，惡其私而專，專而分，分而異，卒使聖人之意不可得而見也。宋興，大儒輩出，莫不以闡明《易》道為己任。於是華山陳摶肇開宗統，而濂溪周敦頤、西都邵雍遠探羲文周孔之業，推演意言象數之本。至侍講程頤，大變傳註，為《易》作傳，直造先秦，布武聖門。其諸師友，更唱疊和，《易》道幾明。今二百有餘年矣，學者復各擅其師傳，立論馳說，求新角奇，誕誇而自聖，言義理者不及象數，言象數者不及義理，又往往雜入偏駁小數，異端曲學，周、邵、程氏之學復昧沒而不明。其誚王弼，蔑《正義》，厚誣妄訾，悖理傷道者，不可勝紀，又甚於專門之弊矣。反復壞爛，遂至此極。世代如是之遠，聖人不作如是之久，蠹食穿鑿如是之眾且多也，又豈一人之專見臆戾所能蔽之哉！則聖人之意，終不可得而見矣。竊嘗以為，後世雖無大聖人，兼綜諸聖以述夫聖，如孔子之集大成，苟不以一人自私曲學自蔽，專門自聖，削去畦町，沒夷滋蔓，排斥一我，開示公道，合漢魏唐宋諸儒之學，順考其往，逆徵其來，積數千百年之問學、數十百人之能事，契其所見，會其所得，合天下以一心，通天下以一理，貫古今以一《易》，聖一而後世百之，聖十而後世千之，

遡流求原，問津以濟乎道，則亦庶乎其可也。故不自揆，嘗欲論次孔子以來述《易》而有合於聖人者，纂為一書，而未能也。中統元年（1260），詔經持節使宋。宋人館於儀真（今江蘇儀徵），留而不遣，五六年間，頗得肆意經傳。及被劫殺，出居別室，益曠寂無事，乃據所有書及故所記憶者，自孔子以來迄於今，凡訓詁論說，諸所註釋，纂其至精，去其重復，義理象數，兼采並載，巨細不遺，不徵其人，唯是是與，各以世代第其先後。凡諸經傳子史百氏，《易》之自出而不謬聖人，必當關涉引用者，亦各依世次編入。其流入老、佛，異端曲說，非聖人意者，則盡刊黜。夫漢魏傳註之學，則至於魏王氏；唐宋論議之學，則至於宋程氏，故備錄二氏，以為諸家折衷。經有所見聞者，則彌縫其闕而要終之，且徵之歷代之得失，以為《易》之事業，窮原極委，致諸道、易、神之本然，以為一經之綱領。疑而不可固必者，則存而弗論，以俟能者。積成八十卷。又旁搜遠蹈，創圖立說，為《太極演》二十卷，申明列聖及諸儒餘意。共為一百卷。《易》之成，俶落周世，謂之《周易》。近世或單稱《易》及《大易》等以為題，而不言周，有未當言者，故仍稱《周易》。孔子為經作傳，既謂之傳矣，後之人復為傳註，則皆傳外之傳也，故曰為《外傳》，且示不敢自同于聖人之作也。然亦未敢自為成書，後來繼今，或別有所得，當復增入云。九年春正月立春日，陵川郝經序。[50]

郝經（1223-1275）此序作於至元九年（1272），時已滯宋十二年。序文概述《易》學發展進程，闡釋纂著《周易外傳》緣起。其中，作者客羈儀真，勤苦數年，「論次孔子以來述《易》而有合於聖人者，纂為一書」，成此百卷巨作，實屬不易；時朱熹去世已經七十餘年，本書備錄王弼、程頤二氏之說，未及朱熹，有別於其後的元人《易》著，不知是否與其「致諸道、易、神之本然」的學術追求有關，原因待討。作者自稱「創圖立說，為《太

---

50 郝經：《郝文忠公陵川文集》，收入《北京圖書館古籍珍本叢刊》（北京市：書目文獻出版社，1998年），冊91，卷29，頁730-732。

極演》二十卷，申明列聖及諸儒餘意」，具體做法是：「故取〈太極〉一章，以為學《易》之標準，類《繫辭》、《文言》、《說卦》、《彖》、《象》之名義，探諸太極之前而演其隱，徵諸太極之後而演其顯，問津洙泗，以及河洛，遍參諸儒，庶幾數年之後，可以學《易》，觀道、易、神之髣髴，不失吾身之極焉。故取道、易、神等二十三條為一類，合為一圖，以示其序，而各為之說，謂為『《易》道蘊極』，演諸太極之前者也。其次取太極等六條為一類，合為一圖，以示其序，而各為之說，謂為『《易》有太極』，所以演太極也。其次取《易》、《書》、《詩》、《春秋》、《論語》、《大學》、《中庸》、《孟子》名義、人輿、皇極等，凡二十四條為一類，合為一圖，以示其序，而各為之說，謂為『人道建極』，合隱顯而立極成《易》也。其次分《易》為四，為伏羲《易》、文王《易》、周公《易》、孔子《易》，合為〈四聖易圖〉，以示其序，而各為之說，為之圖，演太極之後所以成《易》者也。其次為〈孔門言《易》〉、〈諸儒擬《易》〉、〈傳註疏釋〉等類，以為《易》之支流餘裔，見太極為《易》之用，極盡而無極，神而明之，存乎其人焉爾矣。凡十類，六十篇，總謂之《太極演》云。」[51] 郝經《周易外傳》現已不存，僅有〈太極圖說〉、〈先天圖說〉等文章載其別集之中。不過，郝經集釋《周易》，創圖立說的做法，為其後的元人《易》著所借鑒。

元代《易》著作者重視為其著作撰寫序文，有人甚至撰寫多篇，為的是盡量把自己纂著該書的想法說清、說透。例如，俞琰為其所著《易外別傳》撰有序與後序，為其所著《周易集說》亦撰有序與後序。而丁易東則為其所著《周易象義》撰有四篇序文，其中三篇見於今本《周易象義》卷首與卷尾，其序文一略云：

> 《易》有聖人之道四焉，象、辭、變、占而已矣。予少而學《易》，得王輔嗣之《註》焉，得子程子之《傳》焉，得子朱子之《本義》焉。王氏、程子，明於辭者也；子朱子，明於變與占者也。獨於象無

---

51 郝經：〈太極演總序〉，載《郝文忠公陵川文集》，收入《北京圖書館古籍珍本叢刊》（北京市：書目文獻出版社，1998年），卷29，冊91，頁729-730。

所適從焉。逮壯遊四方，旁搜傳註，殆且百家，其間言理者不可縷
數。若以象言，則得李鼎祚所集漢魏諸儒之說焉，朱子發所集古今諸
儒之說焉，馮儀之所集近世諸儒之說焉；間言象者，則有康節邵氏之
說焉，觀物張氏之說焉，少梅鄭氏之說焉，吳興沈氏之說焉，京口都
氏之說焉，長樂林氏之說焉，恕齋趙氏之說焉，平庵項氏之說焉，節
齋蔡氏之說焉，山齋易氏之說焉，樸卿呂氏之說焉，古為徐氏之說
焉。是數家者，非不可觀也。而邵氏、張氏則明《易》之數，本自著
書，非專為卦爻設也；沈氏、都氏則明卦之變，趙氏、項氏、易氏、
馮氏、徐氏則明卦之情，蔡氏、徐氏祖述《本義》，皆非專為觀象設
也。林氏之說則反覆八卦，既為朱子所排；鄭氏之說又別成一家，無
所本祖。其專以《說卦》言象者，不過李氏鼎祚與朱氏子發耳。朱氏
之說原於李氏，李氏之說原於漢儒者也。李氏所主者，康城之學，於
虞翻、荀爽所取為多，其源流有自來矣。然漢儒之說於象雖詳，不能
不流於陰陽術數之陋；朱氏雖兼明乎義，而於象數紛然雜出，考之凡
例，不知其幾焉。良以統之無其宗，會之無其源也，予病此久矣。山
林無事，即眾說而折衷之。大抵《易》之取象雖多，不過三體，所謂
本體、互體、伏體是也。然其為體也，有正有變，故有正中之本體，
有正中之互體，有正中之伏體焉；有變中之本體，變中之互體，變中
之伏體焉。……其餘凡例，固非一途，要所從來，皆由此三體推之
耳。蓋以正體取象者，不待變，而其象本具者也；以變體取象者，必
待變，而其象始形者也。故自其以正體示人者觀之，正而吉、而無咎
者，變而凶，則悔吝也；正而凶、而悔吝者，變則吉，則無咎也。自
其以變體示人者觀之，變而吉、而無咎者，不變而凶，則悔吝也；變
而凶、而悔吝者，不變則吉，則無咎也。兼正變而取象者，可以變，
可以無變，惟時義所在也。是可但論其正，不論其變乎？夫《易》，
變易也，先儒言理者皆知之矣。至於言象，乃止許以正體言，不許以
變體言。凡以變言象，率疑其鑿，是以《易》為不易之易，不知其為
變易之易也。既不通之以變易之易，則毋怪以象為可忘之筌蹄也；既

以象為可忘之筌蹄，毋怪以象變之說，率歸於鑿也。故善言《易》
者，必錯之以三體，而綜之以正變，則統之有宗，會之有元，《易》
之象可得而觀矣。予於是竊有志焉。是編之述，因象以推義，即義以
明象，固錯之以三體，綜之以正變，而必以正中之本體為先，而其餘
諸體則標於其後，又以示賓主之分也。至於言數，雖非專主，而間亦
及之焉。蓋將拾先儒之遺，補先儒之缺云爾。雖因辭明理不如程子之
詳，言變與占不如朱子之約，至尚論其象，自謂頗不失漢儒之舊，於
李氏鼎祚、朱氏子發，未敢多遜焉。後之言象者，不易吾言矣。於是
而玩索焉，上可以遡漢儒之傳，亦可以免漢儒之鑿，庶幾君子居觀之
一助云，作《周易象義》。[52]

丁易東為宋咸淳四年（1268）進士，入元不仕，潛心治《易》。序文概
述此前學者研究《易》象情況，提出「大抵《易》之取象雖多，不過三體」
的見解，進而闡明本書「因象以推義，即義以明象，固錯之以三體，綜之以
正變，而必以正中之本體為先，而其餘諸體則標於其後」的編述原則。此序
之後，丁氏又撰有序文云：「《易》之為書，自王輔嗣以前，漢儒專以象變明
辭，固失之泥。及輔嗣以後，又止以清談解義，於象數絕無取焉。伊川純以
義理發明，固為百世不刊之書。然於象數，則亦引而不發。康節雖言象數，
然不專於《彖》《象》發明。朱子歸之卜筮，謂邵傳羲經，程演《周易》，得
之矣。其於象數也，雖於《易學啟蒙》述其大概，而《本義》一書，尚多闕
疑。僕用功于此有年矣。竊謂泥象數而言《易》固不可，舍象數而論《易》
亦不可。於是歷覽先儒之說，依《本義》體，分經與《彖》《象》，各為一
編。大率以理為之經，象數為之緯，使理與象數並行不悖，庶幾不失前聖命
辭之本旨。以示初學，使知其大意云。」[53]文中明確指出程頤、邵雍、朱熹
三人《易》象研究之不足，以為己著張本。書末丁氏撰有後序，其文略云：
「有變而後有象，有象而後有辭，有辭而後有占。不得於變，勿求於象；不

---

52 丁易東：《周易象義》卷首，《中華再造善本》（北京市：北京圖書館出版社，2004年）。

53 丁易東：《周易象義》卷首，《中華再造善本》（北京市：北京圖書館出版社，2004年）。

得於象，勿求於辭；不得於辭，勿求於占。卦之變如此，則卦之象如此；卦之象如此，則卦之辭如此；卦之辭如此，則卦之占如此也。漢去古未遠，諸儒嘗以象變言《易》矣。言象變而遺理，不可也。王輔嗣一掃而去之。以其遺理而去之可也，併象變而去之，則後之學者不知三聖命辭之本心矣。嗟夫！六十四卦，皆乾一卦之變也；三百八十四爻，皆乾初九之變也。故有變卦焉，有卦變焉。變卦也者，六十四卦變而四千九十六者是也；卦變也者，十二卦變而六十有四者是也。由乾一畫而變焉為十二，由十二而變焉為六十四，由六十四而變焉為四千九十六。蓋變卦其流，而卦變其源也；變卦其支，而卦變其本也。有卦變，而後有變卦。故予之於《易》，既以變卦而論其爻，必紊卦變以原其畫。夫然後聖人作《易》之旨，無餘蘊矣。」[54]闡明作者採用變卦、卦變等「變」的視角審視《易》象，注重「象變」。三篇序文各有側重，聯繫緊密，充分展示了作者治《易》的基本特徵。只是前序撰寫時間署為「柔兆閹茂（丙戌，1286）蕤賓甲午（五月）」，後序撰寫時間署為「昭陽協洽（癸未，1283）侯豫卦」，當有訛誤。

郝經所謂「夫《易》，聖人所以用道之書也」的說法，亦得到許多《易》著作者的贊同。即如胡震〈周易衍義序〉所云：「如是則《易》之為《易》，聖人經世之書也，亦聖人憂世之書也。……然《易》之一經，實備乎六經之體。存象辭則該乎《詩》之作賦，正心術則貫乎《書》之精一，防情偽則著乎《禮》《樂》之中和，辨吉凶則著乎《春秋》之褒貶。人君用之則君道盡，人臣用之則臣道盡，聖人用之則道教彰，賢人用之則德業新，庶人用之則悔尤亡。象辭云乎哉，爻辭云乎哉！雖然，《易》者崇陽抑陰之書，尊乾而卑陰，尊君而卑臣，尊父而卑子，尊夫而卑婦，尊中國而賤外夷，尊君子而賤小人。三百八十四爻之義，無非所以存天理、正人心、扶綱常，而垂教於萬世也。」[55]元代中後期，朱熹受到元代學者尊崇，《易》著作者大多以闡發朱子學說為己任，形成一種學術時尚。如胡炳文〈周易本義

54 丁易東：《周易象義》卷末，《中華再造善本》（北京市：北京圖書館出版社，2004年）。

55 胡震：《周易衍義》卷首，影印文淵閣《四庫全書》（上海市：上海古籍出版社，2003年），冊23，頁448-449。

通釋序〉云：「宇宙間皆自然之易，易皆自然之天。天不能畫，假伏羲以畫；天不能言，假文王、周、孔以言。然則羲、文、周、孔之畫、之言皆天也。……惟邵子於先天而明其畫，程子於後天而演其辭，朱子《本義》又合邵程而一之，是於羲、文、周、孔之易而會其天者也。學必有統，道必有傳。遡其傳羲、文、周、孔之易，非朱子不能明要其統；凡諸家解《易》，非《本義》不能一。然其統、其傳，非人之所能為也，亦天也。予此書融諸家之格言，釋《本義》之奧旨，後之學《易》者，或由是而有得於《本義》，則亦將有得於羲、文、周、孔之天也。」[56] 與此不同者，有陳應潤《周易爻變易緼》，其自序略云：

> 《大傳》曰：「乾坤，其《易》之緼耶？」夫《易》之緼，散在諸卦，豈獨乾坤二卦而已哉！上古羲皇仰觀俯察，首得乾坤之象而生六子，苟不以爻變之法通乾坤之緼，則乾自乾、坤自坤，何以神變化之妙？故《易》之諸爻，皆以變動取義。乾之用九，坤之用六，爻變之緼也。坤之《象》曰：「六二之動，直以方也。」《文言》曰：「坤至柔而動也剛。」又曰：「六爻之動，三極之道也。」「爻者，言乎變者也。」道有變動，故曰爻。至曰「成象之謂乾，效法之謂坤」，吾夫子繫《易》，示人爻變之法，深切著明矣。漢魏以來，諸儒注釋奚啻數百餘家，往往皆於本卦取意，而用九、用六之說不明，好奇過高，傅會舛鑿，談玄妙者則涉乎莊老，衍虛無者則流乎異端。《太玄》擬《易》也，而《易》為之破碎；《潛虛》擬《玄》也，而《玄》為之散滅。甚則假老子之學以創無極、太極之論，變爐火之術以撰先天、後天之圖。自是以來，談太極者以虛無為高，講大衍者以乘除為法；強指陰陽老少為四象，而四象之說不明；妄引復始逆順為八卦，而八卦之位不定，《易》之緼愈晦矣。由是談玄之士承訛踵謬，畫圖累百，變卦累千，充棟汗牛，初無一毫有補於《易》。嗚呼！夫子沒二

---

56 胡炳文：《周易本義通釋》卷首，影印《通志堂經解》（揚州市：廣陵書社，2007年），冊3，頁555。

千餘年,邪說蝟集,橫議蜂起,爻變之法、乾坤之縕,晦而不明,易
道之危,一至此哉!《傳》曰:「《易》之興也,當殷之末世、周之盛
德耶?」至於〈明夷〉之《彖》曰:「明入地中,明夷。內文明而外
柔順,以蒙大難,文王以之。」又曰:「箕子之明夷。」當時聖人援
事比例,發揮爻象之縕。故遇逐爻觀變,用事比證,庶幾爻變之縕得
以發揮。……吁!此爻變之縕所以不容於不明,邪正之說所以不容於
不辨,管窺之圖所以不容於不作也。賢者之士尚憐其愚而正教之,
《易》有光也。」[57]

　　陳應潤此序作於至正丙戌(1346)春正月,時任桐江(今浙江省桐廬
縣)賓幕,該書乃其「二三十年勤苦之志」之作。序文主張「夫《易》之
縕,散在諸卦」、「《易》之諸爻,皆以變動取義」,因而借鑒「當時聖人援事
比例,發揮爻象之縕」之法,「逐爻觀變,用事比證」以詮釋經文。書中以
個人見解釋卦辭及《彖》、《象》之語,釋爻辭則基於爻辭及小《象》釋文,
參以變爻,證以史實,讀來簡明清晰,別有特色。

(二) 為他人《易》著撰寫之序文

　　元代文人或應約、或主動為他人《易》作撰寫序文,品題評價,稱譽推
介,為促進元代《易》學著作的研讀與傳播發揮了積極作用。有時多位文人
為某一部《易》著撰寫序文,堪稱《易》壇「雅集」。例如,馬端臨、徐之
祥、虞集為宋人項安世《周易玩辭》作序,劉辰翁、李玨、章鑒為丁易東
《周易象義》作序,張宗演、揭傒斯、吳全節為雷思齊《易圖通變》作序,
程文海、王履、李琳、田澤為王申子《大易輯說》作序,黃鎮成、貢師泰、
蔣易為張理《易象圖說》作序,而孟淳、王都中、白珽、張瑛、李克寬、顏
堯煥、楊戴、黃溍、干文傳九人為俞琰《周易集說》作序,則為元代《易》

---

57 陳應潤:《周易爻變易縕》卷首,收入《影印文淵閣四庫全書》(上海市:上海古籍出
　　版社,2003年),冊27,頁4-5。

壇一段佳話。九人序文略云：

> 元貞丙申（1296）秋，會玉吾叟於王氏書塾，講〈坤〉之六二，謂六
> 二既中且正，是以其德直方，惟從〈乾〉陽之大，不習〈坤〉陰之
> 小，故無不利；又指示《象傳》「剛柔上下，言來不言往」之微意，
> 則皆以兩卦相並而取意，茲蓋秦漢至唐宋諸儒所未發也。……今觀是
> 書，集眾說之善，又述己所聞，證以經傳，反覆辨論，無一字放過，
> 辭意甚明，有如鑒之照物，纖細不遺，請名之曰《易鑒》云。　　孟
> 淳〈周易集說序〉[58]
> 石澗先生《周易集說》，大概以晦庵為主，而參以程氏，又集諸家之
> 善為之說，凡三十餘卷。都中至元乙丑（1265）嘗從先生指教。未
> 幾，奔走宦途，未能卒業。茲守鄱陽泉監，與先生偕行，公餘聽講，
> 又得聞所未聞。是書作于甲申，迨今二十有七年，未嘗一日去手，凡
> 三脫稿矣。書成，不可不傳，敬請鋟諸梓，以與同志共之。　　王都
> 中〈周易集說序〉[59]
> 石澗先生，吳中老儒也。著《周易集說》，自至元甲申，逮今三十九
> 年。考論文義，證以五經，歲月彌久，其說益精。世有張平子，當知
> 揚子雲之《太玄》也。　　李克寬〈周易集說序〉[60]
> 蘇台俞玉吾，樂貧安道，華皓一節，於《易》則不但能言之，又能行
> 之。輯先儒諸名家之傳為是書，條列臚分，醇正明白，深有益於後學。
> 所居榜石澗，學者稱「石澗先生」云。　　白珽〈周易集說序〉[61]
> 古聖人作卦辭、爻辭，蓋皆取象數之義理而發明之耳。石澗俞先生於

---

58 林慶彰等主編：《經義考新校》（上海市：上海古籍出版社，2010年），冊3，頁708-
　709。又見於李修生主編：《全元文》（南京市：鳳凰出版社，2004年），冊21，頁773。
59 林慶彰等主編：《經義考新校》（上海市：上海古籍出版社，2010年），冊3，頁709。
60 林慶彰等主編：《經義考新校》（上海市：上海古籍出版社，2010年），冊3，頁709。又
　見於李修生主編：《全元文》（南京市：鳳凰出版社，2004年），冊46，頁513。
61 林慶彰等主編：《經義考新校》（上海市：上海古籍出版社，2010年），冊3，頁709。又
　見於李修生主編：《全元文》（南京市：鳳凰出版社，2004年），冊13，頁293-293。

諸家《易》說無不批閱，獨以朱子《本義》為主，仍采諸家之善，萃為一編，名曰《周易集說》。即象數言義理，精麤本末，一以貫之。今之言《易》者，孰則能出其右哉？　　　張瑛〈周易集說序〉[62]

余友俞石澗家傳《易》學，潛心于此三十餘年，作《集說》。主之以朱子《本義》，而邵子之數、程子之理一以貫之。其辭簡而嚴，明而理，將以擴三子之蘊，開後學之蒙，有功于《易》學多矣。余年邁，目力衰，弗能遍閱石澗之說，但略窺一斑，為之肅衽致敬。　　　顏堯煥〈周易集說序〉[63]

石澗俞氏《周易集說》，本于程、朱氏之書，而證以諸家之言，徵余為序，冠於篇首。余聞漢世初得一經，必聚五經諸儒使共讀之，以求其訓詁。今石澗俞氏於《易經》之文，有字義特出者，必旁考五經，其為學之近古如此，三十年間積三十餘卷。說雖多，何害其為多？故余樂為之序而不辭焉。　　　楊載〈周易集說序〉[64]

竊嘗聞之，善立言者，不必出於古，不必不出於古也。非有異焉，則其書可無作也；非有同焉，則其書亦不能以獨傳也。惟夫同不為阿，異不為矯，斯言之善者也。俞氏其有焉。是用為之序，以著其是非取捨之不謬於聖人者，由其學之源委如此，讀之者所宜知也。　　　黃溍〈周易集說序〉[65]

余少之時，已識石澗俞君。知其為善言《易》者，然未之學《易》，不果承教。延祐二年，予以進士受官南歸，時石澗尚無恙，聞有所著《易說》，未獲一寓目焉。去年冬，自集賢退休吳中，石澗之子子玉

---

62 林慶彰等主編：《經義考新校》（上海市：上海古籍出版社，2010年），冊3，頁709-710。

63 林慶彰等主編：《經義考新校》（上海市：上海古籍出版社，2010年），冊3，頁710。又見於李修生主編：《全元文》（南京市：鳳凰出版社，2004年），冊47，頁60。

64 林慶彰等主編：《經義考新校》（上海市：上海古籍出版社，2010年），冊3，頁710。又見於李修生主編：《全元文》（南京市：鳳凰出版社，2004年），冊25，頁567。

65 李修生主編：《全元文》（南京市：鳳凰出版社，2004年），冊29，頁69-70。又見於林慶彰等主編：《經義考新校》（上海市：上海古籍出版社，2010年），冊3，頁710。

手一編過余，且曰：「先子平生精力盡於此書，願先生賜之言。」余
受而讀之，乃《易說》也。……然則俞氏《易說》當與蔡氏《書傳》
並傳，學《易》者苟能玩味此書，則思過半矣。　　干文傳〈周易集
說序〉[66]

　　據王都中序，則俞琰《周易集說》基本成書於至大庚戌（1310）冬至，
且已有初刊該書之議；據李克寬序，則至治壬戌（1322）春，俞琰似在不
斷修訂該書；據楊載序，則該序乃應俞琰之請而作，時為至治壬戌（1322）
冬；據干文傳序，則該序乃應俞琰之子俞仲溫（字子玉）之請而作，時為至
正六年（1346）冬。九人之中，孟淳、王都中曾受教于俞琰，顏堯煥與俞琰
為友，干文傳少時已識俞琰，李克寬、白珽、楊載、黃溍曾在江浙為官、生
活，則諸人序文亦非憑虛之作。再取俞琰皇慶癸丑（1313）四月後序讀之，
「予平生有讀《易》癖，三十年間，雖隆冬大暑不輟。每讀一字一句而有疑
焉，則終日終夜沉思，必欲釋其疑乃已。洎得其說，則欣然如獲拱璧，親戚
朋友咸笑之，以為學雖勤而不見用於時，何乃不知時變而自苦若是耶？予則
以理義自悅，猶芻豢之悅口，蓋自得其樂，岡知所謂苦也。粵自至元甲申
（1284）下筆解上、下《經》並六十四《象辭》與夫《象傳》、《爻傳》、《文
言傳》，期年而書成，改竄者二十餘年，凡更四稿。或有勉余者云：『日月逝
矣，《繫辭傳》及《說卦》、《序卦》、《雜卦》猶未脫稿，其得為完書乎？』予
亦自以為欠。至大辛亥（1311），自番禺歸吳，憩海濱僧舍。地僻人靜，一
夏風涼，閑生無所用心，因取舊稿《繫辭傳》讀之，不三月，並《說卦》、
《序卦》、《雜卦》改竄皆畢，遂了此欠。噫！予髮種種矣，……今也書既完
矣，癖既瘳矣，則當自此收心歸腔，以樂餘年；留氣煖臍，以保餘生，弗復
更自苦矣」[67]，則元代文人師友之間治《易》之情之景，可以想見一斑矣。

---

66 林慶彰等主編：《經義考新校》（上海市：上海古籍出版社，2010年），冊3，頁711。又
　　見於李修生主編：《全元文》（南京市：鳳凰出版社，2004年），冊32，頁73-74。
67 俞琰：《周易集說》卷首，影印《通志堂經解》（揚州：廣陵書社，2007年），冊3，頁
　　307。又見於林慶彰等主編：《經義考新校》（上海市：上海古籍出版社，2010年），冊
　　3，頁711-712。

元代文人為他人《易》著撰序，往往兼述自己讀《易》心得。例如，熊禾〈易學啟蒙通釋跋〉云：

> 伏羲因《河圖》畫卦，大禹因《洛書》敘疇，孔安國以來，有是言矣。《易大傳》曰：「河出圖，洛出書，聖人則之。」且曰：「《易》有四象，所以示也。」若然，則《河圖》《洛書》，皆聖人則之以作《易》者也。及以先後天八卦方位考之，與《圖》《書》之數已有自然之配合。所謂「《易》有四象」者，尤昭然可見矣。何則？《洛書》一居北，六居西北，老陰之位也，故坤、艮居之；九居南，四居東南，老陽之位也，故乾、兌居之；三居東，八居東北，少陰之位也，故離、震居之；七居西，二居西南，少陽之位也，故坎、巽居之；五居中，則固虛之，為太極也。此非先天之四象乎？《河圖》天一地六，為水居北，故坎亦居北；地二天七，為火居南，故離亦居南；天三地八，為木居東，故震亦居東；地四天九，為金居西，故兌亦居西；天五地十，為土居中，分旺於四季，故乾、坤、艮、巽亦居四維之位。此非後天之四象乎？大抵先天方位，言對待之體也。天上地下，日東月西，山鎮西北，澤注東南，風起西南，雷動東北，乾坤定位，六子成列，乃質之一定而不可易者也。後天方位，言流行之用也。春而夏，夏而秋，秋而冬，冬而復春，五氣順布，四時行焉，乃氣之相推而不可窮者也。此皆自然脗合，不假安排，天地之間，開眼即見。聖人所以則《圖》《書》以畫卦者，蓋非苟焉而作也。漢儒不此之察，毋亦惑於《書》所謂天乃錫禹《洪範》九疇之說乎？不知此亦天乃錫王勇智之類。九疇大法，非人所能為，則亦天之所與耳。古人之言九數，何莫不出乎《洛書》，又豈特九疇為然哉？若夫聖人作《易》，則但當證以吾夫子之言可也。每恨生晚，無從質之文公，徒抱此一大疑而已。己丑（1289）春，余讀書武夷山中，有新安胡君庭芳來訪，出其父書一編，曰《易學啟蒙通釋》。其窮象數也精深，其析義理也明白，且其間有言先後天方位暗與《圖》《書》數合者，不

符而同。然後知天下之公理，非但一人之私論也。茲因刻梓告成，輒述所見，以識其後云。[68]

熊禾（1253-1312）與胡一桂（字庭芳）關係甚密，其治《易》注重《圖》《書》之數，有《勿軒易學啟蒙圖傳通義》、《易經訓解》傳世。跋文稱「且其間有言先後天方位暗與《圖》《書》數合者，不符而同」，亦為熊氏《易》著特色之所在。

元代文人為他人《易》著撰序，往往兼評他人《易》著所長。其中，部分《易》序稱譽較甚，讀來無味。而吳澄所撰若干序文較為客觀允洽，值得一讀。現摘引其文如下：

> 主簿傅君以其師石君晉卿所著《易說》示予，予讀之，喜其說理之當，說象之工。蓋於象學、理學俱嘗究心，世之剽掠掇拾以為說者何能幾其十一！聞石君兩目無見，古之瞽者為樂師，取其用志不分也。樂，一藝耳，《易》之道詎一藝所可比！瞽而為《易》師，亦其外物不接，內境常虛，故能精專若是歟？或曰：「子之於《易》，與石君不同，何也？」曰：予，補朱義者也；石，廣程傳者也。君釋象，予亦釋象，則皆程朱之所未言者。雖有不同，而言固各有當也。予又安敢以予之未必是而廢石君之是哉？　〈石晉卿易說序〉
>
> 《易》之道廣大悉備，學者各以其所見為說，然亦各有義焉，蓋《易》之道無所不包故也。……近世有丁有范，博極諸家，兼總眾說，搜括無遺矣。然或失之鑿，或失之泛，俱未得為至當也。夫《易》之取象，或以三畫正體，或以三畫互體；或四畫為一體，或五畫為一體；或以六畫全體，或以六畫複體。卦變則剛柔相易，一往一來者也；爻變則一畫變與五畫變，而一畫不變者也。惟旁通飛伏之說不可取爾。友人黃定子委安之用功於《易》也有年，專以一畫變、一畫不變者起義，蓋與《春秋左氏傳》沙隨程氏說及朱子《啟蒙》三十

68　胡方平：《易学启蒙通释》卷末，《通志堂經解》（清康熙十九年通志堂刊本）。

二圖皆有合也，而淺識或莫曉其所以然。予嘉其用意之勤，取義之密，故書篇首，以曉觀者，俾知其說之未可輕視也，非特喜其同己而已。　　〈黃定子易說序〉

《易》者，天地鬼神之奧，而五經之原也，夫豈易究哉！古魏齊履謙伯恒父篤學窮經，其志苦，其思深。其於《易》也，悉去諸儒支蔓之說而存其本，著《本說》四卷。其辭簡，其法嚴，能以一字一句該卦爻之義，余讀之而有取焉。……嗚呼！伯恒其知《易》教之以潔靜精微為貴與？然其嚴簡太甚也。觀者鮮或細玩而詳窺，茲蓋未易與寡見謏聞議也。或曰：「齊氏之說與子之說《易》不盡同也。」余曰：然。彼之與余同者，余固服其簡且嚴矣；其不與余同者，敢是己之是而必人之同乎己哉？亦將因其不同而致思焉。則其同也，其不同也，皆我師也。伯恒學孤特，行清介，所守確乎不移。余嘗與為寮友，君子人也，非止經師而已。　　〈周易本說序〉[69]

吳澄（1249-1333）為元代大儒，學識淵博，論著甚豐。所云「學者各以其所見為說，然亦各有義焉」，是其對於元代《易》壇學術水準的基本評判；所云「則其同也，其不同也，皆我師也」，展示出作者嚴于律己、寬以待人的學術情懷，以為元代《易》序之典範。

四　結論

陳垣先生《元西域人華化考》卷八結論中「總論元文化」一節曰：「以論元朝，為時不過百年，今之所謂元時文化者，亦指此西紀一二六〇年至一三六〇年間之中國文化耳。若由漢高、唐太論起，而截至漢、唐得國之百年，以及由清世祖論起，而截至乾隆二十年以前，而不計其乾隆二十年以

---

69 吳澄：《吳文正公集》，《元人文集珍本叢刊》（臺北市：新文豐出版公司，1985年），冊3，頁215-216、頁234、頁236。

後，則漢、唐、清學術之盛，豈過元時！」[70]就目前我們對於現存元人《易》學著作的初步收集與研讀來看，元人《易》學研究之盛，亦無愧於漢、唐、清。同時，我們也深深感到，現存元人《易》著文本的整理工作相對薄弱，尚無一部簡明的元人《易》著總目提要，絕大多數元人《易》著尚無今人的校勘、標點本，這將對於元代《易》學研究的整體進度與質量產生不利影響。因此，我們期望學界關注現存元人《易》著這一殷實的文化遺產，亦期望海內外學人就整理、研究現存元人《易》著進一步加強合作，共創輝煌。

附言：本文承蒙孫劍秋、謝輝二位先生指正，深表謝忱。

---

70 陳垣先《元西域人華化考》（上海市：上海古籍出版社，2000年），頁133。

民國罕傳易學著作

——劉鈺《易經卦爻辭本事考》述要

黃忠天

國立清華大學中文系兼任教授

提要

劉鈺《易經卦爻辭本事考》一書久無傳本，世所罕聞。自二〇〇八年文听閣圖書公司出版林慶彰先生主編《民國時期經學叢書》以來，此書亦幸得以重見天日。此書所側重者，不在象數易例的使用與義理思想的闡發，惟在考辨卦爻辭中的字義與史實，蓋屬易學與史學的會通。本文撰作上以《易經卦爻辭本事考》一書為研究素材，分別論述其著述背景與體制，並從中探究劉鈺易學淵源，尤其於此書稽古治《易》方式，更多著墨，其中又分為（一）考究史實不論時位（二）廣引典籍考訂字義（三）證明史實不推演理論（四）隨文求解不爭門戶（五）原文考事多聞闕疑等等，一一加以闡述說明，最後則論及此書的價值與得失。由於劉鈺《易經卦爻辭本事考》於民國史事易學，特別是其中的「史料易」一派易學，堪稱集大成之作，故本文中亦兼論易學史上史料易學的發展梗概。大體而言，《易經卦爻辭本事考》書中考掘之史事，雖未必盡屬可信，惟在新舊學術交替之際，在出土文獻尚未大量發現之二十世紀初期，劉鈺與當時古史辨派學者的研究，在中國易學史上仍有其時代的意義與價值。希望透過本文的研究，有助於吾人藉以瞭解民國時期易學梗概，並藉資闡發前輩學者的潛德幽光。

關鍵詞：劉鈺　易經卦爻辭本事考　民國易學　易學史　易經

一 前言

　　民國時期為中國社會急遽變化與轉型的時期。由於中西文化相互摩盪、百家奔競，各種主義思潮紛至沓來，學術上呈現多音交響、繁花錦簇的新局，向為傳統學術主流的經學，自難倖免此一空前所未有的衝擊。由於傳統以來學術研究貴古賤今的觀念，導致民國時期經學的研究，長期以來，乏人問津。所幸近年來，研究機構如台灣‧中央研究院文哲研究所林慶彰、蔣秋華推動「民國以來經學之研究計畫」（2007年-2012年），並陸續召開多次民國經學學術研討會；出版界如文听閣圖書有限公司委請林慶彰主編《民國時期經學叢書》，自二〇〇八年起，預計分八輯出版民國時期經學專著一千餘種，蓋可謂繼阮元《皇清經解》、王先謙《續皇清經解》之後，經學叢書出版之盛事，預料未來對於民國時期經學之研究，必有莫大張皇啟迪之功。

　　劉鈺，原名益文，[1]其生平事蹟待考。據其《易經卦爻辭本事考》一書多次稱「吾鄉大冶」，可知其為湖北大冶人（今為湖北省黃石市大冶市）。由其序中所提：「今人有論中國本位者矣」，[2]可推知其所處年代約在一九三五年前後。再以其書中所曾相與問學之當代學者孔令穀（1901-1978）、程石泉（1909-2005），[3]推估其生活歲月約在一九〇〇至一九四九年之間。

　　《易經卦爻辭本事考》撰作旨趣，正如作者所說，主要是在探求《周易》卦爻辭中史事，認為「欲闡明其幽，務必先明卦爻之辭。凡卦爻所繫之辭，無非故實」，[4]因此，其書是以考掘易學中的史實為其治《易》重心，蓋

1　依其書名頁左下有「作者劉鈺派名益文」，推論「益文」應為其同姓宗族所取的輩份派名。

2　一九三五年一月十日，王新命、何炳松、陶希聖、薩孟武等十位知名教授聯合署名在《文化建設》雜誌第1卷第4期上發表《中國本位的文化建設宣言》一文，主張以中國傳統文化為本位、為主體，建設現代國家，以增強民族自信心。此宣言亦稱「十教授宣言」、「三五宣言」、「一十宣言」，引發當時中國思想文化界的一場關於「中國文化出路到底是中國本位還是全盤西化」的大論戰。

3　書中均用程啟縶，乃程石泉之另名，為現當代著名學者，易學研究名家。

4　劉鈺：《易經卦爻辭本事考》，收錄於林慶彰主編《民國時期經學叢書》第六輯（臺中市：文听閣圖書公司，2013年），頁3。

屬易學與史學的會通。

　　就歷代易學與史學兩派學術的互動關係言，基本上，主要可分為三種類型。

　　（一）「以史證易」。即援引史事以參證《易經》者。如《四庫全書總目提要》所舉李光《讀易詳說》、楊萬里《誠齋易傳》及其後李杞《用易詳解》、葉山《八百易傳》等。

　　（二）「以易為史」。即以上古史事來詮釋卦爻辭者，或從《周易》研究考掘上古史料者。如干寶《易注》、胡樸安《周易古史觀》、劉鈺《易經卦爻辭本事考》，以及民國初期顧頡剛、李鏡池等《古史辨》一派學者。

　　（三）「以易論史」。即不以詮釋《周易》為目的，而是以易學思維方式，究天人之際，通古今之變，並影響其治史的觀念與走向者。如司馬遷《史記》、班固《漢書》、王夫之《讀通鑑論》等。

往昔個人在歷代易學流派分類上，往往以《四庫全書總目・經部・易類・序》所歸納兩派六宗，其中史事宗收錄的代表人物－－如李光、楊萬里援引史事以參證《易經》者，作為是否符合此派易學的檢驗標準。基本上，排除第二種類型「以易為史」的易學著作。不過，近年來從史事易學的研究視野來看，第二種類型「以易為史」的易學著作，雖非以史「證」《易》，而是以史「治」《易》，然基本上，其著眼仍在《易經》，其研究成果尤為治史事易學者所不可忽略者，故不應該將此類的易學作品排除於易學之林。因此，宜從廣義的易學範疇，將其納入史事派易學中，祇是在此派易學項下，再細分為史證易（求善）與史料易（求真）兩宗耳。[5]因此，類似劉鈺《易經卦爻辭本事考》一類作品，即可歸屬於史事派易學的史料易。至於上述第三類

5　可參看拙作〈從求真求善兩條進路省視宋元明清易學的流變〉一文，文中試將歷代易學詮解途徑概分為「求真」與「求善」兩路。（中央大學儒學研究中心承辦、中研院明清研究會合辦2014「明清學術的類型與流變學術研討會」會議論文，2014年10月30-31日）。

「以易論史」，由於其作品著重者在「史」而不在「易」，自不應納入易學著作之林，惟仍可從其史學著作中探究史家的易學觀。

有關民國以來署名劉鈺的相關著作，今可見者約有11篇，[6]其中或有同名同姓者，由於文獻不足，僅能就其作品分類為國際外交之劉鈺、語言文字之劉鈺、易學之劉鈺、文學之劉鈺、行政之劉鈺五類。茲列表如下：

類型	篇名或內容	出處	出版日期
國際外交	國際聯盟盟約第十八條之研究	《南大半月刊》12卷1期	1934年
國際外交	日本內閣更迭與中日關係之前途	《共信》1卷15期	1937年
國際外交	瓜分巴力斯坦的計劃	《共信》1卷21期	1937年
語言文字	秦文字通假集釋（袁仲一、劉鈺合撰）	西安市：陝西人民教育出版社	1999年
易學	易經卦爻辭本事考（一）	《說文月刊》三卷五期	1941年
易學	關於易經卦畫起源之研究	《求真雜誌》一卷八期	1946年
文學	六朝文話（一）	雜誌14卷1期	1944年
文學	六朝文話（二）	雜誌14卷2期	1944年
文學	六朝文話（三）	雜誌14卷4期	1945年
行政	災情報告:為遂川縣匪禍請求賑款救災	《江西賑務滙刊》	1933年
行政	新任縣長劉鈺等六人發表共同施政意見	《革命動力》	1941年5月1日

由上述十一篇觀之，較可能為本書作者劉鈺者，應屬易學之劉鈺，其餘各類型之劉鈺，是否為同一人，難以評估。至於易學之劉鈺，其書其人之研究，前人論述未見，是以更難以稽考。因此，本文在研究上，僅能從其《易經卦

6　以上資料為臺灣・中央研究院文哲研究所蔣秋華教授所提供，謹誌謝忱。

爻辭本事考》一書來考察。此書確屬民國罕傳經學著作,今收錄於林慶彰主編《民國時期經學叢書》第六輯,本篇研究旨在敘述其易學梗概,希望透過共時性與歷時性的研究,藉以瞭解民國時期易學梗概,並藉資以闡發其潛德之幽光。

二 史料易學的發展歷程

史事派易學中,援史證《易》為史事易家最主要也最尋常的釋《易》方式。即使歷代不以史事易名家的易學著作,其中援引史事以為例證者,亦幾乎俯拾皆是。不過,易學著作中,全書拿上古史事或春秋史事來核實卦爻辭,而「以《易》為史」的史料易,卻並不多見。其中較早亦較著者,當推晉代干寶《易注》。依據黃慶萱老師《魏晉南北朝易學書考佚》一書,[7]所輯干寶殘存之《易注》三十一卦一百十九則考之,其中援引史事以釋《易》者,竟有五十一則之多,而其中又主要以商周史事來比附,此固與卦爻辭中本多商周史事有關,然不容否認亦或受〈繫辭傳〉中有「《易》之興,其於中古」、「當文王與紂之事邪」等等文句的影響,毋怪乎干寶多以商周之際的史事解釋。不過,干寶偶爾亦用商周以外史事以說之者,然僅佔其引史證《易》總數之六分之一而已。以其多引商周史事以說《易》,因此,清·張惠言評其為「周家紀事之書」。

干寶以降,歷代「以《易》為史」者蓋寡。至晚清以後,漸不乏其人,如沈竹礽《周易易解》,如其於《易·乾·九三》:「君子終日乾乾,夕惕若,厲无咎。」注云:

> 九三變兌為天澤履。鄭氏玄曰,三於三才為人道,有乾德而在人道,
> 君子之象。三爻變,中爻亦變離,離為日,下卦之乾已終,故曰終
> 日。乾乾二字釋中爻之大用,乾卦中爻皆乾,至九三爻居兩互之中,
> 故曰乾乾。乾乾用疊字形容自強無息之意,喻君子進德修業之道也。

---

7 黃慶萱:《魏晉南北朝易學書考佚》(臺北市:幼獅文化事業公司,1975年)

> 變兌，兌在西，西者日沒之所也，故曰夕。變履，履即履卦履虎尾意，
> 故愓也。……涉水之意，言憂懼也。易例以艱為吉，以既憂為无咎。
> 下仿此。干氏寶以此爻為文王反國大釐其政之日，然文王之心无日不
> 以胞與為懷，窮達皆以乾乾為事，但以反國之後言之，失其義矣。

從上述文中，可見沈氏除以象數解《易》外，文中更援引干寶以文王史事比
附《易‧乾‧九三》，只是對本爻為文王返國時間的前後，與干寶略有一些
差異。而且沈氏依據〈繫辭〉：「《易》之興也，其當文王與紂之事耶」，僅論
紂與文王一段歷史，他在卦爻辭時間的縱深上，則更擴大從草昧時代說至商
末周初。

　　迨至民國初年，在胡適等人推動「新文化運動」以後，出現以「疑古辨
偽」為特徵的學術流派——「古史辨派」。其中如顧頡剛、錢玄同等更從上
古史料從事《易經》的研究，就易學史而言，可謂開啟了史事易學中「史料
易」的研究風氣，其研究成果與影響所及，頗為深遠。如顧頡剛《周易卦爻
辭中的故事》乃根據卦爻辭中所記載之歷史故事，來確定卦爻辭著作之年
代。聞一多《周易義證類纂》以鉤稽古代社會史料為目的解釋《周易》。李
鏡池《周易探源》、《周易通義》二書，前者在探究卦爻辭中反映的歷史事實
與意識形象；後者則從社會學的角度，結合歷史背景以解釋卦爻辭。郭沫若
《周易的構成時代》對經傳作者的傳統說法，提出質疑。並從社會生產、階
級結構、家族和國家制度、社會風俗及戰爭與宗教等方面，分析卦爻辭的內
容，認為《周易》反映之時代，已進入奴隸社會。至於胡樸安《周易古史
觀》則謂「自〈屯卦〉至〈離卦〉，為草昧時代至殷末之史，自〈咸卦〉至
〈小過卦〉為周初文武成時代之史」，顯然是「以《易》為史」。邵詩譚《周
易新解》以《易》作於春秋時期晉國的狐射姑，書中並以春秋時期晉國的史
事來解釋。徐世大《周易闡微》則謂《周易》作者為中行明，乃晉國中行氏
族人，《周易》一書即作者奉使、戀愛、被囚和求救的自敘傳。高亨《周易
古經今注》、《周易大傳今注》，則以古籍和文化史資料視《周易》經傳。宋
祚胤《周易新論》則以《周易》為一部政治歷史書，貫串愛國主義思想，乃

為周厲王復國中興而作。黎子耀《周易秘義》，其觀點以為〈序卦傳〉為一部殷周奴隸起義史，堪稱《易經》的綱領，謂古人「六經皆史」之說，於《易經》中得以證實。黃凡《周易－商周之交史事錄》，則視《周易》為編年日記體的周室占筮記錄，將《周易》做為商周歷史大事記來研究。至於本文所論述之的主題－劉鈺《易經卦爻辭本事考》，則從本事考證，抽絲剝繭，析論各卦的故事內容、發生地點、發生時間，是又一部承先啟後的「史料易」著作。

三 《易經卦爻辭本事考》著述背景與體制

（一）成書及其撰作動機

據劉鈺《易經卦爻辭本事考》其書前序所言：「不佞學《易》，困心十年……而近四年間，土焦地坼，舉國顛沛，流亡無歸！害喪縈懷，輒問史故，辯證消息」，[8] 又謂「執業以來，不無創獲，草為此稿，布之士林」，推測本書或為作者於1941年左右，[9] 執教於中國抗戰時期西南聯合大學時的研究成果。[10]

凡一學術的興起，原因固然多端，就易學中的史事一派觀察，此派顯著的特色即深富通經致用精神，欲使《易》學歸於有用。從宋代靖康之難以降，多存用世精神的史事易學勃然而興，李光、楊萬里諸人的無心插柳，竟發展為易學一宗。下迨明清鼎革之際，史事易學又再度復盛，如黎遂球有《周易爻物當名》、《易史》，金士升有《易內傳》；梅士昌有《周易麟解》；

8　劉鈺：《易經卦爻辭本事考》，頁1。

9　由劉鈺於一九四一年首次於《說文月刊》發表「易經卦爻辭本事考（一）」，亦可為旁證。見《說文月刊》3卷5期，頁10，1941年。

10　由序中「而近四年間：土焦地坼，舉國顛沛，流亡無歸」四句，疑指一九三七年日本發動侵華戰爭後第四年，即一九四一年；由「執業」、「士林」二詞，或可推斷為大學教職；由「流亡無歸」或可推斷為地處雲南昆明的西南聯合大學。

葉矯然有《易史參錄》、胡世安有《易史》；王夫之有《周易外傳》；吳曰慎有《周易本義爻徵》不一而足。足見世變與易學，尤其與史事易學，確有相輔相成之效。夫《易》為憂患之書，遭逢世亂，學者每每喜潛心研《易》，進而發為有用之學，並藉史事以闡發易理。值此「土焦地坼，舉國顛沛」之際，劉鈺亦「害喪縈懷，輒問史故，辯證消息」，藉《易》以寄其憂思、抒其感懷。足見世變與史事易學之發展，誠有其特殊的關聯。值此風雲變色國事蜩螗之際，此劉鈺《易經卦爻辭本事考》或所以作。

（二）著述形制與體例

林慶彰先生主編《民國時期經學叢書》第六輯所收錄劉鈺《易經卦爻辭本事考》一書，為其在大陸各地圖書館訪查所得的民國罕傳經學著作之一，係民國年間排印本。全書共計四十四頁，不分卷帙。其中前五頁為作者自序，主要分三部分，其一：為撰作緣起。說明其撰易的背景與緣起。其二：為卦爻辭本事世次一覽表。依其故事發生時代先後排序，如〈頤卦〉雖為通行本第二十七卦，然以其所記為帝嚳時代，故置於第一。其三：為本書撰作凡例。作者分別就以下五點論述，如：1. 以研究〈繫辭〉本事為宗旨，不論卦爻時位。2. 據群傳記故文訂字義，不議他人所說。3. 疏通辭言，證明史實即已：不多推演理論。4. 概就原文考事，依事斷文，不敢妄改字句。5. 就手徵書，隨文求解，不爭古今門戶宗派。凡例之後，自第六頁起，僅臚列六十四卦當中的二十四卦卦爻辭，始於〈乾卦〉終於〈兌卦〉。二十四卦中除〈坎卦〉〈咸卦〉〈豐卦〉三卦外，每卦各繫一史。至於《十翼》部分，均闕而弗錄，僅以卦辭為經，爻辭為緯，分別考索其中的史事故實，此其大致的著述形制與體例。《易經卦爻辭本事考》一書，以其並未對《周易》經傳逐卦逐爻疏釋，祇是選擇性考索其所推知的史事故實耳，而且對於其所臚列之二十四卦中無法考索的卦爻史事，僅列其原文，不加以考釋，蓋有多聞闕疑之意。

四　劉鈺易學淵源探析

　　由於劉鈺撰《易》時期正值「土焦地坼，舉國顛沛」，隨後的國共內戰，神州大陸幾無寧日，以致留下的文獻不足，對於劉鈺生平事跡，蓋難稽考，更遑論其師友交誼，論其易學淵源，吾人僅能從其《易經卦爻辭本事考》一書，加以歸納析論。由於正如劉氏於本書撰作凡例所言，「研究〈繫辭〉本事為宗旨，不論卦爻時位」、「證明史實即已，不多推演理論」、「不爭古今門戶宗派」，故凡歷代象數易家慣用的易象與易例，義理諸家闡述的內聖外王哲學，均鮮少採用。其書中所援引自兩漢以迄民國，五十餘位古今學者。漢代如馬融、荀爽、鄭玄；魏晉如虞翻、王弼、鍾會、陸績、左思；唐代如陸德明、顏師古、李鼎祚；宋代如程頤、呂祖謙、項安世、李過、李調元、徐天祐、范處義、朱輔；金代如李冶；元代如黃澤；明代如倪元璐、郝敬、陳士元、楊慎；清代如朱彝尊、王夫之、惠棟、焦循、茹敦和、王承烈、趙君舉、馬瑞辰、丁杰、何秋濤、張步騫、劉師培等人；民國時期如吳康、高硐莊、孔令穀、程石泉、章太炎、郭沫若、黎翔鳳、亮無、劉師培、顧頡剛、李鏡池、王國維、游國恩、程樹德等等，援引的古今學者頗為繁富。

　　至於其所援引的歷代學者，劉鈺援引其說的目的，主要在藉以探討卦爻辭的字義或史實，並不措意於內聖外王思想的闡發。如其〈賁卦・六四〉：「賁如，皤如，白馬翰如」析論云：

> 左思《魏都賦》云：「行庖皤皤」，故大腹者，亦謂之皤。《左傳》：「城者謳曰：皤其腹。」今人尚稱「富商」為「大腹賈」也。[11]

又如〈旅卦・上九〉：「鳥焚其巢，旅人先笑後號咷，喪牛于易，凶。」論曰：

> 此爻迨《楚辭》所謂「繁鳥萃棘」之史，「繁鳥萃棘」之文，王國維以為當亦記上甲微事，游國恩以為周襄王納狄后事。[12]

11　劉鈺：《易經卦爻辭本事考》，頁20。
12　劉鈺：《易經卦爻辭本事考》，頁42。

上文左思、王國維、游國恩諸人均非以易學名家，劉鈺但援引其說，藉以探討卦爻辭的字義或史實耳。即如以易學名家者，如項安世、郝敬等，劉鈺援引之，亦莫不側重其訓詁考據方面。試舉二例觀之，如〈豐卦・九四〉引項安世《項氏家說》云：

> 項安世曰：「凡宗廟之制，自天子至於士，皆有定數，數溢則廟毀，廟毀則祭不行。[13]

又如〈賁卦〉引郝敬《易領》云：

> 郝敬曰：「賁之言，奔也；勇而疾走曰賁。《周禮》有虎賁氏，掌先後王而趨；有旅賁氏，掌戈盾夾王車而趨。」[14]

由上述二例，可略見劉氏《易經卦爻辭本事考》所措意者，並不在易理思想的闡釋，而是在名物制度器物的討論與史實的考訂。由於劉鈺著重史實的考證，因此，所引述諸人中，民國以前歷代易學者，尤以重視考據實學的明清學者，如陳士元、楊慎、惠棟、焦循、李超孫諸人為最夥，其他諸人即或援引，亦多不在義理的闡發，而是措意於字詞的疏釋。

《易經卦爻辭本事考》一書所援引諸家，以現當代學者為多，其中又以黎翔鳳（1901-1979）、顧頡剛（1893-1980）、孔令穀（1901-1978）為最。從中可看出劉鈺在考證《周易》史事時，受民國古史辨派學者如顧頡剛、李鏡池等人的影響較深，其中較特別的學者為民俗文化學專家——孔令穀先生，[15]主要乃因其所處理者，在考辨《易經》中的上古史料，以其頗有涉及遠古民俗文化者。

---

13 劉鈺：《易經卦爻辭本事考》，頁41。

14 劉鈺：《易經卦爻辭本事考》，頁19。

15 如劉鈺曾引用其所撰〈原始民族咒術與我國習俗的比釋〉，收錄於《說文月刊》1卷7期，頁6，1939年。

五 《易經卦爻辭本事考》稽古治《易》的方式

不同於胡樸安《周易古史觀》以泛論方式將《易經》視為上古史料。劉鈺的《易經卦爻辭本事考》則是以逐卦逐爻方式，抽絲剝繭，探賾索隱《易》中的史事。觀其考掘史料的方式，主要有下列數點：

（一）考究史實不論時位

〈繫辭上傳〉云：「天尊地卑，乾坤定矣。卑高以陳，貴賤位矣。」爻位的貴賤，加上中正乘承比應的關係，往往牽動著卦爻的吉凶。《易經》〈乾卦〉六爻從「潛龍」、「見龍」、「惕龍」，到「躍龍」、「飛龍」、「亢龍」，即是一幕大自然由卑而高，由始而終的生命變化歷程，其六爻時位，實即隱含三才之道。不過，劉鈺《易經卦爻辭本事考》全書但考究卦爻史實，不論其時位貴賤與吉凶。劉氏於〈乾卦〉一開始，便引經據典論證〈乾卦〉之龍，乃蝗蟲之謂。因此，初九「潛龍」即蝗之潛伏期；九二「見龍」即蝗災的呈見；九三「君子終日乾乾」乃乾旱成災，君子終日念念在口，關懷民瘼；九四「或躍在淵」乃旱暵舞雩；九五「飛龍在天」為蝗蟲蔽天；上九：「亢龍」，乃對抗蝗災。綜觀其全卦均不從時位立論，僅考究史事，無視各爻吉凶與時位的關係。[16]

又如於〈需卦〉，劉鈺不採歷代易家將〈需卦〉諸爻，需于「郊」、「沙」、「泥」、「血」等解為漸逼險地之意，藉以說明坎險在前，需待時而進之象。而是以周武王克殷來解各爻之意。如「郊，指商郊」，指武王大軍止於商郊；「沙，地名，沙邱也」，指武王大軍次於沙邱，誥誡部屬，故有〈牧誓〉；「泥，亦地名」，謂「泥」為《詩經》之「泥中」，「泥中」為衛邑，乃殷墟；「血」為「洫」之省，「溝洫」，指城池」，謂周師迫及殷城。[17]

---

16 劉鈺：《易經卦爻辭本事考》，頁7-10。
17 劉鈺：《易經卦爻辭本事考》，頁15-16。

由上述兩例，可見劉鈺解《易》大抵純就經文考求史實，不受任何歷代易家傳注的拘限，故不論卦爻時位。

（二）廣引典籍考訂字義

援引經史典籍參證易理為義理派易學習見的釋《易》方式，劉鈺於《易經卦爻辭本事考》一書，亦大量援引先秦兩漢以降經史典籍與文獻，惟其用意不在闡發易理印證易理，而是作為考掘卦爻史實的實證，以增強其論述上的說服力，故全書於疏釋時，廣引先秦兩漢以降歷代文獻資料來佐證，以求立論有據。其所援引典籍頗多，茲臚列如下：

經部：《詩經》、《尚書》、《周禮》、《儀禮》、《禮記》、《大戴禮》、《左傳》、《公羊傳》、《穀梁傳》、《爾雅》、《小爾雅》、《春秋元命苞》、《釋名》、《周易集解》、《詩補傳》、《詩氏族考》、《易象鉤解》、《伊川易傳》、《逸周書》、《周易稗疏》、《古易音訓》、《輯易古文》、《周易補疏》、《易變釋例》、《周易述》、《西溪易說》、《兒易內儀以》、《周易二閭記》、《易解經傳證》、《尚書古文考》、《對棠軒讀易初箋》、《王會篇箋釋》、《周易探源》、《易領》等等。

史部：《史記》、《漢書》、《後漢書》、《竹書紀年》《國語》、《山海經》、《吳越春秋》、《帝王世紀》、《越絕書》、《水經注》、《繹史》、《古史辨》《氏姓學發微》等等。

子部：《莊子》、《荀子》、《管子》、《呂氏春秋》、《淮南子》、《論衡》、《方言》、《歸藏》、《潛夫論》、《譚苑醍醐》、《河圖握矩》、等等。

集部：《楚辭》、《蠻溪叢笑》、《古今鮏拾遺》等等。

其他：《說文解字》、《廣韻》、《玉篇》、《說苑》、《釋名》、《韻補》、《說文稽古篇》等等。

雖然劉鈺在《易經卦爻辭本事考》書前序言曾說：

> 流浪隨風，筆者不能駕書自隨，亦祇能因緣就便而已！至於稱引舊
> 說，本當援據最先所言之人，既以書少，不易稽求，又復學淺，難為
> 博徵，第就聞見，便為記錄。[18]

雖然上文中，劉鈺以「不能駕書自隨」、「書少不易稽求」，提及其治學研究
上的侷限，惟僅就上述劉鈺所援引古今典籍的繁富，可知其博覽群籍，學植
甚深。即使處於顛沛流亡之際，猶能援引典籍，藉資佐證史實，姑不論其稽
考史事故實的是非曲直，單從其旁徵博引，亦足令人肅然起敬矣！

（三）證明史實不推演理論

　　劉鈺認為《周易》是「以卦畫表方法，以故事代理論」，所以撰寫此書
的目的，在於：

> 究明故事，主於求得文字之的解；以疏通辭言，庶幾證明史實。所有
> 理論之發展，方法之推衍，既非本文之範圍，自當不予論述。[19]

從中吾人可以略見其易學面貌主要在「究明故事」，不在於「推衍理論」。所
以舉凡歷代象數派易學的卦氣、消息、互體、升降、卦變、納甲、飛伏等等
說法；義理派易學順性命、闡儒道、明治亂、切人事等等詮釋系統，均非其
所措意。試舉〈復卦〉為例，歷代易家於〈復卦〉每從「窮上反下」、「剝極
而復」、「動靜天地之心」等等著眼，闡論本卦返善之意。惟劉鈺《易經卦爻
辭本事考》於〈復卦〉全然不從上述諸點立論，而是將「復」字解釋為男女
私行的「往來」，並謂「復」兼有「報復、報應」之意。因此，將全卦解為
春秋時代衛國敗於淫行之卦，文中舉《左傳》與《史記·衛康叔世家》所載

---

18 劉鈺：《易經卦爻辭本事考》，頁6。
19 劉鈺：《易經卦爻辭本事考》，頁5。

「衛宣公烝夷姜」、「昭伯烝宣姜」之史事，說明衛國公室因淫逸導致國祚的衰敗。[20]

又如《周易》原為卜筮之書，故卦爻辭中每有吉凶悔吝等等占斷之辭，以供占者決疑解惑。惟觀劉鈺《易經卦爻辭本事考》全書，幾不作詮解，亦無視其吉凶。試舉諸卦觀，如〈渙卦・六四〉：「渙其群，元吉。渙有丘，匪夷所思。」劉鈺注云：

> 群，謂禽獸共聚之隊。《曲禮》：「天子合圍，諸侯不掩群。」成王五年（庚寅）蒐于岐陽；二十五年（庚戌）大會諸侯于東都。[21]

從上文的解釋中，全然未曾言及「元吉」之所由，僅點出本爻其中隱含的史事。又如〈兌卦・六三〉：「來兌，凶。」劉鈺以「兌」為人名，即殷高宗武丁相傅說，故於此爻之「凶」字解釋道：

> 然則何以凶乎？凶者，惡不可居，象地之塹也。引申為憂懼之義。武丁曰：「來，汝說。」於是說進「求多聞、學古訓、遜志務時」之言，皆憂治之語也。[22]

從上文中可見劉鈺雖解釋「凶」字，但卻從原始造字的義涵解為「憂懼之義」，已非《周易》吉凶占辭的原始義涵。至於〈豐卦・上六〉：「豐其屋，蔀其家。闚其戶，闃其无人，三歲不覿，凶。」劉鈺更謂此卦為三年朝享之禮，上六則是「酒盡席散，人去房空，三年再會之爻也。」全然不以「凶事」看待，僅視為朝享事畢散場之狀。

由上文諸例，吾人可略知劉鈺《易經卦爻辭本事考》稽古治《易》的方式，原不在易理的闡發與辭變象占的論述，劉鈺對於卦爻辭言的疏通，無非是在考掘其中的史事耳。

---

20 劉鈺：《易經卦爻辭本事考》，頁22-23。

21 劉鈺：《易經卦爻辭本事考》，頁44。

22 劉鈺：《易經卦爻辭本事考》，頁43。

（四）隨文求解不爭門戶

　　劉鈺認為易學雖有宗派傳統、門戶私見，但正如《易經卦爻辭本事考》序中凡例所言「不與於舊日是非之場，亦無主觀之成見。惟以求真精神，憑客觀態度，用科學方法，尋求卦爻辭之社會根源與歷史事實，以顯露卦爻辭之真相而已。」[23]雖然上述說法，如「無主觀成見」、「求真精神」、「客觀態度」、「科學方法」等等，綜觀全書，存有許多待商榷者，亦未必盡然客觀與存真，[24]然就其所引古今易家論述，在「不爭門戶」一事上，大體是符合其所揭示的精神。如本書中援引易家涵蓋漢宋易學，象數派如荀爽、鄭玄、虞翻等，義理派如王弼、程頤王夫之等，均兼採之。然其中援引最多者，當推考據派、古史辨派易學，如陳士元、惠棟、焦循、顧頡剛、李鏡池、黎翔鳳等，而且無論漢宋易學，劉鈺所著重者不在象數易例的使用與義理思想的闡發，惟在考辨卦爻辭的字義與史實耳，的確只是就手徵書，隨文求解，不爭古今門戶宗派。

（五）原文考事多聞闕疑

　　劉鈺《易經卦爻辭本事考》僅就二十四卦做史事的考索，餘四十卦未見於《易經卦爻辭本事考》一書，此書是否為其未完稿，不得而知。不過，就其書前序所云：

> 凡卦爻辭中之故事，就愚考見所及，蓋每卦各為一史，卦辭以為經，爻辭以為緯，綜合所知，已二十有四卦。[25]

足見二十四卦確為當時原稿本的內容。其餘四十卦，應是劉鈺在史事的考見尚力有未逮者，故闕而弗錄。不過，即使在已考索的二十四卦中，劉鈺仍有

23　劉鈺：《易經卦爻辭本事考》，頁6。
24　有關《易經卦爻辭本事考》考索史事的是非，另見下文。
25　劉鈺：《易經卦爻辭本事考》，頁1。

因史事未詳而所闕疑者。如〈否卦〉劉鈺認為是姺否叛商之卦。並謂「姺與否，蓋為商之大患。兩國之叛，經十八年而方克否，再三年而後姺人來賓。」[26]惟於初六、六二、六三以「史事未詳」，僅就各爻，如「茅」、「承」、「羞」三個字詞略作註解，未有任何史事。又如〈復卦〉初九、六四，則不僅未就字詞疏釋，祇是臚列爻辭，甚至不加斷句，正如劉氏所說的「辭不斷句者，以義未判也」。由書中體例可見劉鈺對無法考索的卦爻史事，僅列其原文，不加以考釋，蓋有多聞闕疑的精神，亦為其序中所言「求真精神」的體現。

六 《易經卦爻辭本事考》的價值得失

《易經卦爻辭本事考》本於求真的精神，在考掘卦爻辭中史事時，立論力求確實有據，誠為有本之學，若干卦爻故實考證，亦非無的放矢，足可相發。惟其論證過程中，仍有許多待商榷者，甚至牽強附會處，茲分別論述如下：

（一）引證有據，多所發明

作者在其凡例特揭其史料的考掘態度與原則，以科學求真方法，尋求卦爻辭的歷史事實，故文中多引經據典，反覆論證。並繼承前人對於《周易》考據成果，故全書基本上，非無的放矢，誠可謂為有本之學。如於〈坤卦‧六二〉：「直方，大不習，无不利」下注云：

> 《詩》曰：「豔妻煽方處！」此爻蓋寫豔妻嬌扇。《說文》：「方，併船也。」段注引高曰：「舟相連為航也。」此為兩房之喻。王承烈先生曰：「〈小象〉〈文言〉及鄭注不釋『大』字。『方』與『霜』『章』

---

26 劉鈺：《易經卦爻辭本事考》，頁17。原書「姺否」之「否」，為左否右邑，兩字相通，由於電腦無法呈現，姑借用之。

『囊』『裳』為韻,『大』則非韻,『大』為羨字。」[27]

在〈坤卦・六二〉中劉鈺以為本卦寫蓋周幽王寵褒姒廢申后,太子宜臼被逐奔申國之事。雖然事未必可信,不過,劉鈺援引《詩》、《說文》及前賢王承烈之說以相論證,解〈坤卦〉爻辭叶韻問題,誠有可供啟發者。

又如〈旅卦〉論及「喪牛于易」,劉鈺廣引《詩經》、《說文》、《山海經》、《竹書紀年》、《楚辭》及時人程樹德、王國維、游國恩等說以相論證,謂此卦實紀有易之君縣臣殺殷侯子亥的一段歷史。其說誠為有據,亦符合王國維以來,學者考證之成果。[28]

由上述論述,可略見《易經卦爻辭本事考》一書,對於《周易》中所蘊含的上古史料,實有考掘之功,誠具學術的價值。

(二)牽強附會,望文生義

正如前文所云,劉鈺在考證《周易》史事時,受民國古史辨派學者如顧頡剛、李鏡池等人影響較深。古史辨派的易學研究,其結論大有可商榷者。雖然今人未必接受古史辨派考證的結果,惟其求真的精神和實證的方法,仍有其時代的意義與價值。劉鈺在《易經卦爻辭本事考・凡例》言「惟以求真精神,憑客觀態度,用科學方法,尋求卦爻辭之社會根源與歷史事實」[29],雖然上述的說法,如「無主觀成見」、「求真精神」、「客觀態度」、「科學方法」等,揆諸全書,未必可靠。不過,劉鈺在方法上,確實繼承古史辨派求真精神和實證方法。

正如歷代史事易家常見的通病,劉鈺此書,亦犯有膠柱一、二事,與挂漏牽合之病,此因史事易家,必欲卦卦爻爻比事合象,加上學者於經義詮

---

27 劉鈺:《易經卦爻辭本事考》,頁11。

28 可參見黃忠天:〈周易與上古史的關係〉,收錄於《高雄師大學報》,11期,頁55-76,2000年。

29 劉鈺:《易經卦爻辭本事考》,頁6。

解,每有不同,我之所見,或頗為合轍,惟由彼之所觀,則或牽強附會。如劉鈺《易經卦爻辭本事考》書中,以〈剝卦〉為春秋時期齊襄被弒之卦。蓋此卦中有「剝牀以足」,便連想「殺孟陽于牀」之事;有「剝牀以膚」,便連想「襄公鞭打徒人費之背」之事,由卦辭「不利有攸往」。遂連想「此讖姑棼之遊」,謂齊襄公因姑棼之遊,田於貝丘,並將所見大豕視為公子彭生,導致「豕人立而啼。公懼,隊于車;傷足,喪屨。反而亂作,竟死于戶下。行誠不利矣。」[30]單從隻字片語,作如上的推論,證據誠然薄弱。其他如〈離卦〉為麗姬禍晉之卦;〈損卦〉為伍員奔吳之卦;〈明夷卦〉為魯哀公時,楚昭王殉陳之卦。雖皆引經據典論證,同樣犯了望文生義,以致牽強附會之病。設若上述說法可信,則《周易》卦爻辭的撰作時代,勢必將推遲至春秋末年始完成。此種說法自難以解釋孔子晚而好《易》,讀《易》韋編三絕,《論語・子路》中引用《周易・恆卦九三》之事。

又如〈大過卦〉劉鈺以為是夏朝太康年間,寒浞之子澆伐斟尋之卦。其注云:

> 寒浞者,夷羿之同姓。為羿寵信。浞乃因羿室以生「澆」及「豷」而殺羿。處澆於過,處豷於戈。大過、小過,即澆與豷也。黎翔鳳先生曰:「余疑『大過』即過,『小過』即戈。《釋名》曰:『戈,過也』。因其音同而別之耳!」[31]

又於〈大過卦〉之「棟橈」注云:

> 黎曰:「橈」即「澆」。「棟」即「窮」。羿為有窮之君,而浞滅;澆仍居窮可知。《說文》「棟」、「窮」皆訓「極」,於古音皆同。[32]

由於劉鈺解釋「棟」為「窮」,「橈」為「澆」,以致衍生出下文〈大過卦・九三〉:「棟橈。凶」解釋上的問題。如劉氏注云:

---

30 劉鈺:《易經卦爻辭本事考》,頁21。

31 劉鈺:《易經卦爻辭本事考》,頁25。

32 劉鈺:《易經卦爻辭本事考》,頁25。

「棟橈」即「窮澆」，釋已見卦辭。此無別詞，不知所謂也。斷曰凶，當有所本，則待詳攷史事矣。[33]

按傳統的說法，「棟橈」為棟樑彎曲橈敗，以致將屋毀人亡，其凶可知。惟劉鈺必要曲解為「棟」為「窮」（國名），「橈」為「澆」（人名）。因此，「棟橈」者，即指居住於「有窮國」的「澆」（寒浞之子）。由於本爻在「凶」字之前別無他詞，所以作者亦無從解說。以致下爻九四「棟隆」一詞，作者竟謂「隆指癃歟？隆與龍通，字即射豵耶？待考。」可見劉鈺在前提錯誤下，衍生出許多曲解，最後難以持說，祇得以頻頻以「待考」來搪塞。由上述可見，其書在考究卦爻辭中的史事時，的確存在著一些問題。

七　結語

劉鈺《易經卦爻辭本事考》一書久無傳本，世所罕知。幸賴中央研究院文哲所林慶彰老師多方蒐羅，並與文听閣圖書有限公司林登昱先生策劃編輯《民國時期經學叢書》，於是此書得以重見天日，供學者閱讀與研究，兩位先生功不可沒，蓋不讓阮元、王先謙諸人，專美於前，而我中華經學之偉業，得以薪火相傳，對於民國時期經學研究，誠有張皇啟迪之功。

劉鈺《易經卦爻辭本事考》，於民國史事易學，特別是其中的「史料易」一派易學，堪稱為集大成之作。其書中考掘史事，雖未必盡屬可信，一如稍早於劉鈺之前古史辨派學者的研究，考證雖失之偏頗，其結論亦大有可商量餘地，惟其考證精神、求真態度，仍值得肯定，在新舊學術交替之際，在出土文獻尚未大量發現的二十世紀初期，我想劉鈺與古史辨派學者的研究，在中國易學史上仍有其時代的意義與價值。

此外，劉鈺書中收錄許多前人研究成果，亦有存真之功，若干民國學者文獻，如亮無《對棠軒讀易初箋》等人著作，現已無存，則劉氏此書，猶存雪泥，亦彌足珍貴。本文初步考察劉氏此一易學著作，並扼要敘述其易學大

33　劉鈺：《易經卦爻辭本事考》，頁26。

要，希望透過共時性與歷時性之研究，藉以瞭解民國時期易學之梗概，並藉資闡發其潛德之幽光，並供未來有志於史料易學或民國易學史研究者之參考。

朱熹《論語集注》孔門系譜分析
——以子夏、子貢、顏淵、曾子為考察範圍

陳逢源

政治大學中國文學系教授

提要

　　孔門弟子眾多，質性不同，朱熹從原本「四科十哲」的架構，進而檢討弟子質性，重構儒學之傳，完成孔門「穎悟」、「篤實」二系的建構，子夏、子貢、顏淵、曾子乃是朱熹篩選出來的代表人物，子夏、子貢尚屬博學於文的階段，顏淵、曾子則入於性、道之教，孔子由傳學而及心法，揭示「一貫之旨」，乃是《論語》當中極為特殊的內容，朱熹揭之而出，遂有「道統」論述的觀察。「穎悟」一系得見孔子指點與師生情誼，然而最後儒學從「篤實」一系而傳，曾子任重道遠，成為孔門傳道之人，乃是宋儒於孔門當中尋求線索，拼湊出來的結果。宋儒原本孔、顏之樂的追求，進一步落實於孔子傳道的思考，儒學本體的推究，進而及於工夫的檢討，朱熹彰顯曾子地位，聖人氣象遂有更為具體的內容。以往留意朱熹「藥病」詮釋方式，質疑朱熹貶抑聖門，其實乃是深入孔門弟子所獲致的心得，更是從子夏、子貢、顏淵，進而及於曾子思考的結果，朱熹形塑由學入道，遂有觀察的方向。

關鍵詞：朱熹　孔門　論語　道統　儒學

一　前言

　　朱熹（1130-1200）一生思索聖道，由理學而入經學，撰成《四書章句集注》，不僅是宋明理學極為關鍵的成就，更關乎經學「典範」（Paradigm）的轉移與改易[1]，清康熙言其「集大成而緒千百年絕傳之學，開愚蒙而立億萬世一定之規」[2]，清代理學儒臣第一陸隴其（1630-1692）《松陽講義》云：「朱子之意即聖人之意；非朱子之意，即非聖人之意，斷斷不可錯認了。」[3]朝鮮畿湖學派韓元震（1682-1751）云：「孔子天地間一人而已矣！朱子孔子後一人而已矣！有孔子則不可無朱子，而尊朱子者乃所以尊孔子也。」[4]也有相同的看法。由孔子而朱子，儒學得以發揚；由朱子而孔子，儒學得以純粹，孔子與朱熹成為學術史上之雙峰，相互證成，共同成就，由朱熹上承孔子，確立儒家核心內容，證成儒學價值，乃是學術正脈，朱熹的學術地位，出於前輩學者的觀察結果，經旨必須置於求聖訴求，再現孔子精神，乃是研究《四書章句集注》極為重要的路徑。

　　事實上，推究孔子學術究竟，應是歷代學者的共同問題，宋儒學術生命所向，具有開新意義[5]，其實也正是朱熹一生最重要的學術成就。筆者檢覈宋儒題稱聖人系譜模式，北宋諸儒共同參與了儒學自覺運動，從堯、舜、

1　孔恩（Thomas S. Kuhn）撰、王道還譯：《科學革命的結構》（The structure of Scientific Revolutions）（臺北市：遠流出版社，1989年），頁67-99。以及拙撰〈從五經到四書：儒學「典範」的轉移與改易〉，《朱熹與四書章句集注》（臺北市：里仁書局，2006年），頁2-6。

2　玄燁撰：〈朱子全書序〉，朱傑人等主編《朱子全書》（上海市：上海古籍出版社；合肥市：安徽教育出版社，2002年）第27冊，頁845。

3　陸隴其撰：《松陽講義》（北京市：華夏出版社，2013年）卷之一，頁4。

4　韓元震撰：〈朱子言論同異考序〉，《朱子言論同異考》（首爾市：奎章閣藏朝鮮木刻本），頁2。

5　牟宗三撰：《心體與性體》（一）（臺北市：臺灣學生書局，1996年）第一部「綜論」，即說明新儒學（Neo-Confucianism）之為「新」，乃是對先秦齊頭並列，並無一確定傳法統系，確定出一個統系，藉以決定儒家生命之基本方向，因而為新；也是直接以孔子為標準，相對於漢人以傳經為儒之為新，頁13。

禹、湯、周公、孔子（前551-前479）到孟子（前372-前289）、荀子（前313-前238）、揚雄（前53-18）、王通（584-617）、韓愈（768-824）五賢傳承儒學，又從孟子、荀子、揚雄、王通、韓愈五賢信仰到孔子、曾子（前505-前435）、子思（前483-前402）、孟子傳道系譜，歷經政統、儒統、道統三階段發展，從而在政治訴求、儒學傳承，乃至於心性釐清當中，確定儒學方向，於此得見朱熹道統論述淵源[6]，此一細節，必須擴及北宋儒者群體共相的觀察，也必須深究朱熹思考的了解，從儒學有傳進而確定孔子傳道內容，正是朱熹用心所在，儒者的責任不僅是要傳學，更要傳正學，「道統」凸顯出儒者的歷史情懷，孔子、曾子、子思、孟子聖聖相承，正是四書體系化的關鍵，孔門學術系譜成為朱熹關注的焦點，為求釐清，筆者整理朱熹《四書章句集注》有關孔門弟子的註解內容[7]，草撰〈朱熹論孔門弟子——以四書章句集注徵引為範圍〉一文[8]，修改後作〈「穎悟」與「篤實」——朱熹論孔門弟子〉[9]，對於朱註「藥病」訴求，有了初步的觀察，朱熹重構孔門學術系譜，弟子質性不同，分出兩系，云：

　　蓋孔門自顏子以下，穎悟莫若子貢；自曾子以下，篤實無若子夏。[10]

6　孫復撰：《孫明復小集》（影印文淵閣《四書全書》冊1090，臺北市：臺灣商務印書館，1986年）〈上孔給事書〉載孔道輔家廟中祀有孟子、荀子、揚雄、王通、韓愈等五賢之像，強調「彼五賢者，天俾夾輔於夫子者也。」頁172-173。另參見拙撰：〈「治統」與「道統」——朱熹道統觀之淵源考察〉，《「融鑄」與「進程」：朱熹《四書章句集注》之歷史思維》（臺北市：政大出版社，2013年），頁103。

7　朱熹《四書章句集注》注解孔門弟子，包括顏淵、閔子騫、冉伯牛、冉雍、冉求、子路、宰我、子貢、子游、子夏、子張、曾子、澹臺滅明、宓子賤、原憲、公冶長、南宮适、曾點、顏路、高柴、漆雕開、司馬耕、樊遲、有子、公西華、巫馬施、申棖、琴牢、陳亢、孟懿子、孺悲等，共計31位。朱熹對於孔門弟子不僅是生平的介紹，或是針對經旨的闡發而已，對於弟子學養高下，更是多所留意。

8　參見拙撰：〈朱熹論孔門弟子——以四書章句集注徵引為範圍〉，發表於《文與哲》第八期（2006年6月），頁279-310。

9　拙撰〈「穎悟」與「篤實」——朱熹論孔門弟子〉，收入《「融鑄」與「進程」：朱熹《四書章句集注》之歷史思維》，頁27-62。

10　朱熹撰：《論語集注》卷10〈子張篇〉，《四書章句集注》（臺北市：長安出版社，1991年），頁188。

顏淵（前521-前481）、子貢、曾子、子夏（前507-前420）乃是朱熹檢選出來的對象，「穎悟」有顏淵、子貢，「篤實」有曾子、子夏，歧異當中，推究線索，再現孔門傳道場景，子貢、子夏讓位於顏淵、曾子，顏淵不幸短命，孔門最後由「穎悟」讓位於「篤實」，由曾子獨膺傳道之任，孔子與子思間失落的環節，終於補入。分判之中，層層深入，從孔子指引辭氣之間，梳理《論語》傳道脈絡，考察孔子傳法內容，一方面關乎儒學內涵的掌握，另一方面涉及工夫法門的釐清，朱熹從弟子群相當中，建構更清楚的線索，為求明確，本文以孔子門人顏淵、子貢、曾子、子夏為考察對象，分析朱熹注解內容，推究思考方向，期以有更深入的觀察。

二 孔門分系

孔門弟子眾多，質性不同，《論語》當中，孔子因材施教，門人各有體會，眾聲喧嘩，弟子各具風采，《呂氏春秋‧遇合》言：「委質為弟子者三千人，達徒七十人」[11]，《韓非子‧顯學篇》載「自孔子之死也，有子張之儒，有子思之儒，有顏氏之儒，有孟氏之儒，有漆雕氏之儒，有仲良氏之儒，有孫氏之儒，有樂正氏之儒。」[12]世系旁出，儒分為八。司馬遷（前145或135-前86）為孔子撰〈孔子世家〉，為弟子作〈仲尼弟子列傳〉，由世家而及列傳，完成儒學傳續的歷史描述，史遷引孔子之言，「受業身通者，七十有七人，皆異能之士也。」[13]對於孔門弟子極為褒揚，王充（西元27-97）《論衡‧問孔篇》提出「孔門之徒，七十子之才，勝今之儒」的命題，

---

[11] 高誘注，畢沅校：《呂氏春秋新校正》（《新編諸子集成》第7冊，臺北市：世界書局，1983年）卷14〈遇合〉，頁153。

[12] 陳奇猷校注：《韓非子集釋》（臺北市：河洛圖書出版社，1974年）卷19〈顯學篇〉，頁1080。只是細節之間，缺乏進一步的線索，諸多分系，並不清楚，近人姜廣輝《中國經學思想史》（北京：中國社會科學出版社，2003年）第一卷援此歸納孔門有三系：有子游一系「弘道派」，子夏一系「傳經派」，曾子一系「踐履派」，頁169-171。

[13] 司馬遷撰、瀧川龜太郎考證：《史記會注考證》（臺北市：洪氏出版社，1982年）卷67〈仲尼弟子列傳〉，頁877。

強調古今智慧無異，反對過度推崇孔門。[14]然而無可諱言，孔子為聖人，孔門為賢人，聖賢相繼，孔門是一個模糊的群體概念，一方面出於團體之間，人數既多，特質不易描繪；再者，弟子各自發展，立場分歧，是非不定，也就難有清楚的輪廓，名聲流衍，甚至成為一種軼事材料，在聖與凡之間，突顯孔門弟子神異與特殊性的存在。[15]事實上，孔子既是儒學的核心人物，門人更是歷史首出的學術團體，孔子重視弟子，認為大有助於己，言論載於《尚書大傳》，云：

> 文王得四臣，丘亦得四友焉。自吾得回也，門人加親，是非胥附與；自吾得賜也，遠方之士日至，是非奔輳與；自吾得師也，前有輝，後有光，是非先後與；自吾得由也，惡言不入於門，是非禦侮與。文王有四臣以免虎口，丘亦有四友以禦侮。[16]

類似說法，也見於《孔叢子》[17]、《尸子》[18]，孔子列舉顏淵、子貢、子張、子路四人為友，弟子個性鮮明，各有特色，在門人當中，極具指標作用，從而形成一種團體氣氛，「胥附」、「奔輳」、「先後」、「禦侮」，足以說明孔門的活躍情況，孔子認為大有助於己，應是事實之言，由此可以了解孔子尊重學

---

14 王充撰：《論衡》（臺北市：世界書局新編《諸子集成》本，1983年）〈問孔篇〉，頁86。

15 參閱拙撰：〈聖與凡之間——孔門弟子軼事傳說〉，《東華漢學》第9期（2009年6月），頁91-95。

16 伏勝撰：鄭玄注，《尚書大傳》（《古經解彙函》第二冊，京都：中文出版社，1998年，影印上海蜚英館本）卷一〈殷傳〉，頁610。

17 孔鮒撰：《孔叢子》（影印文淵閣《四庫全書》第695冊，臺北市：臺灣商務印書館，1986年）卷中〈詰墨第十八〉云：「臣聞孔子聖人，然猶居處勍惰，廉隅不修，則原憲、季羔侍。氣鬱而疾，志意不通，則仲由、卜商侍。德不盛，行不勤，則顏、閔、冉、雍侍。」頁353。

18 尸佼撰，汪繼培輯：《尸子》（《中國子學名著集成‧宋元明清善本叢刊》第71冊，臺北市：中國子學名著集成編印基金會，1978年）卷下云：「仲尼志意不立，子路侍；儀服不修，公西華侍；禮不習，子貢侍；辭不辨，宰我侍。亡忽古今，顏回侍；節小物，冉伯牛侍。曰：『吾以夫六子自勵也。』」頁546。

生的態度，以及孔門當中，諸多優秀弟子，其實已經具有領袖與引導的地位，《論語·子張篇》載叔孫武叔曾於朝堂當中言「子貢賢於仲尼」，陳子禽也認為子貢「子為恭也，仲尼豈賢於子乎？」[19]可見弟子聲名之盛，當時已是如此，《論語·先進篇》「回也非助我者也」章，朱注：「助我，若子夏之起予，因疑問而有以相長也。顏子於聖人言，默識心通，無所疑問。故夫子云然，其辭若有憾焉，其實乃深喜之。」引胡氏曰：「夫子之於回，豈真以助我望之。蓋聖人之謙德，又以深贊顏氏云爾。」[20]《論語·八佾篇》子夏問「巧笑倩兮，目前盼兮，素以為絢兮」，孔子言「起予者商也！始可與言《詩》已矣」，成為朱注說解的基礎，弟子善問善學，孔子無比安慰，朱注引楊氏曰：「若夫玩心於章句之末，則其為《詩》也固而已矣。所謂起予，則亦相長之義也。」[21]弟子舉一反三，觸類旁通，孔子深為歡喜，也代表教學相長之益；與此相反，孔子言顏淵無助於己，顯然有不同於子夏的表現方式。比較而言，孔子與子夏是師生學習的最佳形態，與顏淵生命的契合，更有達乎同體共感的喜悅，因此朱注言「若有憾」，又補充「深喜之」，認為孔子其實是正話反說，《朱子語類》載朱熹請教李侗，獲得啟示，云：

> 舊曾問李先生，顏子非助我者處。李先生云：「顏子於聖人根本有默契處，不假枝葉之助也。如子夏，乃枝葉之功。」[22]

枝葉同樣有助於根本，但師生默契，可遇而不可求，投契投緣，讓人有無比的感動。孔子謙以為學，於此可以了解，弟子層次不同，因而有不同學習樣態，也可以清楚得見。

弟子成就不同，各有擅長，「四科十哲」的名單，無疑是最具代表性的說法，《論語·先進篇》載「子曰：『從我於陳、蔡者，皆不及門也。』德行：顏淵、閔子騫、冉伯牛、仲弓。言語：宰我、子貢。政事：冉有、季

---

19 朱熹撰：《論語集注》卷10〈子張篇〉，《四書章句集注》，頁192。

20 朱熹撰：《論語集注》卷6〈先進篇〉，《四書章句集注》，頁124。

21 朱熹撰：《論語集注》卷2〈八佾篇〉，《四書章句集注》，頁63。

22 黎靖德編：《朱子語類》（臺北市：文津出版社，1986年12月）卷39，頁1010。

路。文學：子游、子夏。」[23]成為了解孔門弟子學行極為重要的材料，也是孔門分系最早的說明。四科之中，德行四位，人數最多，其餘言語、政事、文學各有兩位，共計十位[24]，顏淵居於首位，至於子夏，位列最末。事實上，朱熹於〈先進篇〉篇題下注云：「此篇多評弟子賢否」，並引胡氏曰：「此篇記閔子騫言行者四，而其一直稱閔子，疑閔氏門人所記也。」[25]宋儒似乎從〈先進篇〉獲致孔門傳道問題的暗示，全篇不僅多評弟子賢否，尤其集中於顏淵死亡後記載，對於顏淵更是多有著力，包括「有顏回者好學，不幸短命死矣」、「顏淵死，顏路請子之車以為之椁」、「顏淵死。子曰：『噫！天喪予！天喪予』」、「顏淵死，子哭之慟」、「顏淵死，門人欲厚葬之」等五章，有關顏淵後事、評價、門人態度等，詳載孔子的看法，顏淵之死，成為孔門最大危機，相對於其中禮數問題，孔子堅持原則，心中卻有更多的不捨與哀痛，孔子稱許顏淵好學，然而「不幸短命死矣！今也則亡。」[26]此一評論，也見於《論語・雍也篇》「有顏回者好學，不遷怒，不貳過。不幸短命死矣！今也則亡，未聞好學者也。」[27]顏淵在孔子心中的重要性，不言可喻，朱注《論語・先進篇》「天喪予」章云：「悼道無傳，若天喪己也。」[28]道之不傳，反映了孔子的焦慮，朱熹直指其中關鍵，觀察十分敏銳。另一方面，《論語・先進篇》「子畏於匡」章，顏淵言「子在，回何敢死？」則又顯露顏淵孺慕追隨孔子，生死以之的情懷，師生契合，不僅是學問相投，更有艱難險巇淬鍊出來的情感，弟子當中，無人可以取代，顏淵成為儒門典範。而「四科十哲」之中，閔子騫接續顏淵之後，宋儒甚至懷疑〈先進篇〉有閔子門人所記的材料，以子曰：「孝哉閔子騫」[29]、「夫人不言，言必有中」[30]

23　朱熹撰：《論語集注》卷6〈先進篇〉，《四書章句集注》，頁123。

24　參見朱守亮撰：《論語中之四科十子》（臺北市：萬卷樓圖書公司，2006年）。

25　朱熹撰：《論語集注》卷6〈先進篇〉，《四書章句集注》，頁123。

26　朱熹撰：《論語集注》卷6〈先進篇〉，《四書章句集注》，頁124。

27　朱熹撰：《論語集注》卷3〈雍也篇〉，《四書章句集注》，頁84。

28　朱熹撰：《論語集注》卷6〈先進篇〉，《四書章句集注》，頁125。

29　朱熹撰：《論語集注》卷6〈先進篇〉，《四書章句集注》，頁124。

30　朱熹撰：《論語集注》卷6〈先進篇〉，《四書章句集注》，頁126。

的讚美，以及「閔子侍側，誾誾如也；孔路，行行如也；冉有、子夏，侃侃如也」[31]的描述，似乎有意建構顏淵接續的地位，相較之下，《論語‧先進篇》卻載有「門人不敬子路」[32]、「師也過，商也不及」[33]、「柴也愚，參也魯，師也辟，由也喭」[34]、「賜不受命」[35]、「求也退，故進之；由也兼人，故退之」[36]，包括子路、子張、子夏、子羔、曾子、冉求等人，各章內容，批評為多，相較於孔門弟子氣質的評論，閔子騫應該是較無爭議的人物，只是閔子騫相關事蹟太少，可以深入之處不多，《朱子語類》錄有朱熹與門人討論，云：

> 問：「德行，不知可兼言語、文學、政事否？」曰：「不消如此看，自就逐項上看。如顏子之德行，固可以備；若他人，固有德行而短於才者。因云：「冉伯牛、閔子之德行，亦不多見。子夏、子游兩人成就自不同。胡五峰說，不知《集注》中載否。他說子夏是循規守矩，細密底人；子游卻高朗，又欠細密工夫。荀子曰：『弟作其冠，神譚其辭，禹行而舜趨，是子張氏之賤儒也；正其衣冠，齊其顏色，嗛然而終日不言，是子夏氏之賤儒也；偷懦憚事，無廉恥而嗜飲食，必曰「君子固不用力」，是子游氏之賤儒也。』如學子游之弊，只學得許多放蕩疏闊意思。」賀孫因舉如「喪至乎哀而止」、「事君數，斯辱；朋友數，斯疏」，皆是子游之言。如「小子當洒埽應對進退」等語，皆是子夏之言。又如子游能養而不能敬，子夏能敬而少溫潤之色，皆見二子氣象不同處。曰：「然。」[37]

此則出於葉賀孫所載，所言胡宏（1102-1161）說法，並未見引於「從我於

---

31 朱熹撰：《論語集注》卷6〈先進篇〉，《四書章句集注》，頁125。

32 朱熹撰：《論語集注》卷6〈先進篇〉，《四書章句集注》，頁126。

33 朱熹撰：《論語集注》卷6〈先進篇〉，《四書章句集注》，頁126。

34 朱熹撰：《論語集注》卷6〈先進篇〉，《四書章句集注》，頁127。

35 朱熹撰：《論語集注》卷6〈先進篇〉，《四書章句集注》，頁127。

36 朱熹撰：《論語集注》卷6〈先進篇〉，《四書章句集注》，頁128。

37 黎靖德編：《朱子語類》卷39，頁1010。

陳、蔡者」章，朱熹徵引湖湘學術，胡氏主要是指胡寅（1098-1156），其次是胡安國（1074-1138）[38]，以宋儒觀察，顏淵由德行而兼有各科能力，獨領風騷，至於其他弟子，缺乏具體而微的學行描述可以展開義理討論，冉伯牛、閔子騫德行並不明確，子夏細密、子游高朗，氣象不同，成就不同，但兩人各有所偏，並不足以傳學，《荀子‧非十二子篇》對於子張、子夏、子游的批評，成為宋儒分判孔門弟子的依據。《論語‧先進篇》載錄顏淵死後事情，以及孔門弟子賢否討論，揭示孔門學術傳續危機，正是觸發朱熹思考孔門道統之傳問題的起點，後人質疑朱注有「貶抑聖門」的缺失[39]，其實分判孔門高下，尋求傳道線索，緣由所在，似乎在《論語》載錄內容，已可見其端倪，顏淵死亡，必須思索後繼者問題，然而孔門「四科十哲」分系概念，無法提供接續的學術系譜，因此朱熹認為「四科十哲」的說法乃是出於弟子而非出於孔子，云：

> 弟子因孔子之言，記此十人，而并目其所長，分為四科。孔子教人各因其材，於此可見。○程子曰：「四科乃從夫子於陳、蔡者爾，門人之賢者固不止此。曾子傳道而不與焉，故知十哲世俗論也。」[40]

朱熹注解當中有三項重點：一、四科反映孔子因材施教，弟子各有所長的情形。二、十人乃出於門人所記，是指從孔子於陳、蔡的弟子，賢者不僅止於此。三、曾子傳道，未列其中，於此可見「四科十哲」乃是世俗之論，因此朱熹採取特殊的詮釋策略，「從我於陳、蔡者，皆不及門也」出於孔子之言，至於後文所列內容，則是出於弟子所記，分別而觀，詮釋角度也就有所不同，朱熹於《四書或問》中明其說，言之更詳：

---

38 參見拙撰：〈朱熹《四書章句集注》中的湖湘學脈〉，《紀念孔子誕辰2565周年國際學術研討會暨國際儒學聯合會第五屆會員大會論文集（三）》（北京市：國際儒學聯合會、聯合國教科文組織、中國孔子基金會，2014年），頁1192。

39 毛奇齡撰，張文彬等輯：《四書改錯》（嘉慶十六年學圃重刊本）卷20，頁1-22。及卷21，頁1-18。

40 朱熹撰：《論語集注》卷6〈先進篇〉，《四書章句集注》，頁123。

　　或問：四科之目，何也？曰：德行者，潛心體道，默契於中，篤志力
行，不言而信者也。言語者，善為辭令者也。政事者，達於為國治民
之事者也。文學者，學於《詩》、《書》、《禮》、《樂》之文，而能言其
意者也。蓋夫子教人，使各因其所長以入於道，然其序則必以德行為
先。誠以躬行實造，具體聖人，學之所貴，尤在於此，非若三者各為
一事而長而已也。然程子猶以游、夏所謂文學，固非秉筆學為詞章
者，學者尤不可以不知也。曰：何以其知其門人所記也？曰：吳氏例
曰：「凡稱名者，夫子之辭，弟子師前相謂之辭；稱字者，弟子自相
謂之辭，亦或弟子門人之辭。」得之矣。諸說或以此章盡為夫子之言
者，考之不審也。[41]

朱熹強調德行為先，強調文學並非詞章之學，並且以吳棫《論語說例》所言
稱謂文字之例，證明四科十哲出於弟子之言，日後朱熹與弟子講論，關注重
點同樣是門人記之的判斷上，云：「此說當從明道。謂此時適皆不在孔子之
門，思其相從於患難，而言其不在此耳。門人記之，因歷數顏子而下十人，
并目其所長云耳。」[42]揚棄詞章之學，不僅是對於先秦文學概念的澄清，更
是關乎儒學精神的掌握，朱熹〈大學章句序〉云：「俗儒記誦詞章之習，其
功倍於小學而無用」[43]，朱熹反映思索儒學內涵的成果，立場鮮明，而在深
究《論語》義理脈絡，梳理孔門傳授線索，「四科十哲」在朱熹的詮釋當
中，已視為世俗之論。

三　子夏與子貢

　　朱熹認為四科為孔子施教內容，至於名單部分，乃是跟隨孔子於陳、蔡
的弟子，既不全面，更非出於孔子列舉結果，因此從弟子賢否的考察當中，

41　朱熹撰，黃珅校點：《四書或問》(《朱子全書》本，上海市：上海古籍出版社、合肥
　　市：安徽教育出版社，2002年) 卷11〈先進篇〉，頁787-788。
42　黎靖德編：《朱子語類》卷39，頁1009。
43　朱熹撰：〈大學章句序〉，《四書章句集注》，頁2。

重新思索孔門之傳的線索，從門人表現當中，確立接續顏淵的傳道弟子，成
為朱熹思索《論語》的方向，朱熹重視孔門弟子表現，更甚於以往注家，
《論語・鄉黨篇》篇題下朱熹引楊時、尹焞說法：

> 楊氏曰：「聖人之所謂道者，不離乎日用之間也。故夫子之平日，一
> 動一靜，門人皆審視而詳記之。」尹氏曰：「甚矣孔門諸子之嗜學
> 也！於聖人之容色言動，無不謹書而備錄之，以貽後世。今讀其書，
> 即其事，宛然如聖人之在目也。雖然，聖人豈拘拘而為之者哉？蓋盛
> 德之至，動容周旋，自中乎禮耳。學者欲潛心於聖人，宜於此求
> 焉。」[44]

從日用之間以見聖人，觀聖人氣象乃是宋儒開啟的修養法門，然而緣由所
在，乃是孔門弟子對於孔子形象的詳實記錄，巧妙形容，千載之下，遂能想
像聖人視聽言動，周旋合禮的形態，《論語》得以再現聖人精神，乃是弟子
觀察描繪的結果，宋儒言其「嗜學」，確立了捨此無由的路徑，《論語》各篇
當中，與門人弟子相關，〈公冶長篇〉朱熹引胡氏說法，疑多為子貢之徒所
記[45]，〈先進篇〉疑閔氏門人所記[46]，至於〈子張篇〉則是「此篇皆記弟子之
言，而子夏為多，子貢次之。蓋孔門自顏子以下，穎悟莫若子貢；自曾子以
下，篤實無若子夏。故特記之詳焉。」[47]由科目進而及於質性，朱熹以「穎
悟」與「篤實」描繪孔門弟子的類型，子夏與子貢分屬不同特質，按諸司馬
遷《史記・仲尼弟子列傳》載「子貢一出，存魯亂齊，破吳彊晉，而霸越。
子貢一使，使勢相破，十年之中，五國各有變」、「孔子既沒，子夏居西河教
授，為魏文侯師」[48]，兩人應是孔門當中最具聲勢之弟子，影響及於國際，
何其巧合，《論語・學而篇》子貢曰：「《詩》云：『如切如磋，如琢如磨。』

---

44 朱熹撰：《論語集注》卷5〈鄉黨篇〉，《四書章句集注》，頁116-117。

45 朱熹撰：《論語集注》卷3〈公冶長篇〉，《四書章句集注》，頁75。

46 朱熹撰：《論語集注》卷6〈先進篇〉，《四書章句集注》，頁123。

47 朱熹撰：《論語集注》卷10〈子張篇〉，《四書章句集注》，頁188。

48 司馬遷撰、瀧川龜太郎考證：《史記會注考證》卷67〈仲尼弟子列傳〉，頁883-884。

其斯之謂與？」子曰：「賜也，始可與言《詩》已矣！告諸往而知來者。」[49]《論語‧八佾篇》子曰：「繪事後素。」曰：「禮後乎？」子曰：「起予者商也！始可與言《詩》已矣。」[50]舉一反三，學《詩》有得，子夏、子貢都曾獲得孔子的讚美，《論語》載子貢有37筆，載子夏有20筆，《論語》當中甚至載有子夏門人的記錄，《論語‧子張篇》載「子夏之門人問交於子張。」[51]子游曰：「子夏之門人小子，當洒掃、應對、進退，則可矣。」[52]《論語》有關子夏章句如下：

（一）孔子指導之言

◎ 子夏問孝。子曰：「色難。有事，弟子服其勞；有酒食，先生饌。曾是以為孝乎？」（〈為政篇〉）

◎ 子夏問曰：「『巧笑倩兮，美目盼兮，素以為絢兮。』何謂也？」子曰：「繪事後素。」曰：「禮後乎？」子曰：「起予者商也，始可與言《詩》已矣！」（〈八佾篇〉）

◎ 子謂子夏曰：「女為君子儒，無為小人儒。」（〈雍也篇〉）

◎ 子夏為莒父宰，問政。子曰：「無欲速，無見小利。欲速則不達，見小利則大事不成。」（〈子路篇〉）

（二）子夏論學之言

◎ 子夏曰：「賢賢易色，事父母能竭其力，事君能致其身，與朋友交言而有信；雖曰未學，吾必謂之學矣。」（〈學而篇〉）

49　朱熹撰：《論語集注》卷1〈學而篇〉，《四書章句集注》，頁53。

50　朱熹撰：《論語集注》卷2〈八佾篇〉，《四書章句集注》，頁63。

51　朱熹撰：《論語集注》卷10〈子張篇〉，《四書章句集注》，頁188。

52　朱熹撰：《論語集注》卷10〈子張篇〉，《四書章句集注》，頁190。

◎ 子夏曰：「雖小道，必有可觀者焉；致遠恐泥，是以君子不為也。」（〈子張篇〉）

◎ 子夏曰：「日知其所亡，月無忘其所能，可謂好學也已矣。」（〈子張篇〉）

◎ 子夏曰：「博學而篤志，切問而近思，仁在其中矣。」（〈子張篇〉）

◎ 子夏曰：「百工居肆以成其事，君子學以致其道。」（〈子張篇〉）

◎ 子夏曰：「小人之過也必文。」（〈子張篇〉）

◎ 子夏曰：「君子有三變：望之儼然，即之也溫，聽其言也厲。」（〈子張篇〉）

◎ 子夏曰：「君子信而後勞其民，未信則以為厲己也；信而後諫，未信則以為謗己也。」（〈子張篇〉）

◎ 子夏曰：「大德不踰閑，小德出入可也。」（〈子張篇〉）

◎ 子夏曰：「仕而優則學，學而優則仕。」（〈子張篇〉）

（三）子夏與門人之言

◎ 司馬牛憂曰：「人皆有兄弟，我獨亡！」子夏曰：「商聞之矣：死生有命，富貴在天。君子敬而無失，與人恭而有禮；四海之內，皆兄弟也。君子何患乎無兄弟也？」（〈顏淵篇〉）

◎ 樊遲問仁。子曰：「愛人。」問知。子曰：「知人。」樊遲未達。子曰：「舉直錯諸枉，能使枉者直。」樊遲退，見子夏，曰：「鄉也吾見於夫子而問知，子曰：『舉直錯諸枉，能使枉者直』，何謂也？」子夏曰：「富哉言乎！舜有天下，選於眾，舉皋陶，不仁者遠矣。湯有天下，選於眾，舉伊尹，不仁者遠矣。」（〈顏淵篇〉）

◎ 子游曰：「子夏之門人小子，當洒掃、應對、進退，則可矣。抑末也，本之則無。如之何？」子夏聞之曰曰：「噫！言游過矣！君子之道，孰先傳焉？孰後倦焉？譬諸草木，區以別矣。君子之道，焉可誣也？有始有卒者，其惟聖人乎！」（〈子張篇〉）

◎ 子夏之門人問交於子張。子張曰：「子夏云何？」對曰：「子夏曰：『可者

與之，其不可者拒之。』」子張曰：「異乎吾所聞，君子尊賢而容眾，嘉善
而矜不能。我之大賢與，於人何所不容？ 我之不賢與，人將拒我，如之何
其拒人也？ 」(〈子張篇〉)

（四）子夏之學術描述

◎子曰：「從我於陳、蔡者，皆不及門也。」德行：顏淵、閔子騫、冉伯
　牛、仲弓；言語：宰我、子貢；政事：冉有、季路；文學：子游、子夏。
　(〈先進篇〉)
◎子貢問：「師與商也孰賢？ 」子曰：「師也過，商也不及。」曰：「然則師
　愈與？ 」子曰：「過猶不及。」(〈先進篇〉)

※依篇次為序，不另注出處

　　《論語》 載子夏論學之語，與門人語談之言，遠過於其他門人，與門
人相談多數也是指導性質，甚至言及「仁」、「學」等儒學核心概念，可以想
見在孔門當中尊隆地位，孔子指導「孝」、《詩》、「君子」、「政」等概念，
從修德而及於人倫，從學術而及於為政，也反映於論學宗旨當中，子夏學以
致用，善學善教，於此可見，只是言辭之間，子夏未必切合孔子之旨，《論
語·學而篇》子夏曰：「⋯⋯雖曰未學，吾必謂之學矣。」朱熹引游酢、吳
棫說法

　　游氏曰：「三代之學，皆所以明人倫也。能是四者，則於人倫厚矣。
　　學之為道，何以加此。子夏以文學名，而其言如此，則古人之所謂學
　　者可知矣。故〈學而〉一篇，大抵皆在於務本。」吳氏曰：「子夏之
　　言，其意善矣。然辭氣之間，抑揚太過，其流之弊，將或至於廢學。
　　必若上章夫子之言，然後為無弊也。」[53]

---

53 朱熹撰：《論語集注》卷1〈學而篇〉，《四書章句集注》，頁50。

子夏強調人倫日用，學有根本，是其長處，但執之稍過，恐有廢學之弊，則又可見其偏差，相較於此，《論語・學而篇》子曰：「弟子入則孝，出則弟，謹而信，汎愛眾，而親仁。行有餘力，則以學文。」[54]孔子說理更為周到平和，人倫日用是儒學根本，君子務本並無不妥，但務本即可謂學，則不免有偏執之弊，又如《論語・子張篇》子夏曰：「大德不踰閑，小德出入可也。」朱注引吳棫曰：「此章之言，不能無弊。學者詳之。」[55]同樣也引宋儒意見糾正子夏言論。以《論語・子張篇》「子夏之門人問交於子張」章，朱注：「子夏之言迫狹，子張譏之是也。但其所言亦有過高之病。」[56]情形一如《論語・先進篇》子曰：「師也過，商也不及」的看法[57]，過猶不及，偏則有弊，子夏並不符合宋儒心中繼承孔子之學的期待，《論語・子張篇》「子夏之門人小子」章，朱熹引程子之言：

> 程子曰：「君人教人有序，先傳以小者近者，而後教以大者遠者。非先傳以近小，而後不教以遠大也。」又曰：「洒掃應對，便是形而上者，理無大小故也。故君子只在慎獨。」又曰：「聖人之道，更無精粗。從洒掃應對，與精義入神貫通只一理。雖洒掃應對，只看所以然如何。」又曰：「凡物有本末，不可分本末為兩段事。洒掃應對是其然，必有所以然。」又曰：「自洒掃應對上，便可到聖人事。」愚按：程子第一條，說此章文意，最為詳盡。其後四條，皆以明精粗本末。其分雖殊，而理則一。學者當循序而漸進，不可厭末而求本。蓋與第一條之意，實相表裡。非謂末即是本，但學其末而本便在此也。[58]

朱熹引程子之語，前兩則出於明道（1032-1085），後三則出於伊川（1033-

---

54 朱熹撰：《論語集注》卷1〈學而篇〉，《四書章句集注》，頁49。

55 朱熹撰：《論語集注》卷10〈子張篇〉，《四書章句集注》，頁190。

56 朱熹撰：《論語集注》卷10〈子張篇〉，《四書章句集注》，頁188。

57 朱熹撰：《論語集注》卷6〈先進篇〉，《四書章句集注》，頁126。

58 朱熹撰：《論語集注》卷10〈子張篇〉，《四書章句集注》，頁266。

1107）[59]，朱熹思考洒掃應對與精義入神的關係，調合子張、子夏歧出之處，反覆申明「理一分殊」之理[60]，朱熹確定學者循序而進的原則，末並非本，然而由末見本，由分殊而見理一，從而化解本末通貫問題，子夏學術執著而偏，無法得見聖人之全，遂有分判的依據。

相較於子夏，子貢更為聰敏，孔子未說末言之處，子貢見證孔子情懷，檢視《論語》當中，諸多意味深長的話語，有賴子貢代為說明，子貢在孔門當中似乎扮演一個傳遞信息的角色[61]，《禮記·檀弓上》云：

> 孔子蚤作，負手曳杖，消搖於門，歌曰：「泰山其頹乎！梁木其壞乎！哲人其萎乎！」既歌而入，當戶而坐。子貢聞之，曰：「泰山其頹，則吾將安仰？梁木其壞，哲人其萎，則吾將安放？夫子殆將病也？」遂趨而入。夫子曰：「賜！爾來何遲也！夏后氏殯於東階之上，則猶在阼也。殷人殯於兩楹之間，則與賓主夾之也。周人殯於西階之上，則猶賓之也。而丘也，殷人也。予疇昔之夜，夢坐奠於兩楹之間。夫明王不興，而天下其孰能宗予，予殆將死也。」蓋寢疾七日而沒。[62]

說明三代不同禮制，以及個人的出身，孔子慨嘆「明王不興」，時不我予，聖人不容於世，讓人有無限感慨，然而子貢善於言辭，師生之間，如有靈犀，於此夢兆，「趨而入」與「來何遲」，不是師生情誼而已，更有從學日久，一路跟隨，深厚的默契，《論語》當中有關子貢章句頗多，列舉如下：

---

59 朱熹撰：《論孟精義》卷10上，頁619。並參見拙撰〈「縱貫」與「橫攝」──朱熹微引二程語錄之分析〉，《「融鑄」與「進程」：朱熹《四書章句集注》之歷史思維》，頁153。

60 參見拙撰：〈從「理一分殊」到「格物窮理」：朱熹四書章句集注之義理思惟〉，《朱熹與四書章句集注》，頁333-366。

61 參拙撰：〈瑚璉之器的子貢〉，趙中偉等撰《孔子弟子言行傳》（下）（臺北市：萬卷樓圖書公司，2010年），頁3。

62 鄭玄注，孔穎達疏：《禮記注疏》（《十三經注疏》本，臺北縣：藝文印書館，1985年）卷7〈檀弓上〉云：「孔子之喪，門人疑所服。子貢曰：『昔者夫子之喪顏淵，若喪子而無服。喪子路亦然。請喪夫子若喪父而無服。』」頁131。

（一）孔子指導之言

◎子貢問曰：「貧而無諂，富而無驕，何如？」子曰：「可也。未若貧而樂道
　②、富而好禮者也。」子貢曰：「《詩》云：『如切如磋，如琢如磨』，其斯
　之謂與？」子曰：「賜也，始可與言《詩》已矣！告諸往而知來者。」
　（〈學而篇〉）

◎子貢問君子。子曰：「先行其言，而後從之。」（〈為政篇〉）

◎子貢欲去告朔之餼羊。子曰：「賜也，爾愛其羊，我愛其禮。」（〈八佾
　篇〉）

◎子貢問曰：「賜也何如？」子曰：「女器也。」曰：「何器也？」曰：「瑚璉
　也。」（〈公冶長篇〉）

◎子謂子貢曰：「女與回也孰愈？」對曰：「賜也何敢望回？回也聞一以知
　十，賜也聞一以知二。」子曰：「弗如也！吾與女弗如也。」（〈公冶長
　篇〉）

◎子貢曰：「我不欲人之加諸我也，吾亦欲無加諸人。」子曰：「賜也，非爾
　所及也。」（〈公冶長〉）

◎子貢問曰：「孔文子何以謂之文也？」子曰：「敏而好學，不恥下問，是以
　謂之文也。」（〈公冶長篇〉）

◎子貢曰：「如有博施於民而能濟眾，何如？可謂仁乎？」子曰：「何事於
　仁，必也聖乎！堯、舜其猶病諸！夫仁者，己欲立而立人，己欲達而達
　人。能近取譬，可謂仁之方也已。」（〈雍也篇〉）

◎冉有曰：「夫子為衛君乎？」子貢曰：「諾。吾將問之。」入，曰：「伯
　夷、叔齊何人也？」曰：「古之賢人也。」曰：「怨乎？」曰：「求仁而得
　仁，又何怨！」出，曰：「夫子不為也。」（〈述而篇〉）

◎子貢曰：「有美玉於斯，韞櫝而藏諸，求善賈而沽諸？」子曰：「沽之哉！
　沽之哉！我待賈者也！」（〈子罕篇〉）

◎子貢問：「師與商也孰賢？」子曰：「師也過，商也不及。」曰：「然則師
　愈與？」子曰：「過猶不及。」（〈先進篇〉）

◎ 子貢問政。子曰：「足食，足兵，民信之矣。」子貢曰：「必不得已而去，於斯三者何先？」曰：「去兵。」子貢曰：「必不得已而去，於斯二者何先？」曰：「去食。自古皆有死，民無信不立。」（〈顏淵篇〉）

◎ 子貢問友。子曰：「忠告而善道之，不可則止，毋自辱焉。」（〈顏淵篇〉）

◎ 子貢問曰：「何如斯可謂之士矣？」子曰：「行己有恥，使於四方，不辱君命，可謂士矣。」曰：「敢問其次。」曰：「宗族稱孝焉，鄉黨稱弟焉。」曰：「敢問其次。」曰：「言必信，行必果，硜硜然小人哉！抑亦可以為次矣。」曰：「今之從政者何如？」子曰：「噫！斗筲之人，何足算也！」（〈子路篇〉）

◎ 子貢問曰：「鄉人皆好之，何如？」子曰：「未可也。」「鄉人皆惡之，何如？」子曰：「未可也。不如鄉人之善者好之，其不善者惡之。」（〈子路篇〉）

◎ 子貢曰：「管仲非仁者與？桓公殺公子糾，不能死，又相之。」子曰：「管仲相桓公，霸諸侯，一匡天下，民到於今受其賜。微管仲，吾其被髮左衽矣！豈若匹夫匹婦之為諒也，自經於溝瀆而莫之知也。」（〈憲問篇〉）

◎ 子曰：「君子道者三，我無能焉：仁者不憂，知者不惑，勇者不懼。」子貢曰：「夫子自道也！」（〈憲問篇〉）

◎ 子貢方人。子曰：「賜也賢乎哉！夫我則不暇。」（〈憲問篇〉）

◎ 子曰：「莫我知也夫！」子貢曰：「何為其莫知子也？」子曰：「不怨天，不尤人；下學而上達。知我者其天乎！」（〈憲問篇〉）

◎ 子貢問為仁。子曰：「工欲善其事，必先利其器。居是邦也，事其大夫之賢者，友其士之仁者。」（〈衛靈公篇〉）

◎ 子貢問曰：「有一言而可以終身行之者乎？」子曰：「其『恕』乎！己所不欲，勿施於人。」（〈衛靈公篇〉）

◎ 子曰：「賜也，女以予為多學而識之者與？」對曰：「然，非與？」曰：「非也。予一以貫之。」（〈衛靈公篇〉）

◎ 子曰：「予欲無言。」子貢曰：「子如不言，則小子何述焉？」子曰：「天何言哉？四時行焉，百物生焉，天何言哉？」（〈陽貨篇〉）

◎子貢曰：「君子亦有惡乎？」子曰：「有惡，惡稱人之惡者，惡居下流而訕上者，惡勇而無禮者，惡果敢而窒者。」曰：「賜也亦有惡乎？」「惡徼以為知者，惡不孫以為勇者，惡訐以為直者。」（〈陽貨篇〉）

（二）子貢論學之言

◎子貢曰：「夫子之文章，可得而聞也；夫子之言性與天道，不可得而聞也。」（〈公冶長篇〉）

◎子貢曰：「紂之不善，不如是之甚也。是以君子惡居下流，天下之惡皆歸焉。」（〈子張篇〉）

◎子貢曰：「君子之過也，如日月之食焉：過也，人皆見之；更也，人皆仰之。」（〈子張篇〉）

（三）子貢與時人之言

◎子禽問於子貢曰：「夫子至於是邦也，必聞其政。求之與？抑與之與？」子貢曰：「夫子溫、良、恭、儉、讓以得之。夫子之求之也，其諸異乎人之求之與！」（〈學而篇〉）

◎太宰問於子貢曰：「夫子聖者與？何其多能也？」子貢曰：「固天縱之將聖，又多能也。」子聞之，曰：「太宰知我乎！吾少也賤，故多能鄙事。君子多乎哉？不多也。」牢曰：「子云：『吾不試，故藝』。」（〈子罕篇〉）

◎棘子成曰：「君子質而已矣，何以文為？」子貢曰：「惜乎！夫子之說，君子也。駟不及舌。文猶質也，質猶文也。虎豹之鞟猶犬羊之鞟。」（〈顏淵篇〉）

◎衛公孫朝問於子貢曰：「仲尼焉學？」子貢曰：「文、武之道，未墜於地，在人。賢者識其大者，不賢者識其小者，莫不有文、武之道焉。夫子焉不學？而亦何常師之有？」（〈子張篇〉）

◎叔孫武叔語大夫於朝，曰：「子貢賢於仲尼。」子服景伯以告子貢。子貢

曰：「譬之宮牆，賜之牆也及肩，闚見室家之好。夫子之牆數仞，不得其門而入，不見宗廟之美、百官之富。得其門者或寡矣。夫子之云，不亦宜乎！」（〈子張篇〉）

◎ 叔孫武叔毀仲尼。子貢曰：「無以為也，仲尼不可毀也。他人之賢者，丘陵也，猶可踰也；仲尼，日月也，無得而踰焉。人雖欲自絕，其何傷於日月乎？多見其不知量也！」（〈子張篇〉）

◎ 陳子禽謂子貢曰：「子為恭也，仲尼豈賢於子乎？」子貢曰：「君子一言以為知，一言以為不知，言不可不慎也。夫子之不可及也，猶天之不可階而升也。夫子之得邦家者，所謂立之斯立，道之斯行，綏之斯來，動之斯和。其生也榮，其死也哀。如之何其可及也！」（〈子張篇〉）

（四）子貢學術之描述

◎ 季康子問：「仲由可使從政也與？」子曰：「由也果，於從政乎何有？」曰：「賜也可使從政也與？」曰：「賜也達，於從政乎何有？」曰：「求也可使從政也與？」曰：「求也藝，於從政乎何有？」（〈雍也篇〉）

◎ 子曰：「從我於陳、蔡者，皆不及門也。」德行：顏淵、閔子騫、冉伯牛、仲弓；言語：宰我、子貢；政事：冉有、季路；文學：子游、子夏。（〈先進篇〉）

◎ 閔子侍側，誾誾如也；子路，行行如也；冉有、子貢，侃侃如也。子樂。「若由也，不得其死然。」（〈先進篇〉）

孔子指導之言，數量遠多於子貢本身論學之語，孔子許多話語，有待子貢詮釋與說明，甚至時人諸多疑惑，也有賴子貢代為澄清，孔子與子貢情分深厚，遠過於孔門其他弟子，《孟子·滕文公上》記載「昔者孔子沒，三年之外，門人治任將歸，入揖於子貢，相嚮而哭，皆失聲。子貢反，築室於場，獨居三年，然後歸。」[63]三年喪畢，仍然無法撫平傷痛，子貢又獨守三年，

---

63 朱熹撰：《孟子集注》卷5〈滕文公上〉，《四書章句集注》，頁260。

對於孔子孺慕之情，勝於父子之親，失聲之哭，讓人感受子貢深切的哀思。
《論語・學而篇》「夫子溫、良、恭、儉、讓」章，朱熹引謝良佐說法：

> 謝氏曰：「學者觀於聖人威儀之間，亦可以進德矣。若子貢亦可謂善
> 觀聖人矣，亦可謂善言德行矣。今去聖人千五百年，以此五者想見其
> 形容，尚能使人興起，而況於親炙者乎？」[64]

宋儒透過子貢的觀察，了解聖人精神，子貢善觀聖人，善言德行，聰敏於此
可見，《論語・公冶長篇》「賜也聞一以知二」章，朱熹引胡寅說法：「此其
所以終聞性與天道，不特聞一知二而已也。」[65]《論語・公冶長篇》「夫子
之言性與天道」章，朱注：「言夫子之文章，日見乎外，固學者所共聞；至
於性與天道，則夫子罕言之，而學者有不得聞者。蓋聖門教不躐等，子貢至
是始得聞之，而歎其美也。」[66]孔子教以文章之學，門人共同與聞，至於性
與天道，則罕見其傳，孔門學有進程，子貢自此始聞孔子性與天道之教，深
致歎美，宋儒學術追尋方向，於此獲得啟發，《論語・先進篇》「賜不受命」
章，朱熹引引程子說法，云：

> 程子曰：「子貢之貨殖，非若後人之豐財，但此心未忘耳。然此亦子
> 貢少時事，至聞性與天道，則不為此矣。」[67]

朱熹引錄仍是縐合明道、伊川之言[68]，朱熹於此申明子貢學術進程，貨殖既
不同於後人求利之心，而且與聞孔子性命之教之後，會有不同的境界，更可
見宋儒辯解的說法，詮釋之細膩於此可見。從子夏而及於子貢，孔門有不同
層次，學術全幅開展，《論語・學而篇》「賜也，始可與言《詩》已矣」章，

64　朱熹撰：《論語集注》卷1〈學而篇〉，《四書章句集注》，頁51。

65　朱熹撰：《論語集注》卷3〈公冶長篇〉，《四書章句集注》，頁77。

66　朱熹撰：《論語集注》卷3〈公冶長篇〉，《四書章句集注》，頁77。

67　朱熹撰：《論語集注》卷6〈先進篇〉，《四書章句集注》，頁127。

68　「子貢之貨殖……」出於尹川之言，至於「然此亦子貢少時事……」則化用明道之
　　語。參見朱熹撰：《論孟精義》卷6上，頁396。

朱注云：

> 愚按：此章問答，其淺深高下，固不待辨說而明矣。然不切則磋無所
> 施，不琢則磨無所措。故學者雖不可安於小成，而不求道之極致；亦
> 不可騖於虛遠，而不察切己之實病也。[69]

朱熹強調「不可安於小成」，又「不可騖於虛遠」，從中確定由己而出的儒學路徑，此一細節成為朱熹留意的重點，《論語・雍也篇》「己欲立而立人」章，朱熹引呂大臨說法：

> 呂氏曰：「子貢有志於仁，徒事高遠，未知其方。孔子教以於己取
> 之，庶近而可入。是乃為仁之方，雖博施濟眾，亦由此進。」[70]

說法與《論語・衛靈公篇》「己所不欲，勿施於人」章，朱注「推己及物，其施不窮」[71]的說法，相互契合，於己取譬，學貴反身而求，《論語・衛靈公篇》「予一以貫之」章，朱熹引謝良佐、尹焞云：

> 謝氏曰：「聖人之道大矣，人不能徧觀而盡識，宜其以為多學而識之
> 也。然聖人豈務博者哉？如天之於眾形，匪物物刻而雕之也。故曰：
> 『予一以貫之。』『德輶如毛，毛猶有倫。上天之載，無聲無臭。』至
> 矣！」尹氏曰：「孔子之於曾子，不待其問而直告之以此，曾子復深
> 論之曰『唯』。若子貢則先發其疑而後告之，而子貢終亦不能如曾子
> 之唯也。二子所學之淺深，於此可見。」愚按：夫子之於子貢，屢有
> 以發之，而他人不與焉。則顏曾以下諸子所學之淺深，又可見矣。[72]

謝氏言聖人之道至廣，然而其中有一貫之旨，尹氏留意孔子辭氣之間，對於子貢與曾子有所不同，遂有高下之分。

---

69 朱熹撰：《論語集注》卷1〈學而篇〉，《四書章句集注》，頁53。
70 朱熹撰：《論語集注》卷3〈雍也篇〉，《四書章句集注》，頁92。
71 朱熹撰：《論語集注》卷8〈衛靈公篇〉，《四書章句集注》，頁166。
72 朱熹撰：《論語集注》卷8〈衛靈公篇〉，《四書章句集注》，頁161-162。

　　宋儒從《論語》當中，留意孔子傳授內容，也從孔門當中尋求進一步的線索，朱熹更將之置於孔門學術系譜當中考察，孔子學術深宏，顏曾以下，唯有子貢與聞性道之教，子貢聰穎，可以顯揚孔子學術，司馬遷云：「使孔子名布揚於天下者，子貢先後之也」[73]，乃是十分深刻的觀察，然而未能切身體悟，孔門傳道重任，似乎仍有待矣。

四　顏淵與曾子

　　顏淵列於四科十哲之首，具有孔門弟子領袖地位，唐宋時期官方定位的亞聖即是顏淵[74]，孔子與顏淵乃是師生典範，朱熹注解《論語》對於顏淵關注最多，分析亦最密[75]，《論語》有關顏淵章句如下：

（一）孔子指導之言

◎顏淵問仁。子曰：「克己復禮為仁。一日克己復禮，天下歸仁焉。為仁由己，而由人乎哉？」顏淵曰：「請問其目。」子曰：「非禮勿視，非禮勿聽，非禮勿言，非禮勿動。」顏淵曰：「回雖不敏，請事斯語矣！」（〈顏淵篇〉）

◎顏淵問為邦。子曰：「行夏之時，乘殷之輅，服周之冕，樂則〈韶〉舞。放鄭聲，遠佞人。鄭聲淫，佞人殆。」（〈衛靈公篇〉）

---

73 司馬遷撰、瀧川龜太郎考證：《史記會注考證》卷129〈貨殖列傳〉，頁1356。

74 參見楊儒賓撰：〈孔顏樂處與曾點情趣——《論語》的人格世界〉，《從《五經》到《新五經》》，頁111。

75 參見拙撰：〈朱熹論孔門弟子——以四書章句集注徵引為範圍〉，發表於《文與哲》第八期（2006年6月），頁285。

（二）孔子稱賞惋惜之語

◎ 子曰：「吾與回言終日，不違如愚。退而省其私，亦足以發。回也不愚。」（〈為政篇〉）

◎ 哀公問：「弟子孰為好學？」孔子對曰：「有顏回者好學，不遷怒，不貳過。不幸短命死矣！今也則亡，未聞好學者也。」（〈雍也篇〉）

◎ 子曰：「回也，其心三月不違仁；其餘，則日月至焉而已矣。」（〈雍也篇〉）

◎ 子曰：「賢哉！回也。一簞食，一瓢飲，在陋巷。人不堪其憂，回也不改其樂。賢哉！回也。」（〈雍也篇〉）

◎ 子謂顏淵曰：「用之則行，舍之則藏，唯我與爾有是夫！」子路曰：「子行三軍，則誰與？」子曰：「暴虎馮河，死而無悔者，吾不與也。必也臨事而懼，好謀而成者也。」（〈述而篇〉）

◎ 子曰：「語之而不惰者，其回也與！」（〈子罕篇〉）

◎ 子謂顏淵，曰：「惜乎，吾見其進也，未見其止也！」（〈子罕篇〉）

◎ 子曰：「回也，非助我者也！於吾言，無所不說。」（〈先進篇〉）

◎ 季康子問：「弟子孰為好學？」孔子對曰：「有顏回者好學，不幸短命死矣！今也則亡。」（〈先進篇〉）

◎ 顏淵死，顏路請子之車以為之椁。子曰：「才不才，亦各言其子也。鯉也死，有棺而無椁。吾不徒行以為之椁。以吾從大夫之後，不可徒行也。」（〈先進篇〉）

◎ 顏淵死。子曰：「噫！天喪予！天喪予！」（〈先進篇〉）

◎ 顏淵死，子哭之慟。從者曰：「子慟矣。」曰：「有慟乎？非夫人之為慟而誰為！」（〈先進篇〉）

◎ 顏淵死，門人欲厚葬之，子曰：「不可。」門人厚葬之。子曰：「回也，視予猶父也，予不得視猶子也。非我也，夫二三子也。」（〈先進篇〉）

◎ 子曰：「回也其庶乎！屢空。賜不受命，而貨殖焉，億則屢中。」（〈先進篇〉）

（三）顏淵與孔子之語

◎顏淵、季路侍。子曰：「盍各言爾志？」子路曰：「願車、馬、衣、輕裘，
與朋友共，敝之而無憾。」顏淵曰：「願無伐善，無施勞。」子路曰：「願
聞子之志！」子曰：「老者安之，朋友信之，少者懷之。」（〈公冶長篇〉）

◎子畏於匡，顏淵後。子曰：「吾以女為死矣。」曰：「子在，回何敢死？」
（〈先進篇〉）

（四）顏淵論學之語

◎顏淵喟然歎曰：「仰之彌高，鑽之彌堅，瞻之在前，忽焉在
後！夫子循循然善誘人，博我以文，約我以禮。欲罷不能。
既竭吾才，如有所立卓爾。雖欲從之，末由也已！」（〈子罕篇〉

（五）顏淵之學術描述

◎子曰：「從我於陳、蔡者，皆不及門也。」德行：顏淵、閔子騫、冉伯
牛、仲弓；言語：宰我、子貢；政事：冉有、季路；文學：子游、子夏。
（〈先進篇〉）

◎子謂子貢曰：「女與回也孰愈？」對曰：「賜也何敢望回？回也聞一以知
十，賜也聞一以知二。」子曰：「弗如也！吾與女弗如也。」（〈公冶長
篇〉）

有關顏淵資料，泰半出於孔子的稱賞與惋惜之語，在孔門當中最為特殊，
《論語》當中出於顏淵之言，不過「願無伐善，無施勞」[76]、「請問其目」、
「仰之彌高，鑽之彌堅，瞻之在前，忽焉在後！夫子循循然善誘人，博我以
文，約我以禮。欲罷不能。既竭吾才，如有所立卓爾。雖欲從之，末由也

---

76 朱熹撰：《論語集注》卷3〈公冶長篇〉，《四書章句集注》，頁82。

已」[77]、「子在,回何敢死」[78]、「回雖不敏,請事斯語矣」[79]寥寥數語,回
應孔子的問題之餘,個人對於孔子的追隨、對於孔子學術的體悟,乃至於堅
定而守的決心,語境皆與孔子相關,學術依孔子而顯,對於孔子心悅誠服,
確實符合所謂「不違如愚」[80]、「於吾言,無所不說」[81]的描述。相對於其他
弟子,朱熹注解方式,特別留意顏淵於孔門當中的特殊特地,重點集中與孔
子德行相較、與其他弟子相比,並藉由彰顯孔子的指引、稱揚顏淵德行、表
彰修養工夫,來確立儒學核心要旨,建構生命相互契合的儒學樣態[82],宋儒
「孔顏樂處」的追尋,回歸於師生之間,純粹學道的快樂,提供朱熹思考儒
學究竟的方向。[83]《論語·為政篇》「不違如愚」章,朱注引李侗說法:

> 愚聞之師曰:「顏子深潛純粹,其於聖人體段已具。其聞夫子之言,
> 默識心融,觸處洞然,自有條理。故終日言,但見其不違如愚人而
> 已。及退省其私,則見其日用動靜語默之間,皆足以發明夫子之道,
> 坦然由之而無疑,然後知其不愚也。」[84]

朱熹揭示承繼「道南指訣」的線索,「默識心融,觸處洞然」,在「日用動靜
語默」之間可以「坦然由之」,說法見於《延平答問》所收戊寅(1158)冬

---

77 朱熹撰:《論語集注》卷5〈子罕篇〉,《四書章句集注》,頁111-112。

78 朱熹撰:《論語集注》卷6〈先進篇〉,《四書章句集注》,頁128。

79 朱熹撰:《論語集注》卷6〈顏淵篇〉,《四書章句集注》,頁131-132。

80 朱熹撰:《論語集注》卷1〈為政篇〉,《四書章句集注》,頁56。

81 朱熹撰:《論語集注》卷6〈先進篇〉,《四書章句集注》,頁124。

82 參見拙撰:〈「穎悟」與「篤實」──朱熹論孔門弟子〉,《「融鑄」與「進程」:朱熹
《四書章句集注》之歷史思維》,頁39-43。

83 李煌明撰:《宋明理學中的「孔顏之樂」問題》(昆明市:雲南人民出版社,2006年)
云:「最早直接提出這個問題的人則是宋初的周敦頤。他曾要二程『尋顏子、仲尼樂
處,所樂何事』,此後,『孔顏之樂』問題才成為一直貫穿于整個宋明理學發展始終的
一個重要問題。」頁5。又參看楊儒賓撰:〈孔顏樂處與曾點情趣〉引孔元措《孔氏祖
庭廣記》載孔子47代孫孔宗翰建顏樂亭一事,使「顏樂」變成召喚士人的符號。黃俊
傑編:《東亞論語學(中國篇)》(臺北市:臺灣大學出版中心,2009年),頁5。

84 朱熹撰:《論語集注》卷1〈為政篇〉,《四書章句集注》,頁56。

至前二日一書[85]，顏淵「深潛純粹」成為李侗指點於「靜」中體會的重要例證，「默識心融，觸處洞然」成為「灑落」的註腳，聖人氣象遂有具象的描述，聖人心法呼之欲出。[86]《論語‧雍也篇》「不遷怒，不貳過」章，朱注引伊川說法：

> 或曰：「《詩》、《書》六藝，七十子非不習而通也，而夫子獨稱顏子為好學。顏子之所好，果何學歟？」程子曰：「學以至乎聖人之道也。」「學之道奈何？」曰：「天地儲精，得五行之秀者為人。其本也真而靜。其未發也五性具焉，曰仁、義、禮、智、信。形既生矣，外物觸其形而動於中矣。其中動而七情出焉，曰喜、怒、哀、懼、愛、惡、欲。情既熾而益蕩，其性鑿矣。故學者約其情使合於中，正其心，養其性而已。然必先明諸心，知所往，然後力行以求至焉。若顏子之非禮勿視、聽、言、動，不遷怒貳過者，則其好之篤而學之得其道也。然其未至於聖人者，守之也，非化之也。假之以年，則不日而化矣。今人乃謂聖本生知，非學可至，而所以為學者，不過記誦文辭之間，其亦異乎顏子之學矣。」[87]

孔子稱許顏淵好學，宋儒特別留意顏淵所學內容，所謂學而至於聖人之境，乃是植基於心性之間的體認，由性而情，情熾而鑿性，唯有正心養性，使情歸於中，才是聖學真締，顏淵守而待化，期以至於聖人，不僅於孔門具有獨特地位，更給予宋儒上究孔子之學無上啟示，《論語‧雍也篇》「回也不改其樂」章，朱注云：「今亦不敢妄為之說，學者但當從事於博文約禮之誨，以至於欲罷不能而竭其才，則庶乎有以得之矣。」[88]正是循此方向的思考，《論語‧子罕篇》「博我以文，約我以禮」章，朱注引伊川、胡寅說法：

85　朱熹編：陸建華、嚴佐之校點：《延平答問》，《朱子全書》第13冊，頁313。
86　參見拙撰：〈朱熹《四書章句集注》中的「道南學脈」〉，《退溪學論叢》第24輯（2014年12月），頁114-115。
87　朱熹撰：《論語集注》卷3〈雍也篇〉，《四書章句集注》，頁84-85。
88　朱熹撰：《論語集注》卷3〈雍也篇〉，《四書章句集注》，頁87。

> 程子曰：「此顏子所以為深知孔子而善學之者也。」胡氏曰：「……高堅前後，語道體也。仰鑽瞻忽，未領其要也。惟夫子循循善誘，先博我以文，使我知古今，達事變；然後約我以禮，使我尊所聞，行所知。……然後見夫子所立之卓然，雖欲從之，末由也已。是蓋不怠所從，必欲至乎卓立之地也。……」[89]

儒者在博文約禮的學習中，最終到達卓然而立的境界，儒學自有樂土，宋明理學並非在禪宗圓、頓之教中嫁接開出。[90]儒以道顯，承接文化乃是根本責任，儒學從心性體證之中，自有其漸至於聖的規劃。《論語·顏淵篇》「顏淵問仁」章，乃是孔子指引顏淵修養心法所在，朱注言其體會：

> 為仁者，所以全其心之德也。蓋心之全德，莫非天理，而亦不能不壞於人欲。故為仁者必有以勝私欲而復於禮，則事皆天理，而本心之德復全於我矣。歸，猶與也。又言一日克己復禮，則天下之人皆與其仁，極言其效之甚速而至大也。又言為仁由己而非他人所能預，又見其機之在我而無難也。日日克之，不以為難，則私欲淨盡，天理流行，而仁不可勝用矣。程子曰：「非禮處便是私意。既是私意，如何得仁？須是克盡己私，皆歸於禮，方始是仁。」又曰：「克己復禮，則事事皆仁，故曰天下歸仁。」謝氏曰：「克己須從性偏難克處克將去。」[91]

朱熹以「愛之理，心之德」言仁[92]，為仁乃是復其天理，全其心德的過程，朱熹於此申明其效，乃是從「道南」而及於「湖湘」學脈，歷經諸多義理轉折所獲致的心得，引錄伊川、謝良佐意見，保留了朱熹取徑「湖湘」學脈的

---

89 朱熹撰：《論語集注》卷3〈雍也篇〉，《四書章句集注》，頁112。
90 參見拙撰：〈「縱貫」與「橫攝」──朱熹徵引二程語錄之分析〉，《「融鑄」與「進程」：朱熹《四書章句集注》之歷史思維》，頁143-144。
91 朱熹撰：《論語集注》卷6〈顏淵篇〉，《四書章句集注》，頁131-132。
92 朱熹撰：《論語集注》卷1〈學而篇〉，《四書章句集注》，頁48。

思考[93]，朱熹並且抄錄伊川「視」、「聽」、「言」、「動」四箴指引後學，云：

> 愚按：此章問答，乃傳授心法切要之言。非至明不能察其幾，非至健
> 不能致其決。故惟顏子得聞之，而凡學者亦不可以不勉也。程子之
> 箴，發明親切，學者尤宜深玩。[94]

孔門心法於此顯豁，儒學核心訴求於此明朗，既是宋儒義理思考成果，也是
儒門絕學的再現，朱熹不厭其煩，反覆叮嚀，提醒學者留意修養「工夫」，
追究孔子與門人的傳道線索，朱熹建構孔、顏學術脈絡，也確立了宋儒繼承
絕學的地位。

　　只是顏淵短命而死，事功未顯，循此方向，朱熹對於孔門弟子學行，進
行更進一步的梳理，尋求孔子傳道線索，《孟子·滕文公上》載錄孔子死，
子貢守喪六年，完成身後之事，另外言及「子夏、子張、子游以有若似聖
人，欲以所事孔子事之，彊曾子。曾子曰：『不可。江漢以濯之，秋陽以暴
之，皜皜乎不可尚已。』」曾子強調孔子有無可取代的地位，朱注「言夫子
道德明著，光輝潔白，非有若所能彷彿也。」[95]子貢落實禮，曾子確立道，
有護全儒學之功，成為孟子舉列的孔門代表人物，《禮記·檀弓上》載曾子
責難子夏，不應「使西河之民，疑女於夫子」[96]，更是人所熟知的事例，相
較以往注家，宋儒更加留意曾子於孔門當中的地位，朱熹甚至將其列為「篤
實」一系弟子的首位，《論語》有關曾子章句如下：

---

93 參見拙撰〈從「中和」到「仁說」──朱熹《四書章句集注》「愛之理，心之德」之義
　　理進程考察〉，《2014年國際學交流研討會論文集》（臺南市：嘉南藥理科技大學、中華
　　民國孔孟學會合辦，2014年），頁53-54。

94 朱熹撰：《論語集注》卷6〈顏淵篇〉，《四書章句集注》，頁182-183。

95 朱熹撰：《孟子集注》卷5〈滕文公上〉，《四書章句集注》卷260-261。

96 鄭玄注，孔穎達疏：《禮記注疏》（《十三經注疏》本：臺北縣：藝文印書館，1985年）
　　卷7〈檀弓上〉，頁128。

（一）孔子指導之言

◎子曰：「參乎！吾道一以貫之。」曾子曰：「唯。」子出。門人問曰：「何
　謂也？」曾子曰：「夫子之道，忠恕而已矣！」（〈里仁篇〉）

（二）曾子轉述孔子之言

◎曾子曰：「吾聞諸夫子：人未有自致者也，必也親喪乎！」（〈子張篇〉）
◎曾子曰：「吾聞諸夫子：孟莊子之孝也，其他可能也；其不改父之臣，與
　父之政，是難能也。」（〈子張篇〉）

（三）曾子論學之語

◎曾子曰：「吾日三省吾身：為人謀而不忠乎？與朋友交而不信乎？傳不習
　乎？」（〈學而篇〉）
◎曾子曰：「慎終追遠，民德歸厚矣！」（〈學而篇〉）
◎曾子曰：「君子以文會友，以友輔仁。」（〈顏淵篇〉）
◎曾子曰：「君子思不出其位。」（〈憲問篇〉）
◎曾子曰：「堂堂乎張也，難與並為仁矣。」（〈子張篇〉）
◎曾子有疾，召門弟子曰：「啟予足！啟予手！《詩》云：『戰戰兢兢，如臨
　深淵，如履薄冰。』而今而後，吾知免夫！小子！」（〈泰伯篇〉）
◎曾子曰：「以能問於不能，以多問於寡；有若無，實若虛，犯而不校，昔
　者吾友嘗從事於斯矣。」（〈泰伯篇〉）
◎曾子曰：「可以託六尺之孤，可以寄百里之命，臨大節而不可奪也。君子
　人與？君子人也。」（〈泰伯篇〉）
◎曾子曰：「士不可以不弘毅，任重而道遠。仁以為己任，不亦重乎？死而
　後已，不亦遠乎？」（〈泰伯篇〉）

（四）曾子與時人之言

◎ 孟氏使陽膚為士師，問於曾子。曾子曰：「上失其道，民散久矣。如得其
情，則哀矜而勿喜。」（〈子張篇〉）

◎ 曾子有疾，孟敬子問之。曾子言曰：「鳥之將死，其鳴也哀；人之將死，
其言也善。君子所貴乎道者三：動容貌，斯遠暴慢矣；正顏色，斯近信
矣；出辭氣，斯遠鄙倍矣。籩豆之事，則有司存。」（〈泰伯篇〉）

（五）曾子學術描述

◎ 柴也愚，參也魯，師也辟，由也喭。（〈先進篇〉）

　　相較於子夏、顏淵，曾子多了轉述孔子之言，宋儒特別留意曾子傳學的
地位，一方面強調曾子堅毅能守，《論語·泰伯篇》曾子曰：「士不可以不宏
毅，任重而道遠。」朱注引程子曰：「弘大剛毅，然後能勝重任而遠到。」[97]
氣魄與自信，於此可見。另一方面，朱熹也特別鋪排曾子傳道線索，《論語·
學而篇》「吾日三省吾身」章，朱注云：

> 傳，謂受之於師。習，謂熟之於己。曾子以此三者日省其身，有則改
> 之，無則加勉，其自治誠切如此，可謂得為學之本矣。而三者之序，
> 則又以忠信為傳習之本也。○尹氏曰：「曾子守約，故動必求諸
> 身。」謝氏曰：「諸子之學，皆出於聖人，其後愈遠而愈失其真。獨
> 曾子之學，專用心於內，故傳之無弊，觀於子思、孟子可見矣。惜
> 乎！其嘉言善行，不盡傳於世也。其幸存而未泯者，學者其可不盡心
> 乎！」[98]

所謂「受之於師」、「熟之於己」，朱熹以訓詁方式，建立傳道線索，朱熹申

97　朱熹撰：《論語集注》卷4〈泰伯篇〉，《四書章句集注》，頁104。

98　朱熹撰：《論語集注》卷1〈學而篇〉，《四書章句集注》，頁48。

明曾子日日行之，正是思以延續孔子學術精神，朱熹並且引謝良佐說法，孔門雖出於聖人，但久而失其緒，漸而違本，曾子篤實而守，任重道遠，孔子之傳最終由曾子獨膺其任，曾子傳子思，子思傳孟子，守之無失，正是一脈相承的心法血脈，道統之傳的系譜於此揭示，《論語‧泰伯篇》「士不可不弘毅」章，朱注云：

> 仁者，人心之全德，而必欲以身體而力行之，可謂重矣。一息尚存，此志不容少懈，可謂遠矣。[99]

仁以為己任，曾子承孔子之教，於此可見，《論語‧先進篇》「參也魯」章，朱注引明道、伊川、尹焞說法：

> 程子曰：「參也竟以魯得之。」又曰：「曾子之學，誠篤而已。聖門學者，聰明才辯，不為不多，而卒傳其道，乃質魯之人爾。故學者以誠實為貴也。」尹氏曰：「曾子之才魯，故其學也確，所以能深造乎道也。」[100]

孔門當中不乏聰明才辯之人，但最終由質魯之人承繼，誠篤堅毅，成為超越其他弟子的勝出條件，宋儒以曾子承繼孔子學術，朱熹賦予「篤實」一系傳道重任，從而確立儒學工夫樣態，《朱熹語類》載葉賀孫所錄一則討論：

> 邵漢臣問顏淵仲尼不同。曰：「聖人之德，自是無不備，其次則自是易得不備。如顏子已是煞周全了，只比之聖人，更有些未完。如仲弓則偏於淳篤，而少顏子剛明之意。若其他弟子，未見得。只如曾子則大抵偏於剛毅，這終是有立腳處。所以其他諸子皆無傳，惟曾子獨得其傳。到子思也恁地剛毅，孟子也恁地剛毅。惟是有這般人，方始湊合得著。惟是這剛毅等人，方始立得定。子思別無可考，只孟子所稱，如『摽使者出諸大門之外，北面再拜稽首而不受』；如云『事之

99　朱熹撰：《論語集注》卷4〈泰伯篇〉，《四書章句集注》，頁104。

100　朱熹撰：《論語集注》卷6〈先進篇〉，《四書章句集注》，頁127。

云乎，豈曰友之云乎』之類，這是甚麼樣剛毅！」[101]

學術進路，於此可見，《論語・里仁篇》「　吾道一以貫之」章，朱注云：

> 唯者，應之速而無疑者也。聖人之心，渾然一理，而泛應曲當，用各
> 不同。曾子於其用處，蓋已隨事精察而力行之，但未知其體之一爾。
> 夫子知其真積力久，將有所得，是以呼而告之。曾子果能默契其指，
> 即應之速而無疑也。[102]

朱熹再現孔子、曾子傳道場景，「唯」之一字提供朱熹無限想像，曾子精察
力行、真積力久，乃是循「三省吾身」、「任重道遠」的觀察結果，至於「將
有所得」、「呼而告之」，則不免出於推測，然而聖門心法，身體力行，師生
顯然有其默契，從孔門外在博學樣態，進而及於內在一貫之旨，學術核心在
「一」不在「多」，朱熹援取「理一分殊」說明其中旨趣，云：

> 盡己之謂忠，推己之謂恕。而已矣者，竭盡而無餘之辭也。夫子之一
> 理渾然而泛應曲當，譬則天地之至誠無息，而萬物各得其所。自此之
> 外，固無餘法，而亦無待於推矣。曾子有見於此而難言之，故學者盡
> 己、推己之目以著明之，欲人之易曉也。蓋至誠無息者，道之體也，
> 萬殊之所以一本也；萬物各得其所者，道之用也，一本之所以萬殊
> 也。以此觀之，一以貫之之實可見矣。[103]

「泛應曲當」乃是朱熹從明道〈定性書〉融通動靜所獲得的體會，心與物
交，泛應而無所不當，才是聖人的境界[104]，「理一分殊」更是朱熹從學李

---

101 黎靖德編：《朱子語類》卷93，頁2353。
102 朱熹撰：《論語集注》卷2〈里仁篇〉，《四書章句集注》，頁72。
103 朱熹撰：《論語集注》卷2〈里仁篇〉，《四書章句集注》，頁72。
104 黎靖德編：《朱子語類》卷95載「明道答橫渠『定性未能不動』一章，明道意，言不
　　惡事物，亦不逐事物。今人惡則全絕之，逐則又為物引將去。惟不拒不流，泛應曲
　　當，則善矣。蓋橫渠有意於絕外物而定其內。明道意以為須是內外合一，『動亦定，
　　靜亦定』，則應物之際，自然不累於物。苟只靜時能定，則動時恐卻被物誘去矣。」
　　頁2442。

侗，承繼道南一脈重要的觀點[105]，朱熹援取宋儒思考精華，建構孔子傳道
的內容，忠恕一貫之旨，所謂推己、盡己，由分殊見理一，孔門所傳，於此
遂有明確內容，《孟子・公孫丑上》「孟施舍似曾子，北宮黝似子夏」章，朱
注言其分判：

> 子夏篤信聖人，曾子反求諸己。……言孟施舍雖似曾子，然其所守乃
> 一身之氣，又不如曾子之反身循理，所守尤得其要也。孟子之不動
> 心，其原蓋出於此。[106]

子夏得其跡，曾子傳其精神，切身而求，回歸於己，由人心而及於天理，遂
有無比的氣魄，朱熹不僅於孔門紛雜當中，確立孔子傳道內容，也由詮釋當
中，建構由曾子而至孟子的儒學線索，於此透露「道統」有傳的歷史情懷，
建構四書義理體系，其意義並非疏解經旨而已，而是以細膩的義理思維，織
就《四書章句集注》詮釋脈絡。

五　結論

朱熹從「四科十哲」重構儒學之傳，由分科設教回歸於弟子質性檢討，
完成孔門「穎悟」、「篤實」二系的建構，子夏、子貢、顏淵、曾子乃是朱熹
篩選出來的代表人物，子夏、子貢尚屬博學於文的階段，顏淵、曾子則入於
性、道之教，孔子傳學而及心法，乃是《論語》當中極為特殊的內容，朱熹
揭之而出，遂有「道統」論述的觀察，影響及於後世。[107]宋儒原本孔、顏
之樂的追求，落實於孔子傳道的思索，從儒學本體的推究，進而及於工夫的

---

105 參見拙撰：〈從「理一分殊」到「格物窮理」：朱熹《四書章句集注》之義理思惟〉，
　　《朱熹與四書章句集注》，頁339-366。
106 朱熹撰：《孟子集注》卷3〈公孫丑上〉，《四書章句集注》，頁230。
107 朱熹思考，影響後人，例如顧炎武撰《亭林文集》（臺北縣：漢京文化事業公司，
　　1984年）卷三〈與友人論學書〉云：「命與仁，夫子之所罕言也；性與天道，子貢之
　　所未得聞。……自曾子而下，篤實無若子夏，而其言仁也，則曰：『博學而篤志，切
　　問而近思。』」頁40。乃是提醒重視孔門當中子夏、子貢傳道的地位。

檢討,「穎悟」一系得見孔子的指點與師生情誼,子貢坦言不及顏淵,獲得孔子的稱許,然而顏淵早死,儒學最後從「篤實」開出,子夏讓位於曾子,更是由形跡而達其精神的思考,曾子承繼孔子,成為孔門傳道之人,乃是宋儒於孔門當中尋求線索,最終獲致的結果,朱熹彰顯曾子地位,聖人氣象遂有更為具體的內容。

　　以往留意朱熹「藥病」的詮釋方式,質疑朱熹貶抑聖門,詮釋立場不公,其實細究內容,朱熹有意分隔顏淵、曾子與其他弟子的差距,形塑由學入道的進程,建構孔門心法價值,用意至為巧妙,後人見其形態,未能了解用意,於道統領會,遂致隔閡,其實《論語》所載已存在線索,朱熹匯聚宋儒的觀察心得,思考孔子傳學樣態,《論語・先進篇》於顏淵之沒,多評弟子賢否,《論語・子張篇》多載弟子之言,子夏為多,子貢次之[108],皆是關乎孔門弟子考察,朱熹言之含蓄,然而組織串貫,遂於詮釋當中,線索逐步完成,可見朱熹道統思考,乃是延續孔子去世之後,孔門重塑儒學精神,確立儒門領袖的思考結果,千載之下,揭之而出,饒有意義,為求彰顯,朱熹甚至於《論語》疑似之處,發掘曾子的言論,《論語・述而篇》「子溫而厲,威而不猛,恭而安」章,朱熹引程子之言,認為是曾子之言[109];《論語・泰伯篇》「君子篤於親,則民興於仁;故舊不遺,則民不偷。」朱熹引吳氏曰:「君子以下,當自為一章,乃曾子之言也。」[110]此外,《大學》分為經一、傳十,經是「蓋孔子之言,而曾子述之」,傳是「曾子之意而門人記之」[111],用意在於補足孔子以下失落環節,朱熹於孔門當中,梳理子夏、子貢、顏淵、曾子章句內容,曾子成為孔子道統傳於子思、孟子的關鍵,用意深矣,列舉心得如下:

一、朱熹一改以往「四科十哲」的分類概念,由分科設教,進而及於弟子質性的檢討,孔門當中分出「穎悟」與「篤實」兩系,「穎悟」有顏淵、

108　朱熹撰:《論語集注》卷10〈子張篇〉,《四書章句集注》,頁188。

109　朱熹撰:《論語集注》卷4〈述而篇〉,《四書章句集注》,頁102。

110　朱熹撰:《論語集注》卷4〈泰伯篇〉,《四書章句集注》,頁103。

111　朱熹撰:《大學章句》,《四書章句集注》,頁4。

子貢，「篤實」有子夏、曾子，孔子傳學而及於心法，《論語》當中有極
為特殊的學術線索。

二、孔子指導子夏「孝」、「《詩》」、「君子」、「政」等概念，從修德而及於人
倫，從學術而及於為政，學以致用，善學善教，於孔門當中具有尊崇地
位，只是子夏學術執著而偏，學而未至於道，無法得見聖人之全，也就
無法列名「道統」系譜之列。

三、孔子與子貢情分深厚，遠過於孔門其他弟子，孔子許多話語，有待子貢
詮釋，時人諸多疑惑，有賴子貢澄清，孔子教以文章之學，門人共同與
聞，至於性與天道，則罕見其傳，子貢得聞孔子性與天道之教，深致歎
美，子貢得見孔子學術全貌，卻未能切身體悟，傳道重任，也就有待他
人。

四、孔子稱許顏淵好學，宋儒特別留意顏淵所學內容，所謂學而至於聖人之
境，乃是植基於心性之間的了解，唯有正心養性，使情歸於中，才是聖
學真諦，顏淵不僅具有孔門獨特地位，一言一行，更給予宋儒上究孔子
之學無上的啟示。

五、可惜顏淵早死，未能傳道，朱熹援取宋儒思考精華，建構孔子傳道內
容，所謂忠恕一貫之旨，乃是反身而求的結果，曾子篤實而守，任重道
遠，曾子傳子思，子思傳孟子，正是孔門心香一瓣，道統系譜於此揭
示，孔門所傳遂有明確內容。

朱熹推究聖道內容，鋪排孔門弟子傳道線索，由曾子而下，剛毅成學，儒門
遂有傳道的氣魄與精神。蔡沈〈朱文公夢奠記〉載朱熹臨終交代遺言「誤諸
生遠來，然道理只是恁地，但大家倡率做些堅苦工夫，須牢固著腳力，方有
進步處。」[112]以「堅苦」勉勵弟子，一如曾子篤實為學，學術已成信念，
朱熹於孔門深有著力，饒有儒學發展意義，此乃前人較少注意之處，卻又有
朱熹特殊的思考，撮舉觀察，不敢自是，尚祈博雅君子不吝指正。

---

112 蔡沈撰：〈朱文公夢奠記〉，見蔡有鵾輯，蔡重增輯《蔡氏九儒書》（《四庫全書存目叢
書》集部第346冊（臺南縣：莊嚴文化事業公司，1997年）卷6，頁793。

　　附記：本篇乃執行科技部計畫所獲致之部分成果，計畫編號：MOST 103-2410-H-004 -153 -MY2，助理為王志瑋同學，在此一併致謝。

近代日本漢文教育問題與「經學」之退場：
以《明治漢文教科書集成》所作之考察[*]

金培懿

國立臺灣師範大學國文學系教授

提要

　　本文就《編輯復刻版明治漢文教科書集成》所收漢文教科書，以論述明治日本之漢文教科書之特點與問題點，內容涉及其出版分期、所收種類、內容特色，進而分析當時漢文教育所呈現出之問題點，以及其間所蘊涵之可能意義。經由本文考察，明治漢文科教育主要特色為：1. 以明治十九年「小學校令」頒布作為分水嶺，之前原本自由編刊、採用的情況，從此轉向以文部省馬首是瞻，受制於政府意識形態。2. 當漢文學習的「初學」階段，由小學校後退至中學校時，也預告了此後漢文教育內容日形淺近平易化的發展趨勢。3. 明治初期以江戶為典範的風氣，隨著《幼學綱要》與《教育勅語》的頒布，遂與日本主體推崇的主張結合，朝以「和」代「漢」發展，復加「小學教則大綱」頒布，明定只能收錄以和漢夾雜文體撰寫成之和文，漢文科教科書所收之文竟「非漢文」。4. 又明治十年代以還隨著何如璋、王韜、黎庶昌等清文人訪日，與明治漢文文壇交流日盛，桐城古文遂取代先秦、兩漢、唐宋古文，成為漢文科教科書之取材內容。

　　而此四大特色日後成為漢文科教科書審定的重要標準，但卻也因此衍生

---

*　本文已刊登於《思與言》第54卷第1期（2016年3月），頁91-133。

出問題；為符合淺近平易化的編書規定，連帶凸顯出「和文」與「漢文」之間的齟齬，訓讀問題因而被關注；又「脫漢」後的漢文學習目的，其實就在「藉亞入歐」與涵塑忠孝合一之皇民。最後本文指出學界歷來未曾言及的問題點，亦即明治漢文教育中「經學」的退場。而「經學」自學校教育的退場，即是日本「舊型」文化瓦解之具體形象，亦即自始至終以經書為學習對象的「儒學」學習模式被徹底否定。

關鍵詞：明治漢學　漢文教科書　漢文教育　經學　《明治漢文教科書集成》

一 影響明治漢文教育政策走向的政令與風潮

　　蓋明治維新的重要政策之一，就在教育改革。然明治五年（1872）新學制施行時，卻產生新式教材嚴重缺乏的問題，該年編制的課程表中，仍有「句讀」科目，初階仍用《論語》、《孟子》、《孝經》；高階則用當時有名之洋學家箕作麟祥於明治四年（1871）編譯的《泰西勸善訓蒙》。[1]文部省於是根據既定政策理念，著手編纂或翻譯教科書並普及之，形成了所謂「翻譯教科書時代」。據說新學制公布時，由於沒有適宜教材，連當時剛出版的福澤諭吉《學問のすすめ》（勸學）一書，也被作為代用教科書。[2]此時明治政府並未禁止民間編纂、出版教科書，事實上學校在選取教科書方面也是自由的，正因如此，所以傳統漢學／漢籍也就順勢獲得其生存延續發展空間。

　　又因教科書嚴重短缺，所以新學制施行隔年的明治六年（1873）四月，明治政府遂決定採用三本傳統道德修專著作為教科書之補充，即江戶時代無名上人譯《和語陰騭錄》、上羽勝衛《勸孝邇言》、[3]石井光致《修身談》三書。[4]由此可看出明治政府所編纂、選定之教科書，非常著重「道德修身」，而且特重「孝道」。而此種沿用《四書》作為新式學校高年級教科書，[5]並且

1　詳見海後宗臣、仲新：《近代日本教科書總說──解說編》（東京：講談社，1969年），頁48。

2　詳參紀田順一郎，廖為智譯：〈教科書〉，《日本現代化物語》（臺北：一方，2002年），頁70。

3　上羽勝衛：《勸孝邇言》（東京：惺惺軒，1873年）。作於一八七三年，書分上、下兩篇，上篇取江戶時代以來一直用於幼童道德教育啟蒙的，由儒者室鳩巢以和文翻譯的《六諭衍義大意》中關於「孝道」之部分；下篇則記述歷史人物的孝行事蹟。

4　石井光致：《修身談》（東京：千鍾房，出版年不詳）。為幕末一八三○年刊行之作，分上、中、下三冊，其編纂方式主要選取中國典籍中具有訓示意涵的文句，附以實例說明。當時其他「修身」相關的教科書尚有：一八七四年根據《六諭衍義》而編纂的石村貞一，《修身要訣》（大阪：松田正助等，1874年），以及同年編纂成的土屋弘：《人之基：修身》（大阪：鹿田靜七，1874年），該書以「嘉言」與「人物事蹟」方式，分〈孝行〉和〈兄弟友愛〉兩章；另外還有匯集中、日兩國之禮法與道德，於一八七三年編纂成的西坂成一，《訓蒙軌範》（東京：山本良齋，1873年）。

5　海後宗臣、仲新：《近代日本教科書總說──解說編》，頁16。

重視道德、修身的教育特色，不僅依然充滿著江戶漢學的舊色彩，也成為明治十年代以前漢文教育的一大特色。亦即，自明治新學制頒布後至明治十年（1877）為止，堪稱是明治漢文教育的過渡期，此時期作為漢文科教材的經書──四書，其不僅是漢文科的「語文」教育教材，同時也是人格修身之「道德」教育教材。

　　而此種漢文科教材既是學童學習語文之教材，同時又必須是涵養學童人格道德之教材的特色，在明治十年以還陸續刊行問世的眾多「漢文教科書」中，與其說同樣被保留下來，毋寧說其被要求不得不如此。但明治五年（1872）以還，隨著諸多教育政策陸續公布，傳統漢學隨時勢發展起伏陵替，中日文人往來交流不斷，漢文教育的政策、內容、教法等也就面臨其不得不被迫轉型的局面，故在探究明治期漢文教科書所呈現之漢文教育相關問題前，以下且以條列形式，簡單扼要地說明影響、左右明治漢文教育發展的政策與時勢。

　　　　明治五年七月：「學制」頒訂。
　　　　明治五年九月：「小學教則」、「中學教則」頒布。
　　　　明治十年：東京大學設立。清朝初代日本公使何如璋赴日。
　　　　明治十二年：元田永孚撰成「教學大旨」，天皇頒布「教育聖旨」。清
　　　　　　　　　　朝文人王韜來訪日本。
　　　　明治十二年：廢「學制」，頒布「教育令」。
　　　　明治十四年：「開申制」頒布。
　　　　明治十四年五月四日：「小學校教則綱領」頒布，將小學科分為初等、
　　　　　　　　　　中等、高等三科，修習年數分別為三年、三年、二年。
　　　　　　　　　　其修習課目中，「讀書」這一科目分為「讀本」與「作
　　　　　　　　　　文」，中等、高等小學需教授其淺近平易之漢文讀本，抑
　　　　　　　　　　或是高尚之漢字、假名混合文。[6]

6　詳見文部省編：〈第一條〉、〈第十一條〉，《小學校教則綱領》，文部科學省，網址：
　　http://www.mext.go.jp/b_menu/hakusho/html/others/detail/1318010.htm。（點閱日期：2015
　　年4月4日）

明治十五年：「幼學綱要」頒布。清朝第二任公使黎庶昌赴日。王韜、
　　　　　　黎庶昌皆與重野成齋相交甚篤，龜谷省軒自明治十一年
　　　　　　至十八年，陸續刊行收錄清人文章之《論文彙纂》，竹添
　　　　　　光鴻亦於明治十七年鈔刊《古文辭類纂》。

明治十六年：「認可制」頒布。在此之前，漢文教科書皆可自由編輯發
　　　　　　行以及自由採用。

明治十六年九月：東京大學文學部「古典講習科」第一回招生。

明治十九年四月十日：「小學校令」頒布，將學生之漢文學習升格為中
　　　　　　學校之學習課目，並將小學校分為「尋常小學校」與
　　　　　　「高等小學校」二類，教法有異。同時亦規定小學校之
　　　　　　學科及其程度須依照文部大臣之規定，又小學校之教科
　　　　　　書亦限於文部大臣所檢定通過者。[7]

明治十九年：帝國大學設立。

明治二十三年：「教育勅語」頒布。此時總理山縣友朋是漢文教科書
　　　　　　《小學新編》作者岡本監輔摯友，文部大臣是岡本監輔
　　　　　　同鄉暨同門的芳川顯正，而天皇侍講為元田永孚。元田
　　　　　　永孚主張將天皇君主制絕對強化，遂與總理山縣友朋以
　　　　　　及井上毅等合力促成頒布「教育勅語」。

明治二十四年十一月十七日：「小學校教則大綱」頒布，規定尋常小學
　　　　　　校之「讀書」課目，必須教授近易之漢字、假名混合
　　　　　　文。[8]如此一來，「漢文」形同被排除在小學校的「讀書」
　　　　　　課目外。

7　詳見學制百年史編輯委員會編：〈第十二條〉、〈第十三條〉，《學制百年史·小學校令》，
　　文部科學省，網址：http://www.mext.go.jp/b_menu/hakusho/html/others/detail/1318011.
　　htm。（點閱日期：2015年4月4日）

8　詳見學制百年史編輯委員會編：〈第三條〉、〈第四條〉，《學制百年史·小學校教則大
　　綱》，文部科學省，網址：http://www.mext.go.jp/b_menu/hakusho/html/others/detail/1318
　　015.htm。（點閱日期：2015年4月4日）

　　自明治五年學制公布後到明治十年（1877）為止，歷經了過渡期間所產生的教科書荒，自明治十年代開始，在上述教育政令先後頒布改訂，與漢學之流行興衰起伏不定之空氣中，以及變動時局裡中日文人密切往來的環境下，各種漢文教科書陸續編定完成並刊刻問世。以下，本文擬就《明治漢文教科書集成‧第 I 期初學漢文教科書編》與《明治漢文教科書集成‧第 II 期中等漢文教科書編》共五卷中所收漢文教科書，以分析明治日本之漢文教科書的種類、內容、特色、分期，與當時漢文教育所呈現出之問題點，以及其間所蘊涵之可能意義。

二　明治漢文科教科書之特點與問題點

　　一般提及「漢文」教科書，若其指涉的是儒學學習，則無論在中國或日本，乃至東亞漢字圈整體，應該皆會舉出四書五經，而日本自江戶德川幕府官學「昌平黌」以來的修業次第，幼學者於「素讀所」除了四書五經小學素讀之外，晉升至「初學所」時，進而須依序讀《左傳》、《國語》、《史記》、《漢書》，或是《蒙求》與《十八史略》。[9]若其指涉的是漢文學之詩、賦、文等點削或漢文倣做，在古代中國當能想起自《文選》一路以下，包含宋人呂祖謙《古文關鍵》、元人謝枋得《文章軌範》、明人唐順之《文編》、清人蔡世遠《古文雅正》、余誠《古文釋義》、吳楚材《古文觀止》、姚鼐《古文辭類纂》等歷代名文選編與唐詩。而此等書中，亦不乏在日本大為流行者，如《文選》、《文章軌範》等即是。[10]然時入明治，作為漢文習作範例的「漢

9　詳見文部省編：〈教則〉，收入文部省編：《日本教育史資料 七》（京都：臨川書店刊，1960年），卷19，頁101。

10　德川幕府官學昌平黌學問所必用書目中，舉出詩文方面之必備書有：《楚辭》、《文選》、《文章軌範》、《三體詩》、《唐詩鼓吹》、《唐詩正聲》、《瀛奎律髓》、《唐宋八大家文抄》、陶詩、《韓昌黎集》、《柳柳州集》、《李太白集》、《杜少陵集》、《白氏長慶集》、《擊壤集》、《宋學士集》、《遜志齋集》等。詳見文部省編：〈本朝學制考〉，收入文部省編：《日本教育史資料 八》（京都：臨川書店刊，1960年），卷22，頁27。

文」教科書，在明治十年代以還則興起一股選編日本自家文人名文，編輯成冊刊行問世以為漢文學習及作文範本的漢文教科書。例如：明治十年（1877）土屋榮編《近世名家小品文鈔》、明治十一年（1878）小川棟宇編《明治新撰 今世名家文鈔》、明治十二年（1879）近藤元粹編《明治新撰 今世名家文鈔續》、明治十二年（1879）石川鴻齋編《日本文章軌範》、明治十六年（1883）石川鴻齋編《日本八大家文讀本》，以及刊行年不詳的月性編《今世名家文鈔》、野田笛浦編《今世名家文鈔》等。

　　明治十年代問世的此類名文選集，從書名便可窺知其試圖以近世、今世之「日本」名家文章，取代歷來之「中國」歷代名文，以為學子操觚典範。然較之此類名作選編教材，更能代表此時期之漢文教育內容的，當推明治十年代以還，陸續出版刊行的中、小學漢文科教科書。藉由考察這批明治時期所出版的漢文科教科書，我們不僅可描繪出日本漢文教育向近代轉型的實相，更可窺知傳統漢學／漢文學在新制學校課堂上所面臨的問題，以及透過分析此等漢文科書，我們同時亦可進一步考察近代日本漢文教育之特點與問題點。故以下本文擬就《編輯復刻版明治漢文教科書集成・第 I 期初學漢文教科書編》與《編輯復刻版明治漢文教科書集成・第 II 期中等漢文教科書編》五卷十九冊中所收漢文教科書，[11]以論述明治日本之漢文教科書的出版分期、所收種類、內容特色，進而分析當時漢文教育所呈現出之問題點，以及其間所蘊涵之可能意義。

---

11 加藤國安編：《編輯復刻版明治漢文教科書集成・第 I 期初學漢文教科書編》（東京：不二出版，2013年）與《編輯復刻版明治漢文教科書集成・第 II 期中等漢文教科書編》（東京：不二出版，2014年），第 I 期2卷共收錄十一本教科書；第 II 期3卷共收錄八本教科書，全2期5卷十九本。本文以下簡稱《明治漢文教科書集成》，必要時再明白標示 I、II，或是 I-1、I-2、I-3……＋書名，與 II-1、II-2、II-3……＋書名等形式分別標注，以明示所出。而本文在援引該《集成》所收各教科書內文時，為清眉目，出處僅標示該本教科書頁數，不再重複標示該《集成》書名以及出版項。

（一）明治漢文科教科書的分期

　　誠如前節所述，文部省於明治十九年（1886）四月十日頒布「小學校令」，將原本以小學校作為漢文學習之「初學」階段的規定，改訂為以中學校作為漢文學習之「初學」階段，並將小學校分為「尋常小學校」與「高等小學校」二類，強調教法有異。同時亦規定小學校之學科及其程度須依照文部大臣之規定，又小學校之教科書亦限於文部大臣所檢定通過者。此項教育政令的頒布，形同為明治時期漢文教科書的出版，劃下一道分水嶺。因為在此之前原本允許編輯者自由編刊，教授者自行採用的情況，從此轉向以文部省馬首是瞻的，受制政府意識形態的漢文教科書編纂局勢。同時，當漢文學習的「初學」階段，由小學後退至中學時，也預告了此後漢文教育日形淺近平易化的發展趨勢。

　　也因為如此，我們基本上可以將明治時期出版的漢文教科書，以明治二十年（1887）作為分水嶺。明治二十年（1887）以前出版的教科書，屬於以小學校學生為對象所編纂的；明治二十年（1887）以後出版的則是以中等學校學生為對象所編纂的。如此我們就可以理解為何《明治漢文教科書集成》，會將其所收錄之漢文教科書，以明治二十年（1887）作為分隔線，區分為「第 I 期初學漢文教科書編」與「第 II 期中等漢文教科書編」。其中，第 I 期2卷共收錄有十一本教科書；第 II 期3卷共收錄有八本教科書。詳細書名請參閱附表一。

（二）江戶典範與日本主體

　　第 I 期教科書中，因為對象是小學校幼齡學童，故書名多冠以「小學」或「初學」，或有依據其難易度不同而區別為「中等」、「高等」或「上等」，至於 I-4 小川伊典《鼇頭評點 上等小學漢文軌範》的「鼇頭評點」，基本上是延續江戶初期以來，為了初學學習方便參考，遂於《四書章句集注》等書各頁天頭處標注音訓或解讀說明，以為讀者參考的做法。其他如 I-7 笠間益

三《小學中等科讀本》亦於各章欄外，揭示該章之主題與出典。其實，小川伊典《鼇頭評點 上等小學漢文軌範》不僅注解形制仿效江戶時代作法，該書序言亦說：

> 唐宋之文，難學難解；近世之文，易學易解。唐宋之文，不可不學，而不可不解。近世之文，未必不學，而未必可解。然學文者初讀唐宋之文，猶夢中聽鈞夫樂，非不知其音之靈妙，但其范然不能識靈妙之所在。不如先讀近世之易成功耳。頃日，男伊典為初學纂近世諸家之文二百有餘，篇名曰漢文軌範。蓋其文大率澹雅平易，近而易見，淺而易解，所謂奇奇怪怪，深奧雄傑者，不載一篇焉。[12]

小川伊典該書於明治十四年（1871）刊行，其以近世為尚的價值認同，與前述明治十年代陸續刊行，書名冠以「近世」、「明治」、「今世」、「日本」等字眼之名家文選一樣，頗有尊崇日本自國，以日本自我為典範，特別是以江戶名家漢文為日人仿作漢文之典範的意味在其中。

此事由 I-3木澤成肅《小學中等讀本：漢文》所收漢文，乃是以「日本漢文」為主，輔以中國人物逸聞，再綴以西洋人物事蹟的作法看來，亦可獲得證明。而木澤成肅於該書第三、第四條〈凡例〉中就如下說到：

> 此編，多載文學德行，及政治功績，勤王愛國之事業。又雜出支那及西洋之美事，要在使生徒博學識，長文才，而誦讀不倦焉。[13]

> 我國，固有君子國之稱，以為尊禮守義之國也。然而後世事態變遷，人人務利，人情稍趨輕薄，遺風殆將滅，是識者之所憂也。此篇，素雖非修身之書，亦抄出古人高節尚義之事蹟，故生徒誦讀之間，自有

12 小川伊政：〈漢文軌範序〉，收入小川伊典編纂：《鼇頭評點 上等小學漢文軌範》卷之上，收入加藤國安編：《編輯復刻版明治漢文教科書集成・第 I 期初學漢文教科書編》（東京：不二出版，1871/2013年），卷1，頁1上。
13 木澤成肅：〈凡例〉，《小學中等讀本：漢文》，收入加藤國安編：《編輯復刻版明治漢文教科書集成・第 I 期初學漢文教科書編》（東京：不二出版，1871/2013年），卷1，頁1下。

奮發其固有良心者。[14]

而此種強調日本主體、勤王愛國的意識，在第 I 期的漢文教科書中，如果說是一種「主動」的民族意識之自我昂揚；則明治二十三年（1890）《教育勅語》頒布後，第 II 期漢文教科書中的此種民族主體意識，從某種程度而言，乃是不得不「被迫」地，或者說是別具意識地特意回應執政當局的軍國主義意識形態與社會空氣。例如 II-8國語漢文研究會編的《中等漢文讀本》中，卷六特別收入元田永孚之〈幼學綱要序〉，以及卷十收入〈臺灣總督曉諭〉等，[15]前者不僅清楚推崇忠孝尊皇，後者更暴露出殖民國威嚇殖民地人民之實。而於明治十五年（1882）刊行的 I-5岡本監輔《小學新編》一書目次，即是列出「孝悌」、「忠誠」、「敬和」等十六項目，[16]此等項目與同年十二月二日宮內廳所頒布的敕撰修身書《幼學綱要》二十項目如出一轍，極其相似。[17]

（三）桐城古文取代先秦、兩漢、唐宋古文

而進入明治二十年代，此種以日本為主，推崇自國的主體意識更形高揚，其極端表現就是在所謂的漢文教科書中，編輯者意圖不收錄中國歷代之

---

14 木澤成肅：〈凡例〉，頁1下。

15 國語漢文研究會編：〈幼學綱要序〉，收入國語漢文研究會編：《中等漢文讀本》卷6，收入加藤國安編：《編輯復刻版明治漢文教科書集成・第 II 期中等漢文教科書編》（東京：不二出版，1891/2014年），卷8，頁1-4；國語漢文研究會編：〈台灣總督曉諭〉，收入國語漢文研究會編：《中等漢文讀本》卷10，收入加藤國安編：《編輯復刻版明治漢文教科書集成・第 II 期中等漢文教科書編》（東京：不二出版，1891/2014年），卷8，頁83-84。

16 詳參岡本監輔：〈小學新編目次〉，《小學新編》，收入加藤國安編：《編輯復刻版明治漢文教科書集成・第 I 期初學漢文教科書編》（東京：不二出版，1872/2013年），卷1。

17 詳參町田三郎：〈岡本韋庵と《岡本子》〉，收入氏著：《明治の青春》（東京：研文出版，2009年），頁87-101。有馬卓也：〈岡本韋庵覺書〉，《德島大學國語國文學》12(1999)：9-21。

文，考慮全書僅收日本自家文人之文，且因江戶儒士之文號稱日本歷來水準
最高，故漢文教科書中所收錄者，幾乎皆為江戶儒士之作品，II-3石川鴻齋
《中等教育漢文軌範》即是此中代表。

然石川鴻齋《中等教育漢文軌範》書中，最後為何還是收錄了歸有光、
朱竹垞等人之文呢？按石川鴻齋自身於〈凡例〉中的說法是：

> 斯編欲選本邦人而已，然為俾知文之體裁和漢同一，加明清人若干
> 首。如唐宋諸名家，謝氏軌範及諸氏所選不為少，故載近人之文雜
> 之。[18]

另在〈序言〉中石川更如下說到：

> 安政、文久之後，歐學漸行，漢籍寢衰，彼蜒蜒孑孑，螳斧蝸涎之
> 字，蔓衍海內，言語亦將化。而風氣一變，人人競新奇，如詩文猶一
> 縷引千鈞，欲絕而得纏有焉，以為天之亡斯文，果在此時也歟。未
> 幾，奎宿之運，亦復循環，咿晤之聲，絃歌之音，得起於庠，聞於
> 巷，於是欲取先喆之規，尋古人之徑轍。然不求諸六經古書，裁以謝
> 氏之軌範，沈氏之八家等充資本，甚以鄙史小說取則，妄譯他文綴新
> 誌，放意雜亂，無銜勒制之，嗚呼！亦文運之一厄也。想以學課多
> 端，不遑講究經史，不得己而至於此者耶。[19]

關於因為「學課多端」遂「不遑講究經史」一事，本文下節將進一步細論。
至於石川〈凡例〉此話則僅說出事實的一部分，另一部分未說出的即是：隨
著何如璋、黎庶昌等清國公使與王韜等清朝文人的陸續到訪日本，較之於江

---

18 石川鴻齋編：〈凡例〉，《中等教育漢文軌範》，收入加藤國安編，《編輯復刻版明治漢文
教科書集成‧第 II 期中等漢文教科書編》（東京：不二出版，1883/2014年），卷3，頁
3-4。

19 石川鴻齋編：〈序〉，《中等教育漢文軌範》，收入加藤國安編：《編輯復刻版明治漢文教
科書集成‧第 II 期中等漢文教科書編》（東京：不二出版，1883/2014年），卷3，頁2-
3。

戶時代仍尊崇左國史漢之先秦古文或唐宋八大家古文；明治漢文文壇則隨著中日文人往來密切、文化交流日盛，遂將注意力轉移至明清名家之文。又因為公使黎庶昌乃系出曾國藩門下之「桐城派」文傑，桐城派古文也因此在明治日本廣為流傳，而漢文科教科書也在此種時代風潮下，或棄先秦、唐宋古文，轉而收錄桐城派古文或明清之文。例如 II-7 秋山四郎《第一訂正中學漢文讀本》即是，該書〈例言〉如下說道：

> 此書發刊，在明治二十七年。爾來奎運益進，勢不得不訂正以應時運也。於是博諮四方諸賢以此書瑕瑜得失，諸賢縷記所見遙寄示，無慮百餘通。余乃折衷眾論，以訂正此書，則謂之方今教育家公論所歸宿，豈不可哉。[20]

（四）教科書編纂要點／審定標準

當然，此種改收錄明清文的作法，除了反映當時文運風氣之外，其中緣故之一就是教科書編者在累積一定經驗後，認為時代晚近之文或今文易學，而去今已遠的古文難學。為了編訂出符合「初學」者學習的漢文教科書，淺近平易不晦澀，入門易學就成了初學用教科書的重要編輯考量之一。而此一編書考量，最主要的目的就是為了要通過文部省的審核制度。然文部省的教科書審核標準，除了淺近平易之要求外，要求項目不少。或者我們應該說，為了符合某項審核要件，同時也會衍生出其他相關標準。此種問題現象紛雜，不一而足，基本上也會因各本教科書的內容、形制、收錄文章之難易水準符合與否？而出現不同問題，影響其審核結果。其實，《明治漢文教科書集成》第 I 期所收十一本教科書中，在日後明治二十一年（1888）的教科書檢定中，僅有 I-6 鈴木重義《初學文編》，以及 I-11 三島中洲《初學文章軌

---

20 秋山四郎編：〈例言〉，《第一訂正中學漢文讀本》，收入加藤國安編：《編輯復刻版明治漢文教科書集成・第 II 期中等漢文教科書編》（東京：不二出版，1891/2014 年），卷5，頁1上。

範》符合標準，鑑定合格。

　　然鈴木重義與三島中洲二人所以可以脫穎而出的關鍵究竟何在？關於此點，我們或許可以從鈴木重義《初學文編》〈例言〉中看出端倪。其言：

> 一、此編為初學讀本，故初擇短編易解者，漸進至長文雅馴者。且雜然列諸體而不別部類，錯綜古今而不論次序，蓋倣小學讀本之體也。
> 一、所輯錄和漢文章，專於近世作者擇之，旁及古書之易解者。
> 一、學漢文，不如讀漢人之文。然文理深奧，初學不易解，故此編多揭本邦人之文。
> 一、於編此書，請閱於平井正君，君贊成余舉，改刪補正，將伯之助居多。
> 一、此編批評段落，都請名家鉅匠手定，不敢苟一字。[21]

由上述鈴木重義之話看來，我們可以發現幾個該書編纂選文要點：1. 選文由易而難，由短而長。2. 專選近世江戶文人之文。3. 選收中國近世之文。4. 雖是學習漢文，但因漢文難解，故專為初學者選擇日人之文。5. 該書還商請了當時漢文大家中村敬宇、龜谷省軒點評。而此五大條件幾乎也都見於三島中洲《初學文章軌範》。不同的是：三島中洲自身就是當時漢文文壇大家，日後還擔任帝國大學漢文學科第三講座教授，本無需其他名人錦上添花，一番加持。三島中洲與龜谷省軒、中村敬宇、川田甕江、重野成齋、島田重禮等，便是與黎庶昌等清國公使文人往來密切的明治漢學巨擘，彼等推崇清人文乃至清人學問，實不足奇。誠如後文所述，重野成齋在帝國大學的授課，就是依據《皇清經解》來教授《詩經》。彼等中，中村敬宇、三島中洲等又是衍義《教育勅語》之重要人士，故自然以日本主體為重。又重野成齋、島田重禮則是東京大學漢學科教授，堪稱明治漢文學術界之核心人物。

　　說明至此，我們幾乎可以得知漢文教科書審核標準何在。如此一來也就

---

21 鈴木重義：〈例言〉，《初學文編》卷1，收入加藤國安編：《編輯復刻版明治漢文教科書集成・第I期中等漢文教科書編》（東京：不二出版，1872/2013年），卷1，頁1上-下。

不難理解，為何 I-4 小川伊典《鼇頭評點 上等小學漢文軌範》，以及 I-10 太田武和《高等小學漢文軌範》二書中，其實也選錄了清代康熙至道光年間之名文，編書體例幾乎也等同於鈴木重義《初學文編》，但卻未能獲准合格。相對於此，三島中洲《初學文章軌範》卻違背當時以日本為重的風氣，改將選文對象重點放在明清文人，不惜違逆當時漢文教科書以「日本漢文」為主的作法，[22]但卻仍可通過審核，這若非背後學術勢力發揮一定作用力，我們恐怕也很難釐清其真正原因為何。

（五）教材內容之難易問題與和漢齟齬

而論及為了符合某項審核標準，同時也會衍生出其他相關標準之考量這一問題，在第 II 期教科書中更為明顯。第 II 期教科書中，因為是「小學校令」頒布後所編訂，是以中等學校少年、少女學子為對象，故書名多冠以「中等」或「中學」。又因為因應新式學校教育中之漢文教育的教科書編纂，至此時已然累積十年以上之經驗，且為求能符合文部省之審定與期待，教科書編者或冠以「新撰」，以強調其乃是重新為中等學校學生量身定做，如 II-1 中根淑《新撰漢文讀本》；或冠以「撰定」，表明其乃一定程度修訂前作以符合文部省要求後，重出江湖之教科書，如 II-6 深井鑑一郎《撰定中學漢文》一書係修訂 II-2《標註漢文教科書》而來；或冠以「標注」，強調其詳加音訓、注解、說明等，以因應文部省所謂「初學」之漢學宜淺近平易，II-2 深井鑑一郎《標註漢文教科書》即是。

諸如此類，皆是明治漢文教科書所反映出之問題。而此等問題同時涉及了「漢文」與「和文」的齟齬，亦即當此二者在漢文科教育這一場域狹路相逢時，彼此究竟該如何折衝？關於此等問題，從當時漢文教科書的編纂方式、所選教材內容亦可窺知一斑。例如為了解決漢文初學者無法理解漢字字

---

22 詳參加藤國安：〈明治人の清代古文（2）卓然トシテ衆二顯ハレンコトヲ期ス〉，《東洋古典學研究》31(2011)：29-56。

義、無法解讀漢文文義等問題，I-6鈴木重義《初學文編》就特別另外編纂
了一本參考書《初學文編字引》，就《初學文編》中所謂：

> 對幼童而言難以解讀的熟字難句，逐次粹錄，贅以句讀、假名，說明
> 字義，以供幼童講學之便。書中熟字，意味深遠者，或若物名典故
> 者，別揭於上欄，作訓詁，因而詳明所出。[23]

而此種於書頁欄外，亦即天頭處標示典故出處的做法，亦見於 I-7 笠間益三
《小學中等科讀本》。至於在漢文教科書外另外撰作課後復習用的「字解」
學習參考用書的，第 I 期中尚有 I-3 木澤成肅《小學中等讀本：漢文》。而
且，此種編輯「字引」、「字解」類參考書的做法，亦延續到第 II 期的漢文
參考書，例如 II-1 中根淑《新撰漢文讀本》，以及 II-4 秋山四郎《中學漢文
讀本》即是。

然隨著漢文教科書中所收教材內容日趨簡化，為求易於理解，漢文教科
書編纂者的著眼點，較之於「漢文」本身之語詞、句式、文法結構，難免轉
而關注訓解漢文的「訓讀」方法本身。亦即，較之於「漢」，漢文教科書反
而更著重於「和」。例如 I-3 木澤成肅《小學中等讀本：漢文》，就將書中所
收漢文文章，全數翻譯成「和文」；II-7 秋山四郎《第一訂正中學漢文讀
本》，在〈凡例〉中便明白揭示：該書捨棄唐宋文、傳記、長編，但日本漢
文的內容較先前增加一卷，內容變成五卷日本漢文，並且為應付學齡孩童不
解訓讀，故特設「訓讀教授法」，甚至不惜為了配合「國語」語格、語法而
不惜減損漢文氣韻。秋山四郎言：

> 國文，本也。漢文，末也，終也。吾人學漢文，即欲咀嚼其精華，以
> 益發揚國文之光輝耳。讀此書者，知其所先後，而後可謂得為學之
> 要。[24]

---

23 藤江卓藏編、鈴木重義閱：〈凡例〉，《初學文編字引》（大阪：渡邊甚兵衛，1885年）。

24 詳見秋山四郎編：〈凡例〉，《第一訂正中學漢文讀本》，收入加藤國安編：《編輯復刻版
明治漢文教科書集成‧第 II 期中等漢文教科書編》（東京：不二出版，1891/2014年），

此種重視「訓讀」與「和文」的漢文教科書編纂方針,亦可見於以簡野道明為代表的「國語漢文研究會」所編纂的 II-8《中等漢文讀本》。該書卷一即以句例揭示了「訓讀法」,並主張漢文初學宜始自日本諸家漢文,又強調初學者應理解和、漢二文之異同,遂將簡易之「國文╱和文」,翻譯為「漢文」,目的在使初學者知曉「用字」。另外,II-6 深井鑑一郎《撰定中學漢文》一書,依據加藤國安研究,其最大貢獻即在開拓日本近代式的漢文訓讀法。[25] 又據木村淳研究,該書修正歷來「訓讀」法的例證,竟然高達六十例。[26]

(六)脫「漢」後之漢文學習目的

而不再以中國為最高標準的脫「漢」後的漢文教育,其一定程度展現東亞視域的同時,其作為近代日本新式學校教育之一門學科,又試圖如何與西洋文明對話、融合?一言以蔽之,此等漢文教科書之教育目的乃在嘗試「藉亞入歐」,以及涵養具備「愛國心」之學子,塑造「忠孝合一之皇民」。[27] 石毛慎一更將明治二十年代中期以後至昭和二十年為止的「漢文」講讀與「國語」講讀,定義為「國體論整備期」、「國體論浸透期」、「國體論硬直期」。[28] 關於此點,前文已有論及,至於前者,依據木村淳研究,明治二十年代的漢文教科書,基本上喜好採用日本本國歷史、地理相關教材,然此種編輯方針在進入明治三十年代時則產生變化,值得關注的是「網羅主義」教科書的出

卷5,頁1-2。

25 加藤國安編:《《明治漢文教科書集成》第 I 期・第 II 期解說》(東京:不二出版,2013年),頁198。

26 詳參木村淳:〈明治二十年代における漢文教科書と檢定制度〉,《中國近現代文化研究》10(2009):56-85。

27 關於明治二十年代的漢文教科書,教育目標乃在培養學生愛國心一事,詳見木村淳:〈明治・大正期の教科書〉,收入中村春作編、小島毅監修:《訓讀から見なおす東アジア》(東京:東京大學出版會,2014年),頁216-218。

28 石毛慎一:《日本近代漢文教育の系譜》(神奈川:湘南社,2009年),頁13。

版問世。[29]

我們由 II-1 中根淑《新撰漢文讀本》一書上卷，在王應麟〈學問〉、朱熹〈勸學文〉、趙孟頫〈看書八戒〉之後，連續收錄了理雅各論〈學館〉、〈健康〉、〈身體〉、〈農工商〉、〈租稅〉、〈海陸之軍〉、〈海外諸國〉、〈地球〉、〈日月歲時〉、〈月輪〉、〈歷史〉等十一篇文章，[30]最可看出其試圖灌輸學子理化、經濟、軍事、世界史地等近代科學知識。而此種藉由漢文教科書以引介歐美新知的做法，早見於 I-3 木澤成肅《小學中等讀本：漢文》，該書為求涵養學生之博識與文才，亦積極加入英、美、德、法、葡萄牙等歐美各國名人行誼、嘉言，如哥倫布發現新大陸，瓦德發明蒸汽火車，拿破崙之軍機運籌帷幄，乃至無名石工之論為人教師，亦皆收錄其中。

此種博採各地新知的編書方針，在簡野道明 II-8《中等漢文讀本》中，甚至抄錄翻譯了《臺灣地誌》，介紹了「臺灣四大產物」：茶、甘蔗、樟腦、石炭。[31]該書以漢文教科書為引介新知識之媒介的編輯方針，由其所收錄之內容，廣泛取材自《本草綱目》、《地球略說》、《格物入門》、《植物學》、《博物新編》、《氣海觀瀾》、《米利堅志》、《事實文編》等題材、性質各異的諸書，亦可進一步獲得證明。關於此點，II-6 深井鑑一郎《撰定中學漢文》一書，則在編纂旨趣中如下明言：「本書資料，務網羅諸般事實。是於開發少年心地，不可缺也。」[32]

29 詳參木村淳：〈明治二十年代における漢文教科書と檢定制度〉，頁56-85。
30 詳參中根淑編：《新撰漢文讀本》卷上，收入加藤國安編：《編輯復刻版明治漢文教科書集成・第 II 期中等漢文教科書編》（東京：不二出版，1881/2014年），卷3，頁1-12。
31 簡野道明：〈臺灣四大產物〉，收入國語漢文研究會編：《中等漢文讀本》卷2，收入加藤國安編：《編輯復刻版明治漢文教科書集成・第 II 期中等漢文教科書編》（東京：不二出版，1891/2014年），卷5，頁18。
32 深井鑑一郎：〈撰定中學漢文編纂旨趣〉，《撰定中學漢文》卷1，收入加藤國安編：《編輯復刻版明治漢文教科書集成・第 II 期中等漢文教科書編》（東京：不二出版，1887/2014年），卷4，頁235。

三 明治漢文科教育中「經學」的退場

本文論述考察至此，我們不難發現明治漢文教科書中，「經學」堪稱完全自漢文科教育中退場。蓋「經學」自小學校、中學校的漢文科教育退場，其實從日本漢學的近代轉型發展軌跡亦可獲得印證，然此係另一複雜問題，為免焦點模糊，且容日後撰文另論。在此必須注意的是：中、小學課程中的漢文科教育，終究難脫對應「考試」這一宿命需求。因此我們若試圖探究中、小學漢文科教育中「經學」所以缺席退場的原因，恐怕也不能僅是以所謂難度過高來作結，除非我們無視歷史事實。因為雖然近代日本無論官方或民間，皆不乏有人認為直接讓幼齡學童讀經，乃是一種不合理且難度過高的課程設計。但誠如前述，江戶時代的日本，學童學習的就是儒學，而就如辻本雅史所言：「儒學徹頭徹尾地就是一種根據『經書』這一古典而來學習的學問。」[33]而且是從七、八歲入門時開始就學習四書、《孝經》等經書，即使到日後成為學問大成的學者，其所讀之書主要還是四書五經。所以辻本雅史說：

> 極端而言，儒學就是一種從開始習字的一年級小學生，到天才學者愛因斯坦，通常手邊放的都是相同的教科書的學問，這就是儒學。[34]

既然經學自中、小學漢文科教育退場的原因，不單純地只是因為經書學習難度過高，不符合初學學習次第，則其可能原因為何？針對這一問題，筆者以為應當從學習的連續性發展次第來思考，亦即從「讀書」到「考試」與「合格」與否，一定程度決定了學習的內容，也就是前階段的學習，基本上都是一定程度上以進入下個更高階段的學習為目的。換言之，高等教育的漢文教育走向，恐怕才是決定中、小學漢文科教育內容的關鍵因素。因此，考

---

33 辻本雅史：〈儒學の學習〉，收入氏著，《「學び」の復權模倣と習熟》（東京：岩波書店，2012年），頁56。
34 辻本雅史：〈儒學の學習〉，頁57。

察明治十年（1877）東京大學文學部各科課目，乃至明治十九年（1886）東
京大學改制為帝國大學後文科大學各科的課目，其內容結構究竟為何？應該
皆有助於問題的釐清。

　　關於此一問題，首先我們從 I-1 龜谷省軒《小學範文》為何會在明治十
五年（1882）再版時，改名為《育英文範》一事看出端倪。明治十五年東京
大學設立了「古典講習科」甲乙兩部，翌年四月十六日乙部漢學科開學典禮
上，教授中村敬宇在演講中說道：

> 今日在朝野之間，推卓然顯眾有用之人物者，亦可斷言無非漢學者
> 也。[35]

亦即，在宮內廳敕撰修身書《幼學綱要》頒布的明治十五年（1882），到明
治二十三年（1890）《教育勅語》，漢學漸次復興，漢學者復為當局所倚重，
表面看來，學習漢學儼然成了通往政治權力核心頂端的入門券。[36]而若要進
入東京大學文學部「和漢學科」或「古典講習科」乙部就讀，乃至進入東京
大學任何一科就讀，「大學預備門」（東京第一高等中學校前身）堪稱是其跳
板學校。

　　而明治十五年九月，「大學預備門」的「和漢文」課程就有《史記》、
《文章軌範》等課目。[37]筆者以為，I-1 龜谷省軒所以將《小學文範》改名
為《育英文範》，是將小學漢文教育的目標一路延伸到「大學預備門」與東
京大學文學部的設想，以「文範」連接「軌範」，目標不只是「文章」；而在
卓然顯眾之有用「英才」。故將《小學文範》改為《育英文範》一事，顯然

---

35 中村敬宇（1888）。〈古典講習乙部開業演說　明治十六年四月十六日〉，收入木原讓
　編：《敬宇中村先生演說集》（東京：松井忠兵衛，1888年），頁45。

36 然事實並非如此，據町田三郎師研究，結果「古典講習科」所學的，並非當初「聖喻
　記」所期待的育成輔弼英才的學問，而是脫離傳統儒學、「左國史漢」與漢詩習作藩
　籬，以《皇清經解》為中心的實證性學術研究。詳參町田三郎：〈東京大學「古典講習
　科」の人々〉，收入氏著：《明治の漢學者たち》（東京：研文出版，1998年），頁148。

37 詳參原田親貞：〈漢文教育の歷史─教育行政からみた─〉，《文學》29,3(1961)：16-
　25。

有著試圖培育接續「高等」漢文學習之意圖在其中。又如果明治十五年
（1882）的小學漢文教科書都已然意識到未來該如何接軌高等學校的漢文學
習，那麼可想而知的就是：「大學預備門」的高等學校學生們在學習漢文
時，應該也會思考如何與東京大學的漢文科接軌，而此種接軌考量正意味著
其必須設想如何才能順利通過考試。換言之，東京大學乃至日後陸續改制為
帝國大學與東京帝國大學文學部、文科人學中的「漢學科」課程，其實一路
往下影響了高等學校、中等學校以及小學校的「漢文」科教育。

　　如上所述，近代日本小學校與中、高等學校的漢文科教育中，「經學」
的退場，其源頭或許應該從明治十年（1877）東京大學設立後，文學部的課
程內容編制來思考。關於東京大學設立以及日後陸續改制為帝國大學與東京
帝國大學，其文學部或文科大學的「漢學科」課程，乃至古典講習科的課程
內容，屢經改訂。明治十年（1877）東京大學成立後，文學部第一科為史
學、哲學與政治學，修習時間四年；第二科為和漢文學，修習時間三年。無
論第一科或第二科皆需修習英國文學，而第一科的學生於前兩年內尚須兼修
法語或德語，第二科的學生第三年還得兼修歐美史學或哲學。而歐美史學是
兩科學生都必須兼修的課目，國史（日本史）與支那史（中國史）則包攝於
「和漢文學」題下，至於所謂的「哲學」則專指西洋哲學、西洋哲學史、心
理學等，完全無關乎「東洋哲學」。此種課程安排，凸顯了在歐化風氣盛行
的明治十年代，一切以歐美歷史、哲學與外語學習為重的教育傾向。其實，
東京大學設立後一直以英語授課，要到明治十六年（1883）四月才開始以日
語授課。當時文學部第一科自第一年至第三年，皆有「和文學」與「漢文
學」的課目，第二年至第四年則有「哲學」課目；第二科則是自第一年至第
三年，皆有「和文學」與「漢文學」的課目，「歐美史學」與「哲學」則三
年間每年可擇一選修。這樣的課程結構，顯然沒有「經學」一科。[38]

　　明治十二年（1879），東京大學文學部學科課程異動，原有第二科的

---

38 詳參東京帝國大學編：〈第二篇學部・第四章文學部〉，收入東京帝國大學編，《東京帝
　國大學五十年史》（東京：東京帝國大學，1932年），上冊，頁685-690。

「和漢文學」科，改為「和文學」科與「漢文學」科；第一科的哲學、歷史、政治改為「哲學」、「政治學」及「理財學」科。第一科第一年至第四年皆有「漢文學及作文」與「史學」課目，第一年至第三年皆有「和文學」課目，第二年至第四年皆有「哲學」課目。第二科第一年至第四年皆有「漢文學及作文」課目，第一年的「和文學」課目，自第二年開始到第四年則改為「和文學及作文」，又第一年的「英文學及作文」一課，自第二年開始改為「英文學」或「史學」或「哲學」。可見此次改制結果，除了將和漢文學科區分為二並延長修習期間為四年之外，顯然無論是和文、英文或漢文，皆非常強調「作文」一事。[39]

明治十四年（1881）文學部再行學科組織改制，分為第一科哲學科；第二科政治學及理財學科；第三科和漢文學科。各學科第一年修習課目相同，第一科與第二科自第一年至第三年皆有「漢文學及作文」；第二科則是四年間皆要修習「漢文學及作文」，第一年的「和文學」課目，自第二年開始到第四年則改為「和文學及作文」，第一年至第三年必須修習「史學」，第二年至第四年則要修習「哲學」。也就是說，漢文科在此次課程改制中，首先還是最看重漢文、和文的「作文」能力，其次則是「史學」與「哲學」的分量日趨重要。[40]

翌年明治十五年（1882）九月及十二月兩次改訂學科課程時，將第一科哲學科與第三科和漢文學科從第二年至第四年中的「哲學」課目，改為「西洋哲學」，並增設「東洋哲學」一課。此時和漢文學科同樣四年間皆必須修習「漢文學及作文」，第一年的「和文學」課目，自第二年開始到第四年則改為「和文學及作文」。而原本第一年至第三年必須修習「史學」，改為只需第一、第二年修習，但原本第二年至第四年得修習的「哲學」課目，則改為第二年至第四年皆須修習「西洋哲學」與「東洋哲學」。換言之，此次改制的結果，「史學」削弱，但「哲學」更形加重。[41]

39　此次改制經過詳參東京帝國大學編：〈第二篇學部・第四章文學部〉，頁690-696。

40　此次改制經過詳參東京帝國大學編：〈第二篇學部・第四章文學部〉，頁696-702。

41　此次改制經過詳參東京帝國大學編：〈第二篇學部・第四章文學部〉，頁702-708。

明治十七年（1884）十二月九日，東京大學總理加藤弘之有鑒於前一年開辦「古典講習科」招生，為使得「和漢文學科」的學生所學更為精進，遂向文部省提出文學部改正案，擬自修習的第二年開始，分「和漢文學科」為「和文學科」與「漢文學科」，明治十八年（1885）二月五日獲准改制。在加藤弘之顧慮所謂：

> 雖有和漢文學之名，其實不能充分教導和漢之學勢不可免。[42]

於此一考量下，不僅和文學科的學生第一年也必須修習「經學」；漢文學科的學生更是從第一年至第四年皆必須修習「經學」與「漢文學」，「經學」首次登上了大學的課堂，獨立成為一科課目，並與「漢文學」平起平坐。而「史學」也前所未有地必須四年皆修，又「詩文」乃是自第二年至第四年必須修習的新課目，取代了之前的「作文」。至於「西洋哲學」與「東洋哲學」則稍微限縮成自第二年開始修習至第四年；而第三年與第四年的課程中還新加入了「諸子」一課。從結果而論，我們可以說：漢文學科的課程結構一定程度回復了經、史、子、集的架構，然「經學」的出現顯然擠壓了「哲學」課程的空間。[43]明治十八年（1885）十二月十五日，文部省下令移「政治學及理財學科」於法學部，文學部遂成為哲學科、和文學科、漢文學科三科所構成。[44]

漢文學科課程中「經學」課目的出現，與課程結構一定程度回復了經、史、子、集架構一事，基本上可以視為「古典講習科」設置後的效應。因為明治十六年（1883）開始招生的「古典講習科乙部」，其修課規則共分八期，課目如下：

第一期：經學、史學、諸子、詩文。
第二期：經學、史學、諸子、詩文。

---

42 此次改制經過詳參東京帝國大學編：〈第二篇學部・第四章文學部〉，頁709。
43 此次改制經過詳參東京帝國大學編：〈第二篇學部・第四章文學部〉，頁708-714。
44 東京帝國大學編：〈第二篇學部・第四章文學部〉，頁714。

第三期：經學、史學、法制、詩文。

第四期：經學、史學、諸子、詩文。

第五期：經學、史學、詩文。

第六期：經學、史學、詩文。

第七期：經學、史學、諸子、法制、詩文。

第八期：經學、史學、諸子、法制、詩文、卒業論文。[45]

誠如町田先生所言，「古典講習科乙部」學生，修習課目係以經史子集四部與法制為主，講授方式則是教授的漢籍講讀，以及學生們輪流擔當解讀，由師生共同討論的「輪讀」。至於漢文作文則須每月撰寫一篇。但即使課目表面看來是朝傳統漢學「復古」，但真實的情況卻是：

> 授業解惑的方式與歷來漢學則「左國史漢」，詩文則「漢詩文」，此種以道德修養論為極致的宗旨大異其趣。換言之，東京大學「古典講習科」的教學宗旨是以「近代的學問、教育」為其目標。史學家重野成齋所謂的「學問即考證學」也與此一宗旨相近。[46]

也就是說，即使「經學」回到了大學課堂上，其追求的近代轉型目標，乃在客觀實證的知識型研究，而非探索經書中的「聖人之教」，更不會是歷來的主流經書研究法──注經。亦即，「經學」即使重返課堂上，其顯然已非舊時「經學」。此點我們由兩年後的明治十九年（1886），東京大學改制為帝國大學，文學部改制為「文科大學」，漢文學科回復三年制，雖然規定自第一年至第三年皆須修習「支那經學」一課，卻立刻在翌年的明治二十年（1887）九月九日，文科大學增設「史學科」、「英文學科」、「德文學科」三

---

45 東京帝國大學編：〈第二篇學部・第四章文學部〉，頁734-735。

46 町田三郎：〈東京大學「古典講習科」の人々〉，收入氏著：《明治の漢學者たち》，頁135。而島田重禮的考證學，主要是以講授清朝考證學為主，當時其講授《詩經》即依據中國最新出版的研究叢書《皇清經解續編》，以指導學生進行實證的研究，詳參吉川幸次郎：〈狩野直喜〉，收入吉川幸次郎編：《東洋學の創始者たち》（東京：講談社，1976年），頁176。

科時，漢文學科的「支那經學」課目隨即消失，而「漢文學」、「支那古文學」、「支那歷史」課目則仍維持各學年皆有，就是哲學課目也以「哲學史及論理學」、「哲學史及心理學」、「東洋哲學」等三個課目，也被安排於各學年課程架構中看來，「經學」於明治十六年至明治十九年的四年之間，短暫出現在東京大學、帝國大學「漢文學科」課目中一事，宛若回光返照。

　　明治二十一年（1888）以還，文科大學各學科課目屢經改廢，但可確定的是：日本自國主體意識日漸高漲，證據之一即是伴隨著「編年史編纂掛」被設置於文科大學中，「國史學科」也在當年十月設立。日後，帝國大學文科大學雖陸續於明治二十二年（1889），改和文學科為「國文學科」，改「漢文學科」為「漢學科」；乃至明治二十四年（1891）、二十五年（1892）、二十六年（1893）相繼改正授業課目或各課目之授業時間，「經學」宛若成了一位被棄老人，從此未能重回學校教育的大學課堂。即使明治二十六年九月，文部省所頒布的第九十三號敕令中，帝國大學始設「講座」制，然文科大學的講座依然未見「經學」講座。此事由以「三會箋」（《論語會箋》、《左傳會箋》、《毛詩會箋》）聞名中日學界的竹添光鴻身上，亦可獲得印證。明治二十六年十月二十八日，竹添光鴻任職帝國大學，擔任漢學、支那語學第二講座教授，但卻無法教授其擅長的「經學」，而是教授「支那史」。明治二十八年（1895）九月二十六日竹添光鴻退官卸職，翌年明治二十九年（1896）十月二十七日由根本通明繼任漢學、支那語學第二講座教授，而根本通明於大學講臺上也只是講授《論語》等事看來，皆一定程度證實「舊」經學已然消失於近代的日本大學課堂。

　　蓋自明治二十年代以還，近代日本《論語》研究的專著，主流已不再是伏案提筆的「注」經作業，而是面對教室中眼前的學子，是以「人」為對象的「講」經作業。[47]年長竹添二十歲，為其東京帝國大學之同僚的根本通明

---

47 據筆者調查，明治中期以還至終戰為止，以「論語講義」為名出版問世的《論語》解說書，多達六十三種。詳參金培懿：〈近代日本《論語》研究之轉折──安井小太郎《論語講義》析論〉，《國文學報》40(2006)：19-73。

（1822-1906），早在明治三十九年（1906）便有《論語講義》問世；竹添之
摯友，同時也是東京大學時期「漢文科」教授的三島中洲（1830-1919）亦
長竹添十二歲，其所撰《論語講義》則於大正六年（1917）一月印行出版。
事實上，由三島中洲之《論語講義》自大正六年（1917）一月印行問世以
來，歷時不到半年，到同年四月便已四度印刷發行看來，可謂廣受讀者歡
迎。而竹添《論語會箋》一書，卻只於昭和九年（1934）被收錄進《崇文叢
書》第二輯（東京：崇文院）印行問世，爾後未曾在日本國內重印或再版，
僅臺北廣文書局於昭和三十六年（1961）十二月，翻印《崇文叢書》版《論
語會箋》，故未能在日本流傳開來。[48]

　　由上述之說明可以得知：若從明治二十年代中後期以還，大量出現的
《論語講義》專著來看，顯然日本的《論語》研究已產生「近代化」現象，
其凸顯出的意義是：《論語》作為日本的古典之一，該以何種型態於新式教
育體制下的課堂中呈現，以作為授課的科目之一，此乃是一嶄新的《論語》
研究課題，而這正也是「經學」作為漢文學課目時必須面臨的轉型問題。由
此看來，竹添似乎是在「新」《論語》研究之潮流外的，因此《論語會箋》
之問世，可以說是當時日本《論語》研究之異例。

　　另外吾人亦可推知：在日本明治開化、維新後近二十年的近代日本社會
中，「漢學」、「漢文學」、乃至「經學」，其作為一門大學教育中的學科之
一，無論是在學科本身的研究方法、研究觀點、研究課題，或是教授「漢
學」、「漢文學」、「經學」的教師的選任、適任與否一定程度左右、決定了經
學教育的品質。以及經學教授法能否回應新時代、新學校體制之需求，乃至
能否引發學生之學習意願等各方面，皆有待「開化」與「革新」。故即便時
人將竹添光鴻、重野成齋、川田甕江、三島毅等人並稱為「明治文豪」；[49]
中村忠行更指出時人稱讚竹添與島田重禮乃當時東京帝國大學文學部漢學科

48 關於竹添光鴻《論語會箋》問題，詳參金培懿：〈復原與發明──竹添光鴻《論語會
　箋》之注經途徑兼論其於日本漢學發展史上之意義〉，《中國文哲研究集刊》
　30(2007)：307-353。
49 參見豬口篤志：《日本漢文學史》（東京：角川書店，1984年），頁555。

之「雙璧」,[50]但受教於竹添的笹川種郎卻對其持否定態度,笹川說道:

> 竹添井井先生之支那史,實在無趣,一手持鐵扇的根本通明先生之
> 《論語》,吾則敬而遠之而未聽課,漢學全聽島田先生。[51]

笹川的評價或許反映出竹添在任教授課上的不適任。[52]單純來講,或許是因
其學問缺乏新氣息,但由此亦可看出當時社會與校園對竹添的評價之間存在
的落差。

　　按笹川種郎的說法,擅長舊漢學/經學的竹添光鴻與根本通明二人在大
學講臺上的表現,前者無趣,後者則是引不起其學習興趣,「漢學講座」課
程中,笹川聽講的幾乎都是詩文與考證皆擅長的島田重禮的課。針對此點我
們不妨思考一下,明治三年(1870)出生,當時就讀帝國大學的笹川種郎,
正是明治漢文科教科書所培養出的新生代種子漢學家,而其「教學評價」雖

---

50 詳參岡本黃石等著,神田喜一郎編:〈略歷〉,《明治文學全集62・明治漢詩文集》(東
　京:筑摩書房,1983年),頁410。

51 笹川種郎:《明治還魂紙》,收入臼井吉見編:《明治文學全集99・明治文學回顧錄集
　(二)》(東京:筑摩書房,1980年),頁140。

52 關於竹添光鴻於新式大學講堂上的不適任,或者說不適應問題,筆者以為此事從竹添
　於明治二十六年(1893)十月二十八日任職東京帝國大學教授,兩年後的明治二十八
　年(1895)九月二十六日即從帝國大學卸職看來,一定程度也反映出以傳統之注經方
　式治學為樂的竹添,個人亦無意於大學講堂之「新式」講經、講學工作。因為即使在
　明治十五年(1882)竹添擔任駐天津領事時,其都還手錄《孟子論文》,日後陸續手抄
　《元遺山詩選》,更編有《左傳抄》、《國語抄》、《國策抄》、《史記抄》、《漢書抄》等
　書,足見其自身治學不輟。但竹添治學的方法是在融匯中國歷代經典注疏之成果,並
　將之與日本江戶時代之考證注疏成果相合參校,以補訂傳統之舊學並為之作出相對客
　觀之總結性說法。換言之,竹添在當時所從事的此種「為群經作新疏」的學術工作,
　其實是一種相對「傳統」,或者說是「舊有」的個人伏案的研經、注經學術工作;而非
　力倡「皇國、皇道之羽翼」以試圖論證舊學之當代效用,更非如留洋返日之新銳學者
　積極以西方學術理論或觀點以重構舊學。而一位堅持以既有之治學方法來研經治經,
　且一定程度有意識地迴避了當時學界力求「通經致用」與「舊學改造」的學者,恐怕
　也很難思及究竟該以何種「新」教授法來傳授其一生所精擅之經書注疏之學。值此之
　際,竹添的經學卻也一定程度淪為自棄於當代之外的舊學。這恐怕也是經學自大學講
　臺上退場的原因之一。

相當程度反映出竹添光鴻、根本通明兩位「天保老人」無法適應近代大學新式授課問題。[53]附帶一提的是，與竹添光鴻、根本通明相較之下，從日後三島中洲《論語講義》出版後廣受歡迎一事看來，帝國大學命其擔任第三講座之教授以教授作文，確實是適才適所的安排。

但是，從反面而言，這種教學評價的出現，不也就是自明治十年代以還，「經學」已然退場的近代日本漢文科教育中，重視作文、中日歷史典故、清代桐城古文等漢文教育取向下，所培養出的近代新一代種子漢學家的學術口味嗎？其實，東京大學自明治十年（1877）創立，至明治十九年（1886）改制為帝國大學的十年之間，「漢文學科」結果也就只培養出兩名畢業生。其後明治二十七年（1894）也僅有三位畢業生，漢學衰頹不振，即使排除予人陳舊落伍印象之「經學」於課目之外，其落伍守舊氣息仍是難以吸引年輕學子。因此我們不禁思考：此事豈非意味著漢學抑或經學的沉痾，或恐不在經學本身；而是另有問題！筆者以為：教授方法、研究方法、學習方法，乃至應用方法，或許才是經學命脈致命的關鍵所在！面對此等漢文教育問題，漢文教師自身又該如何反省進而因應？此係漢文教育施行過程中的重要課題。[54]

---

53 德富蘇峰強調以他自己為代表的江戶文久年間（1861-1863）以後出生的，包括北村透谷、三宅雪嶺等「明治青年」，是與福澤諭吉、板垣退助等江戶天保年間（1830-1843）的「天保老人」相對立的，而一八四二年出生的竹添光鴻正是「天保老人」，則一八二二年出生的根本通明，則是較天保（1830-1844）年間更早的文政年間（1818-1830）出生的老人了。參見德富蘇峰：〈第十九世紀日本ノ青年及其教育〉一文。本文轉引自色川大吉：〈第二部 國家進路の摸索の時代・1 新日本の進路をもとめて—德富蘇峰の描いた未來像—〉，收入氏著：《明治精神史》（下）（東京：講談社，1992年），頁13。色川大吉並於該書〈第二部 國家進路の摸索の時代・3 明治二十年代の思想・文化—西歐派と國粹派の構想—〉一文中，以為蘇峰此區分不具效力，而自行將「明治青年」進而區分為一八五〇年代出生的「明治青年第一代」，和一八六〇年代出生的「明治青年第二代」，頁74-75。

54 關於漢文教師自身的反省，與 II-2深井鑑一郎《標註漢文教科書》一書問世約莫同時，深井鑑一郎還撰成了《漢文教授法》。該書深刻且具體地反省了當時漢文教師的學力、教書能力、教場管理能力，乃至其自身對漢文科的認識，以及其自身究竟具備何

四 結語:「型」的喪失

　　筆者於上節中指出明治日本漢文教科書中「經學」退場的可能原因有:經書學習難度高,相對不符合新學制體制下的初學學習次第;從讀書、考試到合格與否這一學習連續性發展次第而言,高等教育的漢文教育走向關鍵性地決定了中小學漢文教育的學習;經學教師的選任、適任與否一定程度左右、決定了經學教育的品質;經學教授法能否回應新時代、新學校體制之需求,乃至能否引發學生之學習意願等,皆堪稱是經學命脈存續的關鍵所在。

　　經學/經書自近代日本漢文教育中退場,意味著藉由「素讀」而來學習中國古代典籍——經書,進而徹底讀通經書的這一儒學/漢學學習教育法,亦從近代日本漢文教育中退場。此事意味著:江戶時代以來,此種試圖藉由「讀經」而來習得儒學經典中之聖人語言,藉由此等經書/聖人語言或重要思想概念,以進行知性思考而來對應現實世界之諸多政治社會問題乃至危機的,最終學習目的在追求日常之實踐的,堪稱是人格養成與思想形構,乃至生活實踐與生命踐履的,此種冀望藉由「讀經」以形塑高度自我判斷力之以人為主體的,以天下為己任的儒學/漢學教育,亦自近代日本漢文教育中退場。

　　然「經學」與「素讀」自明治日本漢文教育中的退場,如果是一種傳統素養的沒落或消失,其更深刻的文化思想意義究竟為何?關於此點,我們或許可以從明治時代結束,大正時代登場的意義為何來進行思考。唐木順三曾提出:「大正教養主義」的登場,正意味著「型的喪失」。[55]辻本雅史以為唐木所說的「型的喪失」,其歷史背景正是此種基於儒學而來思考或從事思想性思索的「素讀世代」的退場。[56]從這個角度而言,經學自明治日本漢文教

　　種教學熱忱來感動學生等。深井的提問,既是其對當時漢文教師的質問與呼籲,更是當時漢文教育所面臨的刻不容緩的課題。詳參深井鑑一郎:〈緒言〉,收入氏著:《漢文教授法》(東京:吉川半七,1892年),頁4-9。

55 詳參唐木順三:《現代史への試み》(東京:筑摩書房,1949年)。

56 辻本雅史:〈素讀の教育文化—テキストの身體化—〉,收入中村春作等編,《續訓讀論—東亞漢文世界の形成》(東京:勉誠出版,2010年),頁104。

育舞臺退場的意義，就不會單純地只是傳統學問沒落這麼簡單，其無非意味著日本人形塑自我人格，進而開啟自我以參與世界的憑藉從此改變。而如果學習儒家經典，乃是東亞漢字文化圈型構區域文化、思想、意識的共同手段，則拋卻了經書閱讀學習的日本近代漢文教育，無非就是在文化思想上「脫亞」。

而我們如果進一步將此事與明治期的多數漢文教科書，皆以日人自創之漢文為其主要學習對象一事，合而思考的話，則我們不也可以說：以日本自身之「漢」文傳統為漢文教育之學習對象，即是以「和」代「漢」，故文部省要明文規定以「和漢混合文」（亦即和文）來取代「漢文」。但正因為此「和」又是歷經千年來「化漢」的成果，亦即此種「和漢」是橫跨中、日的，且其既是「和」又是「漢」的重層結構性，也就因此具備了某種「東亞」的視野與性質。從這個角度而言，此種拋卻儒家「經書」或是「純漢」的漢文教育，其積極目的恐怕為的是要能在東亞共有的文化基盤上，既能追溯東亞文化的「本源性」，同時又能兼顧日本和文化的「獨自性」，脫「中」入「和」後，繼而「和」、「漢」雙合以為「新亞」，進而吸納「西洋」，試圖進入新「世界」。

我們因此可以理解，明治期漢文教科書所以呈現出諸如：明治這一「時代性」、自我觀的「未成熟性」、民族國家觀的「偏執性」、編書者個人漢文教育觀的「局限性」，乃至漢文教科書在編輯上，因為教學、學習程度之等第概念未定，故導致教科書的初、中、高等等級區分呈現「錯縱性」、「曖昧性」、「多樣性」，原因就在此時的漢文教育，正處於褪去「舊型」文化以型塑「新型」文化的過渡時期。而這一日本的「舊型」文化的瓦解，設若有一具體形象，則經書／經學教育的退場正是。換言之，日本文化自近世向近代轉型的表徵之一，即是「經書」自學校教育的退場。亦即，自始至終以經書為學習對象的「儒學」學習模式被徹底否定。

附表一

《明治漢文教科書集成》第I期‧第II期所收教科書					
第I期初等漢文教科書					
卷次	書名	作者	出版地	出版（者）	出版年
第一卷					
1	《小學文範》	龜谷省軒	東京	光風社	明治10年
2	《初學文編全》	竹內貞	神戶	熊谷幸介	明治12年
3	《小學中等讀本　漢文》	木澤成肅	東京	阪上半七	明治14年
4	《上等小學漢文軌範》	小川伊典	東京	東生鐵五郎	明治14年
5	《小學新編》	岡本監輔			明治15年
6	《初學文編一》	鈴木重義編敬宇中村、省軒龜谷評	東京	光風社	明治15年
第二卷					
7	《小學中等科讀本》	笠間益三編平井正、稻垣千穎訂	東京	文學社	明治16年
8	《小學漢文讀本中等科》	阿部弘藏	東京	原亮三郎	明治16年
9	《小學漢文讀本》	稻垣千穎	東京	小林久太郎	明治17年
10	《高等小學漢文軌範》	太田武和	東京	萬卷樓	明治20年
11	《初學文章軌範》	三島中洲	東京	文學社	明治20年

附表一（續）

第 II 期中等漢文教科書				
卷次	書名	作者	出版地	出版（者）	出版年
第三卷					
1	《新撰漢文讀本（上）》	中根淑	東京	金港堂	明治24年
2	《標註漢文教科書》	深井鑑一郎、掘捨二郎	東京	吉川半七	明治24-25年
3	《中等教育漢文軌範》	石川鴻齋	東京	博文館	明治26年
4	《中學漢文讀本》	秋山四郎	東京	金港堂	明治27年
第四卷					
5	《中等教科漢文讀本》	宮本正貫	東京	文學社	明治30-31年
6	《撰定中學漢文》	深井鑑一郎	東京	吉川半七藏	明治30年
第五卷					
7	《第一訂正中學漢文讀本》	秋山四郎	東京	金港堂	明治33年
8	《中等漢文讀本》	國語漢文研究會	東京	明治書院	明治34年

日本解讀應用《論語》與《孟子》的社會文化背景[*]

秦兆雄

〔日本〕神戶市外國語大學中國學科教授

提要

如果要全面準確把握經學與日本文化交融的關係與特徵，那麼除了從經學的角度研究日本儒者個人的論著及其思想外，還應該引入人類學的研究方法及其成果，注意分析日本的社會文化背景。

本文主要根據前人研究成果以及筆者長期在日本進行的人類學調查資料，從文化人類學的視角考察日本解讀應用《論語》與《孟子》的社會文化背景，試圖整體把握日本解讀與應用中國儒家經典的主流特徵及其緣由。

日本的主流文化是以武士階層所代表的尚武重名精神及其主從忠君觀念為特徵，因此他們在解讀與應用《論語》與《孟子》時，並沒有像中國士大夫那樣在孔孟之後傾向於尚文重孝，而是按照他們固有的社會文化體系有選擇性地取捨並有所創新發展。

雖然中日兩國都使用「士農工商」、「家」、「父子」、「兄弟」、「輩」、「禮」、「孝」、「忠」、「和」以及「祭祀」等漢字詞彙，但日本只是借用參考，同時還在吸納佛教思想的基礎上對儒家思想有所創新，所以正如其發音與漢語不同所示，往往與中國儒家經典中同一詞彙所界定的內涵與外延及其

---

* 本稿為發表在《國際儒學研究》第24輯2017年，頁152-166，簡體的修改版。

價值觀念既有關聯又有差異。這一借鑒外來儒家思想並創新發展自身文化體系的特徵始終貫穿日本儒教的發展歷史，對我們目前深入探討中國傳統儒家思想的當代價值與創新發展具有積極的參考價值。

關鍵詞：日本儒教　論語　孟子　家庭制度

一 問題意識

　　筆者出生在中國大陸六〇年代，自一九八二年三月開始在日本留學並工作至今。在異域的日常生活中，常常耳聞目睹日本精英階層謙虛學習並積極應用儒家經典，特別是《論語》與《孟子》的情形。

　　二〇〇一年十二月一日下午兩點四十三分，皇太子德仁親王（2019年5月1日即位為今上天皇）的獨生女「愛子」出生。媒體詳細報導其芳名出典自《孟子》（離婁章句下）中的「仁者愛人，有禮者敬人。愛人者，人恒愛之；敬人者，人恒敬之」。這是在小公主出生之前，皇太子德仁親王與妃子雅子和秋山虔、鐮田正以及米山寅太郎三名漢學專家經過反覆研究協商後確定，並得到了平成天皇認可的芳名。皇室選擇「愛子」這一名字，就是希望小公主將來能成為像孟子所希望那樣的「愛人者」。

　　二〇〇七年十二月三十日，福田康夫首相一行訪問中國曲阜孔廟大成殿，揮毫題詞「溫故創新」。即在「溫故知新」（《論語》〈為政〉）上做了一字之改。他在接受記者採訪時表示，中國的歷史和文化對他影響很大，《論語》等儒家經典至今在日本廣泛流行，因此選擇來孔廟參拜。

　　誠如福田康夫前首相所言，《論語》自從大約五世紀進入日本後基本上始終受到皇室、僧侶與武士以及商人等精英階層的青睞敬仰。比如，江戶時代古學派伊藤仁齋（1627-1705年）推崇「《論語》實為最上至極宇宙第一書」[1]；明治時代「日本資本主義之父」澀澤榮一（1840-1931年）在《論語與算盤》中指出，《論語》是商界經典，商賈應該按照至聖先師古訓來追求「陽光下的利益」。[2]

　　昭和時代陽明學者安岡正篤（1898-1983年）認為《論語》是最古也是最新的經典，「如果想要把握當代並得出正確結論，那麼可以說一本《論

1　伊藤仁齋著・清水茂校註：《童子問》（東京都：岩波書店，1970年），頁22。
2　渋沢栄一（守屋淳編訳）：《現代語訳 渋沢栄一自傳：「論語之算盤」を道標として》（東京都：平凡社，2012年）。

語》就足夠了」。[3]

當代儒學者加地伸行（1936－）[4]與真田但馬・吹野安[5]以及社會活動家一條真也[6]等都認為，《論語》可與《聖經》並列。「在遇到難題時，歐美人常常會打開《聖經》，聽從耶穌教導來採取對應方針。同樣，日本許多政治家和企業家等往往會想起《論語》中的名句格言，並以此作為依據決定自己的行動與態度。《論語》一千數百年以來被我們祖先愛讀傳承至今。無論我們是否自覺意識到這一點都應承認，像《論語》這樣給予日本人心靈以巨大影響的書籍可謂絕無僅有。[7]」

但是，《孟子》則一直沒有像《論語》那樣備受推崇並廣泛流行。經學界通常認為因為孟子的「民本論」以及易姓革命思想與日本天皇萬世一系的「君王論」政治體制相衝突，所以有關《孟子》的解讀應用一直存在爭議或避諱。[8]筆者對此基本認同，但認為除政治體制外，孟子的革命思想還與日本歷史上以及日常社會生活中特別強調序列等級的尚武精神不相符。因此，《孟子》通常只是作為「天皇制國家的的密教，即隱藏在內部的國家統治思想」。[9]

歷史上最初解讀應用《論語》與《孟子》當屬飛鳥時代聖德太子（574-622）於推古天皇十一年（603年）十二月制定的《冠位十二階》[10]，用大

---

3 安岡正篤：《論語に學ぶ》，（東京都：PHP研究所〈PHP文庫〉，2002年），頁42。

4 加地伸行：《論語》（東京都：角川學藝出版，2011年），頁11。

5 真田但馬・吹野安編：《論語集註》（東京都：笠間書院，1999年），頁1。

6 一條真也：《知ってビックリ！日本三大のご利益：神道＆佛教＆儒教》（東京都：大和書房，2007年），頁191。

7 一條真也：《知ってビックリ！日本三大のご利益：神道＆佛教＆儒教》（東京都：大和書房，2007年），頁196。

8 張崑將：《日本德川時代古學派之王道政治論：以伊藤仁齋、狄生徂徠為中心》（臺北市：國立臺灣大學出版中心，2004年），頁219-286；黃俊傑：《德川日本《論語》詮釋史論》（上海市：上海古籍出版社，2008年），頁79-90。

9 松本健一：《「孟子」の革命思想と日本——天皇家にはなぜ姓がないのか》（磐城市：昌平黌出版會，2014年），頁64。中嶋隆藏：《日本における中國儒教》，蔡毅編：《日本における中國伝統文化》（東京都：勉誠出版，2002年），頁43。

10 官位十二等表示干支十二屬性，乃天地之循序。

德、小德、大仁、小仁、大禮、小禮、大信、小信、大義、小義、大智、小智來表示官吏等級；次年五月六日還制定了作為各級官吏道德訓誡的《十七條憲法》[11]，但值得留意的是，除儒家外還吸納了佛教與法家等思想道德精髓[12]。

《十七條憲法》只有三條與儒家經典相關。即，第一條「以和為貴，無忤為宗」出自《論語》〈學而〉的「禮之用，和為貴」以及《禮記》〈儒行〉的「禮之以和為貴」句。第十六條「使民以時、古之良典」出自《論語》〈學而〉。第十二條「國非二君，民無兩主；率土兆民，以王為主」是對「詩云『普天之下，莫非王土；率土之濱，莫非王臣』」《孟子》〈萬章〉句的間接應用，源自《詩經》。

可見，《論語》與《孟子》在《十七條憲法》裏所占比重並不大，而且與《孟子》相比，聖德太子更傾向於重視《論語》。另外，他對其相關部分沒有完整借用而是分解取捨。沒有將「禮之用，和為貴」句完整借用而只是採納了其中的「和為貴」。另外，聖德太子把「和」放在首位，但卻始終沒有提到儒家特別強調的「禮」或「孝」等核心概念。

這一聖德太子解讀與應用《論語》與《孟子》的特徵後來成為日本儒教發展的模型。無論是把朱子學當作官學的江戶時代，還是通過制定頒佈《教育敕語》將儒家精神道德廣泛普及到全社會各方面的明治時代，精英階層讀解應用儒家經典時，常常將一些具有核心價值的章句進行分解取捨或重新解讀。總體來說，誠如小島毅所言「並不是像中國那樣伴隨著禮教的形式，而只是強調了儒家倫理的道德性與精神性」。[13]

津田左右吉（1873-1961年）則認為由於日本儒教與日本精神生活相分離、只停留在觀念層次上，所以中國儒學始終沒有進入日本社會。「在儒家思想中，具體規範人們生活的是禮，可是日本人絕對沒有想學習儒家的禮並

---

11 按照陰陽五行學說，陰的極數為八，陽的極數為九，十七乃陰陽之和、天地之道。

12 聖德太子篤信佛教，所以第二條為篤敬佛法僧三寶，第十條也出自佛教經典。第十五條是對《韓非子》背私為公思想的解讀與應用。

13 小島毅：《東アジアの儒教と礼》（東京都：山川出版社，2004年），頁86。

把它應用到日常生活中。[14]

　　這一觀點在日本學術界影響很大並引起廣泛討論。如當代儒學家土田健次郎對此提出了具有建設性的見解:「我們也可以反駁說,即使是在觀念層次,在日本也有大量孝的說法就意味著其社會需要根深蒂固且持續存在。特別是在日本很多言論特意打著儒教旗號,且聽眾讀者大量存在,其所具有的社會文化意義也是難以否定的。但我們可以從另外一個角度來理解並吸收津田左右吉的觀點。那就是承認日本儒教所具有的與中國儒學之間存在的異質性,並將它作為儒學來探討的可能性依據」。[15]

　　土田健次郎還認為「禮」應有四項最重要條件:①聖人或王者規定的、「非天子不議禮」(《禮記》〈中庸〉)、②內容是天下統一的、③內容普及眾人、④不違背忠孝思想。如果具備這些條件,就可以說是禮。[16]所謂禮就是具有被認為是禮而成為禮的自我目的性格,如果能用禮的框架來使用,比如像武士的習慣那樣即使不是經書規定的也可以。因為禮是隨著時代變化而變化的,所以與經書中規定的禮不完全一致也沒問題,如果能與經書中有關禮的言論有關聯更好。山鹿素行提出的士道等就是顯著實例。所以將這樣作為禮而成立的禮的框架類型稱為「類型共有」、而把中國、朝鮮半島以及日本之間禮的具體內容差異叫做「內容分歧」。由於「類型共有」所以都可看成是儒學,而因為「內容分歧」所以才分別深植各地。[17]

　　筆者認為土田健次郎的這一「類型共有」與「內容分歧」模式可以幫助我們更進一步運用人類學相對主義的視角來深入理解日本儒教與中國儒學之間的關聯性與異質性。

　　中國儒家特別重視禮,並根據個人感情與社會秩序的均衡制定禮制。「禮儀三百,威儀三千」(《禮記》〈中庸〉)。禮的規範從國家到個人,內容廣泛。歷代皇朝都設有專門研究機構,對國家儀禮有明確規定;春秋戰國時

14　津田左右吉:《支那思想と日本》(東京都:岩波書店,1940年),頁161。

15　土田健次郎:《儒教入門》(東京都:東京大學出版會,2011年),頁172。

16　土田健次郎:《儒教入門》(東京都:東京大學出版會,2011年),頁126。

17　土田健次郎:《儒教入門》(東京都:東京大學出版會,2011年),頁175-176。

代的《儀禮》是關於個人儀禮，但小島毅[18]認為宋代朱熹以此為基礎制定的《文公家禮》得到國家認可保護而擁有權威並逐漸滲透至社會日常生活中。

儒家重視禮的邏輯是，如果眾人都依禮主動參加維護社會秩序，天下就應該會自然安泰，所以人必須習禮並將其踐行於家庭社會。其中最重要的禮是子女對父母的禮，踐行合格者被譽為孝子。

> 子曰：「孝子之事親也，居則致其敬，養則致其樂，病則致其憂，喪則致其哀，祭則致其嚴。五者備矣，然後能事親。」（《孝經》〈紀孝行章第十〉）

孔子認為在這五項禮中喪不能忽視。子曰：「出則事公卿，入則事父兄，喪事不敢不勉，不為酒困，何有於我哉？」（《論語》〈子罕〉）。這裏的喪事包括葬禮與祭祀禮，孔子認為對子女來說父母死後的喪事與生前的贍養是同樣重要的孝行。

而孟子則認為喪事比贍養更重要：「養生者不足以當大事，惟送死可以當大事。」（《孟子》〈離婁下〉）

兒女守喪盡孝的期限很早就確定為三年。「期之喪，達乎大夫。三年之喪，達乎天子。父母之喪，無貴賤，一也」（《禮記》〈中庸〉）。

《論語》〈陽貨〉記載了弟子提出簡化三年之喪的必要性時，孔子堅決否定：

> 宰我問：「三年之喪，期已久矣！君子三年不為禮，禮必壞；三年不為樂，樂必崩。舊穀既沒，新穀既升，鑽燧改火，期可已矣。」子曰：「食夫稻，衣夫錦，於女安乎？」曰：「安！」「女安則為之！夫君子之居喪，食旨不甘，聞樂不樂，居處不安，故不為也。今女安，則為之！」宰我出，子曰：「予之不仁也！子生三年，然後免於父母之懷。夫三年之喪，天下之通喪也，予也有三年之愛於其父母乎！」

---

18 小島毅：《中国近世における礼の言説》（東京都：東京大学出版会，1996年）。

孔子認為三年之喪為天下之通喪，成為儒家特別強調的禮。隋唐居喪制度法律化，將居喪制度全面入律。《唐律疏儀》不僅對違反喪居制度（如匿喪、居喪嫁娶、居喪生子、居喪分家產、居喪求仕、居喪宴樂等）的罪行及量刑辦法有明確規定，而且還把違反居喪之禮列為「十惡不赦」的罪狀之一。歷代科舉制度規定居喪者不得入試，匿喪冒考者一經發現即除名。

但是，江戶時代的熊澤蕃山（1619-1691年）、廣瀨淡窗（1782-1856年）、西川如見（1648-1724年）以及貝原益軒（1630-1714年）等著名儒者都否定了「三年之喪」的普世性，認為應該簡化。日本自古以來即使父母去世守喪也基本上為一年。奈良時代的《養老令》九〈喪葬令第二十六〉規定：「對君、父母、夫、主人的服喪期一年」。貞享元年（1684年）頒佈的服忌令也規定：「忌五十日、服十三個月」。

另外，中國儒家思想是以孝為根本，移孝為忠。在孝與忠發生矛盾時，通常舍忠取孝。孔子和孟子都主張在孝與忠發生矛盾時要把維護孝道放在首位：

> 葉公語孔子曰：「吾黨有直躬者，其父攘羊，而子證之。」孔子曰：「吾黨之直者異於是。父為子隱，子為父隱，直在其中矣。」（《論語》〈子路〉）
> 「堯舜之道，孝悌而已矣。」（《孟子》〈告子下〉）
> 桃應問曰：「舜為天子，皋陶為士，瞽瞍殺人，則如之何？」孟子曰：「執之而已矣。」「然則舜不禁與？」曰：「夫舜惡得而禁之？夫有所受之也。」「然則舜如之何？」曰：「舜視棄天下，猶棄敝蹝也。竊負而逃，遵海濱而處，終身訢然，樂而忘天下。」（《孟子》〈盡心上〉）

兩位聖人這樣的教導，使中國人通常將孝放在首位，忠次之。但日本對此並沒有直接應用而是採取了另一種讀解，認為忠應重於孝，江戶時代水戶學的代表人物會澤正志齋（1782-1863年）與藤田東湖（1806-1855年）則分別在《新論》與《弘道館記述義》中提出了「忠孝一本」、「忠孝不二」的忠

孝一體論。這一思想則通過在明治二十三年（1890年）頒佈的《教育敕語》得到充分發揮，作為國民道德的根本深入社會生活中。

　　有關上述日本儒教與中國儒學之間關聯性與異質性的論著很多，但基本上都是從經學、歷史學以及政治思想史等角度進行論述。有很多學者除了法學與歷史文獻外，還充分利用了社會學、人類學以及民俗學的實地調查資料，研究成果顯著。但幾乎很少有社會學、人類學以及民俗學者從專業的角度關注並研究這方面的問題。

　　日本的傳統文化、社會結構以及生死觀與中國大相徑庭，是決定歷史上日本精英階層解讀應用外來儒家經典並通過自上而下地普及教育而形成日本儒教異質性的主要因素或客觀原因。前人研究中從家庭結構、神道信仰等方面入手研究的論著很多，但不夠全面。比如，渡邊浩[19]利用滋賀秀三的《中國家族法的原理》等資料比較中日之間的家庭結構來論述日本儒教中的忠孝一體論並對臺灣學界產生很大影響。[20]但渡邊浩只強調了中日家庭中的親子關係，而缺乏對中日兄弟關係的比較研究。另外，如本文所述，中日之間雖然都使用「孝」、「家」、「禮」、「祭祀」等漢字，但正如各自發音不同那樣，各自的理解與應用差異很大。需要應用文化人類學的研究方法與調查資料做更深入細緻地探討。

　　為此，本文試圖從文化人類學的角度，利用前人相關研究成果以及筆者長期在中日兩國城鄉進行的有關家庭制度、社會結構以及生死觀等方面的調查資料，以《論語》與《孟子》為例來探討中國儒家經典在日本被解讀應用的社會文化背景，更全面準確地把握日本儒教與中國傳統儒學之間關聯性與異質性及其緣由，並對先行研究做些補充與推進。

---

19 渡邊浩：《近世日本社會と宋學》（東京都：東京大學出版會，1985年），頁140-143。
20 比如，張崑將：《德川日本「忠」「孝」概念的形成與發展：以兵學與陽明學為中心》（臺北市：國立臺灣大學出版中心，2004年），頁224。

二　日本傳統武家文化

　　中國士大夫是傳統社會的上流階層，而日本傳統社會的上流階層則是武士。因此，雖然中日兩國歷史上都存在「士農工商」[21]的社會職業分工，而且「士」均居首位，但各自的主體內容不同。

　　中國社會尚文，士即文官，「萬般皆下品，唯有讀書高」、「學而優則仕」，「學以居位曰士」，他們來自社會各階層，通過科舉考試成為官僚；而日本社會則尚武，江戶時代的士農工商（此外還有無身分的各類賤民）成為社會身分的順序，士指武官的武士，與農工商分離，是世襲階層。士大夫很多擁有土地，是地主階層；而武士最初擁有土地，但後來成為食祿階層。

　　中國士大夫與日本武士的社會地位和生活方式不僅分別反映了兩國上層文化及其社會價值取向，而且影響了日本對儒學經典的解讀與應用。

　　土田健次郎指出：中國儒家並不是為武官而是為文官提供的思想，具有卑「武」尊「文」的傳統。[22]但日本因為尚武，而且吸納儒家思想的主體基本上是武士階層，所以他們解讀應用都特別留意儒家經典中的尚武言論。比如，針對如下章句：

> 子貢問政，子曰：「足食，足兵，民信之矣。」子貢曰：「必不得已而去，於斯三者何先？」曰：「去兵。」（《論語》〈顏淵〉）
> 衛靈公問陳於孔子，孔子對曰：「俎豆之事，則嘗聞之矣；軍旅之事，未之學也。」（《論語》〈衛靈公〉）

　　很多日本儒者並不是只根據上文解讀孔子輕武，而是參考《史記》〈孔子世家〉中孔子語錄：「臣聞有文事者必有武備，有武事者必有文備」，以及「冉有為季氏將師，與齊戰於郎，克之。季康子曰：『子之於軍旅，學之乎？性之乎？』冉有曰：『學之於孔子。』」等記載推斷孔子也重武，努力讓儒學適應武家社會並建構了「文武兩道」的思想體系及其教育方針。

21　日本「士農工商」一詞出自《管子》〈小匡〉。
22　土田健次郎：《江戶の朱子学》（東京都：筑摩書房，2014年），頁73-74。

　　比如，被譽為日本陽明學鼻祖的中江藤樹（1608-1648年）曾是下級武士，後來為了孝養寡母而棄官返鄉，創辦藤樹書院，不僅教授學生習武學文，研讀儒家經典，而且著書立說。他在《翁問答》中指出，「文武本來是一德，並不是分別的。雖然天地萬物造化都共有同一氣，但正如有陰陽之差異一樣，因為人之天性感通之處是一德，有文武之差異，所以沒有武的文不是真實的文，而沒有文的武也不是真實的武。正如陰為陽之根，陽為陰之根一樣，文是武之根，武是文之根。」[23]即中江藤樹認為如同陰陽互為其根[24]一樣，文武亦互為其根，相輔相成，缺一不可。這一文武合一理論被稱謂文武兩道，後來對日本思想發展以及國民教育體系形成產生了巨大深遠的影響。

　　另外，狄生徂徠（1666-1728年）在一七二七年撰寫的《鈐錄》（序）中指出：「中國古代文武合一並重視武藝，孔子也不例外。但後來特別是至宋代，文武分離，宋儒只尚文了 」。[25]即在他看來，中國在孔子以後已經背離了孔子文武之道。

　　而上述加地伸行則分析孔子曾有擔任國政的志向，但由於對提問者所提問題僅是軍事技術而不滿，所以可能是故意說了謊話。其實孔子也重視武裝，絕不是主張廢除軍備的理論家。[26]

　　不僅如此，中國士大夫階層的家庭制度和日本武士階層的家庭制度都分別是兩國傳統社會的理想形態。江戶時代武士階層人口總數不超過社會總人口的百分之十，但他們的生活方式卻被視為全社會的楷模，其家庭制度也被視為全社會最典型、最規範的形態，對平民階層產生了直接的示範影響，而且在明治三十一年（1898年）成為制定民法的依據與基準並普及全國。因此，研究武士家庭制度對探討日本社會文化以及價值取向至關重要。而同時

---

23 中江藤樹撰，加藤盛一校註：『翁問答』（東京都：岩波文庫，1989年），頁95。

24 陰陽互為其根出自《太極圖說》「無極而生太極，太極動而生陽，動極而靜。靜極復動，一動一靜，互為其根；分陰分陽，兩儀立焉」。

25 荻生徂徠「鈐錄」今中寬司‧奈良本辰也編：『荻生徂徠全集6』（1973年），頁217。狄生徂徠還在《論語徵》中進一步指出：《論語》中孔子強調的「道」是「先王之道」，對孔子以後的儒家思想持否定態度。

26 加地伸行：《『論語』再說》（東京都：中央公論社，2009年），頁61-65。

把它與中國士大夫所代表的理想家庭形態相比較，其結構特徵就更明顯。

中國和日本都用「家」這一漢字來稱呼家庭這一社會基本單位。但正如漢語家（jia）與日語「家」（ie）的發音不同所示，各自的內部結構與價值取向既有相似性也有差異性。

在重視以父子為縱軸的男系繼承制，以及盛行女嫁男娶的從夫居制這兩方面，當代中國與日本的「家」類似；但在親子關係與兄弟關係上，「家」所呈現出的概念則具有明顯的差異性。

中國傳統的家以「同居共財」，即兄弟婚後和父母同居的聯合家庭作為理想形態，實行多子繼承與兄弟均分制。這意味著兄弟們在繼承家系和財產等方面都具有同等權利，同時每個人都必須承擔贍養父母與祭祖的責任和義務。但現實生活中，這樣的聯合家庭所占比率較少，通常出現在富裕的士大夫階層，但卻是很多中國人普遍嚮往的理想形態。

但日本的「家」則以一子繼承的直系家庭為理念，實行「家督相續[27]制」。

辭典《國語》對家督的解釋包括五個方面：①應該繼家之子、嫡子；②應該繼承的家的財產／事業等總體、跡目；③舊民法規定的戶主身份所具備的權力與義務、戶主的地位；④中世紀一門一族之長、棟樑；⑤江戶時代主君給予武士的封祿、跡式。因此，民俗學鼻祖柳田國男指出，作為法律辭彙的「家督」是日語。[28]

通常情況下，只有長子擁有家督繼承權，並負有贍養父母與祭祖的責任和義務。長子一人承繼的家稱為「本家」，而其他兄弟們結婚成家後基本上被排除在外，叫做「分家」。

家督相續制源自於近世日本武士階層。擁有家督權的長子要承繼並永續

---

27 「家督」一詞源於中國的《史記》〈越王勾踐世家〉：「家有長子曰家督」。《辭源》解釋為：舊時長子督理家事，故稱長子為家督。但這一漢語在日常生活中很少使用，與日語「家督」含義差異很大。「相續」一詞為和制漢字通常翻譯成繼承，日文裏也有「繼承」和「承繼」辭彙。筆者認為「相續」具有將「家」完整承繼並永續下去等含義。

28 柳田國男：《定本柳田國男集》（東京都：築摩書房，1969年），卷10，頁20。

的有「家」自身的社會功能:「家業、家職」、自身的社會名稱與名譽「家名、屋號、家柄」、自身的社會地位「家格」以及象徵「家紋」等。家長交替稱為「嗣家」,各時期的家長稱為「當主」,即當家之主,並有「隱居」習慣。

這些和「家」相關聯的用語以及所代表的觀念在中國基本不存在。即使漢語中有相同的辭彙,其含義也與日語存在差異。

誠如滋賀秀三所言,中國「家業」一詞通常指家產,而其中「業」字通常指不動產,沒有日文所包含的「技 waza」[29]之義。[30]日本傳統的「家業」指由同一氏族或家系世襲獨佔的特定職業或傳統技能;「家職」則指由「家」世襲的職務、職能、官職及其晉升範圍,受到國家公權力的承認與支配,並為其服務。無論「家業」還是「家職」都是歷史上形成的一種制度(如「武家」、「商家」等),規定由「家」世襲並具有排他性,所以家庭成員都必須從事同一職業或職務,其技能也因此而得到重視並傳承甚至成為「家」永續存在的主要目的和社會功能。[31]

「家名」,就是每家被賦予的、從父至子由父系被代代繼承的、具有永續性的名稱,原則上應由嫡子和家產家業一起繼承。它與中國的姓雖有點相似但區別很大。對此滋賀秀三指出:「與日本歷史上曾重視家名/名字相對應,中國重視姓。名字與姓都是具有在同一稱呼下連接祖先和子孫、喚起超越世代認同感的作用。在這一點上兩者應該有類比性。但是,在日本名字本來是附屬於『家』的稱呼,具有只限於人附屬於家並且繼家的條件下才能獲得並肩負其名這樣的性質;而在中國姓是直接附屬於個人的稱呼,同姓者形成的集合體就是家。在這一點上兩者本質上不同。⋯⋯家名是先祖代代『業績』的結晶。所以因子孫的怠慢或負面業績而容易毀滅,出現家名斷絕現

---

29 因此,日本一直有崇尚「匠之技」的傳統。

30 滋賀秀三:《中国家族法の原理》(東京都:東京創文社,1976年),頁62。

31 中國即使兒子們離開父母所從事的職業而從事其他職業,這個家的同一性完全不受任何影響。也不存在職業繼承意義上的「武家」或「商家」等家業,只要有繼承了某人血緣的男子在,這個家就存在。父親死亡只是意味著從共同結算的生活共同體中減少了一個成員而已,所以承續「家」的觀念不存在。

象。可以說，家名作為難以獲得而且容易受損的寶物代代相傳。正因為如此，作為『當主』背著家名、作為家族賦予家名，對當事人來說會感到一種榮譽。……而對中國人來說，人接受父祖的『氣』而產生，而且因這個氣形成個人本性。相比之下，賢能愚蠢是偶然屬性，貴賤貧富是社會境遇，對人來說都只不過是遙遠周邊的、附隨的因素而已。姓就是由這樣的『氣』賦予的名，是每個人無論好惡都無法消除、與生俱來的刻印。如果姓伴隨榮譽感的話，那就是對自己作為父祖的子孫這一存在本身的自豪感。……如果自己作為父祖的延續而存在本身具有價值的話，那麼其價值自然就有可能由子孫的繁殖本身來繼承擴大，而且必須如此。因為自己不能留下子孫而中斷血統，即『斷嗣』是中國人最恐懼悲傷的事情。日本家名斷絕意味著一定的社會關係毀滅，與此不同的是中國人對完全自然意義上的子孫斷絕感到恐懼。如果用一句話來表達的話，可以說日本人因為家名而體會到自己的『社會地位』是祖先『遺業』的賞賜；而中國人則由於姓而感覺到自己在自己『體內』並且在宗族『體內』——持續活在祖先的『生命』中[32]

對「家名」[33]的重視與愛護程度反映了在日本社會「家」是享受社會名聲的主體，個人要通過「家業」興旺來維護家名而勤奮勞動甚至獻出生命。正如渡邊浩所論述的那樣，江戶時代如果不勵家業而減少家產、玷污家名，那不僅是自己的恥辱，而且是最大的不孝。很多著名儒者，如貝原益軒在《家訓》（貞享4年）、熊澤蕃山在《孝經小解》、中江藤樹在《翁問答》以及伊藤仁齋在《童子問》中都特別強調，為家業與家名獻身才是孝的重點。[34]

而這種孝的含義往往與忠基本一致或互為因果，實際上武士的家業與家名就是由忠誠主君並與主君榮辱與共、勇於獻身等業績來體現的。因此，他

---

32 滋賀秀三：《中国家族法の原理》（東京都：東京創文社，1976年），頁66。

33 明治以前，絕大多數平民沒有姓，只有貴族和上層武士等少數有身分的人才有姓，即姓被視為一種特權和身分而不是意味著「父子一氣」的血緣關係。明治八年（1875年）發佈「平民苗字必稱令」與明治三十一年（1898年）公佈舊民法後，所有日本人才有姓，並將它作為家名正式確定下來。因此，日語「姓」、「名字」、「苗字」有家名之意。

34 渡邊浩：《近世日本社会と宋学》（東京都：東京大學出版会，1985年），頁143-147。

們把對生命的執著視為「恥」，不應該貪生怕死而應該為自己的家業和家名而獻身於主君。元祿十五年十二月十四日（1703年1月30日）深夜在江戶發生的元祿赤穗事件，就是以赤穗藩士大石良雄為首的四十七名武士為了維護家業和家名，為已故主君淺野長矩復仇而夜襲其仇敵吉良義央家宅並將其殺害，最後被迫集體切腹自盡的忠君行為。所以，三百多年來一直被譽為「忠臣」、「義士」，頌揚美化，成為武士的化身與教材。以這一事件為題材編成的歌舞伎以及電影和長篇電視連續劇《忠臣藏》等作品不斷湧現並受到大眾喜愛。[35]

另外，「當主」、家長以及隱居等相關辭彙、觀念和習俗在中國也沒有或者差異很大。「當主」為日文，家長或代表之意。但漢語與日語的家長所體現的社會學與法學意義差異很大。

家長當主與嗣子家督雖然以父子關係為基礎，但往往並不一定是中國屬於「同一氣」的父子血緣關係，有可能是沒有父系血緣的他人。事實上，他們並沒有中國親屬制度中那樣嚴格意義上的輩分[36]觀念。兩代當主有可能是兄弟或爺孫關係。比如，筆者查閱中江藤樹的家譜發現，中江藤樹九歲，父親（農民）還健在時，成為祖父（武士）的「養子」；另外，中江藤樹與前妻久育有兩個兒子太右衛門宜伯和藤之丞仲樹，與後妻理再婚育有一男孩彌三郎季重。而從藤樹算起，中江家第二、第三以及第四「代」當主分別是太右衛門宜伯（二十八歲時病亡）和藤之丞仲樹（二十歲時病亡）以及彌三郎季重。這樣並不是以父子關係而是以爺孫關係與兄弟關係來確定繼承人或斷「代」的事實並不是特例，而是歷史上廣泛存在的普遍現象。

因此，日本歷史上不僅養子以及「婿養子」（贅婿）很普遍，而且常常

---

35 相對而言，中國儒家提倡的則是「父之仇弗與共戴天」（《禮記》〈曲禮〉上），歷史上很少有《忠臣藏》那樣悲壯的忠臣故事。

36 中國的家長是按照生物學的自然規則由輩分決定的。家長的地位和權威來自他是子女的父親，因此無論是否具備治家的品德能力，只要他活著就有這種權威，就是一家的主宰。家長的交替也是由死亡這一生物學的自然屬性來完成的。另外，日語「前輩」和「後輩」與漢語意義不同。通常指進入同一機構團體人員的先後序列，兩者有上下等級甚至主從關係。

有弟弟或侄子被指定為「養子」而「嗣家」的現象。即「日本近世『家』中『父』與其說是『同一氣』流動中上一流段的人，倒不如說是指自己與同屬一家的現代表者（當主）或前代表者。家的祖先與其說是『自己的』祖先，不如說是『我家的』祖先，主要指交接家督的歷代當主。父子最典型的是將『家』保管並傳承下去的同夥」。[37]

因此，渡邊浩指出：日本的「『家』與其說是一個個人的集合，倒不如是超越一個個人並將一個個人作為當時的質料而組成的形式上永續的機構」。[38]許烺光則認為它「更近似一個團體組織 corporation」。[39]石毛直道強調日本的「家」與中國不同，是一個功能性的經營體。[40]這樣一種超越父子血緣關係而形成的、日本獨特的「家」組織機構或經營體可謂歷史上眾多傳統家族企業為何能持續穩定發展數百年乃至千年以上的生存之道與奧秘所在。

事實上，「漢語中家長一詞只有『家中最年長』之意，而沒有應該誰來『就任』職位之意。所以在中國家庭制度中無法找到相當於明治民法中『家督相續』那樣繼承家長地位之觀念」。[41]

這一差異可從中國不曾有過的家長隱居制度中見一斑。隱居一詞源自「隱居以求其志，行義以達其道」（《論語》〈季氏〉）以及中國古代的「致仕」制度，江戶時代幕府將從中國吸納改進的國家官僚致仕制度導入家庭制度了。

日本家庭中的隱居即家長因年邁體弱或疾病等而缺乏治家能力時把家長權讓給繼承者，服從新家長，還必須從居住的主房屋「母屋」搬出，將其讓給新家長，遷入名為「離」（hanare）的小屋，或在院落另建一「離」。這一

37 渡邊浩：《近世日本社会と宋学》（東京都：東京大学出版会，1985年），頁142。

38 渡邊浩：《近世日本社会と宋学》（東京都：東京大学出版会，1985年），頁118。

39 許烺光撰，于嘉雲譯：《家元：日本的真髓》（臺北市：南天書局，2001年），頁282。

40 石毛直道：《サムライニッポン：文と武の東洋史》（東京：中央公論新社，2003年）頁51。

41 滋賀秀三：《中国家族法の原理》（東京都：東京創文社，1976年），頁289。

隱居制度在明治維新後寫入《明治民法》[42]，戰後於一九四七年被廢除。但其傳統至今仍然在日本各地[43]，包括筆者調查的地區普遍存在，而且人們並不認為它是一種不孝行為。

孝觀念的差異還體現在祭祀之禮，與日本傳統生死觀密切相關。熊澤蕃山在《集義外書》十六〈水土〉中指出，儒家的禮不適合日本人的情感與水土，因為中國只有節哀之情而沒有日本人的死穢觀念，日本人認為即使親子兄弟去世也要疏遠避忌。所以沒有必要吸納中國三年之喪的禮法，而應該保留日本自古喪葬從簡的傳統習俗。

死穢觀念是日本社會普遍存在的神道思想。穢即不淨或不吉利，具有傳染性，稱為觸穢。宮廷儀式古典《延喜式》規定：人死、六畜死、產以及食肉等都有穢。而人和動物的遺體更是穢的源頭，所有穢中死穢最重，產穢[44]其次。所以《延喜式》規定「人死忌三十日，產七日，六畜死五日，產三日（雞非忌限），食肉三日」。

由於這一死穢觀念，所以歷史上葬禮以「家」為單位的佛教儀式[45]為

---

[42] 其中規定：戶主在年老或有不得已的事由等情況下要隱居，並將隱居年齡規定為年滿六十歲（第七百五十二條）。「戶主變更時，舊戶主及其家庭成員逐成為新戶主的家庭成員」（第七百三十二條）。即隱居者雖屬於新戶主的尊親，一旦隱居，便喪失了家長的地位而成為新任家長統轄下的普通家庭成員。

[43] 許烺光撰，于嘉雲譯：《家元：日本的真髓》（臺北市：南天書局，2001年），頁26。

[44] 歷史上很早就有讓產婦住在臨時搭建一產房小屋，將產婦與家人以及社會隔離的習俗。儘管明治五年（1872年）太政官佈告五十六號明文禁止這一習俗，但直到第二次世界大戰結束不久才逐漸消失。成清弘和：《女性と穢れの歷史》（東京都：東京塙書房，2003年）。

[45] 佛教從中國經朝鮮傳入日本，始於六世紀中葉的飛鳥時代（546-645年），受到以聖德太子為代表的豪族上層信仰，並奉為國教，同時逐漸和日本固有的神道教融為一體，稱為「神佛習合」。佛教葬禮由平安時代（782-1192年）的貴族階層開始，至鐮倉時代（1192-1333年）逐漸深入民間。進入江戶時代（1603-1867年）後，德川幕府為了禁止基督教於1664年頒佈了寺請制度，規定以「家」為單位信佛，讓寺廟來管理他們日常生活，因此原來通常由「村社會」主持的葬禮改為由僧侶主持並在全國普及。明治元年（1868年）新政府發佈神佛分離令，以村落為單位整理並提高了神社制度以及神道信仰體系。由於以上經緯，很多日本人既是神道信徒，也是佛教徒。

主，至今死者都要授予戒名，葬禮儀式的標示是「某家葬禮」而不是「某人葬禮」。歷史上神道不僅不介入葬禮事務，還禁止僧侶進入神社參拜，唯恐觸穢。至今葬禮結束後喪主都會給參加者一包鹽，用來清除身心上的死穢。另外，觸穢者通常要到神社付費請神官做修祓儀式，祓除穢。

由於熊澤蕃山的思想基於整個社會傳統的死穢觀念，所以得到廣泛回應。後來被『義府』作者廣瀨淡窗（1782-1856年）與《日本水土考》作者西川如見（1648-1724年）等儒者所傳承發展。有儒者按照儒家之禮行事，反而招來抵制。信奉朱子學的山崎闇齋（1619-1682年）在《大和小學》記載：「最近有人按照《文公家禮》舉辦喪祭，而世俗對此質疑漫罵激烈。」

神道的死穢觀以及佛教的影響，使日本人通常認為人的靈魂死後和肉體沒有多大關係。比如，平安時代初期的第五十三代淳和天皇（786-840年）曾留下著名的「散骨詔」：「人歿精魂皈天，而空存塚墓，鬼物憑焉。終以為祟，長遺後患。今宜碎骨為粉，散之山中。」他逝世後，按照其遺囑，遺體被火化，骨灰被灑至太原野西嶺上嶺。淳和天皇的言行體現了日本人傳統的生死觀。

傳統生死觀使日本既沒有將儒家三年之喪全面照搬，也沒有把父母死後的喪事與生前的贍養看成同等重要，或前者比後者更重要的孝行。日常生活中廣泛使用的日語「親孝行」（孝行雙親）一詞通常也只是意味著子女對父母的生前之孝。另外，子女舉辦喪葬儀禮的規模以及在儀禮中的表現也不是評價他們是否盡孝的標準。因此，「日本歷史上只有因父母生前盡心事親而受到表彰的孝子，而未見因為父母營喪而名垂史冊的楷模。」[46]

雖然日本的祭祀儀式也是受儒家思想影響而產生的，但由於佛教因素更多，加上家督相續制，使祭祀對象與主體以及意義與中國不同。「作為儒家之禮，祭祀對象只是家長的父母及其直系祖先，這是以家長為主體祭祀祖先的意義；而日本則不同，普遍風俗是將所有死者一視同仁地祭祀，對死去的

---

46 李卓：《中日家庭制度比較研究》（：人民出版社，2004年），頁392。

子孫也通過祭祀致以深情厚意」。[47]日本祭祀只能是由當主負責進行的『家的』儀式。[48]即嗣子以外的其他兄弟原則上被排除在外，與中國儒家的家庭制度以及祭祀習俗大相徑庭。[49]

此外，佛教中報恩的概念也被儒者讀解吸納並融入儒家孝道中，成為日本儒教特色之一。「中國古代儒家在教導孝時，不太提及父母之恩，而日本儒者則傾向於將父母之恩作為孝的基礎。」[50]

朱子學代表人物室鳩巢（1658-1734年）在《六諭衍意大義》中指出：「凡世間之人，無貴無賤，皆父母所生之人。父母乃我立身之本，不可忘之，況養育之恩比山高，比海深。」[51]

上述中江藤樹在《翁問答》中指出：「欲明孝德，宜先思父母之恩」、「父母積慈愛，辛勞養育子女，故父母千辛萬苦厚恩達於人子之一身、一髮。即使如何愚癡不肖之男女也知報一飯之恩。」。[52]

在中國人看來，父母生養子女，撫育其長大成人並幫其成家立業，都只不過是作為父母應該盡到的責任義務，但這種責任義務在日本的家庭倫理道德中被作為恩來刻意強調，要求人們知恩、報恩並以孝來作為回報。對於日本人來說，父母之恩是與生俱來的，所以盡孝就是報答父母的恩，就是償還子女必須償還的、受之於父母的債務，而這種義務必須自覺主動償還。

---

47 津田左右吉：《支那思想と日本》（東京都：岩波書店，1940年），頁88-89。

48 在中國所有的男性都祭祖，所有的人都被男性子孫所祭祀。這就是中國人祭祖的觀念，歸根到底是人與人之間的關係。只要是兄弟應該一起祭祀父母，堂兄弟應該一起祭祀祖父母。當多數人祭祀同一祖先時，大家共同祭祀。這就是所謂家祭。即祭祀絕不是與家長這一地位相聯繫的職責。

49 在中國所有兄弟以及男性都有祭祖的權利和義務，即同一祖先的子孫都有祭祀這一祖先的權利與義務。這就是中國的家祭，與家長這一職位沒有關系。

50 津田還把這一差異看作「儒家思想沒有滲透至日本現實生活中最好的佐證」。津田左右吉：《支那思想之日本》（東京都：岩波書店，1940年），頁89。

51 中村幸彥校注：《近世町人思想》（日本思想大系59）（東京都：岩波書店，1978年），頁367。

52 山井湧 [他校注]：《中江藤樹》（日本思想大系29）（東京都：岩波書店，1974年），頁34。

　　因此，明治十五年（1882年）頒佈的敕撰修身書《幼學綱要》反覆強調的知父母恩、盡孝行報父母恩，成為近代中小學修身教育的重要內容。《教育敕語》則將知父母恩、盡孝報恩與忠君愛國緊密聯繫並統一起來。

　　當然，中國社會也有對父母報恩的思想。如唐代詩人孟郊著名的〈遊子吟〉：「慈母手中線，遊子身上衣。臨行密密縫，意恐遲遲歸。誰言寸草心，報得三春暉？」即生動地表達了自己對父母報恩之情並得到廣泛認同。但這樣對父母的報恩之情因人而異，並沒有像日本那樣作為道德規範與責任義務嚴格制度明文化並廣泛普及。日本的報恩觀念與其說是指報恩親生父母，倒不如說是指報恩「當主」，這一特徵將在後面進一步論述。

　　津田左右吉曾指出：「將親子關係與君臣關係對照考慮時，儒家的道德思想認為親子第一，君臣第二，而武士的思想如同『親子一世，夫婦二世，主從三世』的說法所示，主從關係重於親子關係。因此，相對於『百行孝為先』的儒家道德而言，日本一直強調忠比孝重要。這是因為武士的生活基礎是主從關係[53]。

　　但從以上對日本傳統武家文化的考察來看，家督制導致「家」內子女與父母以及嗣子與其他兄弟姐妹之間就存在主從關係，加上佛教的影響，他們所說的「孝」與「忠」內容基本一致，與儒家所指的忠孝既有關聯性，也有差異性。這一特徵與現象在當代日本城鄉仍然普遍存在。

三　當代日本農家與社會序列等級

　　家督制在二戰結束民法修改時被廢除，所有子女都擁有了平等繼承權。但這一傳統並沒有完全改變，在筆者調查的許多地區至今仍然保留。如在石川縣北部一個規模較小的農村岩田，一九八五年八月筆者統計為四十三戶，兩百○一人（男性一百○五人、女性九十六人）；該村教師濱野三郎（已故）所著《岩田手帳》記錄了明治二十三年（1890年）為四十九戶及其姓名

53　津田左右吉：《支那思想と日本》（東京都：岩波書店，1940年），頁85-86。

職業等資料。筆者以此為線索考察了該地區的家庭社會歷史。

四十九戶中有四十一個姓，其中只有七戶曾是武士或地主而有姓，二十四戶取自商號，十六戶取自地形與職業，兩戶因是「分家」與「本家」姓相同。

另外，在這九十五年間，二十九戶一直是「本家」，其中成為家督或當主者九十四人（長子繼承者五十八人、因長子死亡由次子繼承者十二人、因長子移出放棄家督由次子或三子繼承者五人、「養子」十三人、婿養子六人）；只有七戶為「分家」；另外，十九戶（「本家」一戶、「分家」六戶）遷出、七戶遷入、一戶因無後而「絕家」。[54]

由此可見，岩田盛行傳統的家督繼承制。家督為長子，在當地被稱謂「一家之主」，留在「本家」，負有贍養父母與祭祖的責任和義務。而其他兄弟則結婚後成為「分家」，原則上沒有承擔贍養父母與祭祖的責任和義務，也幾乎沒有財產繼承權或者所得財產份額很少，因此九十五年間只有七戶「分家」留在村內，其餘絕大部分不得不背井離鄉，自謀生路。

在日常生活中，「本家」的社會等級也高於「分家」，兩者是主從世襲關係。原則上，「本家」對「分家」永遠有庇護之責任和恩情，「分家」永遠對「本家」有服從和報恩的義務。比如，過年時，「分家」主要給「本家」主拜年，但「本家」主無需給「分家」主拜年。兄弟們關係淡薄，通常只在新年和婚喪時禮節性聚會，很少互相走訪，特別忌諱互相借錢。本地也有日本全國各地流行的說法：「兄弟は他人の始まり（兄弟姐妹是第一個他人）」。即結婚成家後的兄弟姐妹被看作外人。[55]「實際上，血親關係超出家庭以外，就不起什麼作用了」。[56]各「家」都具有排他性與封閉型。

因此，本地的「婆媳關係問題都在自家內部解決。媳婦不走運，就只好

---

54 與絕家相對應的中文則是絕種。這一差異也反映了中國人重視生命延續，家中人是主體；而日本人則重視家業與家名，「家」為主體，個人次之。

55 日本其他地區還有「始為親兄弟，終為陌路人」等說法。這些與中國「兄弟情如手足」或「兄弟是左肩右膀」等口頭禪形成鮮明對照。

56 中根千枝撰，許真、黃峻嶺譯：《日本社會》（天津市：天津人民出版社，1982年），頁5。

孤軍奮鬥，她是得不到自己娘家或親戚鄰居的支援的。……『夫唱婦隨』或『夫婦是一個人』之類的道德觀念，都體現了日本人注重整體性」。[57]

從「本家」的立場來看，家督制具有防止因多子繼承與兄弟均分制而造成「家」與財產逐步分散化的長處，但站在「分家」的角度，則是不平等的制度。[58]但對筆者的疑問，有的村民解釋說因為這是傳統習俗應該遵守；而有的村民則說因為長子有贍養父母以及傳承「家」的責任，而其他兄弟姐妹卻沒有，因此並非不平等。

事實上，「分家」在日語中是名詞，不能像漢語那樣作為動詞使用。每「家」的和服和屋簷以及燈籠等處都印有各自的「家紋」（家徽），可謂是「家」不可分割的象徵，岩田的白山神社也有社紋，大概建於明治六年（1873年）。

家督制所體現的長子特殊地位還表現在公共場所。比如每年春秋兩季要舉行祭神儀式，其中有青年團成員舞獅子項目。而在這個項目中規定「長子手執指揮棒，次子擔任獅子頭」，而且如果長子不到場或不參加，祭神儀式則無法舉行。

岩田因為歷史上規模一直較小而沒有寺廟，但所有村民都屬於近鄰寺廟管轄的佛教徒。遺體火化後舉行佛教葬禮，骨灰埋在公共墓地。通常「本家」與「分家」的墓相鄰，但前者規模要比後者要高大許多。

和日本其他地方一樣，所有家內客廳裏既有神道祭神的「神棚」，也有祭祖的佛壇。祭祖日期為每年八月十五日的盂蘭盆會，與中國的清明節不同。

另外，中國人祭祀的「鬼」通常是死去的前輩親屬，祭祀其他人的祖靈是不正常的行為。因此，「子曰：非其鬼而祭之，諂也。見義不為，無勇也」《論語》〈為政篇〉，「非其所祭而祭之，名曰淫祀。淫祀無福」《禮記》〈曲禮篇〉。但「與中國不同，日本的祖靈與佛陀在家中祭壇裏一起祭祀，而且將

---

57 中根千枝撰，許真、黃峻嶺譯：《日本社會》（天津市：天津人民出版社，1982年），頁11。

58 事實上，後來在二〇〇六年追蹤調查期間有一「分家」根據法律對早已結束但不平等的家產繼承提出訴訟。

並非父系血親的靈牌和並非親屬的靈牌放在祭祖的櫥子裏。因此，常有把祖先的遺骨與陌生人的遺骨埋葬在一起，或者歸結起來埋葬的現象」。[59] 這是因為日本人並不像中國人那樣重視血緣關係，也沒有輩分觀念，所以所有死者都應該受到祭祀。他們通常認為各死者即使沒有子孫及其供奉而成為無緣佛，但如果能得到寺廟僧侶的供奉，便能順利成佛。這種佛教因素較多的祭祖及其生死觀應該說是「不孝有三，無後為大」觀念始終沒有在日本得到理解與應用的重要原因。

另外，岩田也有隱居制，很多老人都主動隱居，成為普通家庭成員並服從家長領導。如一位喪偶長老曾很積極協助筆者調查，但當問及是否可與他在一起住幾天並付給他報酬時，他驚恐不安地回答說不可以。原因是自己已經隱居，沒有權利向家長（兒子）提出這樣的要求並給他添麻煩。另外，這位長老也和其他人一樣，並不把隱居制視為兒女不孝，而是認為它是保持「家」健康繁榮所必須遵守的制度，老人不應該給年輕人添麻煩。傳統隱居習俗導致城鄉老人院事業非常發達，因為通常即使有子孫的老人也積極主動住進老人院單獨生活。

除隱居習俗外，當代在長野縣和山梨縣等地還廣泛流傳有棄老習俗甚至相關地名「姨捨山」。深澤七郎（1914-1987年）根據這樣的民間傳說並實地考察後於一九五六年發表的處女作《楢山節考》[60]，受到三島由紀夫等著名文化界人士的高度讚揚而獲獎並成為暢銷書。一九五八年和一九八三年兩次改編成電影，其中一九八三年版獲得當年的戛納（坎城）電影金棕櫚獎。此外，一九六〇年與一九六四年還分別改編為兩個不同版本的電視連續劇。無論電影還是電視連續劇都將棄老習俗傳說不斷合理化展開，極力美化女主角阿玲作為母親為了家庭與共同體的習慣與榮譽而勇於面對死亡、甘於捨己獻

---

59 許烺光撰，于嘉雲譯：《家元：日本的真髓》（臺北市：南天書局2001年），頁42。

60 在一個貧困的小山村，歷史上傳承一個年滿七十歲的老人不論是否健康都要被子女背到楢山去等死的習俗。六十九歲的阿玲即將上山之際為自己子孫安排好了一切生活上的大事，然後由長子辰平在一個冬天背上了楢山遺棄。這是筆者一九八二年三月赴日，第二年秋季在電影院觀看的第一部電影，終身難忘。

身的武士道精神。從這一實例也可以看出，日本歷史上普通老百姓並沒有中
國人所普遍尊崇的孝[61]觀念，對親生父母的報恩也是有條件的。如同隱居制
度一樣，在他們的價值觀中，「家」這一機構組織的永續性高於一切個人利
益，包括生養自己母親的個人生命。

　　日本至平安時代是以訪妻婚為主的母系社會，後來演變為武家主導的雙
系和父系並存的社會。因此，從家督制來看，日本好像是父系社會。但從親
屬稱謂（參見圖一）來看，日本父方與母方的親屬稱謂一致相同，完全不是
像中國那樣的典型父系社會，而是屬於典型的雙系社會，加上家督制，親屬
關係無法按照父系血緣擴展延伸。因此，在調查地區以及日本其他各地歷史
上雖然「養子」和婿養子現象普遍但幾乎不存在像中國各地歷史上所看到的
異姓養子或贅婿在一定條件下攜妻帶子歸宗現象。[62]由於家督制，他們客觀
上沒有退路，既無家也無宗可歸，只能對養父盡孝、效忠、報恩。

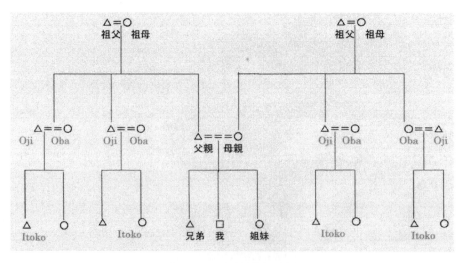

圖一　日本的親屬稱謂

---

61 事實上，日語「孝」與「忠」等詞不同，只有音讀而沒有訓讀。而沒有訓讀就意味著
　　沒有對應的詞彙。因此筆者據此推測日本傳統社會裡本來就沒有儒家的「孝」觀念。
62 秦兆雄：《中国湖北農村の家族・宗族・婚姻》（東京都：風響社，2005年），頁173-
　　202。

　　家長即當主具有從多子中挑選一子即家督作為繼承人所顯示的權威是很大的。它意味著子女們對家長的絕對服從以及嗣子與其他兄弟姐妹之間嚴格的序列等級。因此家督不僅要對當主盡孝，還要對當主盡忠報恩。但那些沒有被選作家督的其他子女被排除「家」外，並沒有對當主盡孝效忠報恩的責任與義務，而且作為「分家」地位比「本家」低下，對「本家」有服從效忠的責任與義務。

　　因此，「日本的弟弟們無疑會比中國的弟弟們感到更多得多的心理需求來另覓名聲或財源。……這也是何以收養非親屬關係的人和婿養子在日本比中國盛行的原因。……這也是違反世代原則把弟弟收養做兒子的事情在日本可以，可是在中國從不實施的原因。也是為什麼在日本而非中國祖靈可以跟菩薩分享牌位，而非父系親戚乃至非親戚可以上祖先牌位的原因。也是為什麼日本人的祖先遺骸和陌生人一起埋葬或擺在一塊兒的原因。也是為什麼日本人有同族可以沒有中國式的氏族（宗族）的原因。中國人和日本人還有一個不同的地方在於對權威的不同態度。嗣子和他的兄弟在日本的制度下社會距離比中國的制度下的長子與弟弟要大得多。這符合單嗣繼承，並可能是單嗣繼承的結果。……對大部分日本人而言，他們原來的家庭以外的次級集團是最重要的。……因此日本人對次級集團歸屬的需求，並不表現在成員平等，可自由加入或退出的俱樂部，而是在於日本獨有的家元。家元奠基其上的連帶原則或許可以叫做親約（kin tract）原理。……指一種既固定且不能更動的階等性的安排，由一群在同一意識形態下，為了共同目標，遵循同樣法則的人自發結成的制度」。[63]

　　家元制度既模仿了「家」所體現的固定不變的序列等級模式，同時以契約模式為基礎。而類似家元制度的各類集團在日本普遍存在，成為他們精英分子解讀應用儒學的社會文化背景及其客觀依據。

　　由於家督制，子女中只有一人（通常為長子）被選為家督而擁有對父母盡孝報恩效忠的責任與義務，而其他兄弟姊妹則被排除在外而只能效忠接納

63　許烺光撰，于嘉雲譯：《家元：日本的真髓》（臺北市：南天書局，2001年），頁53-54。

自己的他人，因此「在日本人本來的觀念中，『孝』和『忠』在概念上並無區別。雖然把血緣家族成員對親長的服從義務說成是『孝』，把加於非血緣的『奉公人』頭上的服從義務稱作『忠』，但是，在日本的『家』的構造中，這兩種服從義務沒有本質的差異」。[64]

由於家庭結構所具有的這種等級機構性質，所以「在日本最理想化的傳統家庭裏，無論對什麼問題都須使全體全體成員取得一致意見。其含義基本上就是全體成員要接受戶主的意見，甚至不經討論。申述與戶主相反的意見，被視為不恭，會損害這個集團關係的和諧。……按照日本的制度，全家人是戶主統轄下的一個集團，沒有個人應有的具體家庭權力。」[65]

實際上，「脫離了等級制度，日本社會生活便會雜亂無章可循，因為等級就是日本社會生活的規範。……地位、年齡、名望、性別等等都須參照，但首要的因素永遠都是等級地位（年齡和性別不如地位重要。如，一家之長，不論何種年紀，都坐在最高座位。他的已退休的老父親則退居次要座位。在地位相同的人之間，在按年齡來分等級。性別也如此。」[66]

而所有集團內部的序列等級是一對一的關係：強調專一的，篤實的忠誠。所以「一個個人，或一個個集團同另一個個人或集團之間，只存在一種特定的關係。這種觀念也反映在主人與其門人的關係上，包括現今的師生關係。對於一個學生來說，他所尊為老師的那個人，永遠是他的一個長輩學者。他要永遠隸屬於他的老師。如果他離開自己的這位老師，又去投靠另一個與他的前師有競爭關係的老師，這行為就會被看作背叛。這在他的老師看

---

64 尾藤正英撰，王家驊譯：《日中文化比較論》（杭州市：浙江人民出版社，1992年），頁16。

65 中國家庭的道德倫理始終是建築在人與人的特定的關係上。如父子之間、兄弟姊妹之間、夫妻之間、父母與子女之間等。而日本的倫理道德則始終是建築在「家」整體的觀念上。中根千枝撰，許真、黃峻嶺譯：《日本社會》（天津市：天津人民出版社，1982年），頁13-14。

66 中根千枝撰，許真、黃峻嶺譯：《日本社會》（天津市：天津人民出版社，1982年），頁31。

來，尤其不能容恕。」[67]這一點與中國傳統規範完全不同。

另外，為了保持這種序列等級秩序的和諧，「日本學者絕難公開表示不同意先輩的意見。……一般來說，日本人的談話始終沒有養成論證的風格，談話方式從來都以談話者之間的關係為轉移。……尤其有些下屬小心翼翼竭力避免同上司發生公開的對立，他們甚至在談話中儘量不使用簡單的否定式。他寧肯沉默不語，也不說出『不』字，或『我不同意』這樣的字眼兒，原因即是他害怕破壞集團的和諧秩序，害怕會傷了上司的感情，更害怕被作為不受歡迎的人逐出集團。」[68]日語「空気を読む」[69]一詞，形象地反映了日本社會特別強調序列等級秩序的重要性。

中根千枝將日本這一社會結構特徵概括為「縱式社會」。[70]「家」以及根據「家」模式所組建的所有團體組織都具有重視直系縱式的永續性、排他性和封閉性[71]，而集團組織內部一對一的序列等級所體現的專一而篤實的忠誠，與儒家所強調的忠存在差異。筆者認為這種序列等級秩序就是聖德太子所說的「和」，而維護其「和」的組織紀律就是他們所重視的「禮」。正如「在教室上課時『起立，禮』那樣，是以前不存在、替代儒家式的、為了創設國民國家而在學校重新創設的禮」。[72]因此，日本日常生活中所重視的「和」與「禮」不僅與《論語》中孔子所提倡的和與禮有很大差異，而且更

---

67 中根千枝撰，許真、黃峻嶺譯：《日本社會》（天津市：天津人民出版社，1982年），頁21-22。

68 中根千枝撰，許真、黃峻嶺譯：《日本社會》（天津市：天津人民出版社，1982年），頁33-34。

69 「空気を読む」，直譯為「讀空氣」，意思是在一對一的場合要注意從對方的表情揣摩對方的真義，而在公共場合則要注意整體的協調性或親和性，與大家的想法或言行保持一致才算「讀懂了空氣」；否則就會被認為是「不識大體」的傻子或「害群之馬」。

70 中根千枝：《タテ社会の人間関係》（東京都：講談社，1967年）。

71 因此，日本這樣一個個獨立封閉的「家」被福澤諭吉（1835-1901）喻為箱子（1995），同時被韓國人類學者金光奎形象地比喻成一根根堅實的竹子或竹筒（金1997）。日常生活中常將沒有出嫁的女兒稱為「箱入り娘」（直譯為藏在箱子的女兒）的說法也說明這些比喻有道理。

72 小島毅：《東アジアの儒教と礼》（東京都：山川出版社，2004年），頁87。

不允許因《孟子》所宣導的革命思想受到干擾破壞。

四　結論

　　綜上所述，日本的主流文化是以武士階層所代表的尚武重名精神及其主從忠君觀念為特徵，因此他們在解讀與應用《論語》與《孟子》時並沒有像中國士大夫那樣在孔孟之後傾向於尚文重孝，而是按照他們固有的社會文化體系有選擇性地取捨並有所創新發展。由於日本文化與文明有其獨自體系，所以雖然吸納了中國古代文化與文明的部分元素並將其本土化並發揚光大，但並不是簡單的中國文化與文明的延伸或複製。古代中國文化與文明對日本的影響，從中國人的角度表面上看是對日本的「漢化」，但從日本人的立場客觀上看則是他們在積極主動有選擇性地「化漢」，即善於消「化」吸收「漢」文化文明來豐富自身文化與文明體系。歷史上日本沒有吸納中華文明中大一統的郡縣制、僵化且重文輕武的科舉制度、泯滅人性的宦官制度以及違背常倫的纏足習俗等現象即是明證。

　　文化人類學研究表明，中國儒家思想也並不是像有些學者所說的那樣，由歷史上儒家聖賢憑空想像發明創造，或由他們至上而下的宣傳普及所影響而形成的，而是漢族社會土生土長的，具有深厚的社會文化根基。[73]

　　正如加地伸行所指出，招魂儀式並不是中國人特有的，而是世界上很多民族普遍存在的生死觀。不同點在於，在中國歷史上很早就有了為人們舉行招魂儀式的原儒，他們中的精英後來將招魂儀式信仰提煉體系化並建構了儒家思想。最核心的孝觀念包括三個方面：①祭祖、②孝敬父母、③傳宗接代。如果人們盡孝祭祖，那麼將來自己死後也會作為祖先被後人祭祀並招回到他們的身邊來。如果傳宗接代永遠持續下去，那麼自己即使作為個體死去了，但在子孫的生命延續中也仍然能繼續活著。這種生命觀就是孝的本質。[74]

73　秦兆雄：《漢族的家庭結構與宗教傳承》，王建新、劉昭瑞編：《地域社會與信仰習俗：立足田野的人類學研究》（中山市：中山大學出版社，2007年），頁136。

74　加地伸行：《儒教とは何か》（東京都：中央公論社，1993年），頁18-22。

　　儒家這種把「孝」納入生命延續論的詮釋，可以說是中國人認同了幾千年的生死觀和幸福觀。因此，無論哪個時代，「上一代以『不孝有三，無後為大』為訓，而下一代則以『榮宗耀祖』為奮鬥目標。所以，中國人是心目中有祖先、有子孫而把自己作為上下相聯的環節來看的」。[75]孝觀念使聯合家庭所體現的同居共財以及傳宗接代的願望不僅成為漢族社會理想形態，而且成為整個社會的倫理道德和價值觀。宗族制度就是傳統理想家庭制度擴大延伸的必然產物，即聯合家庭中的「同居」延伸為宗族的「聚族而居」，而「共財」則延伸為族內祠堂、族田以及族譜等「宗族公共財產」。

　　程朱之學也基本上是以這一傳統的家庭形態作為人類社會的普遍原則來展開論說。比如，朱熹認為同居共財是「天性人心自然之理，先王制禮，後王立法」（〈曉論兄弟爭財產事〉，《朱子文集》卷99）。他對孝的認知是基於具有「同一氣」的父系血緣親子觀與生死觀為前提，故提倡對父母生前或死後應極為嚴肅與恭敬，並以祭祀之「禮」具體呈現「孝」的內涵。

　　可是，日本武士階層所代表的傳統「家」與中國士大夫所代表的傳統家庭制度有本質區別，一子繼承的家督制具有同一性、封閉型、排他性以及永續性的機構性質。他們重視家業‧家名，而不是「同一氣」的父系血緣關係。因此，日本武士階層把對生命的執著視為「恥」，認為不應該貪生怕死而應該為家業和家名而勇於獻身。因此，漢語「生死觀」在日語中變成「死生觀」並非偶然，分別反映了日本武士視死如歸的價值觀，從而也就影響了他們對儒家經典的解讀應用。

　　中國儒家一直強調以祭祀之「禮」具體呈現「孝」的內涵，而日本所理解的祭祀以及孝的內涵與中國差異很大，因此，中日兩國對禮的認知也不相同。傳統神道的死穢觀與佛教思想相結合形成的生死觀使日本既沒有將儒家三年之喪全面照搬，也沒有把父母死後的喪事與生前的贍養看成同等重要，或前者比後者更重要的孝行，而只吸納了儒家禮中注重紀律與選拔賢能，以

75　費孝通：《家庭結構變動中的老年贍養問題》，香港中文大學社會科學院暨社會研究所編：《現代化與中國文化研討會論文彙編》（1985年），頁4-5。

及克己奉公等道德性與精神性。

日本傳統的家督制使父子關係以及兄弟關係具有主從序列性質。嗣子要對當主盡孝報恩，其目的不是為了某個人而是「家」這個屬於所有成員的、具有公共性的機構組織，所以具有效忠的社會性，也就與中國人所理解的孝存在很大差異性。即日本人通常所說的「孝」與忠在概念上並無區別，是對父母或上一代「家」主及其祖先的報恩，並不太重視父系生命延續的傳宗接代，所以沒有把無後視為最大不孝。

由於嗣子以外的子女則被排除「家」外，所以他們在心理上以及客觀上非常需要在「家」外找到能滿足他們社會欲望的各種集團。而這些團體組織如同家元制度所示，既模仿了「家」所體現的固定不變的序列等級模式，同時以契約模式為基礎。由於「家」以及根據「家」模式所組建的所有團體組織都具有重視直系縱式的永續性、排他性和封閉性，一對一的序列等級秩序強調專一而篤實的服從與忠誠，因此江戶時代後期和明治時代初期許多日本精英為建立以天皇為最高「家長」的近代國民國家體制，而分別提出「忠孝一致」或「忠孝一本」等思想口號，並將它作為整個國民道德精神基準，應該說是順理成章，也果然成為歷史現實了。

實際上，這一忠孝一致觀與歷史上聖德太子在《十七條憲法》中所強調的「和」基本上是一脈相承。雖然中日兩國都認為家庭與社會都應該以「和為貴」，但各自對和的理解存在很大差異。對日本人來說，「和」是不僅僅是指「家」以及其他各種團體機構內部利害關係的完全相同，以及榮譽和責任的自動共有，還含有以絕對服從的主從關係為基礎而形成的嚴格等級秩序和高度同一和諧。為此理想目標，每個人都要在必要時以對主君和天皇的忠誠為最高價值來維護主從關係的和諧，並實現自己的價值。因此，自聖德太子正式提倡的「和」並不完全等同於《論語》中孔子所提倡的「和」，特別是「和而不同」的平等思想[76]，同時也是《孟子》在日本社會沒有像《論語》

---

76 誠如許烺光所言，「孔子所表述的、中國人理想的人與人之間的和本來就是一種自主不干涉的生活方式，並不把在和的名目下為維護或者改變什麼的積極行為作為理

那樣備受推崇並廣泛普及的主要原因。

　　總之，日本的尚武重名傳統、縱式社會結構以及神佛結合的生死觀與中國尚文重孝的儒家文化大相徑庭，是決定歷史上日本精英讀解應用外來儒家經典，並形成日本儒教異質性的主要原因。因此，歷史上日本儒者對《論語》與《孟子》進行了重新解讀和應用，其最重要的原因與其說「在於儒者的『文化認同』有其雙重性」[77]，倒不如說是由於日本固有獨特的社會文化傳統所致。這一借鑒外來儒家思想並創新發展自身文化體系的特徵始終貫穿日本儒教的發展歷史，同時也啟示了中國傳統儒家思想可以在吸納異域文化的基礎上不斷創新發展的可能性。

想。……對中國人來說，宇宙始於親屬集團終於親屬集團，親屬集團才是自己不可移轉的世界。」參見 F.L.K. シュー撰，作田啓一・浜口惠俊共訳：『比較文明社会論：クラン・カスト・クラブ・家元』（東京都：培風館，1982年），頁326-327。

77 黃俊傑：《德川日本《論語》詮釋史論》（上海市：上海古籍出版社，2008年），頁62。

明代鄉會試《尚書》義出題考察
——以考官出題偏重為主的討論

侯美珍

提要

　　本論文據明代鄉、會試錄等文獻，整理出鄉、會試《尚書》義共一五七四道試題，使用歷史文獻分析法、統計法進行試題的分析研究。考察《尚書》義的出題，不因今、古文之別而有所輕重，主要繫之內容義理。虞、夏、商、周四類中，以〈虞書〉最獲青睞。五十八篇中，以〈洪範〉、〈大禹謨〉、〈益稷〉、〈禹貢〉、〈舜典〉、〈立政〉、〈說命下〉等篇最常出題，內容或偏向頌美吉祥，或讚揚聖君賢臣的德行與功績，多與設官、刑獄、德政、治術等政事相關。而未出、罕出的篇章，多涉夏桀、商紂荒淫暴政的指斥，或涉喪亂、死亡之形容，或較乏冠冕的義理可闡發。

關鍵詞：《尚書》　科舉　鄉試　會試　明代經學

一 前言

明代鄉、會試皆考三場，所試雖涵蓋詔、誥、表、判、論、策等內容，但首場以經文為題、闡發經義的制義，才是錄中與否的關鍵，[1]由此可見明代科舉與經書的密切關係。在鄉、會試中，制義皆考七篇，《四書》義三題是共同必考；《五經》義包括《易》、《書》、《詩》、《春秋》、《禮記》，人各擇一經，試以四題。科舉考試重經書，一方面是朝廷尊崇儒家學說、推重經書的體現；一方面也認為備考讀經的過程，可涵養士子的品行，讀聖人之書，法聖人之行。

考試影響士子的讀書與學習，與學術、學風產生互動，無庸置疑。考官出題的考量、偏重，以及考生如何擬題、備考，都是影響甚大、值得探討的課題。因科舉學發展較遲，加上天一閣所藏大量載有三場題目的明代會試錄、鄉試錄，直至二○○七、二○一○年才得以印行，先前受限於文獻取得的困難，研究者搜集試題尚且不易，更遑論從事《尚書》義出題的考察。

近幾年學界對明代經學與科舉的研究，雖略有關注，但起步未久。而向來對明代《尚書》與科舉的有關論述，大都是在述及蔡沈（1167-1230）《書集傳》在明代為功令所尊，探討蔡《傳》對《尚書》學的發展、對《尚書》科舉用書的出版產生影響時，間或論及。至於扣緊出題、試題的探討，目前僅見陳恆嵩所作〈明代科舉與《尚書》題目——以《明代登科錄彙編》為考察中心〉、〈明代會試《尚書》義試題探析〉兩文。[2]

陳恆嵩是《尚書》研究的專家，又是明代《尚書》與科舉跨領域研究的前輩，兩文對明代《尚書》與科舉問題的探討，有開創之功。前者由其副標，可見只以《明代登科錄彙編》為研究範圍，後者又僅限於會試題，雖為

---

1 偏重制義，請參侯美珍：〈明清科舉取士「重首場」現象的探討〉，《臺大中文學報》第23期（2005年12月），頁323-368。

2 前者收入丁原基等主編：《第一屆中國古典文獻學國際學術研討會論文集》（臺北市：聖環圖書公司，2010年），頁248-270。後者為二○一四年十一月一-二日臺灣師範大學國文系、中央研究院中國文哲研究所主辦「儒道國際學術研討會（六）——明清」會議論文。

披荊斬棘之作，但因寫作時試錄等文獻影印流傳未久，加上主題、篇幅等因素局限，以致兩文所搜集、據以立論的《尚書》試題文本，較為不足。[3]故本文承續陳恆嵩兩文所探討的議題，增補天一閣及其他存世鄉、會試錄，進行更全面的分析探討。

　　本論文採歷史文獻分析法及統計法進行研究，由鄉、會試《尚書》義試題的整理、統計出發。在文獻的取材上，主要仰賴明代的鄉、會試錄及相關典籍。然而，所探討的雖是明代《尚書》與科舉的問題，但考試經書由來已久，間或上溯明代以前文獻；清代科舉考試多承明制而修正，優劣得失近似，或取清代相關資料補充論證，亦在所難免、勢所必須。

　　本論文章節安排，首先說明鄉、會試錄《尚書》義試題的搜集情況、各時期試錄、試題之分布，以交代文獻的來源、立論的根據。接著對試題進行統計與分析，據《尚書》五十八篇出題分布的數據，還原考官出題的傾向、偏重，並解釋各篇章經常或罕見出題之故，以供後續研究士子備考、經學的傳習與教育、科舉用書編纂、各經出題比較等課題之憑藉。

二　鄉會試錄與《尚書》義試題的搜集

　　明代鄉、會試皆三年一考，三場考試的科目、文體，鄉、會試的規定也是一致的。會試錄是會試結束，主考負責編纂的會試記錄文獻，《皇明貢舉

3　兩文雖各分五章，扣掉〈前言〉、〈結論〉，主論各有三章，但或概介明代科舉制度的設立及其意涵，或說明鄉、會試考試的內容，或探討科舉對經學、經典教育的影響，或申述考試造成的文體、學術之流弊，聚焦於《尚書》試題分析者僅各有一章。所獲致的結論為：「〈臯陶謨〉、〈說命〉、〈大禹謨〉、〈畢命〉等篇出題頻率最高，最受考官重視。」（丁原基等主編：《第一屆中國古典文獻學國際學術研討會論文集》，頁269）會試「出題數量最多者為：〈臯陶謨〉、〈洪範〉、〈說命〉、〈堯典〉、〈大禹謨〉、〈立政〉等六篇最多。」（陳恆嵩：〈明代會試《尚書》義試題探析〉，二○一四年十一月臺灣師範大學國文系、中央研究院中國文哲研究所主辦「儒道國際學術研討會（六）——明清」會議論文，頁11）。天一閣所收鄉、會試錄，為《明代登科錄彙編》七倍以上，鄉試題又為會試的五倍有餘，兩文因資料取材局限，統計結果稍有出入，故有重新撰文探討的必要。

考》言會試錄的編輯體例是：「首會試錄序，次考試官、執事官，次三場題目，次中式舉人，次舉人程文，終後序。」[4]鄉試錄性質和體例亦相同。鄉、會試錄所附三場題目及載有篇題的《尚書》程文，即是筆者搜集《尚書》試題時，主要賴以取資的對象。

　　試錄並不像其他流傳的書籍，擁有較多的讀者、會一再刊印。即使能夠流傳至今，也常被典藏在古籍善本室中，觀閱不易。一九六九年臺灣學生書局編印《明代登科錄彙編》，[5]影印當時國立中央圖書館所藏，及代管國立北平圖書館所藏之登科錄、會試錄、鄉試錄、武舉錄等共六十六種，其中含會試錄十種、鄉試錄三十一種。收藏明代科舉文獻豐富的天一閣，於二〇〇七、二〇一〇年將所收藏的會試錄、鄉試錄印行，[6]會試錄收有三十八種，鄉試錄收有二七二種之多。[7]二〇一〇年出版的《中國科舉錄彙編》也收錄了明代二十九種科舉錄，其中會試錄三種，鄉試錄十三種。[8]以上諸叢書所收，僅有少數重複。為使試題搜羅更齊全，又查閱了《中國古籍善本書目・史部》[9]等書之著錄，查詢未影印流傳、僅收藏在臺灣、北京、吉林大學、淄博、上海、南京、常熟、日本內閣文庫、美國國會圖書館等多處圖書館古籍善本室所藏的鄉、會試錄四十六種。[10]

4　〔明〕張朝瑞：《皇明貢舉考》（上海市：上海古籍出版社，2002年，《續修四庫全書》影印明刻本），卷1，頁55，〈會試錄〉條。

5　學生書局編輯部輯：《明代登科錄彙編》（臺北市：臺灣學生書局，1969年）。

6　寧波市天一閣博物館整理：《天一閣藏明代科舉錄選刊・會試錄》（寧波市：寧波出版社，2007年）；《天一閣藏明代科舉錄選刊・鄉試錄》（寧波市：寧波出版社，2010年）。

7　天一閣所印共有四十八函兩百七十七冊，因第二十一函第三至六冊，為《國朝河南舉人名錄》，故實為二七四種。除《國朝河南舉人名錄》外，第三十四函第四冊《嘉靖七年浙江同年錄》亦非載有試題的鄉試錄，故正文言鄉試錄收有「二七二種」。

8　姜亞沙等主編：《中國科舉錄彙編》（北京市：全國圖書館文獻縮微複製中心，2010年）。

9　《中國古籍善本書目》編輯委員會編：《中國古籍善本書目・史部》（上海市：上海古籍出版社，1993年）。

10　補查的各圖書館館藏鄉、會試錄的情形，參侯美珍：《明代鄉會試詩經義出題研究》

　　又有零星散見於文集、各種文獻者，如張朝瑞（1537-1609）《皇明貢舉考》卷二至卷九載錄了不少會試題，所載嘉靖五年、十七年，萬曆十一年等三科，[11]未有傳世之會試錄，可藉此補足此三科試題。唐寅（1470-1523）文集中，收有弘治十一年應天鄉試錄部份內容，可錄得《尚書》試題。[12]顧炎武（1613-1682）《日知錄》也引述了天啟七年順天鄉試一題《尚書》義。[13]

　　截至目前，共搜得《尚書》六十二科會試題，共二三五道試題；各科各區鄉試三三六種，[14]共一三三九道試題。本文搜得的各時期會試科數、試題數，如表一所示。

　　（臺北市：臺灣學生書局，2014年），頁55-57，〈鄉會試錄與試題的搜集〉。經查詢的試錄共四十六種，不提供調閱或無試題者有十四種，可補入試題的試錄共三十二種。

11　除此三科，《天一閣藏明代科舉錄選刊·會試錄》中，雖收了萬曆五年、八年的會試錄，但脫漏、不全，裝訂時兩本間或相錯、混淆，《皇明貢舉考》此兩科的試題頗具參校、補足的價值。

12　〔明〕何大成輯：《戊午鄉試題名錄》，收入〔明〕唐寅：《唐伯虎先生全集·唐伯虎先生外編續刻》（臺北市：臺灣學生書局，1979年，《歷代畫家詩文集》影印明萬曆42年〔1614〕刊本），卷12，頁1。該書錄有弘治十一年應天府鄉試試題及榜單，唐寅為該科解元。

13　題目為〈洛誥〉之〈我二人共貞〉，見〔清〕顧炎武著，〔清〕黃汝成集釋，欒保羣、呂宗力校點：《日知錄集釋（全校本）》（上海市：上海古籍出版社，2006年），卷16，頁950，〈題切時事〉條。田藝衡曾論及嘉靖二十二年（1543）山東鄉試錄「以『無為而治者，其舜也與』之文，結用『作聰明亂舊章』等語」，致「皇上震怒，以為誹謗」，考官罹禍事。而詳考該科試錄，題目應為：〈子曰：無為而治者，其舜也與！夫何為哉？恭己正南面而已矣〉。本論文〈罕見出題篇章的分析〉一節，引張寧言景泰二年會試入場，「及得題，果〈織皮崑崙〉」云云，然經查會試錄所載，題目應作〈織皮：崑崙、析支、渠搜，西戎即敘〉。此題乃顧氏討論出題與時事之關係引及，目的不在完整呈現題目，有鑑於筆記等史料引述常大而化之，故雖晚明出題常出短題，但對此題的完整性，仍需有所保留。田說見〔明〕田藝衡：〈非文事〉，《留青日札》（《續修四庫全書》影印明萬曆37年〔1609〕刻本），卷37，頁4。按：田藝衡生卒年不詳，父田汝成（1503-1557），為嘉靖五年（1526）進士。

14　會試三年一科，而且僅有此科，故可逕用「科」稱之。鄉試三年一科，每一科又分南北直隸、各直省考試，不宜說「三三六科」鄉試題。正確的說法應是明代各科各區三三六場次鄉試《尚書》試題。試題並非全錄自鄉、會試錄，或取自《皇明貢舉考》、文集等文獻，但以錄自試錄為主，為方便稱述，行文中多概言之。

表一　所搜得之各時期會試科數及試題數

年號	科年	科數	試題數
洪武	4、24、30	3	3
建文	2	1	4
永樂	13	1	4
宣德	5、8	2	8
正統	元、4、7、10、13	5	20
景泰	2、5	2	8
天順	元、4、7	3	12
成化	2、5、8、11、14、17、20、23	8	32
弘治	3、6、9、12、15、18	6	24
正德	3、6、9、12、15	5	20
嘉靖	2、5、8、11、14、17、20、23、26、29、32、35、38、41、44	15	60
隆慶	2、5	2	8
萬曆	2、5、8、11、14、26、29、41、47	9	32

明代共舉行八十八科會試，[15]以上所掌握的試題科數有六十二科，約占百分之七十。《尚書》義試題有四道，因洪武四年的考試內容與後世不同，僅出一題《尚書》題，洪武二十四年、三十年，因文獻闕漏，僅自《皇明貢舉考》各錄得一題。萬曆二十九年、四十七年，因會試錄缺試題頁，僅從程文中各錄得兩題。故所搜得的六十二科會試的出題數有二三五題。

　　學者曾藉《中國古籍善本書目》、《天一閣書目彙編》統計，共得明代各

15　或言會試有八十九科、九十科，此乃因洪武三十年（1397）劉三吾等主持會試，多取南人，落第士子抗議，朱元璋又下令重試，另行錄取，稱為「春夏榜」或「南北榜」，此實為「一科兩榜」。又或因多列了「崇禎十五年壬午科」之故，此原是「崇禎十三年（1640）庚辰賜特用出身科」，「十五年」是碑末所署立碑之時，且該科所錄取的二六三人是特用舉貢，非進士，似不宜計入。參陳長文：〈崇禎十三年賜特用出身科科年考實——兼談明代進士題名碑的立石問題〉，《文獻》2005年第3期，頁168-175。

科各區現存鄉試錄三一三種，[16]筆者再加搜索，目前共錄得三三七種，其中成化七年應天、隆慶四年浙江，試錄之試題頁缺佚，僅從程文錄得兩題。萬曆四十六年福建鄉試，亦僅錄得兩題。[17]總共搜得三三七種、計一三三九題，其分布狀況詳見表二。

表二　所搜得之各時期各科各區鄉試數及試題數

年號	科年	兩京、各直省考區	鄉試數	試題數
建文	元	應天	1	4
永樂	12	福建	2	8
	18	浙江		
宣德	元	福建	1	4
景泰	元	順天、應天	3	12
	4	福建		
天順	3	江西	5	20
	6	應天、山東、山西、浙江		
成化	元	山東、四川	33	130
	4	應天、浙江、廣東		
	7	應天、陝西、湖廣、浙江、廣東、廣西		
	10	順天、應天、山東、陝西、江西、浙江、廣東		
	13	順天、應天、江西、浙江		
	16	順天、應天、山東、湖廣、浙江		
	19	山東、浙江		
	22	山西、河南、浙江、廣東		
弘治	2	山東、江西、湖廣、廣東	32	128
	5	順天、應天、山西、江西、湖廣、浙江、廣西		

---

16 錢茂偉：《國家、科舉與社會——以明代為中心的考察》（北京市：北京圖書館出版社，2004年），頁241-245。

17 該試錄未傳世，錄自〔明〕丁紹軾：《丁文遠集‧外集》（北京市：北京出版社，2000年，《四庫未收書輯刊》影印明天啟刻本），卷2，頁15-17，所收《福建鄉試錄》（原注：「萬曆戊午科」）之程文。

年號	科年	兩京、各直省考區	鄉試數	試題數
	8	山東、河南、陝西、福建、廣東		
	11	順天、應天、河南、陝西、湖廣、福建		
	14	順天、應天、河南、江西、福建、雲貴		
	17	順天、山東、陝西、浙江		
正德	2	順天、應天、山西、河南、江西、浙江、廣東、廣西、雲貴	39	156
	5	順天、應天、浙江、福建、廣東		
	8	順天、應天、山東、山西、河南、四川、浙江、福建、廣西		
	11	順天、應天、山東、山西、陝西、江西、湖廣、浙江、福建		
	14	應天、山東、山西、河南、湖廣、廣東、廣西		
嘉靖	元	應天、山西、河南、江西、浙江、雲貴	131	524
	4	順天、山東、陝西、江西、浙江、雲貴		
	7	順天、應天、山東、河南、江西、湖廣、浙江、福建		
	10	順天、應天、山西、河南、湖廣、雲貴		
	13	順天、應天、河南、江西、浙江、福建、廣東、雲貴		
	16	順天、應天、山西、河南、陝西、四川、江西、浙江、福建、廣東、廣西、雲南、貴州[18]		
	19	順天、應天、山東、河南、四川、江西、湖廣、廣東		
	22	順天、應天、山東、河南、四川、江西、湖廣、浙江、廣東		
	25	順天、應天、山西、河南、四川、江西、湖廣、浙江、福建、廣東、雲南、貴州		
	28	順天、應天、山東、山西、河南、陝西、浙		

18 貴州士子原至湖廣就試，因至雲南較近，宣德元年，令貴州士子至雲南就試，原僅稱《雲南鄉試錄》，弘治八年，奏准試錄改稱《雲貴鄉試錄》。嘉靖十四年又奏准貴州獨立開科，故嘉靖十六年才會出現雲南、貴州各有一試錄的情形。

年號	科年	兩京、各直省考區	鄉試數	試題數
		江、福建、廣東、廣西		
	31	順天、應天、山東、山西、河南、陝西、江西、湖廣、福建、廣東、貴州		
	34	順天、應天、山東、山西、河南、陝西、雲南、貴州		
	37	順天、應天、山東、河南、陝西、江西、湖廣、浙江、廣東		
	40	江西、浙江、廣東、廣西、貴州		
	43	應天、山東、山西、河南、陝西、四川、江西、浙江、福建、廣東、廣西、雲南		
隆慶	元	順天、應天、山東、山西、河南、陝西、浙江、福建	21	82
	4	順天、應天、山東、山西、河南、陝西、四川、江西、浙江、福建、廣東、廣西、貴州		
萬曆	元	順天、應天、山西、河南、陝西、四川、湖廣、浙江、福建、廣東、廣西、雲南、貴州	61	242
	4	順天、應天、山東、山西、河南、江西、浙江、福建、廣東、廣西、雲南、貴州		
	7	順天、應天、山東、山西、河南、陝西、江西、浙江、福建、廣東、廣西、雲南		
	10	順天、應天、山東、山西、陝西、四川、江西、湖廣、浙江、福建、廣東、廣西、雲南、貴州		
	13	山東		
	22	山東、浙江		
	25	應天		
	28	福建		
	34	河南、浙江		
	37	順天、江西		
	46	福建		
天啟	元	山西	5	17
	4	廣西、雲南		

年號	科年	兩京、各直省考區	鄉試數	試題數
	7	順天、江西		
崇禎	3	應天	3	12
	6	四川		
	12	陝西		

明代自洪武三年（1370）至崇禎十五年（1642）舉行了九十科鄉試，[19]明初直隸及各直省的考區迭有調整、更動，九十科鄉試中確知舉行鄉試者，共有一二八〇場次。[20]目前所搜得的三三七種，約占鄉試總場次的百分之二十六，少於會試約占百分之七十的場次，最主要原因是會試所拔擢的是更高一等的人才，眾所矚目，會試錄也是全國獨一無二的，自然較鄉試錄更顯重要，也較容易流傳、搜集。

明代鄉、會試錄最重要的搜集者、典藏處為范欽（1506-1585）天一閣。范氏為嘉靖十一年（1532）進士，卒於萬曆十三年，[21]故明中葉至萬曆十年間的試錄搜羅較豐富。范氏卒後至明亡，因缺乏如范氏用心搜集者，故這期間的鄉、會試錄傳世較少。以下據表一、表二之數據，藉由直條圖，以期能更具體呈現所搜得各時期的鄉、會試數之分布及比較。

因文獻散佚等緣故，無法網羅每一科試題，掌握的科數有限，但六十二科、二三五道會試題，及三三七種共一三三九道鄉試題，合計一共一五七四道試題，已十分可觀，可藉以考察、分析當時《尚書》出題的各種現象。

---

19 鄉試較會試多兩科，是因明初天下初定，需才孔亟，洪武三、四、五年，接連舉行鄉試，而會試僅於洪武四年舉行一次之故。

20 詳參筆者：《明代鄉會試詩經義出題研究》（臺北市：臺灣學生書局，2014年），頁62-63處之說明及考辨。

21 范氏天一閣所藏試錄，以明中葉至萬曆初年較豐富，所藏明會試錄止於萬曆八年，鄉試錄止於萬曆十年。范氏卒於萬曆十三年，後續僅收有十科萬曆中葉後、崇禎年間的進士履歷便覽。

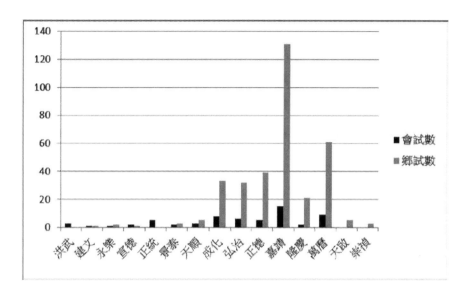

圖一　所搜得各時期鄉、會試數分布及比較

三　《尚書》義四題的組成與分布

考察試題的排序，大都依《尚書》五十八篇先後次序。目前所知，僅建文二年（1400）會試四題次序為：〈商書‧仲虺之誥〉、〈周書‧旅獒〉、〈虞書‧大禹謨〉、〈商書‧伊訓〉，排序參差，較屬例外。

每次所出四道題，皆出自不同篇章，並未見如《禮記》考試，於同一篇重複命題的現象。[22]《尚書》依時代先後，按〈虞書〉、〈夏書〉、〈商書〉、〈周書〉等四類為序編排，以下將藉表三、表四，分別呈現會試與鄉試在各時期試題的組成與分布。

---

22 如〈樂記〉，是《禮記》考試最重要、最常出題的篇章。明中葉後慣見於四題中出一題〈樂記〉，也偶見重複於〈樂記〉命題者，如：建文二年會試出三題〈樂記〉，永樂十三年、宣德五年會試皆出二題〈樂記〉。參侯美珍：〈明代鄉會試《禮記》義的出題及影響〉，《臺大中文學報》第47期（2014年12月），頁89-138。

表三　各時期會試四題的組成與分布[23]

	建文	永樂	宣德	正統	景泰	天順	成化	弘治	正德	嘉靖	隆慶	萬曆	合計
虞夏商周	0	0	0	0	1	0	0	0	0	0	0	0	1
虞夏周周	0	0	0	0	0	1	0	0	0	4	1	1	7
虞商周周	0	0	0	1	0	1	5	6	5	11	1	6	36
夏商周周	0	0	0	0	0	0	0	0	0	0	0	0	0
虞周周周	0	0	1	1	0	0	2	0	0	0	0	0	4
夏周周周	0	0	0	0	1	0	0	0	0	0	0	0	1
商周周周	0	0	0	1	0	0	0	0	0	0	0	0	1
其　　它	1	1	1	2	0	1	1	0	0	0	0	0	7
總　　計	1	1	2	5	2	3	8	6	5	15	2	7[24]	57

表四　各時期鄉試四題的組成與分布[25]

	建文	永樂	宣德	景泰	天順	成化	弘治	正德	嘉靖	隆慶	萬曆	天啟	崇禎	合計
虞夏商周	0	0	0	0	0	2	4	0	4	0	0	0	0	10
虞夏周周	0	0	0	0	2	6	7	32	24	0	14	1	1	87
虞商周周	0	1	1	1	2	18	18	6	101	11	46	3	2	210
夏商周周	0	1	0	0	0	1	0	1	2	9	0	0	0	14
虞周周周	0	0	0	0	0	4	1	0	0	0	0	0	0	5
夏周周周	0	0	0	0	0	1	0	0	0	0	0	0	0	1
商周周周	0	0	0	1	0	0	0	0	0	0	0	0	0	2
其　　它	1	0	0	2	0	0	0	1	0	0	0	0	0	4
總　　計	1	2	1	3	5	32[26]	32	39	131	20[27]	60[28]	4[29]	3	333

23 洪武原搜得三科會試題，但洪武四年出題不同於後世，只有一題《尚書》義，洪武二十四、三十年，僅自《皇明貢舉考》各錄得一題，由於四題不全，無法得悉其組成，兼以未錄得天啟、崇禎年間會試題，故三時期的欄位闕如。

24 萬曆原搜得九科，但二十九、四十七年，僅自程文各錄得二題，故作七科。

25 由於未錄得洪武、正統年間鄉試題，故兩時期的欄位闕如。

　　就表三、表四來觀察，可見明代初期出題，較無規範也較自由。自正德年間始，偏向四種組成模式：「虞夏商周」、「虞夏周周」、「虞商周周」、「夏商周周」。自隆慶年間始，僅偏重三種組成模式：「虞夏周周」、「虞商周周」、「夏商周周」。

　　四題的組成模式，以「虞商周周」最頻見，不管是會試或鄉試，比例皆高達百分之六十三。據兩表也顯然可見〈周書〉最常出題。

　　《尚書》五十八篇中，〈周書〉多達三十二篇，超過全書之半，就比例而言，出二題〈周書〉題，是合理、適當的，故四題中，慣見〈周書〉出二題，出三題者也不在少數。綜觀鄉、會試四題俱全的三九○次出題中，全都出過〈周書〉題，無一例外，僅出一題者十九次，出二題者三五七次，出三題者十四次。再進一步考察未計入表三、表四，四題未全的九次出題，僅洪武四年、二十四年會試及萬曆四十六年福建鄉試未見〈周書〉題，其餘六次皆有。換言之，筆者所搜得的鄉、會試三九九次的考題中，僅有三次未見〈周書〉題，而這三次，可確定未出〈周書〉者，為洪武四年僅出一題為〈虞書·皋陶謨〉；其他洪武二十四年會試和萬曆四十六年福建鄉試兩次，倘四題俱全，未必無〈周書〉題。

　　以鄉、會試相比較，各種組合多寡的趨勢、變化相近，但包含〈夏書〉的「虞夏商周」、「虞夏周周」、「夏商周周」三種組合，在比例上，鄉試皆較會試高，尤其是「虞夏周周」最為明顯，在會試僅有七次，只占百分之十二；在鄉試多達八十七次，占百分之二十六，比例超過一倍。最主要是〈夏書〉雖有四篇，但絕大多數出自〈禹貢〉（詳後文），〈禹貢〉是中國「最早的一篇經濟地理文章。以貢賦為綱，按河流劃分全國為九個地區，所謂九州。分列各地區的山川、地勢、土壤、植物、水路交通和產物。」[30]與黃

26　成化原搜得三十三種，但七年應天鄉試，僅自程文錄得二題，故作三十二種。

27　隆慶原搜得二十一種，但四年浙江鄉試，僅自程文錄得二題，故作二十種。

28　萬曆原搜得六十一種，但四十六年福建鄉試，僅自程文錄得二題，故作六十種。

29　天啟原搜得五種，但七年順天鄉試，僅自《日知錄》錄得一題，故作四種。

30　蔣善國：〈禹貢的著作時代〉，《尚書綜述》（上海市：上海古籍出版社，1988年），頁198。

河、長江流域一帶諸多行省區域的古代地理相關，固當為鄉試所重。反觀在會試中，倘出「海、岱惟青州」一段，似獨厚山東考生；出「淮、海惟揚州」一段，似又圖利了江南一帶舉人。會試必須考量到各區域的公平性，故審慎的考官，出〈禹貢〉中涉九州地理的經文，可能會有所猶豫，而在鄉試則無此顧慮。考察〈禹貢〉出題的情形，亦可發現各行省之鄉試，頗偏愛出與該省地理有關的經文。[31]且〈禹貢〉中「江漢朝宗于海」、「九州攸同」、「四海會同」、「訖于四海」等經文，傳達出地方對王朝治理的頌美、臣服，故在鄉試中更頻見出題。

再以下表，詳細呈現表三、表四「其他」一類組成的情形。

表五 「其他」類出題的情形

科別	《尚書》義四題的組成
建文元年應天鄉試	虞／虞／商／周
建文二年會試	商／周／虞／商
永樂十三年會試	虞／虞／商／周
宣德五年會試	虞／虞／商／周
正統元年會試	虞／商／商／周
正統四年會試	虞／商／商／周
景泰元年順天鄉試	虞／虞／周／周
景泰四年福建鄉試	商／商／商／周
天順七年會試	商／商／周／周
成化八年會試	虞／虞／周／周
弘治十七年山東鄉試	虞／商／商／周

被歸入「其他」類者，主要是因出題的組成模式較罕見，有別於明中葉後注重在四類中力求均衡出題的考量，虞、夏、商、周各書，篇數分別有五、四、十七、三十二篇，懸殊甚大，而「其他」類之出題，卻未能反映適當的

---

31 如山東鄉試出〈禹貢〉題共有七次，其中出兖州、青州等與山東地理有關經文者，就有四次，含：成化元年〈導沇水，東流為濟，入于河，溢為滎，東出于陶丘北，又東至于菏，又東北會于汶，又北東入于海〉、嘉靖二十二年〈桑土既蠶，是降丘宅土〉、隆慶四年〈浮于濟、漯，達于河〉、萬曆四年〈嵎夷既略，濰、淄其道〉。

比例分配。表五所列，〈虞書〉僅五篇，出二題的有五次；〈商書〉僅十七篇，出二題的也有五次，景泰四年福建鄉試，甚至從〈商書〉中出了三題。而〈周書〉出二題的才僅有三次，未有自〈夏書〉出題者。且景泰元年順天鄉試、景泰四年福建鄉試、天順七年會試、成化八年會試，這四次考試，則皆僅自兩類中出題，過於集中。

「其他」類所收十一次考試，時代多為明中葉以前。明代前期所能搜得的試錄數本就偏少（參圖一），又多被列入「其他」，可見前期出題較自由，尚未形成較一致的共識，比起中葉以後，也略顯出題分配不夠平均，有偏重〈虞書〉、〈商書〉的傾向。雖四題如何組成，功令未加規定，但明中葉後考官似乎逐漸形成一種出題默契，如常見的「虞商周周」等出題組成，無疑更合理、更符合一般期待。由此也可見科舉在實施過程中，逐漸調整、完善制度的努力。

四　《尚書》各篇、各類出題的情形

下表統計《尚書》各篇於會試、鄉試的出題數，續合計其總出題數，諸欄分別再輔以「排序」，以便掌握各篇在五十八篇中出題多寡、熱門的程度。[32]

表六　《尚書》各篇鄉、會試出題數及排序

類別	篇名	今古	會試出題		鄉試出題		鄉會合計	
			次數	排序	次數	排序	次數	排序
虞書	堯典	今	5	16	16	26	21	26
	舜典	今	9	7	73	5	82	5
	大禹謨	古	13	4	98	2	111	2

---

32 在排序時，會試由於樣本數少，出題數相同者較多，凡出題數相同，則名次並列。如會試出九題的有〈舜典〉等四篇，並列第七。由於第七有四篇，故其次〈仲虺之誥〉等出七題者，排序並列第十一。

類別	篇名	今古	會試出題		鄉試出題		鄉會合計	
			次數	排序	次數	排序	次數	排序
	皋陶謨	今	14	3	57	9	71	8
	益稷	今	19	2	85	3	104	3
夏書	禹貢	今	9	7	81	4	90	4
	甘誓	今	0	41	0	51	0	50
	五子之歌	古	0	41	2	40	2	42
	胤征	古	0	41	5	33	5	36
商書	湯誓	今	0	41	0	51	0	50
	仲虺之誥	古	7	11	16	26	23	23
	湯誥	古	2	32	5	33	7	33
	伊訓	古	3	26	17	23	20	27
	太甲上	古	3	26	11	29	14	29
	太甲中	古	3	26	7	32	10	31
	太甲下	古	3	26	22	21	25	22
	咸有一德	古	7	11	43	12	50	12
	盤庚上	今	1	33	5	33	6	34
	盤庚中	今	1	33	1	46	2	42
	盤庚下	今	1	33	2	40	3	39
	說命上	古	4	22	35	14	39	15
	說命中	古	3	26	32	17	35	17
	說命下	古	11	6	64	7	75	7
	高宗肜日	今	0	41	0	51	0	50
	西伯戡黎	今	0	41	0	51	0	50
	微子	今	0	41	0	51	0	50
周書	泰誓上	古	0	41	2	40	2	42
	泰誓中	古	0	41	1	46	1	47
	泰誓下	古	0	41	1	46	1	47
	牧誓	今	0	41	0	51	0	50
	武成	古	1	33	3	38	4	37

類別	篇名	今古	會試出題		鄉試出題		鄉會合計	
			次數	排序	次數	排序	次數	排序
	洪範	今	22	1	135	1	157	1
	旅獒	古	5	16	26	20	31	20
	金縢	今	0	41	1	46	1	47
	大誥	今	0	41	4	37	4	37
	微子之命	古	0	41	3	38	3	39
	康誥	今	5	16	17	23	22	24
	酒誥	今	3	26	16	26	19	28
	梓材	今	4	22	10	30	14	29
	召誥	今	5	16	27	19	32	19
	洛誥	今	7	11	33	16	40	14
	多士	今	1	33	1	46	2	42
	無逸	今	4	22	30	18	34	18
	君奭	今	5	16	34	15	39	15
	蔡仲之命	古	0	41	0	51	0	50
	多方	今	1	33	2	40	3	39
	立政	今	12	5	66	6	78	6
	周官	古	9	7	46	11	55	10
	君陳	古	6	15	40	13	46	13
	顧命	今	0	41	0	40	0	50
	康王之誥	今	1	33	9	31	10	31
	畢命	古	7	11	48	10	55	10
	君牙	古	5	16	17	23	22	24
	冏命	古	4	22	22	21	26	21
	呂刑	今	9	7	61	8	70	9
	文侯之命	今	1	33	5	33	6	34
	費誓	今	0	41	2	40	2	42
	秦誓	今	0	41	0	51	0	50

就虞、夏、商、周四類出題進一步統計，則如下表：

表七　四類之鄉會試出題數與出題比例

類別	篇數	會試		鄉試		合計	
		出題數	比例 %	出題數	比例 %	出題數	比例 %
虞書	5	60	25.5	329	24.6	389	24.7
夏書	4	9	3.8	88	6.6	97	6.2
商書	17	49	20.9	260	19.4	309	19.6
周書	32	117	49.9	662	49.4	779	49.5
合計	58	235	100	1339	100	1574	100

就這四類出題情況而言，不管是會試、鄉試，由多到少之排序皆同為〈周書〉、〈虞書〉、〈商書〉、〈夏書〉。唯一不同是〈夏書〉在鄉試時，顯然較會試更獲青睞，出題比例大幅提升。在前文已說明主要是因〈禹貢〉涉及九州地理，具頌美、順服朝廷領導之意，故更常為各行省的鄉試所偏愛。觀表六，〈夏書〉之〈禹貢〉，在會試只出九題，排序第七，鄉試卻出了八十一題，排序第四，[33] 顯然可見鄉試較會試更常自〈禹貢〉出題。而觀表七，〈虞書〉雖在排序上居第二，但考量其篇數僅有五篇，就出了三八九題，出題比例高達百分之二十四點七，可見這四類中，〈虞書〉才是科場出題最偏重的範圍，五篇中就有〈堯典〉、〈大禹謨〉、〈皋陶謨〉、〈益稷〉四篇，位居出題前茅，是常考的篇章，也是考生備考的重點。

　　《尚書》的流傳，有今文、古文之分，因孔穎達（574-648）據東晉梅賾[34]所上五十八篇本作《尚書正義》，後代傳習多據此五十八篇本，明代功

---

33 〈胤征〉會試未出題，排序四十一；鄉試出五題，排序三十三，看似較〈禹貢〉在排序上相差更大，但實則不然。因為會試樣本數少，〈胤征〉僅罕見出而非全不能出，倘能掌握一題，排序馬上躍升為三十三，鄉、會試排序就變得無別。遠不如〈禹貢〉在統計數據上，鄉、會試有明顯的距離。所以〈夏書〉鄉、會試出題之出入，主要在〈禹貢〉，而非〈胤征〉。

34 梅賾，生卒年不詳，東晉初期時人。

令所宗的蔡沈《書集傳》也不例外。五十八篇中，包含與原今文《尚書》相同的三十三篇及新增的二十五篇。新增的二十五篇古文《尚書》真偽之辨，可謂《尚書》學史的重大課題。

雖對梅賾古文《尚書》辨偽，至晚明梅鷟（約1483-1553）、清初閻若璩（1636-1704）方達到高峰，然而始自宋代吳棫（約1100-1154）、朱熹（1130-1200），已開始懷疑梅賾古文《尚書》有偽作之嫌，四庫館臣在吳澄（1249-1333）《書纂言》提要中，對疑偽的歷程有簡要的回顧：

> 古文《尚書》自貞觀敕作《正義》以後，終唐世無異說。宋吳棫作《書裨傳》，始稍稍掊擊，《朱子語錄》亦疑其偽，然言性、言心、言學之語，宋人據以立教者，其端皆發自古文，故亦無肯輕議者。其考定今文、古文，自陳振孫《尚書說》始；其分編今文、古文，自趙孟頫《書古今文集注》始；其專釋今文，則自澄此書始。[35]

因對古文《尚書》有所疑慮，明末甚至有上奏疏提議僅考今文《尚書》者，毛奇齡（1623-1716）云：「崇禎十六年，國子助教鄒鏞疏請分今文、古文《尚書》，而專以今文取士為言。會京師戒嚴，不及報。」[36]全祖望（1705-1755）亦云吳澄《書纂言》一出，「世人始決言古文為偽而欲廢之」，「近世詆古文者日甚，遂謂當取草廬之書，列學官以取士」。[37]因詆古文為偽，或遂提議科場當尊僅注今文之《書纂言》。

---

35 〔清〕紀昀等奉敕撰：《四庫全書總目》（臺北市：藝文印書館，1989年），卷12，頁1，〈書纂言〉條。

36 〔清〕毛奇齡：《古文尚書冤詞》（臺北市：臺灣商務印書館，1983年，《景印文淵閣四庫全書》本），卷1，頁1。鄒鏞生卒年不詳。〔清〕趙佑：〈尚書古今文說〉，《尚書質疑》（《續修四庫全書》影印清乾隆52年〔1787〕刻《清獻堂全編》本），卷上，頁1，云：「先儒多疑古文《尚書》之偽，予嘗緝綜其說，蓋莫甚于元、明，至有橫加詆斥如鬪異端，于其私刻止存今文二十八篇，而古文則全削去者；復有形諸奏牘，請專以今文立學取士者。」由於後續言及「西河毛氏《冤詞》」云云，所指亦應是鄒鏞上奏以今文取士一事。

37 〔清〕全祖望：〈讀吳草廬《書纂言》〉，〔清〕全祖望著，朱鑄禹彙校集注：《全祖望集彙校集注‧鮚埼亭集外編》（上海市：上海古籍出版社，2000年），卷27，頁1273。

　　到底宋、元以來，對古文《尚書》的疑慮，是否對出題有所影響呢？新增二十五篇是否因偽書的質疑，而在科場上遭到忽視？首先，統計今文、古文出題情形如下表：

表八　今文、古文出題數及比例

類別	今文尚書33篇		古文尚書25篇		出題數合計
	出題數	比例 %	出題數	比例 %	
會試	139	59.1	96	40.9	235
鄉試	773	57.7	566	42.3	1339
合計	912	57.9	662	42.1	1574

從上表考察，不管鄉、會試，自今文出題的題數與所占總出題數比例，皆明顯遠逾古文，然而考量今文篇數有三十三篇，本較古文二十五篇多，這個比例並不能逕自推論為考官出題較重今文，反而可藉以得知：今、古文的出題比例，和原來今、古文《尚書》之篇數比例一致，可見考官出題，僅著意於經文之內容義理，並不存在今、古文真偽的考量。

　　譬如〈舜典〉在先秦時原與〈堯典〉合併一篇，後一分為二，並在「慎徽五典」前（即今〈舜典〉之篇首），加上原今文〈堯典〉所無的二十八字：「曰若稽古帝舜，曰重華協于帝。濬哲文明，溫恭允塞，玄德升聞，乃命以位。」〈舜典〉篇首這二十八字雖來路不明，但內容是對賢君的頌美，義理適合，故曾經出題。[38] 反觀〈舜典〉中載堯死之「二十有八載，帝乃殂落，百姓如喪考妣，三載，四海遏密八音」，以及載舜死之「在位五十載，陟方乃死」，皆未出題。可見考官取捨是以內容義理適合出題否來考量，對待古文二十五篇，亦是如此。

　　古文《尚書》的義理確實有足堪稱道者，萬斯同（1638-1702）嘗言：今文《尚書》中，〈堯典〉、〈舜典〉、〈皋陶謨〉、〈禹貢〉等，自無可議；然其餘或無深義，或義理不足取法。盛推古文《尚書》「文章典雅，義理深

38　嘉靖四十年廣西鄉試《尚書》義第一題為〈濬哲文明，溫恭允塞〉。

醇」、「理足詞醇」、「其言明白正大，如日月昭垂，無一篇不可為後世法」。
又言：「使《尚書》而無古文，不當列於《五經》矣，安得頒之學宮，與
《易》、《詩》、《春秋》並重哉！」[39]程廷祚（1691-1767）言：古文《尚書》
「出最晚而行最橫，觀其一篇之中，嘉言讜論，層見疊出，令讀者歡欣鼓舞
而忘倦，視伏《書》反若過之。」[40]翁方綱（1733-1818）亦言古文《尚
書》言「六府三事、九功九敘之政要，危微精一之心傳」，「諸篇皆聖賢之
言，有裨於人、國家，有資於學者」，「義皆醇正」。[41]可見古文《尚書》之
義理、文章，為人所稱道，也因此在科舉考試中，這些「義理深醇」的經
文，仍常作為試題。

五　考官出題的偏重

從表六來看，會試最熱門出題篇章，前六名依序為：〈洪範〉、〈益稷〉、
〈皋陶謨〉、〈大禹謨〉、〈立政〉、〈說命下〉，其次則〈舜典〉、〈禹貢〉、〈周
官〉、〈呂刑〉並列第七。鄉試前十名依序為：〈洪範〉、〈大禹謨〉、〈益稷〉、
〈禹貢〉、〈舜典〉、〈立政〉、〈說命下〉、〈呂刑〉、〈皋陶謨〉、〈畢命〉。鄉、
會試合計得出總出題數前七名與鄉試排序相同，第八、九名為〈皋陶謨〉、
〈呂刑〉，而〈周官〉、〈畢命〉並列第十。其他各篇總出題數的排序亦多與
鄉試相仿，蓋因鄉試搜得的題數為會試的五點七倍，使得鄉試數據對總出題
數有較大影響。

以上所言鄉、會試熱門的出題篇章，共十一篇，茲將其篇旨及經常出題
段落（各舉兩例），列表整理如下：

39　〔清〕萬斯同：《羣書疑辨》（《續修四庫全書》影印清嘉慶21年〔1816〕刻本），卷1，
　　頁14-17，〈古文尚書辨一〉、〈古文尚書辨二〉兩文。
40　〔清〕程廷祚：〈雜論晚書二十五篇〉，《晚書訂疑》（《續修四庫全書》影印清乾隆刻
　　本），卷下，頁2。
41　參〔清〕翁方綱：〈古文尚書條辨序〉、〈愚谷文存序〉，分見《復初齋文集》（《續修四
　　庫全書》影印清李彥章校刻本），卷1，頁4；卷3，頁14。此為翁氏反對閻氏辨偽而
　　發，暢言古文《尚書》之價值。

表九　熱門出題篇章之篇旨、段落舉隅

篇名	今古	篇旨	常出題段落舉隅
虞書舜典	今	盛讚舜之人品，及為君後巡行祭祀四岳、制定刑法、懲處四凶、舉賢授能的政績。	「食哉，惟時！柔遠能邇，惇德允元，而難任人；蠻夷率服。」 「詩言志，歌永言，聲依永，律和聲；八音克諧，無相奪倫：神人以和。」
虞書大禹謨	古	記述舜與大禹、伯益、皋陶討論政務，並言及舜禪讓禹，和禹征伐苗民開拓疆域之事。	「后克艱厥后，臣克艱厥臣，政乃乂，黎民敏德。帝曰：『俞，允若茲，嘉言罔攸伏，野無遺賢，萬邦咸寧。』」 「帝德廣運，乃聖乃神，乃武乃文。皇天眷命，奄有四海，為天下君。」
虞書皋陶謨	今	皋陶和禹討論如何行德政。皋陶認為應慎身、知人、安民，並任用九德之人，兢兢業業，注重倫常。	「翕受敷施，九德咸事；俊乂在官，百僚師師，百工惟時。撫于五辰，庶績其凝。」 「天敘有典，勑我五典五惇哉；天秩有禮，自我五禮有庸哉。同寅協恭和衷哉。」
虞書益稷	今	禹向舜陳述治水之功績，強調注重國計民生，討論為君、為臣之道，並記述廟堂舞樂盛況，君臣唱和、共勉。	「帝！光天之下，至于海隅蒼生，萬邦黎獻，共惟帝臣。惟帝時舉，敷納以言，明庶以功，車服以庸。」 「皋陶拜手稽首，颺言曰：『念哉！率作興事，慎乃憲，欽哉！屢省乃成，欽哉！』乃賡載歌曰：『元首明哉，股肱良哉，庶事康哉！』」
夏書禹貢	今	記述大禹治九州、山川之功績。涉及當時政治制度、行政區畫及交通、物產、貢賦等。	「九州攸同，四隩既宅；九山刊旅，九川滌源，九澤既陂。四海會同。」 「三百里揆文教，二百里奮武衛。」
商書說命下	古	傅說為相，向武丁進言為君之道，應效法前賢，借鑒先王成憲，任賢為官。武丁讚伊尹、傅說等賢臣，使國家長治久安。	「爾惟訓于朕志。若作酒醴，爾惟麴蘗；若作和羹，爾惟鹽梅。爾交脩予，罔予棄，予惟克邁乃訓。」 「惟斅學半，念終始典于學，厥德脩罔覺。監于先王成憲，其永無愆。」

篇名	今古	篇旨	常出題段落舉隅
周書 洪範	今	武王克殷，問箕子治國方略，箕子告以天賜禹之為政九種大法。	「百穀用成，乂用明，俊民用章，家用平康。」 「無偏無黨，王道蕩蕩；無黨無偏，王道平平。」
周書 立政	今	周公回顧夏、商及周文王、武王選用官員的經驗，以告誡成王設官理政的準則。	「亦越文王、武王，克知三有宅心，灼見三有俊心；以敬事上帝，立民長伯。」 「方行天下，至于海表，罔有不服。以覲文王之耿光，以揚武王之大烈。」
周書 周官	古	周成王即位，向百官說明朝廷設官分職、居官之法則，勉勵官員兢兢業業，敬守官職。	「庶政惟和，萬國咸寧。夏、商官倍，亦克用乂。明王立政，不惟其官，惟其人。」 「以佑乃辟，永康兆民，萬邦惟無斁。」
周書 畢命	古	周康王冊命畢公治理成周，勉其繼承周公之經驗，以治理、教化殷商遺民。	「政貴有恆，辭尚體要，不惟好異。」 「惟周公克慎厥始，惟君陳克和厥中，惟公克成厥終。三后協心，同底于道，道洽政治，澤潤生民。」
周書 呂刑	今	周穆王言蚩尤濫刑而滅亡，堯用中刑而有天下，告誡執法者要勤政慎罰，當畏天而審慎，公正而明察。	「穆穆在上，明明在下，灼于四方，罔不惟德之勤。」 「惟敬五刑，以成三德。一人有慶，兆民賴之，其寧惟永。」

　　這十一篇中，〈大禹謨〉、〈說命下〉、〈周官〉、〈畢命〉四篇為古文《尚書》，〈大禹謨〉尤其名列前茅，在會試位居第四，而鄉試及鄉會試題合計，皆僅次於〈洪範〉，名列第二。此亦可佐證考官並未因宋、元以來，對二十五篇古文《尚書》真偽的質疑而影響出題。

　　這些熱門出題篇章，其共同的特色是：多頌美吉祥的字句，呈現君臣融洽、國泰民安的景象，如「野無遺賢，萬邦咸寧」、「庶政惟和，萬國咸寧」、「元首明哉，股肱良哉，庶事康哉」、「萬邦惟無斁」等經文。又如〈說

命下〉文末，武丁讚揚傅說的輔佐，言有伊尹、傅說般的賢臣，國家才能長治久安，傅說拜稽首，曰：「敢對揚天子之休命！」傅說反將功勞歸美於君上，言將弘揚天子美好的教導，深諳君臣之道，也呈現君臣和樂的氣氛，兼有頌揚明代當時國君的言外之意，故「敢對揚天子之休命」，頻見於題目中，多達十三次。[42]

《尚書》在諸經中，與施政最為相關，《荀子・勸學》云：「《書》者，政事之紀也。」《史記・太史公自序》曾謂：「《書》記先王之事，故長于政。」前賢如此看待《尚書》，後人所見略同。清聖祖（1654-1722）云：「蓋治天下之法，見于虞、夏、商、周之書，其詳且密如此，宜其克享天心而致時雍太和之效也。」[43]也因與施政相關，故最為經筵進講所重，晚明陳懿典（1554-1638）指出：「六籍中獨《尚書》為經世之言，旒廈進講首重之。」[44]朱鶴齡（1606-1683）亦言《尚書》為歷來經筵之首及：「《尚書》者，帝王之心法、治法所總而萃也。後世大典章、大政事，儒者朝堂集議，多引《尚書》之文為斷據，……列朝經筵進講，必首及《尚書》。」[45]因《尚書》多攸關政務，故鄉、會試題中，除多頌美吉祥的內容外，也常見頌揚三代聖君賢臣，述及其德行、施政與功績等內容；或闡論設官任賢，或關乎刑獄、教化、治術等經文，這些內容多為儒家政治思想的根源，亦是後代君臣為政之指南、榜樣，極適宜作為試題，甄選未來的官員。

---

42 會試未見出題，鄉試出過的有以下十三次：成化四年浙江、成化十年應天、正德八年山東、正德十一年福建、正德十四年湖廣、嘉靖十六年順天、嘉靖二十五年應天、嘉靖二十五年浙江、嘉靖二十五年廣東、嘉靖二十八年廣東、嘉靖二十八年廣西、嘉靖三十七年河南、萬曆十年福建。

43 〔清〕清聖祖：〈御製日講書經解義序〉，〔清〕庫勒納等奉敕編：《日講書經解義》（臺北市：臺灣商務印書館，1983年，《景印文淵閣四庫全書》本），卷前，頁1。序末署康熙十九年（1680）。

44 〔明〕陳懿典：〈《尚書來青堂選義》序〉，《陳學士先生初集》（北京市：北京出版社，2000年，《四庫禁燬書叢刊》影印明萬曆48年〔1620〕曹憲來刻本），卷2，頁35。「旒廈」指帝王讀書學習之所。

45 〔清〕朱鶴齡：〈《尚書埤傳》序〉，《愚菴小集》（臺北市：臺灣商務印書館，1983年，《景印文淵閣四庫全書》本），卷7，頁7-9。

　　在五十八篇中，出題數最多者為〈洪範〉。明太祖（1328-1398）曾肯定：「〈洪範〉一篇，帝王為治之道也。所以敘彝倫，立皇極，保萬民，敘四時，成百穀，本於天道而驗於人事。」並且「嘗命儒臣書〈洪範〉揭於御座之右，朝夕觀覽，因自為註」，在洪武二十年（1387）二月，《御註書洪範》告成。[46] 由開國之君對〈洪範〉之重視，可見其重要。楊廉（1452-1525）《洪範纂要》之〈自序〉亦曰：「《尚書・洪範》所陳，篤恭而天下平，聖神功化之極，盡在是矣」，「學者誠取〈洪範〉本篇沉潛玩味，則五行五事休咎福極之應，昭然可見。」[47]〈洪範〉內容為治國之大法，本適合出題，而篇幅又多達一〇四二字，僅次於〈禹貢〉，出題時可取材的內容甚廣，故不論鄉、會試出題皆遙遙領先，共計出過一五七次。

　　接下來從文體的角度，來看考官的出題。《尚書》文體的分類，有不同主張，以六體、十體之分最常被提及。[48] 其中又以典、謨、訓、誥、誓、命之六體分類，最膾炙人口。北宋張表臣釋六體之特色云：

> 道其常而作彝憲者謂之「典」，陳其謀而成嘉猷者謂之「謨」，順其理而迪之者謂之「訓」，屬其人而告之者謂之「誥」，即師眾而申之者謂之「誓」，因官使而命之者謂之「命」。[49]

對六體的特色，雖有大致的共識，但要落實將五十八篇歸類在《尚書》六體

46　〔明〕李景隆等撰：《明太祖實錄》（臺北市：中央研究院歷史語言研究所，1966年），卷180，頁2727-2728，洪武二十年二月甲辰載。

47　〔清〕朱彝尊撰，林慶彰等主編：《經義考新校》（上海市：上海古籍出版社，2010年），卷97，頁1808，〈洪範纂要〉條。

48　論《尚書》文體者不少，如以下數篇皆曾論及：于雪棠：〈《尚書》文體分類及行為與文本的關係〉，《北方論叢》2006年第2期（總第196期），頁8-11。陳贇：〈《尚書》「十體」的文體學價值〉，《湖南社會科學》2007年第3期，頁145-148。程元敏：〈尚書之體裁〉，《尚書學史》（臺北市：五南圖書出版公司，2008年），頁63-90。朱岩：〈尚書的六體〉，《尚書文體研究》（揚州市：揚州大學中國古代文學博士論文，2008年），頁9-42。

49　〔北宋〕張表臣：《珊瑚鉤詩話》（臺北市：臺灣商務印書館，1983年，《景印文淵閣四庫全書》本），卷3，頁13。張表臣，生卒年不詳，北宋末年人。

時，不免見仁見智。如〈堯典〉、〈大禹謨〉、〈伊訓〉、〈大誥〉、〈秦誓〉等，容易分類，並無疑議；而如〈禹貢〉、〈五子之歌〉、〈胤征〉、〈洪範〉、〈旅獒〉、〈周官〉等篇，自古至今，主張各異，仍未形成確論。譬如出題數頗多的〈洪範〉、〈禹貢〉，孔《疏》特設「範」、「貢」類，單篇自成一類，蔡《傳》雖於各篇多標註文體，但如〈洪範〉、〈禹貢〉分類甚有爭議、棘手者，則或略過不言文體歸屬。《尚書》學專家程元敏教授主張將〈禹貢〉、〈洪範〉歸在「謨」類，朱岩的博士論文，認為「這二篇屬於『典』類殆無疑問」，于雪棠則將兩篇歸在「訓」類，[50]於此可見其紛歧之一斑。

　　雖若干篇章的歸屬，仍存在著歧異，筆者將其他較無歧見的篇章依六體稍加分類後，可仍可看出一些訊息。首先，明顯可見「陳其謀而成嘉猷」的「謨」體，最受考官青睞，屬此類的〈大禹謨〉、〈益稷〉、〈皋陶謨〉，在鄉、會試合計總出題數上，分別位居第二、三、八，蓋因其內容多為賢君賢臣對治國、德政、君臣之道的討論。其次則為「道其常而作彝憲」的「典」體，〈舜典〉、〈堯典〉總出題數分別位居第五、二十六名。歸屬為「訓」、「誥」、「命」三體的篇章較多，各篇的出題數多寡也頗為懸殊，「訓」體中，有出題數位居第十二的〈咸有一德〉，但也有未曾出題的〈高宗肜日〉；「誥」體中，有〈立政〉、〈呂刑〉位居第六、九，但〈西伯戡黎〉、〈微子〉皆未曾出題；「命」體中，〈說命下〉、〈畢命〉位居第七、十，但〈蔡仲之命〉、〈顧命〉皆未曾出題。出題數明顯全面偏少的，當屬「誓」體，由於為戰前誓師之作，或指斥敵方，或嚴厲約束軍士，且一般篇幅較短，故多未曾出題，或僅寥寥數題（詳下節）。

---

50 孔《疏》見〈堯典第一〉篇題下疏語，主張分作十體，除既有六體外，再設貢、歌、征、範四體。程說見《尚書學史》（臺北市：五南圖書出版公司，2008年），頁73、頁76；朱說見《尚書文體研究》（揚州市：揚州大學中國古代文學博士論文，2008年），頁33；于說見〈《尚書》文體分類及行為與文本的關係〉，《北方論叢》2006年第2期（總第196期），頁10。

六　罕見出題篇章的分析

　　明人論述科舉流弊時，常抨擊考官出題有所偏重，致考生取巧，備考時以刪經不讀為捷徑。如李維楨（1547-1626）云：

> 近來士子不務實學，如《易》之悔吝凶咎，《書》之〈金縢〉、〈顧命〉，《詩》之變〈風〉、變〈雅〉，《春秋》崩薨卒葬，《禮記》奔喪、問喪，以為諱而不談。[51]

此為李維楨任陝西提學時，對士子「不務實學」的觀察與感慨，言及《尚書》之〈金縢〉、〈顧命〉不讀。顧景星（1621-1687）〈復經學議〉則云：「治《書》則略〈禹貢〉、〈顧命〉。」[52]兩人所言皆較簡略，顧炎武（1613-1682）論述較詳盡，在《日知錄》中抨擊科場不問實學但求速成，並述及諸經刪經不讀的情形，言選考《尚書》者：「《書》則刪去〈五子之歌〉、〈湯誓〉、〈盤庚〉、〈西伯戡黎〉、〈微子〉、〈金縢〉、〈顧命〉、〈康王之誥〉、〈文侯之命〉等篇不讀，……止記其可以出題之篇，及此數十題之文而已。」[53]

51　〔明〕李維楨：〈陝西學政〉，《大泌山房集》（臺南市：莊嚴文化事業公司，1997年，《四庫全書存目叢書》影印明萬曆39年〔1611〕刻本），卷134，頁4。

52　〔明〕顧景星：〈復經學議〉，《白茅堂集》（《四庫全書存目叢書》影印清康熙刻本），卷27，頁9。篇題下原註：「崇禎十七年」。

53　〔清〕顧炎武著，〔清〕黃汝成集釋：《日知錄集釋（全校本）》（上海市：上海古籍出版社，2006年），卷16，頁945-946，〈擬題〉條。晚清戴鈞衡（1814-1855）亦曾言及《尚書》不出題的範圍，云：「〈微子〉、〈金縢〉、〈多士〉、〈君奭〉、〈多方〉、〈立政〉、〈顧命〉、〈康王之誥〉、〈呂刑〉諸篇，語意艱深，無殊盤誥。窮經者不求甚解，試士者不以命題，苟無古文諸篇，則斯經幾同廢棄。」說見〔清〕戴鈞衡：〈書傳補商序例〉，《書傳補商》（《續修四庫全書》影印清刻本），卷前，頁3。戴氏所言「試士者不以命題」者，其中〈君奭〉、〈立政〉、〈呂刑〉諸篇，明代頗常出題，是戴氏所言有誤，或晚清出題傾向，與明代不盡符合？〔清〕藜光閣主人輯：《經文叟造‧書經》（臺中市：文听閣出版公司，2011年，《晚清四部叢刊》影印清光緒19年〔1893〕上海積山書局石印本），收錄了一四〇〇篇之範文，題目巨細靡遺，頗能反映戴氏所處的晚清《尚書》義出題情形。經考此書，〈微子〉諸篇，或未收範文，或僅聊聊數篇；而〈君奭〉、〈立政〉、〈呂刑〉卻分別收了三十九、四十一、二十七篇範文，雖不如〈洪

將鄉、會合計，五十八篇中未曾出題及出題極少，總數僅○至三次者，列表如下：

表十　《尚書》罕見出題篇目

類別	夏書		商書						周書											
篇名	甘誓	五子之歌	湯誓	盤庚中	盤庚下	高宗肜日	西伯戡黎	微子	泰誓上	泰誓中	泰誓下	牧誓	金縢	微子之命	多士	蔡仲之命	多方	顧命	費誓	秦誓
（今古）	今古	古	今	今	今	今	今	今	古	古	古	今	今	古	今	古	今	今	今	今
會試	0	0	0	1	1	0	0	0	0	0	0	0	0	0	0	1	0	1	0	0
鄉試	0	2	0	1	2	0	0	0	2	1	1	0	1	3	1	0	2	0	2	0

對照上表，可見李維楨言《尚書》之〈金縢〉、〈顧命〉，士子不讀，應是備考的實情。明末顧景星所言「治《書》則略〈禹貢〉、〈顧命〉」，考生將關乎成王去世的〈顧命〉略去不讀，並不令人意外，但〈禹貢〉出題數不少，見諸統計數據，〈禹貢〉出題可說位居前列，何以言「略〈禹貢〉」？

景泰五年（1454）進士張寧（1426-1496），曾自述景泰二年會試前之夢境：

> 一老叟指謂余曰：「此崑崙山也。」凡三指三語，方欲詰問，忽驚悟，遽起呼家童索燭，取〈禹貢〉「織皮崑崙」，研省紬繹，因不復寐，亟趨試院。……及得題，果〈織皮崑崙〉，是年《書經》舉人多為所窘。[54]

景泰二年會試錄今尚存，《尚書》義第一題為〈禹貢〉題：〈織皮：崑崙、析支、渠搜，西戎即敘〉，由張寧之自述，顯見是難倒了不少應考的舉人。文

範〉、〈舜典〉等熱門，但顯非「不以命題者」者。故戴氏所言略有欠妥，晚清出題偏重與明代也大致相同。

54 〔明〕張寧：〈雜言〉，《方洲集》（臺北市：臺灣商務印書館，1983年，《景印文淵閣四庫全書》本），卷26，頁20-21。

獻又載：晚明夏允彝（1596-1645）之父夏時正（1560-1627），具「強記」之本事，「於書一過即暗誦不遺」。雖夏時正所擇之本經為《尚書》，「然俗師不習〈禹貢〉，獨弗授也。將就試一夕先生乃誦，且稽註傳質，明而主者以〈禹貢〉策士，先生獨弗誤。」[55]由這兩筆一前、一後的記載來看，顯然可見鄉塾教師或不習、不授，即使選考《尚書》，考生也並非盡皆通讀、熟讀〈禹貢〉。此又何故？

〈禹貢〉篇幅長達一一九四字，於五十八篇中最長，蔡註〈禹貢〉也較他篇來得冗贅，如「九河既道」一句之註，對「九河」之考證，引經據典、長篇大論，頗難以卒讀。牽涉古代地理，不只是今人覺得不易解讀，朱熹（1130-1200）曾說：「〈禹貢〉一書所記地理治水曲折，多不甚可曉。」[56]明英宗（1427-1464）亦言：「《書經》有難讀者，朕讀至〈禹貢〉及〈盤庚〉、周〈誥〉諸篇，甚費心力。」[57]因讀〈禹貢〉甚費心力，就總出題數而言，雖位居前列，但考量其篇幅、難度，就備考的投資報酬率而言，並非屬名列前茅者。[58]自然會有考生但求捷得、僥倖，遂將〈禹貢〉略去不讀，但由於〈禹貢〉也不屬罕考的篇章、出題數不少，較常出現的作法，應是略去其中較罕出題的部份經文、過於冗長的傳註，或以其他精簡適用的註解本取代，以求備考更有效率，而非略過〈禹貢〉全不讀。成化進士邵寶（1460-1527）自註「〈禹貢〉全書媿我師」詩句：

予十五時，從俞蒡菴先生受《尚書》，在諸生中獨不許予讀《禹貢攝

---

55 〔明〕陳子龍：〈夏方儔先生傳〉，《安雅堂稿》（《續修四庫全書》影印明末刻本），卷13，頁20。

56 〔南宋〕朱熹：《朱子語類》（臺北市：臺灣商務印書館，1983年，《景印文淵閣四庫全書》本），卷79，頁1。

57 〔明〕李賢：〈天順日錄〉，《古穰集》（臺北市：臺灣商務印書館，1983年，《景印文淵閣四庫全書》本），卷25，頁9。

58 以表九熱門出題篇章以外的三篇來比較，如〈咸有一德〉，共二八五字，出了五十題；〈說命上〉，共二四八字，出了三十九題；〈君陳〉，共三五五字，出了四十六題；而〈禹貢〉既難，又多達一一九四字，僅出了九十題。兼顧篇幅和難度來考量，讀〈禹貢〉的投資報酬率不如以上三篇。

要》，因舉武功治水事以期之。後三十年總督漕運，未能成功，於是
乎媿焉。[59]

可見生員讀〈禹貢〉節本是常態。又，明中葉曹安曾對考生應試「《書》讀
《禹貢節要》」，表示不滿；[60]嘉靖時孫緒（1474-1547）也指出：「業《書》
者讀〈禹貢〉，惟讀《便蒙》。」又言弘治時有《禹貢節要》，在應試考生中
風行，幾乎取代了蔡沈的〈禹貢〉傳。[61]指出的都是備考刪讀〈禹貢〉經傳
的情形。

　　前引顧炎武所言刪經不讀的情形，雖較李維楨、顧景星全面，但不太準
確，容易誤導今人。除〈甘誓〉、〈高宗肜日〉等多篇從未出題、出題極少
者，顧氏未遑言及，論述稍欠完整外，顧炎武所舉刪去不讀的例子，如〈湯
誓〉、〈西伯戡黎〉、〈微子〉、〈顧命〉，確實皆未出題；〈五子之歌〉、〈盤庚
中〉、〈盤庚下〉、〈金縢〉也極少。但顧炎武言及之〈盤庚上〉、〈康王之誥〉、
〈文侯之命〉，並不在罕見出題的篇目中，鄉、會試合計，三篇分別出過六
次、十次、六次，出題次數雖不算多，絕非熱門，但也非可全刪去不讀者。

---

59 〔明〕邵寶：〈歸典〉，《容春堂集‧前集》（臺北市：臺灣商務印書館，1983年，《景印
　　文淵閣四庫全書》本），卷7，頁5。〈歸典〉詩共六首，所引為第五首。俞鎧，舉人，
　　任教論，生卒年不詳。據〔清〕沈家本等修、徐宗亮等纂：《（光緒）重修天津府志》
　　（《續修四庫全書》影印清光緒25年〔1899〕刻本），卷37，頁13及卷45，頁10所載，
　　乾隆三十年（1765）舉人張發長，亦著有《禹貢撮要》。顯然非成化時生員所讀之本。
　　《經義考新校》（上海市：上海古籍出版社，2010年）卷94，錄有明代許多〈禹貢〉專
　　著，其中所載刪節之作亦不少，如：林洪《禹貢節要》、郭綮《禹貢傳注詳節》、夏寅
　　《禹貢詳節》、韓邦奇《禹貢詳略》、曾于乾《禹貢簡傳》、褚效善《禹貢詳節》、姜逢
　　元《禹貢詳節》、黃翼登《禹貢注刪》、張睿卿《禹貢便讀》等，可見〈禹貢〉刪節、
　　撮要之類的書，並不罕見。
60 〔明〕曹安：《讕言長語》（臺北市：臺灣商務印書館，1983年，《景印文淵閣四庫全
　　書》本），不分卷，頁5。按：曹安，生卒年不詳，〔清〕紀昀等奉敕撰：《四庫全書總
　　目》（臺北市：藝文印書館，1989年），卷122，頁20，〈讕言長語〉條，言其為正統九年
　　（1444）舉人，《讕言長語》自序署成化二十二年（1486）。
61 〔明〕孫緒：〈無用閒談〉，《沙溪集》（臺北市：臺灣商務印書館，1983年，《景印文淵
　　閣四庫全書》本），卷12，頁2-3。

　　由於前期投入、參與科舉的人不如中、後期多，且中葉以前，出版業不如中、晚明蓬勃，加上時代愈早常導致文獻散佚愈嚴重等原因，故前期的科舉史料流傳有限。本論文的取材雖已儘量搜羅、關注明初的線索，但所援用仍以中、晚明後的文獻居多。以上論《尚書》刪經問題時，所引述的或為中期的曹安、孫緒之論，或為李維楨、顧炎武、顧景星等晚明時人之言，讀者或許會質疑：所謂的刪經不讀，是否僅只是中、晚期的流弊，不當以此概論明初？

　　首先要說明的是：明初試錄流傳雖有限，但詳考其出題偏重傾向與後期不異。再以筆者先前研究《詩經》出題情形類推，永樂、正統年間孫鼎（1392-1457）所纂科舉用書《詩義集說》，其對經文的纂錄解說，反映出明初考官對三〇五篇出題的取捨，與明代鄉、會試統計數據出題傾向亦一致。[62]再以元末明初陳雅言（1318-1385）《書義卓躍》來考察，陳氏生於元仁宗延祐五年（1318），元末動盪，避亂隱居，明初亂平，曾任教於永豐縣學，門人登第者甚多，卒於洪武十八年（1385）。[63]楊士奇（1364-1444）言其書乃「專為科舉設」。[64]今所見為正統年間莆田林瑱校正、汝州王本刊刻的《新編書義卓躍》影鈔本，[65]據永樂十三年（1415）進士彭勗正統五年（1440）所作前序，及卷末教諭陳玹所作後序，此乃為當時選考《尚書》者刊刻的科舉用書，顯見此書雖元明之際所編，至正統時期仍有其適用性。筆

62　侯美珍：《明代鄉會試詩經義出題研究》，頁147-158，〈孫鼎《詩義集說》與科舉〉；及頁273-278，〈附錄三：〈鄉會試出題與孫鼎《詩義集說》纂錄經文比較〉。

63　關於陳雅言世系、生平及《書義卓躍》一書的流傳，參蔣秋華：〈陳雅言與《書義卓躍》〉，收入傅永聚、錢宗武主編：《第三屆國際《尚書》學學術研討會論文集》（北京市：綫裝書局，2015年），頁119-129。

64　〔明〕楊士奇：《東里集·東里續集》（臺北市：臺灣商務印書館，1983年，《景印文淵閣四庫全書》本），卷16，頁23，〈書卓躍〉條。

65　〔明〕陳雅言：《新編書義卓躍》（明人景鈔正統年間汝州王本刊刻本，名古屋：蓬左文庫藏）。此為日本名古屋蓬左文庫所藏完整的六卷本，此書又有中央研究傅斯年圖書館藏明藍格鈔本，僅餘三卷，不全。林瑱、王本及後文之陳玹，皆為正統時人，生卒年不詳。

者統計此書對五十八篇擬題的多寡，與明代鄉會試《尚書》出題傾向一致，如〈甘誓〉、〈湯誓〉、〈湯誥〉、〈盤庚中〉、〈盤庚下〉、〈高宗肜日〉、〈西伯戡黎〉、〈微子〉、〈泰誓中〉、〈牧誓〉、〈金縢〉、〈文侯之命〉諸篇，《書義卓躍》略去、未有擬題，而這些篇目，也大都見於表十〈《尚書》罕見出題篇目〉中。[66]可見出題偏重、刪經不讀，不是中、晚明獨有的現象。

總計《尚書》共有五十八篇，鄉、會試皆未見出題的有九篇，合計只出過一至三題共十一篇。由於試錄傳世有限、試題搜羅未全，這些統計數據僅大致反映出各篇在科場出題上獲得重視的相對程度，尤其是出題數偏少，而非絕不可出的十一篇，雖談不上重要，但謹慎的考生，應該會擇要研讀，而非全部可以不讀。

分析表十這罕少出題二十篇之歸類和分布，可得到以下幾點認識：

（一）未見〈虞書〉的篇章，可知〈虞書〉在出題、備考時，五篇全獲重視。

（二）〈夏書〉、〈商書〉、〈周書〉各有二、六、十二篇，占原有篇數的比例為：百分之五十、百分之三十五點三、百分之三十七點五，〈夏書〉比例最高，可見最不為出題所重。

（三）以今、古文來考察，今文有十四篇，古文有六篇，分別占今、古文原有篇數的比例：百分之四十二、百分之二十四。古文《尚書》罕見出題、不受科場重視的比例，還較今文《尚書》低。再次證明，考官出題時，古文二十五篇並未因真偽的質疑，而受到忽視、壓抑，主要仍取決於篇章經文的內容。古文《尚書》以其義理之可取，故能與今文並駕。

分析罕見出題篇章之分布後，以下將就這二十篇的內容，探討其何以罕少出題。首先，將二十篇之內容主旨概括於下：

---

66 其中僅〈湯誥〉、〈文侯之命〉，不見於表十，兩篇明代鄉、會試出題數總計，分別只有七題、六題，亦屬出題較少者。

表十一　罕見出題篇章之篇旨

篇名	篇旨
甘誓	夏啟即天子之位，有扈氏不服，啟伐之，大戰於甘。戰前作〈甘誓〉，說明討伐之故，並嚴申獎懲，威嚇軍士。
五子之歌	夏啟之子太康失國，昆弟五人，陳述大禹之誡，指責太康縱情遊樂，失道亡國，覆宗絕祀。
湯誓	夏桀虐政荒淫，商湯弔民伐罪，戰前作〈湯誓〉，說明伐桀之故，並嚴申賞罰。
盤庚中下	商王盤庚欲遷都殷邑，遭殷臣民反對，盤庚再三曉諭遷都之利，不遷之害。
高宗肜日	舊說以為殷高宗祭成湯事，今人研究以為商王祖庚肜祭高宗時，祖己誡王、訓導祖庚之記錄。
西伯戡黎	周文王征伐商之屬國黎國，祖伊恐，告誡紂王勿淫戲自絕於天，上天已不護佑殷商，將為周所戮。
微子	紂王淫亂失德，行將滅亡，不納微子諫言，父師勸微子棄紂遁逃。
泰誓上中下	周武王即位十三年，在孟津大會諸侯，伐殷前作〈泰誓〉，細數紂王之罪行。
牧誓	周武王率軍至牧野，伐紂前誓師之詞，譴責紂王之暴政，嚴申軍紀。
金縢	周武王滅商後二年，罹重病，周公作冊禱告請代武王而死，祝告緘於金縢。後管、蔡流言，成王疑周公。上天以雷電示警，成王發金縢，見周公之忠誠而出郊遠迎。
微子之命	微子去紂，武王滅商後，歸順成周，此為周成王冊命微子為宋國國君之命令及勉勵。
多士	周公代成王向殷商臣民發布之誥令，藉天命不佑暴君桀、紂之說，迫令遺民遷徙成周，曉諭遷徙原因，令其順服。
蔡仲之命	蔡叔之子蔡仲，能率德改行，克慎厥猷，此篇為周公請成王封蔡仲為蔡國國君之命令及勉勵。
多方	平亂後，周公代成王發布誥令，言夏桀、商紂行暴政，喪亡乃天命，周滅商而代之亦天命，告誡諸國要順服成王統治，叛亂乃違背天命之事。
顧命	成王將崩，命召公、畢公率諸侯以輔助康王。記述成王喪禮時

篇名	篇旨
	祖廟之陳設、警衛，末言在祖廟策命康王即位之儀式。
費誓	魯侯伯禽率軍攻打徐戎、淮夷時誓師之詞，於戰前對軍民告誡，宣布紀律，嚴申賞罰以威嚇。
秦誓	秦穆公自悔未能接納諫言而戰敗，認為軍國大事當咨詢老臣，強調好賢容善之重要。

　　《尚書》載古史，這二十篇大多數篇章的內容，或為指斥夏桀、商紂之荒淫無道，故天命不佑。或引以為鑑，或使誓師征伐，師出有名，並勸諭、恫嚇商之臣民，勿違天命，歸順成周。既有夏太康、夏桀、商紂王等失德之君，遂使國家淪至民不聊生，遭到討伐、滅亡等下場，故這些篇章亦多涉及暴政、喪亂的形容，多撻伐、怨怒的情緒。

　　如〈泰誓上〉云：「今商王受，弗敬上天，降災下民，沉湎冒色，敢行暴虐。罪人以族，官人以世。惟宮室、臺榭、陂池、侈服，以殘害于爾萬姓。焚炙忠良，刳剔孕婦。」言紂王窮奢極侈、暴虐無道，殘殺忠良、孕婦。〈泰誓下〉又指責紂王：「狎侮五常，荒怠弗敬。自絕于天，結怨于民，斮朝涉之脛，剖賢人之心。作威殺戮，毒痛四海。崇信姦回，放黜師保，屏棄典刑，囚奴正士，郊社不修，宗廟不享，作奇技淫巧以悅婦人。」控訴紂王自絕於上天，斷脛、剖心，親小人而黜賢臣，……種種失德無道的暴行。又如〈微子〉篇載微子棄紂去國前，與父師間的對話：

　　　我用沉酗于酒，用亂敗厥德于下。殷罔不小大，好草竊姦宄，卿士師師非度，凡有辜罪，乃罔恆獲。小民方興，相為敵讎。今殷其淪喪，若涉大水，其無津涯。殷遂喪，越至于今。……天毒降災荒殷邦，方興沉酗于酒。乃罔畏畏，咈其耇長、舊有位人。今殷民，乃攘竊神祇之犧牷牲，用以容，將食無災。降監殷民，用乂；讎斂，召敵讎不怠。罪合于一，多瘠罔詔。[67]

---

67 〔漢〕孔安國傳，〔唐〕孔穎達等正義：《尚書正義》（臺北市：藝文印書館，1989年，《十三經注疏附校勘記》本），卷10，頁14-16。

言上天降災滅商，紂王沉酗於酒、敗德、橫徵暴斂，臣民亦皆不遵法度，違法亂紀，竟連祭祀之犧牲亦遭偷盜，……描繪出紂王在位時，朝政不綱、岌岌可危。以上這些亂世的景象、負面的形容，皆不宜出題。

二十篇中，尚有涉及國君死亡的篇章，如〈金縢〉載武王死，〈顧命〉載成王崩，皆屬出題之大忌，〈顧命〉因此完全未見出題，〈金縢〉僅有萬曆七年順天鄉試，出了一道〈王出郊，天乃雨。反風，禾則盡起〉——此乃〈金縢〉文末為流言所惑的誤會冰釋，成王出郊親迎周公，否極泰來的敘述，一反先前天候異常的凶徵為吉兆，故得獲出題。

再者，前言《尚書》六體中，「誓」體特別不受考官青睞，表十一所呈現的二十篇罕見出題篇目中，「誓」體就多達八篇，幾乎囊括了所有的「誓」體。[68]此類征伐、戰前之誓詞，內容較為簡短，八篇中除〈泰誓上〉有三〇三字外，其餘皆不滿三百字，如〈甘誓〉、〈湯誓〉、〈牧誓〉、〈費誓〉等，篇幅皆極短，分別僅有八十八、一四四、二四五、一八二字，內容或指斥桀、紂等敵方之失德亂政，或雖未著墨於敵方之失道，而著重於戰前告誡軍民，但嚴申紀律，口吻嚴厲，充斥著肅殺之氣，倘從其中出題，很難據經文發揮符合儒家之道及冠冕堂皇的義理，甚至與儒者所倡言的民本、仁政、德政等有所扞格。萬斯同即曾質疑：〈甘誓〉之孥戮，宛如「商鞅、韓非之法，後世庸主之所不忍者，而謂古帝王為之乎！」又言：〈盤庚〉三篇，「大要迫之以威，動之以鬼神，初無體恤民下之意，此不足為有無，即不傳亦可。」[69]言及這些戰前之誓詞或〈盤庚〉之文，內容不合儒家倡言的德政，

---

68 《尚書》五十八篇中，以「誓」命名、可歸類為「誓」體的有八篇。然〈胤征〉一篇，雖孔《疏》、程元敏教授將此篇歸為「征」類，而蔡《傳》於此篇題解言：「此以征名，實即誓也。」于雪棠亦將之歸在「誓」類，故筆者行文用「幾乎」而不言「全部」。孔《疏》說見〈堯典第一〉篇題下疏語；程說見《尚書學史》（臺北市：五南圖書出版公司，2008年），頁88；朱說見《尚書文體研究》（揚州市：揚州大學中國古代文學博士論文，2008年），頁33；于說見〈《尚書》文體分類及行為與文本的關係〉，《北方論叢》2006年第2期（總第196期），頁10。

69 〔清〕萬斯同：〈古文尚書辨一〉，《羣書疑辨》（《續修四庫全書》影印清嘉慶21年〔1816〕刻本），卷1，頁15。

諸篇確實因較乏冠冕的義理可發揮而較少出題。

再詳考〈盤庚〉三篇，內容乃記述商王盤庚遷都之際，對臣民的告誡，曉諭遷都之利與不遷之害。其中言及不遷之害處，恫嚇臣民從令，如〈盤庚中〉言：「乃有不吉不迪，顛越不恭，暫遇姦宄，我乃劓殄滅之，無遺育，無俾易種于茲新邑！」斬草除根，趕盡殺絕的口吻，即萬斯同所謂「迫之以威，動之以鬼神」，未能體恤臣民者。其他告誡處，或亦有為政至理。明代會試就曾從〈盤庚〉三篇中各出過一題，分別為正統四年〈無總于貨寶，生生自庸。式敷民德，永肩一心〉（〈盤庚下〉）、天順七年〈用德彰厥善。邦之臧，惟汝眾〉（〈盤庚上〉）、弘治十八年〈古我前后，罔不惟民之承保，后胥慼；鮮以不浮于天時〉（〈盤庚中〉），可見〈盤庚〉仍有局部內容義理合適的經文可以出題，只不過可出的範圍、素材較少而已。

七 結論

本論文以整理所得的《尚書》義試題為研究對象，使用歷史文獻分析法、統計法進行試題的分析研究。首先說明鄉、會試錄《尚書》義試題的搜集，以及各時期試錄、題數之分布，以交代文獻的根據。所掌握的會試試題科數有六十二科、共二三五道題，鄉試三三七種、共一三三九道題，以明中葉至萬曆十年間的試錄傳世較豐富，其他時期較為零星。

考察試題的排序，大都依《尚書》五十八篇先後次序。每次所出四道題，皆取自不同篇章，並未有同一篇章重複命題的現象。《尚書》可分虞、夏、商、周四類，四類篇數懸殊。《尚書》四題的組成模式，以「虞商周周」最頻見，此種模式在會試或鄉試比例皆高達百分之六十三。且明代初期出題較自由，尚未形成明顯一致的共識，相較於中葉以後的出題，也略顯試題分配不夠平均，有偏重〈虞書〉、〈商書〉的傾向。

由於〈周書〉篇數有三十二篇，占《尚書》篇半數以上，故〈周書〉於鄉、會試中，共出了七七八題，占百分之四十九點五，所見試題俱足的四道試題中，皆含〈周書〉題，以出二題為常見，亦不乏出三題者。不管是會

試、鄉試，出題數由多到寡之排序皆同為〈周書〉、〈虞書〉、〈商書〉、〈夏書〉。雖就出題總數而言，〈虞書〉僅位居第二，不如〈周書〉，但〈虞書〉篇數僅有五篇，卻出了三八九題，占百分之二十四點七，且五篇中就有〈舜典〉、〈大禹謨〉、〈皋陶謨〉、〈益稷〉等四篇位居出題前茅，並未有罕見出題者，可見〈虞書〉才是考官出題的最愛，也是考生備考的重點。而〈夏書〉最為考官所忽略，四篇中〈甘誓〉、〈五子之歌〉頗罕見出題，唯〈禹貢〉較受重視。特別的是，〈夏書〉在鄉試出題比例明顯較會試高，主要是因〈禹貢〉涉及九州地理、具頌美、順服朝廷領導之意，更適合在鄉試出題。

　　孔穎達據梅賾所上五十八篇本作《正義》之後，後代傳習多據此五十八篇本，含今文《尚書》三十三篇及新增的二十五篇古文《尚書》。自宋代吳棫、朱熹，已開始懷疑二十五篇古文《尚書》有偽作之嫌，真偽之辨，成為《尚書》學重要議題，而考官是否會因質疑古文《尚書》的真偽，而在出題時有所取捨呢？據表八〈今文、古文出題數及比例〉的統計，今文《尚書》的出題數、比例雖較古文高，但大抵與今、古文原有篇數的比例一致。熱門的出題篇章中，包含屬古文《尚書》的〈大禹謨〉、〈說命下〉、〈周官〉、〈畢命〉四篇；反觀出題數在○至三次的罕見出題篇章二十篇中，今文有十四篇，古文有六篇，分別占今、古文原有篇數的比例：百分之四十二、百分之二十四。古文《尚書》罕見出題，不受科場重視的篇章比例，還較今文《尚書》低。此皆證明，考官出題時，古文二十五篇並未因真偽的質疑，而受到忽視，主要仍取決於篇章經文的內容義理。

　　至於考官所重的篇章、內容，從表六〈《尚書》各篇鄉、會試出題數及排序〉來看，熱門出題排序前六名，不管鄉試以及鄉會試合計之排序皆為：〈洪範〉、〈大禹謨〉、〈益稷〉、〈禹貢〉、〈舜典〉、〈立政〉、〈說命下〉；接續則〈皋陶謨〉、〈呂刑〉，〈周官〉、〈畢命〉，諸篇排序略有參差、先後，但出題亦不少。這些熱門出題篇章，多為頌美吉祥的內容，多見頌揚三代聖君賢臣、關乎其德行、施政與功績；或經文中關於設官、刑獄、教化、治術等與施政有關的論述，這些經文蘊含的義理，適合作為掄才的題目來讓考生闡述，也是未來的官員所當深刻體會的。其中出題數最多的〈洪範〉，內容為

治國之大法,篇幅又長,最受考官青睞,共計出過一五七次。而從《尚書》六體來觀察,以「謨」體最常出題,其次為「典」體。

五十八篇中,鄉、會試皆未見出題的有九篇,合計只出過一至三題的一共十一篇。這二十篇或指斥夏桀、商紂等暴君之荒淫無道,多涉及暴政、喪亂的形容。《尚書》八篇以「誓」名篇之文,全在罕見出題的二十篇之列,顯見「誓」體在出題時最受忽略。因內容除指斥桀、紂等敵方之敗德外,或於戰前告誡軍民,以嚴刑重賞恫嚇,近似法家的嚴苛,與儒家倡言行王道、德政,頗為扞格。加上篇幅短小,可取材少,較乏冠冕的義理可發揮。或涉及國君死亡,如〈金縢〉載武王死,〈顧命〉載成王崩的經文,皆為出題之忌諱。

以上透過出題的分析,以還原考官出題的考量,以及試題在《尚書》虞、夏、商、周四類,在今、古文中之偏重,並藉由統計數據,以呈現五十八篇在科場出題時熱門出題及罕少出題的情況。各篇出題的詳細情形,尚待一一考察,罕少出題的篇章,不盡然「一無可取」,皆不可出;熱門出題的篇章,也非全可入題,如〈益稷〉在鄉、會試共出一○四題,會試、鄉試出題排序分別位居第二、第三,為熱門出題篇章,結尾一大段,更是常考的段落:

> 夔曰:「於!予擊石拊石,百獸率舞,庶尹允諧。」帝庸作歌,曰:「勑天之命,惟時惟幾。」乃歌曰:「股肱喜哉,元首起哉,百工熙哉。」皋陶拜手稽首,颺言曰:「念哉,率作興事,慎乃憲,欽哉,屢省乃成,欽哉。」乃賡載歌曰:「元首明哉,股肱良哉,庶事康哉。」又歌曰:「元首叢脞哉,股肱惰哉,萬事墮哉!」帝拜曰:「俞,往欽哉!」[70]

有樂舞的盛況,加上君臣和樂融融,互相唱和、勉勵的描寫,使此段既涉頌美又關乎政事的經文,在鄉、會試中出了十九題。題目或長或短,頗多變

---

70 〔漢〕孔安國傳,〔唐〕孔穎達等正義:《尚書正義》,卷5,頁15-17。

化，但唯有「元首叢脞哉，股肱惰哉，萬事墮哉！」三句負面的形容，始終被略過，未曾出題。

本文以上這些考察，除有助於還原明代考官出題的權衡外，也有助於了解學子研經、考生備考的狀況，以及藉以研究科舉用書的編纂、取捨。又可作為其他諸經出題的參照，也可與二、三場論、策、表、判的出題比較。

且明代科舉制度既承元制而修正，清代科舉又承襲明制而調整，對明代經書考試的研究，自然也可作為認識其他朝代經書考試的基礎。以元代為例，張祝平教授曾據元代劉貞所編《類編歷舉三場文選詩義》，研究元代《詩經》試題，獲得元代出題已是「重〈雅〉、〈頌〉而輕〈國風〉」的結論，[71]和筆者對明代《詩經》出題的分析一致，可見考官出題的考量，雖異代而多同趨，可以互參比較。又，元統二年（1334）進士王充耘在其《書義主意》釋〈無逸〉，認為除「君子所其無逸，先知稼穡之艱難，乃逸，則知小人之依」、「昔在殷王中宗，嚴恭寅畏，天命自度，治民祗懼，不敢荒寧，肆中宗之享國，七十有五年」兩段外，「餘題多有凶惡字樣，必不出」。[72]考察明代鄉、會試出題，所舉兩段亦是出題的焦點，雖亦有出於兩段以外，但「有凶惡字樣，必不出」，亦道中明代科場出題的實情。

王充耘又作有《書義矜式》，[73]《總目》云：「充耘即所業之經，篇摘數題各為程文。」[74]所錄乃元代備考參用之《尚書》經義範文，張思齊教授曾為文探討，文中指出：《尚書》五十八篇中，王書收有範文者三十四篇，有二十四篇沒有範文，因言：

71　張祝平、蔡燕、蔣玲：〈元代科舉《詩經》試卷檔案的價值〉，《中國典籍與文化》2000年第1期（總第60期），頁81。劉貞一書的介紹，亦可參張祝平此文。

72　〔元〕王充耘：《書義主意》（《四庫未收書輯刊》影印清道光影元刻本），卷5，頁33-34。王氏生卒年不詳。

73　〔元〕王充耘：《書義矜式》（臺北市：臺灣商務印書館，1983年，《景印文淵閣四庫全書》本）。

74　〔清〕紀昀等奉敕撰：《四庫全書總目》（臺北市：藝文印書館，1989年），卷12，頁44，〈書義矜式〉條。

這二十四篇文章原本也是有題目而且也配有範文的，不幸的是它們在流傳的過程中亡佚了。我們今天所見到的《書義矜式》，其出題範圍為《尚書》五十八篇文章中的三十四篇。換句話說，現存《書義矜式》，其篇幅僅是王充耘原來著作的三分之二。[75]

因此文中斷言「現存《書義矜式》是一個殘本」。[76]筆者對此推論，有所保留。由於文獻散佚，無法藉由元代試題的統計推論，僅以王書二十四篇未有範文之篇章，用與筆者據所搜集的明代各篇出題數統計對照，情況如下表：

表十二　《書義矜式》未收範文篇章與明代鄉會試出題數比較

《矜式》未收範文篇章	甘誓	五子之歌	湯誓	湯誥	盤庚中	盤庚下	高宗肜日	西伯戡黎	微子	泰誓上	泰誓中	牧誓	金縢	大誥	微子之命	酒誥	梓材	無逸	蔡仲之命	顧命	康王之誥	冏命	文侯之命	費誓
會試題數	0	0	0	2	1	1	0	0	0	0	0	0	0	0	0	3	4	4	0	0	1	4	1	0
鄉試題數	0	2	0	5	1	2	0	0	0	1	1	0	1	4	3	16	10	30	0	0	7	22	5	2
合計	0	2	0	7	2	3	0	0	0	1	1	0	1	4	3	19	14	34	0	0	8	26	6	2

再進一步考察《書義矜式》收有多篇範文的，常常也是明代鄉、會試熱門的出題篇章，如〈洪範〉，不管是《書義矜式》所收範文，還是明代鄉、

---

75 張思齊：〈王充耘的《尚書》研究〉，《西華大學學報（哲學社會科學版）》第33卷第3期（2014年5月），頁27。

76 張思齊：〈王充耘的《尚書》研究〉，《西華大學學報（哲學社會科學版）》第33卷第3期（2014年5月），頁30。鄭翠蘭：《王充耘尚書學研究》（重慶市：重慶師範大學中國古代文學碩士論文，2014年），頁3，指出《書義矜式》（臺北市：臺灣商務印書館，1983年，《景印文淵閣四庫全書》本）：「其中有些篇章，只存在篇章名而其下並沒有摘錄語句為文，〈甘誓〉、〈湯誓〉、〈湯誥〉、〈牧誓〉四篇，就是如此。還有一些篇章便毫無收錄，如〈五子之歌〉、〈高宗肜日〉、〈西伯戡黎〉、〈微子〉、〈金縢〉、〈大誥〉、〈微子之命〉、〈酒誥〉、〈梓材〉、〈無逸〉等等。」雖點出了這些缺收的現象，但並未進一步解釋、說明其故。

會試出題數總計,都是遙遙領先、一枝獨秀的。[77]反觀上表二十四篇未收範文者,從與明代鄉、會出題數的比較中可知,多數是考試所罕見出題者,僅少數如〈酒誥〉、〈梓材〉、〈無逸〉、〈冏命〉諸篇例外,或許是王充耘恰好未有相關佳作可收入之故,但顯然該書二十四篇沒有範文的現象,應多是作為科舉用書、配合考試出題傾向的取捨所致,並不能用以說明《書義矜式》是不全的「殘本」。

由此可見,對明代科場考官出題原則、趨向有所了解,對於科舉用書的認知,才有憑藉的基礎,亦有助於進行其他朝代經書考試的研究,此為後續可努力的方向。

附註:本論文初稿於二〇一五年四月「第九屆中國經學國際學術研討會」發表,感謝會議講評人蔣秋華老師斧正。初載於:《中國文哲研究集刊》第47期(2015年9月),頁137-172。承蒙《集刊》兩位匿名評審推薦,並惠賜高見,讓拙文得藉以裨補闕漏。

---

[77] 《書義矜式》(臺北市:臺灣商務印書館,1983年,《景印文淵閣四庫全書》本)中,〈洪範〉收十一篇範文最多;科舉所重的〈虞書〉五篇,範文也偏多,於此可見其扣合科舉出題之一斑。

惠棟《易》學著作稿抄本之價值舉隅

張素卿

國立臺灣大學中國文學系教授

提要

惠棟經學以《易》為中心，曾與父親惠士奇先後批校《周易集解》，補輯鄭玄《易注》，撰有《周易本義辨證》、《易漢學》及《周易述》四十卷系列等。這些《易》學著作有多種稿本或抄本傳世，保存惠氏家學的珍貴資訊，反映惠棟治學的歷程，並呈現其傳播影響的脈絡。善用清儒著作之稿本、抄本，猶如文獻考古，可以為清代經學之研究，提供新材料，注入新元素。

關鍵詞：清代漢學　惠棟　《易》學　稿本抄本　經學詮釋

一 引言

　　清儒一向自詡經學興盛，超邁前代，而直承兩漢絕學，這樣的學風轉向，本質上是儒家經典解釋的典範轉移。乾隆初年，惠棟（字定宇，號松崖，1697-1758）正式揭櫫「漢學」之幟，以《易》為中心，重構經學的的義理系統，述古以詮新，確立清代經學的新方向。

　　惠棟曾校刊《李氏易傳》，補輯《鄭氏易注》，撰有《周易本義辨證》、《易漢學》及《周易述》四十卷系列。這些《易》學著述，雖有刊本傳世，然而，諸多稿本、抄本，以及經後人過錄之板本，保存惠氏治學歷程的寶貴線索，甚或呈現「漢學」傳播影響的人際脈絡，彌足珍貴。

　　近年來本人多次赴北京、上海、蘇州、南京、杭州等地圖書館閱讀惠棟《易》學著述的稿本、抄本，不斷有新的收穫，陸續消化辨析之中。這篇論文謹稍事整理，略抒心得，以就正於大雅。由於《周易本義證辨》之稿本、抄本，先前曾撰文探討，[1]因此，這篇論文選擇就《易漢學》與《周易述》系列中的《明堂大道錄》，以及惠棟與父親惠士奇（字仲儒，號天牧，晚年自號半農人，[2] 1671-1741）共同批注的《周易集解》，提出討論，希望引發學界同好的興趣，一起關注清儒著述稿抄本的研究價值。

一 惠氏父子批校之《周易集解》

　　清乾隆十五年（1750），詔令內外大臣保舉經明行修之士，當時，黃廷桂（字丹崖，諡文襄，1691-1759）與尹繼善（字元長，諡文端，1696-1771）

1　詳參拙著：〈從典範轉移論惠棟之《周易本義辨證》〉，《國文學報》第53期（2013年6月），頁93-118。

2　案：惠士奇有「號曰天牧」之印，見上海圖書館藏明汲古閣刊《孟東野集》卷二〈路病〉一詩之下（有「惠印士奇」、「號曰天牧」二印）。又，惠氏父子批校《周易集解》等書，自題「半農人」，其著作如《易說》則題署「半農」，後人尊稱為「半農先生」，並參下引朱邦衡過錄惠氏父子批校本《李氏易傳》。

先後任兩江總督，交章論薦，稱譽惠棟「博通經史，學有淵源」，薦舉於朝。[3] 惠棟在〈上制軍尹元長先生書〉中，自述家學及治經歷程，特別強調：

> 十五年前，曾取資州李氏《易解》，反覆研求，恍然悟潔靜精微之旨，子游〈禮運〉，子思〈中庸〉，純是《易》理，乃知師法家傳，淵源有自。此則棟獨知之契，用敢獻之左右者也。[4]

惠棟自弱冠博覽群書，《周易》經傳想必早在研讀之列，從《周易本義辨證》猶泛及漢、唐與宋、元、明、清初諸儒之說，可以略見其涉獵之廣。[5] 雍正年間，因父親惠士奇奏對不稱旨而罰修鎮江城垣，家遭劇變，惠棟為父往來奔走之際，往往「閉門讀《易》，聲徹戶外」。[6] 中年以後，尤致力於鑽研《易》學，貫通〈中庸〉與〈禮運〉以闡發《易》理，[7] 自許有「獨知之契」。乾隆元年（1736），惠棟四十歲，與父親惠士奇先後研讀唐李鼎祚《周易集解》，這應當是轉向探索漢儒《易》說的重要起點，至乾隆九年（1744），惠棟撰《易漢學》成書，於是撰〈序〉，乃正式揭櫫「漢學」之幟。[8]

惠氏父子批校之《李氏易傳》，經後人傳抄、珍藏，留存至今。此書先經惠士奇評注，惠棟再參補己見，書中眉批之議論，對於了解惠棟治《易》之歷程，以及考察父子《易》學之異同，具有寶貴的價值。

3　說參錢大昕：〈惠先生棟傳〉，《潛研堂集》，頁698-699。案：乾隆十三年十二月，黃廷桂為兩江總督，十六年閏五月，調為陝甘總督，而調任尹繼善繼任兩江總督，說參《清史稿・高宗本紀》，頁158-161。

4　惠棟：〈上制軍尹元長先生書〉，《松崖文鈔》，卷1，收入漆永祥點校：《東吳三惠詩文集》（臺北市：中央研究院中國文哲研究所，2006年），頁315。

5　參詳拙著：〈從典範轉移論惠棟之《周易本義辨證》〉，《國文學報》第53期（2013年6月），頁107-108。

6　清・陳黃中：〈惠定宇墓誌銘〉，《東莊遺集》（上海市：上海古籍出版社，2010年，清代詩文集彙編第301冊，影印清乾隆間大樹齋刻本），卷3，頁516。

7　詳參拙著：〈惠棟論《易》之「大義」與「微言」〉，臺師大《國文學報》第56期（2014年12月），頁123-152。

8　惠棟：〈易漢學自序〉，《松崖文鈔》，卷1；收入漆永祥點校：《東吳三惠詩文集》（臺北市：中央研究院中國文哲研究所，2006年），頁303。

（一）惠氏父子批校本《周易集解》之傳抄

中國國家圖書館收藏一部雅雨堂刊本《李氏易傳》，係朱邦衡（字敬興，號秋崖居士）藏本，並過錄惠士奇；惠棟氏父子之批校。此本書首有朱氏「滋蘭堂藏書」印，書末有〈跋〉，茲迻錄如下：

> 癸丑初秋，假得余友漪塘周君所藏紅豆齋評本，乃汲古毛氏《津逮秘書》中本也。半農先生用墨筆評注，後復加硃筆；松崖先生所參，亦用硃筆，而無圈點。今悉用墨筆臨半農說，用硃筆加半農後增圈點，因半農前後去取諸家有異也。松崖評仍用硃筆臨之，庶有差別。毛氏所刻是書，倒顛舛誤處甚多，不但魯魚豕亥。今當以盧本為正，蓋雅雨所刊，即松崖先生手定本也。其中間有毛本是而盧本誤刊，及半農先生以己意改定者，或字義兩可而未敢定者，皆注於下闌，俾讀是書者得有稽考焉。重陽前二日，秋崖朱邦衡識。[9]

朱邦衡師事余蕭客（字仲林，號古農，1732-1778），為惠棟再傳門人。朱氏傳抄惠氏之著述與批校甚勤，至今仍留存數種，《李氏易傳》即其中之一。李鼎祚集解本《易傳》，或題《周易集解》，或稱《李氏易傳》，依朱氏〈跋〉，惠氏父子批注之紅豆齋藏本，係明汲古閣刊「津逮叢書」本，書題作《周易集解》，朱氏過錄時，採用雅雨堂刊本，此刊本之書題改為《李氏易傳》。[10]惠氏紅豆齋批校本後歸周錫瓚（本名周贊，字仲漣，號漪塘，1742-1819）「香岩書屋」，朱邦衡借周氏藏本過錄，分別依惠氏父子墨筆、硃筆臨抄，封面上並仿紅豆齋藏本，題曰：

9　李鼎祚：《李氏易傳》（乾隆二十一年雅雨堂刊本，朱邦衡臨惠士奇、惠棟父子批注，中國國家圖書館藏書，微捲編號7908），卷17，頁42下。以下稱朱氏臨本《李氏易傳》，以示區別。

10　李鼎祚《周易集解》之書名不一，詳參谷繼明：〈論李鼎祚周易集解的流傳〉，《周易研究》，2012年第3期，頁42。惠氏父子依汲古閣津逮叢書本批校，此本書題作《周易集解》，朱邦衡則依雅雨堂刊本過錄，此本書題作《李氏易傳》，書題各依其所據板本，讀者察之。

紅豆齋藏本

半農人評註李氏易傳　男棟松崖參

朱氏〈跋〉及後人多尊稱惠士奇為「半農先生」，而紅豆齋藏本原題「半農人」。[11]

後來，「紅豆齋藏本」與「半農人評註李氏易傳　男棟松崖參」兩行之間，添入一小段題記：

戊午六月蘇州述古堂經手歸於讀有用書齋

朱氏滋蘭堂藏書，經述古堂轉手，一度成為「讀有用書齋」藏書。「讀有用書齋」為韓應陛（字對良，一字鳴塘，號綠卿，1813-1860）藏書處，韓氏為道光十一年（1831）辛卯科秀才，二十四年中舉，官至內閣中書舍人。書首「李氏易傳序」題下有「滋蘭堂藏書」印，其上則是韓氏藏書章，作：

古婁韓氏應陛、載陽父子珍藏善本古籍

載陽（原名伯陽，字陽生，？-1898），韓應陛之子。咸豐十年五月，太平軍攻入松江，韓載陽隨侍其父，護書外逃。父親歿後，載陽克紹家風，保存韓氏「讀有用書齋」之藏書，並編有藏書書目。根據此本《李氏易傳》之藏書章，可以推考韓氏藏書一度入藏周暹（字叔弢，1891-1984）之「自莊嚴堪」，卷一「易傳卷第一」題下有「周暹」印。周氏藏書後來大多捐贈北京圖書館（即今中國國家圖書館）。周暹所藏朱氏臨本，曾借予王大隆（字欣夫，號補安，1901-1966，王氏以字行，下文依習稱引述），王氏仍以雅雨堂刊本為底本，過錄惠氏父子之圈點批校，此部《李氏易傳》，今為復旦大學

---

11 惠士奇晚年自號「半農人」，典出《周禮疏》。復旦大學圖書館藏有一部王大隆據吳昕臨惠棟批校本過錄之《周禮注疏》，卷十三賈公彥《疏》：「……廛里也，場圃也，宅田也，士田也，賈田也，官田也，牛田也，賞田也，牧田也，九者亦通受一夫焉，則半農人也」，其下地腳有惠棟批語，云：「先學士別字取此。」見復旦大學圖書館藏：《周禮注疏》（王大隆過錄惠棟批校本），卷13，頁12上。並參拙著：〈博綜以通經——略論惠士奇《易說》〉，《吉林師範大學報》2017年第6期，頁2，注1。

圖書館藏書。第一冊書末有王氏之〈跋〉，述其始末，茲迻錄如下：：

> 此朱秋崖臨惠氏父子評注《李氏易傳》。舊藏松江韓氏，曾經過目，
> 無由借錄。後韓氏藏書盡散，此冊不知何歸？然往來於心，不可恝
> 置。頃與建德周君叔弢訂交，知已展轉入「自莊嚴堪」，慨然自津沽
> 寄滬，其通懷樂善之雅，殊不可忘。遂照臨此本。人事旁午，作輟靡
> 常，歷兩月餘始畢。再俟案條編錄為《松崖讀書記》之第一種。乙亥
> 五月十五日大隆記。[12]

王氏致力於傳揚惠棟之學，擬抄錄惠氏批校群書之筆記，集結成《松崖讀書
記》，而以《李氏易傳》之惠氏評注為第一種。[13] 王氏所據即朱邦衡臨抄
本，當年為周暹「自莊嚴堪」中藏書[14]，民國二十二年乙亥，周氏慨然借予
王氏，自津寄滬，歷時兩月餘，抄畢又完璧歸還原主，藏書家「通懷樂善」
的風範，令人景仰。王氏所輯《松崖讀書記》後來因故散佚，所幸過錄之本
尚存若干，遺書大多捐贈復旦大學圖書館，惠澤士林。

綜上所述，惠氏父子批校本之《周易集解》，由紅豆齋轉入周錫瓚香岩
書屋；朱邦衡借周氏藏本臨抄，這部朱氏臨抄的滋蘭堂藏本《李氏易傳》，
經述古堂轉入韓應陛「讀有用書齋」，後來成為周暹「自莊嚴堪」藏書，今
收藏於北京之中國國家圖書館；民國二十二年王大隆又據朱氏臨抄本過錄，
王氏過錄本今收藏於上海復旦大學圖書館。惠氏之書經歷來藏書家盡心保
存，具體而微地展示學術傳播的一段過程，其中，朱邦衡、王大隆兩家尤好
惠氏之學，經兩家抄錄、保存的著作甚多，對惠棟經學的傳播，功不可沒。

12　李鼎祚：《李氏易傳》（乾隆二十一年雅雨堂刊本，王欣夫過錄朱邦衡臨本，復旦大
　　學圖書館藏書，書號2972），第一冊書末。以下稱王氏過錄本《李氏易傳》，以示區別。

13　案：王大隆彙輯惠氏之批注筆記，其中頗多惠士奇、惠棟父子共同評閱之本，以「松
　　崖讀書記」為題實有待商榷，蓋松崖為惠棟之號，而批語或出自惠士奇也。

14　2013年暑期，因執行科技部專題計畫，赴上海復旦大學訪書，多蒙吳格教授協助，盛
　　情厚意，至今難忘。當時在復旦大學圖書館古籍抄錄王大隆〈跋〉，承吳教授提示始知
　　周暹用佛典，自號齋名為「自莊嚴堪」。附誌於此，以申謝忱。

（二）惠氏父子之《易》學有同有異

依朱邦衡〈跋〉，《李氏易傳》之圈點出自惠士奇，批語則「半農先生用墨筆評注，後復加硃筆；松崖先生所參，亦用硃筆」，朱氏過錄時，依舊朱墨分書。本人曾於二〇一一年至中國國家圖書館讀書，因適逢善本書室整修，朱氏臨抄本《李氏易傳》只能調閱微捲，而微捲無法顯示朱、墨分色的區別，初讀此書之批語，心中有不少疑惑。至二〇一三年赴復旦大學讀書，獲覩王欣夫過錄本，此本保存墨筆、朱墨的分別——以墨筆臨惠士奇批語，以朱筆臨惠棟語。這對於考察惠氏父子《易》學觀點的異同，極有幫助。以下略舉數例進一步分析說明。

惠士奇之眉批，多次對王弼（字輔嗣，226-249）表示不滿，如：

> 王弼開宋儒，而漢學絕矣，何故又引其說？[15]
>
> 《易》學，仲翔殿其終，後來居上。輔嗣小兒，實啟宋儒。[16]

此皆墨筆眉批，出自惠士奇。不僅對王弼《易》學下啟宋儒，「而漢學絕矣」，頗有微詞，李鼎祚偶爾採用王弼《注》，亦表不滿。李氏之《周易集解》原書多引荀爽（字慈明，128-190）、虞翻（字仲翔，164-233）、鄭玄（字康成，127-200）等漢儒之說，惠氏批語，對漢《易》頗為關注。如〈文言傳〉「非一朝一夕之故，其所由來者漸矣」下引虞翻《注》，曰：「為朝，柔爻為夕。〈乾〉為寒冰，〈坤〉為暑，相推而成歲焉，故非一朝一夕，所由來漸矣。」其上天頭有墨筆批注云：

> 〈乾〉寒〈坤〉暑，必有本。〈乾〉為寒冰，見於《易》；〈坤〉為暑，未聞。後世創為〈先天圖〉，〈乾〉南〈坤〉北，則〈坤〉為寒冰。有是理乎？[17]

---

15 王氏過錄本《李氏易傳》，卷8，頁3上。
16 王氏過錄本《李氏易傳》，卷11，頁23下。
17 王氏過錄本《李氏易傳》，卷2，頁11上。

認為虞翻所謂「〈乾〉為寒冰」之說，必定有所本，乃據以反駁〈先天圖〉。
類似的眉批又見於〈離〉卦，象曰：「大人以繼明照于四方」，下引虞《注》
謂：「〈震〉東、〈兌〉西、〈離〉南、〈坎〉北」云云，天頭之墨筆批注云：

> 〈乾〉為寒冰，安得在南？〈先天圖〉出自道家，康節全是道家之
> 學。朱子篤信之，殊不可解。[18]

根據虞翻「乾為寒冰」之說加以推演，直接對邵雍（字堯夫，諡康節，
1011-1077）、朱熹（字元晦，號晦菴，1130-1200）提出批評。惠士奇撰
《易說》，對此有所發揮，而惠棟亦繼承其說，《易漢學》卷八〈辨先天後
天〉具錄《易說》，然後略加申述，[19]父子相承的脈絡可見一斑。

惠士奇雖開始關注漢儒《易》說，並據虞翻之說批評宋儒誤信〈先天
圖〉，然而，他對虞翻頗多微詞，如〈恆·象〉引虞翻《注》，天頭墨筆批
云：云：

> 仲翔注《易》有合、離。合者，確不可易；離者，穿鑿而已。[20]

所謂「合」、「離」，不知何所指？從「離者，穿鑿而已」一語，顯見惠士奇
對虞翻的解說自有取捨，認為或有「穿鑿」之病。其中，最受惠士奇詬病
者，厥為「改卦」之說。〈隨〉九四：「隨有獲，貞凶。有孚在道，以明何
咎？」之下引虞翻《注》曰：「謂獲三也。失位相據，在〈大過〉，死象，故
貞凶。象曰：『其義凶矣。』孚，謂五，初震為道。三已之正，四變應初，

---

18 王氏過錄本《李氏易傳》，卷6，頁28下。
19 惠棟：《易漢學》，卷8，附見鄭萬耕點校：《周易述》（北京市：中華書局，2007年），
　　頁632-634。中華書局本《周易述》，除上下經與十翼之注疏二十卷外，並附《易微
　　言》二卷，《易例》二卷，及《易漢學》八卷，文中引述諸書，俱依此板本。案〈辨先
　　天後天〉所錄「半農先生《易說》」兩條，不見於今傳四庫全書本或刊本《易說》，而
　　日本京都大學藏一卷本《易說》及臺北故宮博物館圖書文獻處藏紅豆齋抄本《易說》
　　三卷皆有類似文字，詳參拙著：〈京都大學藏惠士奇《易說》抄本初探〉，「第十屆中
　　國經學國際學術研討會」宣讀論文（臺北市：東吳大學，2017年10月10-11日）。
20 王氏過錄本《李氏易傳》，卷7，頁6下。

得位在〈離〉，故『有孚在道，以明何咎』，象曰：『明功也。』」其上天頭有
墨筆批語，云：

> 改卦以就其說，此仲翔之妄也。[21]

類似的批評屢次出現，如：

> 仲翔好改卦，不成道理。[22]

又如：

> 改卦以就其說，此虞《易》之大病也。[23]

甚至質疑：

> 改卦起於仲翔乎？抑漢儒先有之乎？[24]

無論漢儒已有，或出自虞翻，惠士奇同樣不以為然，認為：

> 如此類皆瑣碎不成道理，反不如王弼。
> 太瑣碎，不成道理，舍現在之象而取變動之爻，則何卦不可變乎？改
> 卦爻以就其說，妄矣。[25]

上述眉批皆墨筆，出自惠士奇，質疑虞翻「改卦」取象之法，這類見解明顯
與惠棟有別。

首先，參照《周易述》，〈隨〉九四「隨有獲，貞凶。有孚在道，以明何
咎？」之下，仍引虞《注》為注，並據以疏釋。[26]《周易述》中援據虞氏以

---

21 王氏過錄本《李氏易傳》，卷5，頁4上。

22 王氏過錄本《李氏易傳》，卷7，頁2上。

23 王氏過錄本《李氏易傳》，卷7，頁11上。

24 王氏過錄本《李氏易傳》，卷8，頁4上。

25 王氏過錄本《李氏易傳》，卷11，頁5上。

26 惠棟：《周易述》，附見鄭萬耕點校：《周易述》（北京市：中華書局，2007年），頁53及
   54。

述經傳之義者甚多，不煩贅舉。其次，惠士奇只泛泛說「仲翔好改卦」，惠棟深入考索，推究本源，辨明其例。就〈隨〉卦而言，虞翻解卦辭云：「〈否〉上之初，剛來下柔，初、上得正，故『元亨利貞，无咎。』」所謂「〈否〉上之初」，涉及「之卦」（或稱變卦）；〈隨〉之六三、九四，虞氏謂九四「獲三」，又云：「三已之正，四變應初」，這涉及「之正」例。針對「之卦」（或稱變卦），惠棟認為：

> 《周易》以變者為占，故〈象傳〉獨言卦變，〈乾〉、〈坤〉旁通，卦變之始也。漢儒皆主此說。[27]

經詳細考索，撰成專文，〈虞氏之卦大義〉謂：

> 「之卦」之說本於〈象傳〉，而雜見于荀慈明、姚元直、范長生、侯果、盧氏諸人之《註》，而虞仲翔之說尤備而當，今從攷之。……其後李挺之作〈六十四卦相生圖〉，用老子「一生二，二生三」之說，至于三而極。朱子又推廣之，而用王弼之說，名曰「卦變」，而以己意增益，視李圖而加倍。至作《本義》，又以二爻相比者而相易，不與卦例相符。論者謂不如漢儒之有家法也。[28]

依惠氏推考，「卦變」或應正名為「之卦」，此說出自漢儒，家法傳承有自，而且「本於〈象傳〉」，諸儒之中，虞翻的說法「尤備而當」；相對的，李挺之依老子，朱子用王弼，又與卦例不相合。準此而言，虞翻「之卦」說應有

---

27 惠棟：《周易本義辯證》（濟南市：齊魯書社，2011年5月，清經解三編影印清乾隆間蔣光弼刊省吾堂本），卷1，「六爻發揮旁通情也」條，頁423。

28 惠棟：《易例》，卷上，〈虞氏之卦大義〉，附見《周易述》，鄭萬耕點校：《周易述》（北京市：中華書局，2007年），頁654-656。並參《易漢學》卷八〈卦變說〉，附見《周易述》，鄭萬耕點校：《周易述》（北京市：中華書局，2007年），頁637-638。此文原稱〈卦變說〉，據《周易本義辯證》手稿，〈卦變說〉為此書「附錄」六論之一，後來乃編入《易漢學》卷八。〈虞氏之卦大義〉與〈卦變說〉，兩者旨趣相同，內容相近，文字小有差異而已，無疑當視為同一篇文章，〈虞氏之卦大義〉蓋修訂後之定本，語氣和立場更加堅定，故據此引述。

其價值,自非「妄」說而已。「之卦」用以說明六十四卦的關係,〈虞氏之卦大義〉即依虞氏推演,指出「自〈否〉來者九卦:〈隨〉〈噬嗑〉〈咸〉〈益〉〈困〉〈漸〉〈旅〉〈渙〉〈未濟〉」,[29]〈隨〉自〈否〉來,故虞《注》有「〈否〉上之初」一語,意謂〈否〉卦上九與初六兩爻相易,即成〈隨〉。爻之變化,又涉及「之正」,惠棟認為:

> 虞仲翔注《易》,以《易》之「利貞」,皆謂變之正及剛柔相易,〈乾〉升〈坤〉降之類。[30]

貞者,正也。《易》每卦六爻,陽爻居初、三、五,陰爻居二、四、上,則當位得正,然而,六十四卦唯有〈既濟〉六爻皆正,如虞翻指出:「〈乾〉六爻,二、四、上非正,〈坤〉六爻初、三、五非正」,惠棟推演其義,謂:

> 蓋〈乾〉必交〈坤〉而後亨,爻必得位而後正。[31]

《易》有「利貞」之義,失位不正之爻,必「變之正及剛柔相易」,所以說「爻必得位而後正」。〈隨〉卦虞《注》所謂:「三已之正,四變應初」云云,就是依「利貞」之例來說爻位變化,從而取象而演其義。

朱邦衡臨抄紅豆齋藏本,封面模仿原書題曰:「半農人評註李氏易傳男棟松崖參」,細玩其意,書中批語,以惠士奇為主,評閱在先,其後惠棟又附參己見。不僅如此,詳細考察墨筆批語與朱筆批語,墨筆居多,而朱筆較少,而朱筆批語之見解,往往與惠棟之著述若合符節。如〈繫辭上傳〉「〈乾〉〈坤〉其《易》之縕邪」、「〈乾〉〈坤〉毀則无以見《易》」、「《易》不

---

29 同前註。

30 惠棟:《易例》,卷上,「利貞」條,附見《周易述》,鄭萬耕點校:《周易述》(北京市:中華書局,2007年),頁652。

31 惠棟:《易例》,卷上,「元亨利貞大義」條,附見《周易述》,鄭萬耕點校:《周易述》(北京市:中華書局,2007年),頁651。案:「〈乾〉六爻,二、四、上非正,〈坤〉六爻初、三、五非正」之注,見〈繫辭傳下〉「若夫雜物撰德,辨是與非,則非其中爻不備」引虞翻《注》,「蓋〈乾〉必交〈坤〉而後亨,爻必得位而後正」二句非虞氏語,《周易述》之標點有誤。

可見則〈乾〉〈坤〉或幾乎息矣」諸句之下,朱筆雙行小字批注云:

> 〈乾〉〈坤〉各六,分列十二消息為辟卦。《易》謂日月,〈坎〉月、
> 〈離〉日,居中央,旺四季,故〈乾〉〈坤〉成立而《易》立乎其中。
> 〈乾〉成則〈坤〉毀,謂四月巳;〈坤〉成,則〈乾〉毀,謂十月亥。
> 《易》不可見,謂六日七分。息,生也。謂〈中孚〉至〈復〉、〈咸〉
> 至〈姤〉也。[32]

《周易本義辯證》即以此說反駁朱熹,惠棟云:

> 《本義》讀「毀」為毀壞,「息」為滅息。〈乾〉、〈坤〉即天地也,安
> 得以毀壞滅息言之?竊以其說為未安。此節之義,以漢《易》考之,
> 即孟喜「卦氣」之說也。〈乾〉、〈坤〉者十二畫也,《易》者〈坎〉
> 〈離〉也(〈坎〉月、〈離〉日,日月為《易》)。縕,藏也。〈離〉麗
> 〈乾〉,〈坎〉藏〈坤〉,故為《易》之縕。〈乾〉〈坤〉各六畫,分為
> 十二消息。〈坎〉月、〈離〉日,居中央,旺四季(〈坎〉戊、〈離〉
> 巳,方伯卦),故〈乾〉〈坤〉成列,而《易》立乎其中矣。〈乾〉成
> 則〈坤〉毀,謂四月也。〈坤〉成則〈乾〉毀,謂十月也。〈乾〉
> 〈坤〉毀,則〈坎〉〈離〉分,此六日七分時也。故云:无以見
> 《易》。幾,近也。息,生也。《易》不可見,則〈乾〉〈坤〉或近乎
> 生矣,謂〈中孚〉至〈復〉,〈咸〉至〈垢〉也。班固釋此經云:「言
> 與天地為終始也」,得之矣。[33]

依漢《易》推考,以孟喜「卦氣」說詮解「〈乾〉〈坤〉毀」、「〈乾〉〈坤〉
息」,認為班固「言與天地為終始也」的解說才合乎〈繫辭傳〉之義。

　　惠氏父子先後批注《周易集解》,惠棟得自家學啟發而關注漢《易》的

---

32 王氏過錄本《李氏易傳》,卷14,頁21上。

33 惠棟:《周易本義辯證》(濟南市:齊魯書社,2011年,清經解三編影印清乾隆間蔣光
　　弼刊省吾堂本),卷5,頁484。

軌跡，可以略見一斑；惠士奇斥王弼、不信〈先天圖〉等見解，更成為他走出宋學而別探漢儒古義之前導。然而，惠士奇雖關注漢《易》，猶不敢輕信虞翻，甚或直斥其說為「妄」，或「瑣碎不成道理」。相對的，惠棟深入鑽研漢儒《易》說，梳理其家法源流而撰《易漢學》，又重新詮釋經傳而撰《周易述》，這些專門著述裡，都明確援據虞翻之說，對其「例」與「義」有清晰之理解，並極具自信地運用。換言之，惠棟在家學啟發下，邁入考漢《易》的途徑，考據有得，乃進而建立《易》漢學，卓然自成一家。

二　《易漢學》手稿本

《易漢學》為惠棟正式揭櫫「漢學」的代表作。此書繼承家學，而致力於梳理孟喜（字長卿）之卦氣、消息，京房（字君明，前77-前37）之世應、飛伏，鄭玄之爻辰，荀爽之升降，虞翻之卦變、納甲等古義，於是「自孟長卿以下五家之《易》，異流同源，其說略備」。[34]葉景葵（字揆初，1874-1949）考察《周易本義辨證》稿本時，注意到「〈蒙〉以亨行時中也」條，「稿本『漢易攷』三字硃筆改為『易漢學』」，指出：「據此可知先生所著《易漢學》原名《漢易考》。」[35]原名「漢易考」，蓋取意於輯考漢儒《易》說，後來由「考」進於「學」，遂改名「易漢學」，正式標舉「漢學」作為解經依循的門徑，推動經學的典範轉移。[36]

---

34 惠棟：〈易漢學自序〉，見《周易述》（北京市：中華書局，2007年），513。

35 葉景葵〈跋〉，見上海圖書館藏《周易本義辨證》稿本（書號 T00452），卷首。並參拙著：〈從典範轉移論惠棟之《周易本義辨證》〉，《國文學報》第53期（2013年6月），頁103注42。

36 鄭朝暉：《述者微言──惠棟易學的邏輯化世界》（北京市：人民出版社，2008年），頁38。鄭氏參考葉景葵〈跋〉，加以引申，謂：「考與學之別正好道出了惠棟學術觀的內在變化」，值得參考。然而，引述葉氏〈跋〉有誤（參上文引）。而且，鄭氏未真正領悟「惠棟學術觀的內在變化」，乃由明立「漢學」，而正式與「宋學」別驅，反而據〈易漢學自序〉，推論惠氏「已形成了結合漢宋之學的思想基礎」（頁37）。此一推論的錯誤，是由於偏執「漢學」只講考據或訓詁，而講求義理即是「宋學」，其實，清儒早

　　《易漢學》一書最早曾收入乾隆晚年纂成之「四庫全書」，依《總目》著
錄，此本凡八卷，採用「光祿寺卿陸錫熊家藏本」。[37] 王昶〈易漢學跋〉云：

> 定宇采掇排次，稿凡五六易。丁丑，與余客揚州，始定此本，命小胥
> 錄其副，以是授余，蓋其所手書者。[38]

據此，乾隆二十二年丁丑（1757），惠棟曾將手書之《易漢學》贈予王昶，
自己仍收藏錄副之本，而在此之前，已「掇排次，稿凡五六易」。四庫全書
八卷本之《易漢學》，殆出自王氏所藏手寫本。王氏〈與陸耳山侍講書〉云：

> 亡友惠君定宇之《周易述》及《易漢學》，當路者曾錄其副以上太史
> 否？……此二書某寓中皆有之，《易學》蓋徽君手寫本，鳳喈光祿、
> 撝升員外皆覆加考正，尤可寶貴。如四庫館未有其書，囑令甥瑞應撿
> 出，進於總裁，呈於乙覽，梓之於館閣，庶以慰亡友白首窮經之至
> 意。[39]

陸錫熊（字健男，號耳山，1734-1792），為「四庫全書」總纂官之一，王昶
特意推薦《周易述》、《易漢學》二書，俾能進呈總裁，入藏館閣。依王氏所
言，錄副進呈之本，又經王鳴盛（字鳳喈，1722-1797）、褚寅亮（字撝升，
1715-1790）覆核校正。此書後來又有刊本傳世，收入經訓堂叢書、皇清經
解續編等。目前大陸各圖書館仍收藏有數種《易漢學》抄本，而復旦大學圖
書館古籍庫收藏一部《易漢學》稿本，尤為珍貴。

已指出如此區分「漢學」、「宋學」並不允當，尤其與惠棟確立之「漢學」典範不合，
　說並參拙著：〈惠棟論《易》之「大義」與「微言」〉，《國文學報》第56期（2014年12
　月），頁123-152。

37　紀昀等：《四庫全書總目》（臺北市：臺灣商務印書館，1983-1986年影武英殿刊本），
　　卷6，頁。

38　王昶：〈易漢學跋〉，《春融堂集》（上海市：上海古籍出版社，2002年，續修四庫全書
　　第1437-1438冊，影清嘉慶12年塾南書舍刻本），卷43，頁3上。

39　王昶：〈與陸耳山侍講書〉，《春融堂集》（上海市：上海古籍出版社，2002年，續修四
　　庫全書第1437-1438冊，影清嘉慶12年塾南書舍刻本），卷31頁8上。

（一）「六論」之有無

　　復旦大學藏《易漢學》稿本（書號3917），僅有七卷，卷一卷二〈孟長卿易〉，卷三〈虞仲翔易〉，卷四卷五〈京君明易〉（附干令升），卷六〈鄭康成易〉，卷七〈荀慈明易〉。此稿本與四庫本互相參照，有不少差異，最大的不同為四庫本卷八收錄「六論」：〈辨河圖洛書〉、〈辨先天後天〉、〈辨兩儀四象〉、〈辨太極圖〉與〈重卦說〉、〈卦變說〉；然而，稿本七卷，並無此「六論」，殆尚非完整謄錄之定本。

　　上海圖書館藏《周易本義辨證》手稿（書號 T00452），書後有一卷附錄，卷首標題作：「周易附錄」，標題之下添加小字附註：「入《易漢學》末卷」，其內容及次第為：〈第一論河圖洛書〉、〈第二論先天後天〉、〈第三論兩儀四象〉、〈第四論重卦〉、〈第五論卦變〉與〈第六論太極圖〉。[40]《周易本義辨證》手稿本附錄之「六論」，與四庫本《易漢學》卷八之「六論」，次序、篇名，以及文字都小有出入，然而，內容大致相同，應是依據惠棟手稿批注，將前者之附錄抄入後者末卷。依上文推考，四庫本出自丁丑年王昶獲贈之手寫本，然則，《易漢學》增為八卷，併入「六論」，形成較為完整的面貌，時間大約在乾隆二十二年。

　　上海圖書館另有一部《易漢學》七卷抄本（T01953），以此為參照，顯示《易漢學》成書「定宇采掇排次，稿凡五六易」，板本錯綜互異，值得仔細推究。

　　首先，此抄本亦僅七卷，然而，第七卷已收錄〈辨河圖洛書〉、〈辨先天後天〉、〈辨兩儀四象〉、〈辨太極圖〉四論，無〈重卦說〉與〈卦變說〉二論。無獨有偶，清經解續編本《易漢學》卷八，也只收四論，與抄本相同。惠棟於乾隆九年撰〈易漢學自序〉，書名確定當在此時或之前，乾隆九年至二十二年之間，末卷似乎先添入四論，最後才又增為六論。因此，稿本、抄本、四庫本與續編本《易漢學》，不僅有七卷（稿本、抄本）、八卷（四庫

---

40 詳參拙著：〈從典範轉移論惠棟之《周易本義辨證》〉，《國文學報》第53期（2013年6月），頁99。

本、續編本）之別，其末卷是否已添入〈辨河圖洛書〉諸論（稿本全無），
或只有四論（抄本、續編本），或已具六論（四庫本），各本竟彼此互異！

其次，上海圖書館藏《易漢學》七卷抄本之末卷既已收錄四論，而〈鄭
康成易〉則附在第五卷，並未單獨成卷，而纂錄的資料也比各本簡略。相對
的，上述其他板木〈鄭康成易〉率皆單獨一卷，稿本、四庫本與續編本同列
為第六卷。由此推論，這部七卷抄本很有可能係傳抄自較早的稿本。因此，
有必要深入考察鄭玄《易》說由附於卷五到單獨成卷的原由。

（二）〈鄭康成易〉之單獨成卷

惠棟據王應麟輯本增訂之鄭玄《易注》，其稿本今亦收藏於上海圖書
館，書函顯簽作「《鄭氏周易》」，書首有盧見曾〈鄭氏周易序〉，題於乾隆二
十一年丙子（1756），這是雅雨堂叢書《鄭氏周易》刊本所據之底本。書末
蔡孫峰〈跋〉曰：

> 此書得自趙靜涵處，以雅雨堂刊本對勘，行款字數悉符。其硃筆添改
> 處，出惠松厓先生手，想松厓既著此書，盧氏刻時，又再刪改者。于
> 此可見，前輩成書，必數易其藁，不肯草率者也。勿以世有刻本而輕
> 視之。[41]

---

41 上海圖書館藏《鄭氏周易》稿本（T820933），光盤59頁。案：王應麟輯《周易鄭康成
注》，原本附錄於《玉海》之後，明胡震亨以王氏所輯作為李鼎祚《周易集解》之「附
錄」，稍作增補，惠棟復就胡氏補輯本重加增訂，一一註明出處，此書今收藏於臺北國
家圖書館（海鹽胡氏刊祕冊彙函本《易解·附錄》，書號101.2／0004），卷題下手書：
「毛子晉手挍」、「惠定宇增註」，行間、天頭頗多惠棟增補之筆。胡震亨〈序〉明言：
「刻《集解》而併取應麟所輯，除已見《集解》者為附錄。」（《易解·附錄·序》，頁
1下）惠棟所增，大部分係將胡氏未錄者，依王應麟輯本補足；少部分則參考《漢上易
傳》、《周易會通》等書，在王氏、胡氏輯本的基礎上，又作增補。上海圖書館藏《鄭
氏周易》稿本當是其整理謄清之本，盧見曾為之刊入「雅雨堂叢書」，援引胡震亨前
例，將《鄭氏周易》作為《李氏易傳》（即《周易集解》）之附錄。如蔡孫峰〈跋〉所
言：「想松厓既著此書，盧氏刻時，又再刪改者」，《鄭氏周易》稿本以硃筆添改者，主

硃筆添改者的筆跡明顯不同正文抄寫者，殆惠氏依謄清之本再加校改。潘景鄭（1907-2003）〈惠松崖手校鄭氏周易〉云：

> 此鈔本前有盧氏序文，是尚從雅雨本出者。卷中朱筆校改甚多，如「萬物出乎震」條下，增至百數十字，審其筆跡，猶出松崖先生之手。是必書成後重加刪改。足徵前賢著書之勤，隨得隨改，不肯草率從事耳。卷末有蔡孫峰一跋，不詳其里居事實，於松崖先生遺墨，辨識至確，是亦讀書種子耳。[42]

惠棟所輯《鄭氏周易》引錄之資料比上圖七卷抄本《易漢學》增多不少，而與四庫本卷六所錄相近，惠氏之說解文字也大體相同。

　　《鄭氏周易》附有〈鄭玄爻辰圖〉，參照《易漢學》，上海圖書館藏七卷抄本之第五卷末所附，題作：〈鄭氏周易爻辰圖〉，標題與清經解續編本同；至於稿本與四庫本均改題作〈十二月爻辰圖〉。圖之後有說，《鄭氏周易》先引《周易·乾鑿度》與鄭《注》，其下有「棟案」云云，案語旨在說明《乾鑿度》之說與鄭玄《周禮·太師注》、韋昭〈周語注〉相合，引錄鄭、韋兩家注文之後，謂：

> 鄭氏注《易》，陸績注《太玄》皆同前說，是以何妥〈文言·注〉以初九當十一月，九二當正月，九三當三月，九四當五月，九五當七月，上九當九月也。宋朱震作〈十二律圖〉，六二在巳，六三在卯，六五在亥，上六在酉，是〈坤〉貞於未而左行，誤甚，作圖以正之。[43]

「宋朱震作〈十二律圖〉」與「誤甚，作圖以正之」兩句係改訂之文字，原本抄作：

要是刊印時的刪改或增訂，多與刊本脗合。鄭潘景以為此本「是尚從雅雨本出者」（參下引），有待商榷。

42 潘景鄭：《著硯樓書跋》（上海市：上海古籍出版社，2006年），頁1。

43 上海圖書館藏《鄭氏周易》稿本（T820933），光盤57頁。

> 宋儒朱子發作〈十二律圖〉……甚誤甚矣，作圖以正之。

案諸《易漢學》七卷抄本與稿本，俱作：

> 宋儒朱子發作〈十二律圖〉……甚誤甚矣，作圖以正之。並附鄭氏
> 《易》說于後。[44]

《鄭氏周易》稿本所抄與《易漢學》七卷抄本相同，惠棟想必在刊刻前修訂
文字，故雅雨堂本、四庫本《鄭氏周易》俱依修訂為：「宋朱震作〈十二律
圖〉……誤甚，作圖以正之」。《易漢學》七卷抄本與稿本之文字未經修訂，
唯多出「並附鄭氏《易》說于後」一句，而且，《易漢學》稿本之資料增
多，〈鄭康成易〉已移為第六卷。依此推論，《易漢學》七卷抄本早出，當時
惠氏輯鄭玄《易》說尚少，故附在第五卷末，未單獨成卷；其後，又有增
補，乾隆二十一年《鄭氏周易》收入雅雨堂叢書之中，輯錄資料計有三卷，
付梓刊行前，又朱筆添改數處，故文字不同；《易漢學》添加增廣之鄭玄
《易》說，卷次隨之異動，而文字未必同步修訂。

　　雅雨堂本《鄭氏周易》刊於乾隆二十一年，而《易漢學》稿本、王昶所
見之手寫本及四庫本，亦增錄鄭玄《易》說而獨立成卷。然則，〈鄭康成易〉
獨列一卷，殆在此時。然則，〈易漢學自序〉所謂「成書七卷」，此七卷並非
稿本之七卷──稿本卷六〈鄭康成易〉已自成一卷。疑〈易漢學自序〉所謂
「七卷」，包含收錄四論之末卷（第七卷），而〈鄭康成易〉猶附於卷五。至
乾隆二十一年前後，因輯存鄭玄《易》說漸豐，乃獨列一卷；二十二年，王
昶所見之手寫本，既增加〈鄭康成易〉一卷，而且末卷（第八卷）也由四論
增為六論，四庫本即由此傳抄而來。稿本七卷，與四庫本的前七卷接近，唯
文字又經修改，而且略有增補，唯尚未併抄六論。至於續編本，前七卷的文
字與資料更接近稿本，例如卷三〈虞仲翔易〉，四庫本僅錄至「孔文舉書」
條；稿本在此條之後，又增補「仲翔奏上易注」與「仲翔又奏」兩條，而續

---

44 上海圖書館藏《易漢學》抄本（T01953），光盤83頁；復旦大學圖書館藏《易漢學》稿
　本（書號3917），卷6，頁2下。

編本也有這兩條[45]，續編本似乎根據較晚增訂的書稿傳抄；然而，卷八只有四論，仍未收入〈重卦說〉與〈卦變說〉。何以如此？只能闕疑待考了。

（三）稿本中的一篇遺文

《易漢學》稿本七卷應當是最後仍保存在惠棟手中，並陸續修訂的板本。稿本卷三不僅在「孔文舉書」條後，增補「仲翔奏上易注」與「仲翔又奏」兩條，此卷最後還附錄一篇遺文，作：「附棟〈周易晢義序略〉」，題下原以雙行小字夾注附記：「辛未元旦為張君作」，後來又糊紙改寫，僅留下「辛未年作」字樣。[46]茲將全文迻錄如下，並附書影於後：

> 說經者不一家，而《易》尤繁。故有漢《易》、有魏《易》、有晉《易》、有唐《易》、有宋《易》，而漢《易》用師法，獨得其傳。魏《易》者，王輔嗣也；晉《易》者，韓康伯也；唐《易》者，孔沖遠也。魏、晉崇老氏，即以之說《易》；唐棄漢學，祖述王、韓，皆不足取。宋《易》推程、朱，程子舉理之大要，朱子有意復古，頗及象數，然于聖人為《易》之意，終有未盡合者。何以知之？以漢《易》知之。西漢之學亡矣，京氏《易傳》只有積算法而佚其章句，可攷者東漢數家耳，荀、虞、鄭、宋、九家是也。荀氏以升降，九家主荀，大略相同；虞兼納甲，鄭合爻辰，宋注寥寥，間有可采。辜較諸儒，荀、虞為最，輔之者鄭、宋、九家矣。然則程、朱不如荀、虞乎？曰：非程、朱不如荀、虞也，經師亡之故也。夫自孔子殁後，至東漢

---

45 中華書局點校本《周易述》所附《易漢學》，已參校續編本（皇清經解續編卷141）。

46 2010年12月赴上海復旦大學圖書館讀書，調閱《易漢學》稿本，發現〈周易晢義序略〉這篇遺文，抄錄並攝影存真，當年攝錄的照片題下只有「辛未年作」四字。未料，2013年7月再度前往，再度調閱時，〈周易晢義序略〉題下赫然出現「辛未元旦為張君作」諸字，驚奇不已！特地詢問吳格教授，始知圖書館正在掃描古籍，可能因此揭開了糊在上層的紙片。附記始末於此，並對復旦大學圖書館古籍部，尤其吳格教授之多方協助，聊申謝忱！

末共八百年，此八百年中，經師授受咸有家法，至魏、晉而亡，于是
王、韓之輩始以異說汩經。惜也！程、朱不生於東漢之末也，設程、
朱生於東漢之末，用師法以說《易》，則析理更精，而使聖人為
《易》之意煥如星日，其功當更在荀、虞之上。《易》道大明，王、
韓老氏之說，豈足以奪之哉！[47]

這是一篇遺文，尚未收錄於《松崖文鈔》或《東吳三惠詩文集》。依題意推
敲，名為「序略」，乃是為《周易皙義》一書撰序，與題下「為張君作」四
字呼應，則《周易皙義》的作者即張君。張君其人名字，以及《周易皙義》
一書，尚待查考。此〈序〉撰於辛未，即乾隆十六年（1751），而乾隆二十
二年前後，王昶獲贈一部手寫本《易漢學》，其中並這篇文字；如上文所
述，續編本雖曾參考稿本後來修訂增補之資料，也同樣未錄此文。經初步考
察，顧棟高（字震滄，又字復初，1679-1759）應當讀過這篇文章，為盧見
曾代筆撰寫〈周易述序〉時，[48]採用此文內容，藉以反映惠棟之《易》學史
觀。然則〈周易皙義序略〉起初雖為他人撰〈序〉，實則旨在表陳己見，故
附入《易漢學》稿本，而篇題之下原有「為張君作」四字，既而掩去，最後
只註記「辛未年作」。[49]

依〈周易皙義序略〉，惠棟將歷代《易》學分為五家：漢《易》、魏

47 惠棟：《易漢學》稿本（復旦大學圖書館藏書，約西元18世紀），卷3，頁16上-17上。

48 〔題〕盧見曾：〈周易述序〉，見惠棟：《周易述》（清乾隆24-25年雅雨堂刊本，約西元
18世紀），頁1上-2上；並參顧棟高：〈周易述序〉，《萬卷樓文稿》（北京市：國家圖書
館出版社，2010年，國家圖書館藏鈔稿本乾嘉名人別集叢刊影印清鈔本），頁548-
550。盧〈序〉與顧〈序〉，文字大同小異，兩者之文字、意旨又與〈周易皙義序略〉
若合符節。殆盧見曾為惠棟刊刻《周易述》，故惠棟或其子提供〈周易皙義序略〉等文
作為參考，由顧氏代筆撰成初稿，復經盧氏修改定稿，然後刊入《周易述》卷首。

49 宣讀論文當天，特約討論人陳鴻森教授因故未能出席，但提供了詳細深入的書面評
議，其中論及〈周易皙義序略〉一文，認為這「不是單純的書序，也非全文，因為文
中完全未提到作者張君。這段文字其實是惠氏摘錄舊作，陳述自己的《易》學觀，提
供第三者為惠書撰序時參考鋪敘之用，這種例子我在一些稿鈔本中也見過。」陳教授
的說法有道理，謹錄原文如上，俾供讀者參考。

《易》、晉《易》、唐《易》及宋《易》，漢《易》首推荀爽、虞翻，其餘四家則分別以王弼、韓康伯（名伯，以字行，生卒年不詳）、孔穎達（字沖遠，574-648），以及程頤、朱熹為代表。五家之中，惠氏認為唯有漢儒守師法而「獨得其傳」，相形之下，「魏、晉崇老氏，即以之說《易》，唐棄漢學，祖述王、韓，皆不足取」；至於宋代，程頤「舉理之大要」，而朱熹「有意復古，頗及象數」，依惠氏之見，程、朱之論，終未能盡合於聖人之意。由「何以知之？以漢《易》知之」一語，可以明確看出惠氏評騭諸家，實以漢《易》為判準。漢《易》可考者，包括京房積算、鄭玄爻辰，荀爽升降、虞翻納甲等，俱見《易漢學》輯述，將〈周易皆義序略〉附錄此書稿本，良有以也。

魏《易》王弼、晉《易》韓康伯與唐《易》孔穎達，惠棟以「皆不足取」一語判定，對於宋《易》程、朱之學，則肯定其「舉理之大要」、「有意復古，頗及象數」，又惋惜「程、朱不生於東漢之末也」，否則亦將「用師法以說《易》，則析理更精」，不為王、韓老氏之說所奪，必定功過荀、虞云云，婉轉致意，迂曲陳詞，其實明批王、韓「以異說汨經」，又暗諷程、朱違失聖人之意。言下之意，闡明聖人之意，唯有依準漢《易》，因為「自孔子歿後，至東漢末共八百年，此八百年中，經師授受咸有家法」，則漢儒《易》說，本源自於孔子。所謂「設程、朱生於東漢之末，用師法以說《易》，則析理更精」云云，假託程、朱，其實是表申陳一己之意，惠氏主張「用師法以說《易》」，而且，依此途徑不僅可以「析理更精」，更且合乎聖人之意。

惠棟在〈周易皆義序略〉一文中，扼要表述了自己的《易》學史觀，評騭前人之餘，並從中勾勒出解說《易》理的可循途徑。由此可見，惠氏以「漢學」為依歸，一則絕非自限於輯考漢《易》，而是藉漢《易》以解經；二則，他認為如此說《易》，可以「析理更精」，足以上探聖人之微言與大義。

三 《明堂大道錄》手稿本

惠棟晚年致力於撰寫《周易述》，依其子承緒、承蕚之〈周易述題識〉，惠氏自乾隆十四年己巳（1749）開始撰稿，迄乾隆二十三年（1758）病歿，撰稿約十年，生前手定四十卷，總稱《周易述》，以「上下經、十翼之注疏」為核心，復輔以《易大義》、《易微言》、《易例》、《明堂大道錄》、《禘說》，以及未撰成之《易法》、《易正訛》等七書，形成一套複合型的《易》學系統。由於雅雨堂刊本、四庫全書本《周易述》都以「上下經、十翼之注疏」為主，這成為後人習稱的《周易述》，而惠棟以「上下經、十翼之注疏」及輔翼七書合計四十卷而總稱《周易述》的構想反而淹沒不彰，知之者寡。既然後人率皆以為《周易述》僅指「上下經、十翼之注疏」，通行已久，我以「《周易述》四十卷系列」指稱「上下經、十翼之注疏」與《易大義》等輔翼七書。「上下經、十翼之注疏」為四十卷系列的核心，尚缺〈革〉卦以下與〈序卦傳〉、〈雜卦傳〉；而輔翼七書之中，唯有《明堂大道錄》八卷、《禘說》二卷，已經脫稿成書；〈周易述題識〉中轉述惠棟遺命，曰：「《易微言》采輯十有七八，《易大義》止有〈中庸〉一種，《易例》則纔有端緒。然皆隨筆記錄，為未成之書，……汝其錄而藏之」云云。[50]

《明堂大道錄》為《周易述》四十卷系列輔翼七書之一，惠棟生前已經脫稿成書，有經訓堂叢書等刊本傳世，而其稿本今收藏於上海圖書館。以下謹就《明堂大道錄》稿本略作探討。

（一）《明堂大道錄》脫稿的時間

經訓堂刊本《明堂大道錄》，書前無〈序〉，而上海圖書館所藏稿本，書首錄有諸錦（字襄七，號草廬，1686-1769）〈序〉，茲迻錄如下：

---

50 惠承緒、承蕚：〈周易述題識〉，見《周易述》（清乾隆24-25年雅雨堂刊本），卷首，頁2上-3上。

著述莫難于經，三禮尤難之難也。錦讀學士半農前輩之《禮說》矣，歎其於十三經注疏之外，原始于蒼雅、說文、金石碑版，出入於逸經子史，旁及於天文鍾律方術本草小說虞初，凡先秦古書，宋雕未誤之本，靡不鉤賾索隱，抉心執權。貫串奧博精深，卓乎！聖朝之鴻編，經解之拔萃，所謂能讀三墳五典，八索九邱，能道訓典以敘百物者。學者匪獨不能為，亦不能解也。今接讀定宇先生所著《明堂大道錄》，辨四廟七廟之制；小《記》為周初，〈王制〉、《荀子》為晚周之記禮。又禘之說，周、魯不同，吉禘、時禘、名禘、寶祫、方明為六宗之位。推所自始，自朝日以迄獻俘，皆本于明堂。融洽戴德、蔡邕之說，而去取于孔安國、鄭康成、劉歆、袁準諸家，雖漢儒復起，有喙三尺，無以相難也。說者謂月令、明堂、禘祭，原有成說，何乃乖反，徒取好異？不知舉業則遵令甲，說經則通漢儒，果有發明，為禮經之羽翼者，即洛閩大儒，亦所心許也。獨是先生以經師、人師困於諸生，十試鐉闈。報罷，兩舉宏詞、經學，刺史不能薦，天子不聞名聲。俛首鉛黃，淹留過日，而先生年亦已六十矣。往者，上以本朝經學之書延訪，錦于經史轉對之日，曾以公之《禮說》及安溪相國《詩所》，德清胡氏謂《禹貢錐指》經目進。今又得公之子所著，自硯溪先生以來，素業三世不墜。聖天子按年省方，南國魁材，擢隱存歿、興榮，必有汲古尊經在帝左右為之上聞者，當以惠氏之書為拱璧矣。然千秋絕學，并在一家，用則施諸人，捨則傳諸其徒，际五相三公亦無以過也。錦在都門親炙前輩之光輝久，序定宇之書，并以為當代讀書種子勸，使學者知所祈嚮。因連而及之如此。乾隆丁丑八月辛酉同學弟秀水諸錦謹序并書。[51]

這篇〈明堂大道錄序〉，依篇末所題，作者為諸錦，並有撰序時間。此〈序〉曾收入王昶（字德甫，號述庵，1725-1807）編輯之《湖海文傳》卷

---

51 諸錦：〈明堂大道錄序〉，見《明堂大道錄》稿本書首（上海圖書館藏書，T 762504-05）。

二十三，唯篇末並未題署年月。「丁丑」即乾隆二十二年（1757）。〈序〉中
明言「先生年亦已六十矣」，乾隆二十一年丙子，惠棟六十歲，而《明堂大
道錄》手稿本書末（卷八）有「丙子夏脫稿」諸字，則此書脫稿於丙子，遂
請諸錦撰〈序〉，至丁丑而成。

　　諸錦為雍正二年（1724）甲辰科進士，乾隆元年舉博學鴻詞，召試一等
三名，授編修。諸錦出自李紱（字巨來，號穆堂，1673-1750）門下，李氏
與惠士奇為同年進士，乾隆初，李紱擔任「三禮館」副總裁，惠氏與諸氏都
曾入館任職。諸錦《絳跗閣詩稿》卷六有〈古風一首奉贈惠讀學天牧先
生〉、〈送天牧先生旋里〉及〈天牧先生以《易說》、《禮說》見示〉等詩，[52]
大約撰於乾隆二年至四年之間，當年，曾獲讀《易說》與《禮說》稿本，撰
〈序〉之時，乃先追溯這段淵源，謂：「錦讀學士半農前輩之《禮說》矣」，
篇末又云：「錦在都門親炙前輩之光輝久」云云。其實，諸錦與惠棟兩人素
未謀面。惠棟曰：

> 長水多名士，余所知者，諸太史草廬先生。昔有詩贈先君，為先君激
> 賞。余嘗寓書太史，稱其淩韓而轢杜。太史以余書徧示坐客，且命其
> 門下閩中孝廉吳生、祖生輩，先後造詣余問字。然余與太史初未謀面
> 也。[53]

諸錦曾入「三禮館」參與纂修《三禮義疏》，著有《饗禮補亡》一卷、《夏小
正注》，以及《儀禮義疏稿》（今手稿收藏於復旦大學圖書館）。既與惠士奇
交好，又是禮學名家，故請序於諸氏。〈序〉中略述《明堂大道錄》之內容
大要，並確切指陳「說經則通漢儒」之經學旨趣。

---

52 諸錦：《絳跗閣詩稿》（清乾隆27年秀水諸氏刊本），卷6頁13下、14下及17上。
53 惠棟：《范湖詩鈔序》，《松崖文鈔》，卷2，收入漆永祥點校：《東吳三惠詩文集》（臺北
　　市：中央研究院中國文哲研究所，2006年），頁328-329。

（二）江聲助抄及其校語

江聲（字叔澐，號艮庭，1721-1799）自述「年三十五，師事同郡惠松崖先生」，[54] 據此，江聲師從惠氏，當在乾隆二十年乙亥（1755）。江氏追隨惠棟時，曾協助纂錄《明堂大道錄》，手稿本有惠氏、江氏當時往返問答之文字。書末有發數條附記，迻錄一條如下：

> 卷三　明堂象魏
>
> 《周禮》〈太宰〉曰：「正月之吉，始和布教于邦國都鄙。乃縣教象之法于象魏，使萬民觀治象，挾日而斂之。」下，雙行補錄之：「大司徒垂教象，大司馬垂政象，大司寇垂刑象，小宰、小司徒正歲帥屬觀治象之法、教象之法。」聲案：《周禮》〈小司馬〉闕，小司寇亦正歲帥屬觀刑象。今未及小司寇，未識當補入否？今空數行，侯　以補錄。

校語自署「聲案」，請示是否補入小司寇。似此校語凡有數條，最後云：

> 錄呈
>
> 老夫子覽祈一二教示之　　　　　　　　聲百拜謹錄

尊稱惠氏「老夫子」，而自署其名「聲」，當係江聲。世傳之經訓堂刊本《明堂大道錄》，即以江聲抄錄者為底本，故字體多仿篆字結構。呼應江氏之問，惠氏云：

> 〔「明堂象魏」《周禮》〈太宰〉〕此舉六象以證象魏之義。小司馬、小司寇即大司馬、大司寇也。似不必重出，可以不載。

又，卷四「明堂門數」，經訓堂刊本之順序為先「皋門」，其次「雉門」，其

---

54 江聲：《尚書集注音疏》（皇清經解本），卷390，頁2下。案：孫星衍〈江聲傳〉謂：「年三十，師事同郡惠徵君棟」（《平津館文稿》卷下），其說有誤。

次「庫門」，其次「應門」，其次「路門」，其次「畢門」，經江聲請問，惠氏回應說：

> 〔卷四「明堂門數」〕原稿門數本無次第，後依先鄭之說，由外及內，使皋門而後畢門，如此，則先載者全錄經傳，後載者說明見上。賢友酌量書之可也。

所謂「賢友」即稱呼江聲。江聲所錄殆即所謂「原稿」順序，惠棟表明「後依先鄭之說，由外及內，使皋門而後畢門」，而手稿本最後修訂之順序為先「應門」，其次「庫門」，其次「皋門」，其次「雉門」，其次「畢門」。又，卷三〈明堂天法〉錄《禮記明堂陰陽錄》，曰：

> 《禮記明堂陰陽錄》（引見〈牛宏傳〉及《御覽》）曰：「陰陽者，王者之所以應天也。明堂之制，周旋以水，水行左還以象天。內有太室，象紫垣（一作宮）。南出明堂象太微，西出總章象五潢，北出玄堂象營室，東出青陽象天市。上帝四時各治其宮（一作功）；王者承天統物，亦於其方以聽國事（一本無國字）。」[55]

文中有「南出明堂象太微」之語，江聲對此說提出疑問，惠氏於是在卷二、卷三之間空白處，另紙書云：

> 此云「南出明堂象太微」，而《史記・天官書》：「心為明堂。」《晉書・天文志》：「心中星為明堂天子位，房為明堂，天子布政之宮。」乃在天市垣之南。與此異者，〈天官書〉：南宮權、衡；權，軒轅；衡、太微。故云：「南出象太微。」是言明堂之位。〈月令〉：「仲夏之月，天子居明堂太廟。」正房、心昏中之時。房、心為明堂，是王居明堂之法。未知是否？就正高明。[56]

---

55 惠棟：〈明堂天法〉，《明堂大道錄》（上海圖書館藏書，T762504-05），卷3，頁1上。

56 〈天官書〉，《史記》（北京市：中華書局，1959年），頁1299曰：「南宮朱鳥，權、衡。衡，太微……。權，軒轅。」

針對「南出明堂象太微」一語，申述王居明堂之法。惠氏援引《史記・天官書》與《晉書・天文志》，指陳「房、心為明堂」，而明堂為天子布政之宮，又據〈月令〉，指「仲夏之月，天子居明堂太廟」，此即王居明堂之法。依〈天官書〉，太微屬南宮，故《禮記明堂陰陽錄》有「南出明堂象太微」之語。末云：「未知是否？就正高明。」仍是商榷口脗。江聲師事惠棟，為抄錄著述，傳承其學，惠氏則稱之為「賢友」，應答亦採商榷語氣，待江氏在師友之間。

（三）兩篇遺文

《明堂大道錄》手稿本有兩篇《松崖文集》遺文。其中一篇為考證少昊氏之紀官梗概，全文如下：

> 余攷少昊之紀官，而知殷以前猶循其制也。〈曲禮〉載殷之制曰：天子建天官，先六大、次五官、次六府、次六工。六大（大音泰），由五鳥也，五官猶五鳩也，六工猶五雉也，六府猶九扈也。少昊紀官，先立正，司分以下屬焉。殷時建官，先天官，大史以下屬焉。五鳥班五鳩之上。六大居五官之首，先天地而後人事也。自顓頊以來，不能紀遠，而以五行命官，謂之五官，制少變于前矣。然猶命南正重司天以屬神，火正黎司地以屬民。司天者，五鳥之職也；司地者，五鳩之職也。而使木正、火正為之，其兼官之始與？堯之羲、咊主歷象，仲叔主四時，初不異于少昊也。四時之官，分宅四方，謂之四嶽，位在稷、契之上，堯、舜求禪命官則咨之。《周官》六卿亦分天地四時，但冢宰天官無司歷之事，唯春官之屬太史掌之，下大夫之職也。然〈顧命〉太史序太宗之上，《春秋傳》謂：天子之日官「居卿以底日」，古制猶未泯也。蓋上古天官斟酌元氣，典調陰陽，故生為上公，歿為貴神，是尊是奉。及夫羲、咊湛淫而廢時日，程伯失官而為司馬，自是以後，周有萇宏，魯有梓慎，晉有卜偃，鄭有裨竈，宋有

子韋，楚有唐都，皆有其術而無其德，不聞加之諸卿之又〔右〕也。漢武稽古，置太史公，位在丞相之上，其猶鳳鳥司歷、日官居卿之義乎！然當時謂「文史星歷近乎卜祝之間，主上所戲弄，倡優畜之」，苟非其人，道不虛行，雖復古何益哉！（松崖文集）

依文意，這篇遺文可訂名為〈少昊氏紀官攷〉。此文亦見於經訓堂刊本卷五。[57] 篇末註明出處為「松崖文集」，然則惠棟生前曾自編文集，收入此文，可惜生前纂輯之《松崖文集》二卷已經亡佚。後人所編《松崖文鈔》未錄此文，近年漆永祥又增廣遺文若干篇，並未注意此篇遺文，《東吳三惠詩文集》失收。

另有一篇遺文，僅見於《明堂大道錄》手稿本，因有眉批提示刪去不寫，故經訓堂刊本無此文。茲迻錄如下：

〈月令〉五神，先儒皆以為顓頊五官，非也。五德之君，為皇者三，為帝者二。世次縣殊，豈有配食五神，獨取顓頊一代者哉！古者配食，必以當時之臣，句芒以下，似先代已有其人。後世寵而神之，遂以名其五官耳。元冥之于顓頊，固是矣。〈繫辭〉稱庖犧氏為罔罟，神農為市，《世本》乃云：「句芒為庖犧臣，祝融為神農臣。」明矣。《管子》述黃帝六相，一曰后土，少皞之子該為蓐收。孔穎達謂佐少皞于秋也。準此而言，則一帝一臣，皆據當時之君臣言也。或曰：祝融為顓頊之臣，經傳有明文。以之屬神農，可乎？應之曰：《外傳》稱黎為高辛氏火正，光照四海，故命之曰祝融，是必古之火正有是人，故舉以明之耳。且古有祝誦氏，在伏義之後，見〈武梁碑〉。以古文審之，即祝融也，豈顓頊高辛之官耶？（松崖文集）

依文意，或可訂名為〈月令五神非顓頊五官考〉。篇末亦自註「松崖文集」，

---

57 惠棟：《明堂大道錄》（上海圖書館藏書，T762504-05），卷5，「明堂建官」，頁4下-5下。經訓堂本以江聲抄錄者為底本，文中諸「歷」字，避乾隆名諱而闕，另以小字書「御名」二字，手稿本均逕作「歷」。

雖自《明堂大道錄》刪除，或仍編入惠棟自編之文集。後人所編《松崖文鈔》，與漆永祥之《東吳三惠詩文集》，俱未採錄。他日廣輯惠氏遺文，應當據以增補。

（四）惠棟之子參校並整理遺書

依《明堂大道錄》手稿本各卷末所題校者，惠棟之二子承緒與三子承德曾協助校對。卷一與卷六、七、八各卷，題「男校承緒」，而卷二、三、四、五各卷則題「男承德校」。案惠棟之子，五人：承學、承緒、承德、承跗與承萼[58]，傳記資料說法頗不一致。陳黃中（1704-1762）〈惠徵君棟墓誌銘〉言之最詳，曰：

> 〔惠徵君〕娶張氏，有婦行。子五人：承學、承德，先卒；承跗，後君半歲卒；承緒、承萼。孫：廷鳳。[59]

彭啟豐（字翰文，號芝庭，1701-1784）〈惠徵士家傳〉則云：

> 卒之年，六十有二。子三人：承緒、承跗、承萼，以行述請立家傳。余與君為同學友，固稔知之，因為之傳。[60]

殆因承學、承德在惠棟生前已卒，故彭氏敘述其子「以行述請立家傳」原委，僅提及承緒、承跗、承萼三人。而王昶〈惠定宇先生墓志銘〉謂：

---

58 《惠氏宗譜》（卷32，頁10上）作：「子五：嘉學、嘉緒、嘉德、嘉跗、嘉萼。」並參祥漆永祥點校：《東吳三惠詩文集》（臺北市：中央研究院中國文哲研究所，2006年），頁521。「嘉」字，或作「承」，惠棟著作中述引，或校者題名，或〈周易述題識〉之作者題名，均作「承」；又，嘉跗之「跗」，當作「跗」，以及陳黃中、王昶、彭啟豐等撰文，亦作「承」（詳參下文引述）。故惠棟諸子之名，文中一律作「承」。

59 陳黃中：〈惠徵君棟墓誌銘〉，見漆永祥編校：《東吳三惠詩文集》（臺北市：中央研究院中國文哲研究所，2006年），頁500。

60 彭啟豐：〈惠徵士家傳〉，見漆永祥編校：《東吳三惠詩文集》（臺北市：中央研究院中國文哲研究所，2006年），頁506。

子四：承學、承緒、承跗、承萼。[61]

不知何故，竟獨漏承德。[62]

　　據《惠氏宗譜》，五子之中，承學（字伯臺，1727-1753），居長，生於生於雍正五年，卒於乾隆十八年。[63]次子承緒（字秉高，1729-1773?），生於雍正七年，[64]在惠棟生前及其死後，參校並整理遺書，用功最勤，時間也最久，乾隆三十八年癸巳（1773），李文藻（字素伯，號南澗，1730-1778）刻《九經古義》於廣東潮陽縣署，延聘承緒擔任校刊之役。李氏〈易例跋〉云：

> 惠定宇先生言《易》之書，予所見《周易述》、《鄭氏易》先有刻本，
> 〈周易古義〉為《九經》中一種，癸巳歲予刻於潮陽。《易漢學》嘗
> 錄副而復失之。甲午十月，予自潮來羊城，周校書永年寄《易例》一
> 冊，亦先生所輯，中多有目無說，蓋未成之書。然讀先生之《易》
> 者，非此無以發其凡。予以意釐為二卷，屬張明經錦芳校刊。乙未夏
> 再至，已蕆事。而《易漢學》一書，予座主少詹事錢公有寫本，當求
> 而刻之。[65]

然而，乾隆三十九年刻《左傳補註》成書，乾隆四十年校刻《易例》蕆事，承緒均未參與其事。準此而言，承緒卒年大約在此前後，故暫且將承緒之卒年繫於乾隆三十八年，如此，亦僅年四十五而已。

---

61 王昶：〈惠定宇先生墓志銘〉，見漆永祥編校：《東吳三惠詩文》（臺北市：中央研究院中國文哲研究所，2006年），頁509。

62 鄭朝暉已注意陳、王兩人說法不同，唯未進一步考索。參鄭氏：《述者微言——惠棟易學的邏輯化世界》（北京市：人民出版社，2008年），頁33，注2。

63 《惠氏宗譜》（卷32，頁13下）曰：「嘉學，字伯臺，生於雍正五年丁未十月巳時。卒於乾隆十八年癸酉十二月初四日辰時，僅年二十七歲。」案：中國科學院國家科學圖書館收藏一部曾慥《類說存》（明鈔本），其中有「惠承學印」陰文方印，與「伯臺」陽文方印，即惠棟長子之藏書印，附錄於此，以備參考。

64 《惠氏宗譜》曰：「嘉緒，後改承緒，字秉高，大學生。生於雍正七年巳酉六月十二日。……卒俱失考。」（卷32，頁13下）

65 李文藻：〈易例跋〉，引文據北京大學圖書館古籍部藏《易例》抄本迻錄。此抄本殆即李氏潮陽縣署刊本之底本，後又收入貸園叢書。

　　承德（字忠含，1730?-1755?）排行第三，生卒年不詳[66]，王昶〈墓誌銘〉竟至缺而不載，唯據陳黃中所述，知其卒在惠棟生前。假設承德少承緒一歲，則生年約為雍正八年（1730）。由《明堂大道錄》手稿本所題校者，可知二子承緒與三子承德曾分校其手稿，手稿本八卷脫稿於乾隆二十一年丙子（1756），當時承緒二十七歲，承德年紀殆亦相仿（二十六歲？）。換言之，兩兄弟校讀此書時，年約二十餘，具備查核經傳古籍之能力。然而，長子承學並未參與其事，殆因乾隆十八年盛年早卒之故。承德不僅參與校理著作手稿，惠棟早年撰《漁洋山人精華錄訓纂》二十卷，後又作《補遺》一編，《補遺》曾採錄承德之說，如：

　　〔〈盆魚〉「笙竽」〕承德曰：昌黎〈長安交遊者詩〉：「高門有笙竽。」〔〈葵圖為牧仲郎中賦〉「美鬈」〕承德曰：《廣韻》：「鬈，髮好也。又，番人髮也。」

　　〔〈十一月十八日紀事〉「邨意」〕承德曰：《竹南漫錄》：或問新城紀事詩曰「乘軒竉邨意」，《左傳》邨意茲，詩何為刪茲字？答曰：此必有本，但未檢出何書耳。漢〈費鳳別碑〉云：「司馬慕藺相，南容復白圭」，此藺相如也。王懋言：「庾信銘有年消張辟，詩有無復申包之語」，此張辟疆、申包胥也。後漢鄧萬世或稱鄧萬，唐盧鴻一或稱盧鴻。古來人名，舉一字者頗多，近有人皆新城詩刪「茲」字為趁韻者，設令新城當日聞之，定為軒渠也。[67]

《漁洋山人精華錄訓纂》殆刻於乾隆五年（1740）前後，[68]《補遺》一編則

66　《惠氏宗譜》（卷32，頁13下）曰：「嘉德，字忠含，早卒。」僅說「早卒」，未記其生卒年。

67　惠棟：《漁洋山人精華錄訓纂》（臺南縣：莊嚴文化事業公司，1997年，四庫全書存目叢書集部第226冊，影紅豆齋刻本），頁526、頁527。

68　雍正年間，惠士奇因奏對不稱旨，罰修鎮江城垣，直至產盡罷官，乾隆初弟子蘇珥（字瑞一，號古儕，1699-1767）等集資贖回紅豆齋舊居，五年，惠士奇偕惠棟南下廣東，與諸弟子參訂《禮說》，當時，寄寓蘇珥處，並出所撰《漁洋山人精華錄訓纂》託付參訂並補注，殆不久亦付梓刊行。詳參曾受一：〈孝廉徵士古儕蘇君墓誌〉，見蘇

刻於乾隆二十二年丁丑（1757），[69]承德參補若干條，大約也在乾隆二十年前後。依王昶所言，「丙子、丁丑，先生與余又同客盧運使見曾所」，[70]同為幕賓，並為鈔校《易》學著述多種，而撰〈墓誌銘〉獨漏承德之名，蓋在此之前，承德已卒。故承德之卒年，暫繫於乾隆二十年（1755）。自雍正八年至乾隆二十年，亦僅二十六年而已。

惠棟之四子承跗（字宣文，1735-1758），生於雍正十三年，[71]依陳黃中〈墓誌銘〉，乾隆二十三年（1758）五月惠棟卒後約半年，承跗亦亡，年僅二十四。惠棟校《周禮注疏》時，曾隨書附記云：

> 乙亥歲暮校。時四兒承跗病狂易，朝夕防護，心緒甚惡，而不輟業。然〈樂師〉以下，除夕迫新正始校畢。《詩》云：「風雨如晦，雞鳴不已。」殆予之謂歟！（見卷二十七末葉）

然則，乾隆二十年（乙亥）歲暮，四子承跗已患疾病，「朝夕防護，心緒甚惡，而不輟業」，惠棟乃引《詩》自況，亦以自勵。五子承萼（字漢臣，一字漢光，1739-1759），生於乾隆四年，[72]據〈周易述題識〉推考，殆卒於乾隆二十四年己卯（1759）。承緒〈周易述題識〉云：

> 先是，己卯歲刻成二十卷，公〔案：指盧見曾〕郵寄挍讎，承緒與弟漢光（承萼）分任其役；踰年，續刻《易微言》二卷，邀承緒至署對

珥：《安舟雜鈔》所附《安舟遺稿》（上海市：上海古籍出版社，2009年，《清代詩文集彙編》第289冊，嘉慶十九年甲戌種德堂本），頁2上-下。

69 詳參盧見曾：〈漁洋山人精華錄訓纂序〉，見漆永祥編校：《東吳三惠詩文集》（臺北市：中央研究院中國文哲研究所，2006年），頁400。

70 王昶：〈惠定宇先生墓志銘〉，見漆永祥編校：《東吳三惠詩文集》（臺北市：中央研究院中國文哲研究所，2006年），頁510。

71 《惠氏宗譜》（卷32，頁10上）作：「嘉跗，字宣文。生於雍正十三年乙卯十月二十八日。卒失考。」

72 《惠氏宗譜》（卷32，頁10上）曰：「嘉萼，字漢臣。生於乾隆四年己未十月二十七日。卒缺。」惠承緒：〈周易述題識〉，附於盧見曾〈序〉末，見〈序〉，《周易述》（乾隆24-25年刻雅雨堂本），頁3上。

勘，且以文字之役見委，凡兩寒暑。今板既攜歸，復事校閱，而漢光弟下世已屆三載矣。撫卷黯然，不能無鷦行折翼之痛云。承緒又識。[73]

乾隆二十四年己卯（1759）夏，盧見曾雅雨堂刊《周易述》二十卷刻成，由承緒、承萼（字漢光）共同校勘，當年秋日所撰〈題識〉，猶兄弟聯名；踰年，即乾隆二十五年（1760），續刻《易微言》二卷，任校勘者僅承緒一人，則承萼已歿。乾隆二十七年壬午（1762）秋，盧見曾罷官，承緒又識殆撰於此年，謂「漢光弟下世已屆三載矣」，則承萼殆歿於乾隆二十四年冬，至二十七年冬，正屆滿三年。

四 結語

妥善運用清儒著作之稿抄本，猶如文獻考古，可以為清代經學研究，掘發新材料與新議題。這篇論文藉由惠士奇、惠棟父子批校《周易集解》與後人之傳抄本，惠棟《易漢學》之稿本、抄本，以及《周易述》四十卷系列中之《明堂大道錄》稿本等，略作探討，茲就本文討論所及，綜述其價值並說明如下：

一、由惠氏《易》學著作之稿本、抄本與傳世之刊本互相參照，可略窺惠士奇、惠棟，以及惠承緒、承德、承跗兄弟，惠氏三代在乾隆年間治學傳業的軌跡。

二、由朱邦衡、王大隆等臨抄過錄之惠氏父子批《周易集解》，可以深入考察其間之同與異。惠棟之學誠然上承其父惠士奇，然而，惠士奇雖關始關注漢《易》，卻不盡然贊同其說，甚至質疑虞翻「之卦」說；相對的，惠棟不僅致力考輯漢《易》，又進而標榜《易》漢學。嚴格而言，至惠棟乃專宗荀、虞，大張「漢學」之幟。

三、以《易漢學》為例，藉由稿本、抄本與刊本互相參照，可以深入探

---

73 惠承緒：〈周易述題識〉，附於盧見曾〈序〉末，見〈序〉，《周易述》（乾隆24-25年刻雅雨堂本），頁3上。

索其成書的變化。《易漢學》如此,《周易本義辨證》亦然,據王昶所述,《周易述》數易其稿。不僅《易》學著作如此,如《九經古義》、《左傳補注》等成書,也數次變化。惠棟之著述常見此現象,唯其治學如此嚴謹、慎重,勇於自我蛻化,乃能突破前人,繼清初諸儒省思宋明理學流弊,指出經學發展的新方向,確立典範的轉移。

四、朱邦衡臨抄、王大隆過錄之惠氏父子批注《李氏易傳》,可以了解惠棟著作如何隨著友朋、弟子以及後學之收藏、傳抄,逐漸傳揚開來,這是「漢學」風氣傳播的人際脈絡與軌跡,可以與由「古義」到「新疏」的學術發展脈絡互補。學術的發展,固然以「學」為主,而具體展現於「書」的形成與傳播,由書籍撰述到學術傳播都離不開「人」,結合學術典範、書籍流傳以及人物之交遊傳承,可以豐富其多元面貌。相較而言,稿本、抄本和批注本,似乎比一般的刊本更能結合「書」與「人」,展現「學」的動態。

五、惠棟《易》學著作之稿本,其中保存若干不見於刊本的遺文,文中據《易漢學》稿本,及《明堂大道錄》稿本錄存遺文計三篇。另外尚有數篇,假以時日,將進一步彙整發表。

東吳惠氏四世傳經,至惠棟而發揚光大;然而,惠棟歿後,門庭寥落,天不假年,五子相繼早卒,令人不勝唏噓。篇末針對惠棟之子稍作考索,庶不辜負諸子為父讎校之勞。由於訪書閱讀的範圍有限,管窺蠡測,諸多問題淺談輒止,盼讀者諒察。

後記:本文初稿於民國104年4月11-12日在「第九屆中國經學國際學術研討會」宣讀,陳鴻森先生雖未出席,仍惠賜書面評論,提出寶貴建議,會議論文集出版前,謹參考修訂,並誌此鳴謝。

鄧翔《詩經繹參》述評[*]

呂珍玉

東海大學中國文學系教授

提要

　　鄧翔《詩經繹參》是一部承繼晚明、清代以來評點派，涵詠篇章，尋繹詩義之作。在形式上簡化只剩集解和眉批，評點內容龐大，詳細讀詩，既有特點，又難免有瑕疵；於《詩》之作者寫作方法，以及讀者該如何接受，都有詳細闡釋；在晚清三家今文詩學盛行，《詩經繹參》對《詩序》有相當維護，並發掘《詩經》文學價值。具有博引諸說，內容豐富、細析作法，審美闡釋、前後參照，融會讀《詩》、《詩》《易》會通，以《易》解《詩》、肯定《詩經》文學之源等闡釋特點。但也存在比興觀念，含糊不一、深文周納，臆測想像、迂迴闡釋，曲合《序》說等缺點。清代《詩經》文學研究尚有許多書籍因取得不便，學者未予觀照，若能將罕見評點書籍逐一加以研究，必能建構較為精細的清代《詩經》文學研究，以及清代《詩經》學史，甚至考察晚清《詩經》文學研究，如何過渡到五四時期。

關鍵詞：鄧翔　《詩經》　繹參　晚清　經學

---

* 本文曾於第九屆中國經學國際學術研討會宣讀（明道大學國學研究所暨中文系、中國經學研究會、中央研究院中國文哲研究所主辦，2015年4月11-12日）。

一 前言

　　根據張洪海〈清代《詩經》評點版本敘錄〉指出清代刊本及手抄《詩經》評點本有十八，[1]然而除了姚際恆《詩經通論》、方玉潤《詩經原始》最受學者關注外，近幾年陳繼揆《讀風臆補》、牛運震《詩志》也逐漸獲得一些學者研究，其他多數書籍或因取得不易，或因並非針對整部《詩經》完整評點，就質量而言，遠不如姚際恆《詩經通論》、方玉潤《詩經原始》，因而沉息至今。然而這些評點《詩經》之相關書籍，連結成清代《詩經》文學研究陣線，這些學者繼承晚明以來《詩經》評點之風，從經學研究中，另闢文學闡釋園地，對於民國以來《詩經》走向文學研究具有開啟之功，是不容忽視的。可惜目前所見幾部不論是《詩經》學史專書如林葉連《中國歷代詩經學》[2]、洪湛侯《詩經學史》[3]，或是斷代《詩經》學研究專書如何海燕《清代詩經學研究》[4]、陳文采《清末民初詩經學史論》[5]，甚至專門針對清代《詩經》文學研究專書，如朱孟庭《清代詩經文學闡釋》等等，仍只觸及較為知名的學者之作，[6]對於稍次的二線之作如馬其昶《毛詩學》、吳闓生《詩

1　儲欣（1631-1706）批點本《詩集傳》、姚鼐（1731-1815）《詩經讀本》、何焯（1661-1722）《義門讀書記》（《詩經》部分）、牛運震（1706-1758）《詩志》（附《詩經評注》）、陳繼揆（生平不詳）《讀風臆補》、徐與喬（乾隆時人）輯評《增訂詩經輯評》、王晉汾（嘉慶時人）集評《藝香堂詩經集評》、孫鳳城（生平不詳）評本《田間詩學》、張芝洲（卒於道光十年1830）《葩經一得》、鄧翔（生卒不詳）《詩經繹參》、胡壁城（生卒不詳）評點本《詩經》、姚際恆（1647-約1715）《詩經通論》、方玉潤（1811-1883）《詩經原始》、無名氏輯評本《詩經揭要》、鐵保（1752-1824）輯評本《詩集傳》、祝起壯（生平不詳）輯錄《讀冢詩沂》、吳汝綸（1840-1903）輯評《詩經》、王闓運（1883-1916）《湘綺樓評詩》。張文載《古籍研究》，2013年1月。

2　林葉連：《中國歷代詩經學》（臺北市：臺灣學生書局，1993年）。

3　洪湛侯：《詩經學史》（北京市：中華書局，2002年）。

4　何海燕：《清代詩經學研究》（北京市：人民出版社，2011年）。

5　陳文采：《清末民初詩經學史論》（臺北市：花木蘭出版社，2007年），書末附錄「清末民初《詩經》研究著作一覽」亦有諸多著作未述及。

6　朱孟庭：《清代詩經文學闡釋》（臺北市：文津出版社，2007年），書中僅討論金聖嘆、王夫之、姚際恆、方苞、方玉潤等五家。

義會通》、龍起濤《毛詩補正》仍無暇涉及。[7]或因板本罕見緣故，對於評點本之研究仍止於上述熱門的幾部而已，至於其他罕見書籍，則乏人問津。

張洪海《詩經評點研究》有鑑於此，全面考察晚明至晚清三十二位《詩經》評點者的評本，除了介紹明、清兩代《詩經》評點本作者、板本、館藏、評點形式、特點之外，還論述《詩經》評點發生論、《詩經》評點方法等議題，為研究《詩經》評點本具貢獻之作。然因涉及整體評點本研究，對於每一部書籍的微觀自然難以精細，像是鄧翔《詩經繹參》只在書中第四章〈清代《詩經》評點〉第四節占兩頁半篇幅，誠然還有相當多探討空間。[8]本文即擬在張文基礎上，更加微觀之。

鄧翔《詩經繹參》是晚清《詩經》評點一部精細之作，但因從未見著錄於各種官私綜合性書目，及《詩經》類專門書目，知道此書的人不多，遑論加以研究了。二〇一〇年，由林慶彰教授主編，台中文听閣圖書公司影印出版《晚清四部叢刊》，收入此書，方便流通研究。撰者以為姚際恆、方玉潤等大家的《詩經》評點研究，固然可以代表清代文學研究的成績，但其他次要注家之作，亦可觀察到不同餘風，尤其在晚清三家詩學盛行，毛詩學衰落的時期，這些評點派注家如何對待《詩經》經學、文學問題，亦值得加以考察。於是選擇其中較完整精細的一部，從作者與成書經過、版本與體例、讀《詩》方法與觀點、評點內容與特點、缺點與不足等五方面來觀察這部書，未來將集中討論這些被忽視的二線注家之作，並向下銜接民國初年《詩經》文學研究的脈絡，提供建構《詩經》學史更多個別研究資料。

---

7 撰者曾撰〈馬其昶毛詩學研究〉，《興大中文學報》第25期（2009年6月），頁281-314、〈吳闓生詩義會通研究〉，《東海中文學報》第26期（2013年12月），頁89-141，指導碩士研究生林秉正撰寫《龍起濤毛詩補正研究》（臺中市：東海大學碩士論文，2013年）即因此而發。

8 詳參張洪海：《詩經評點研究》（上海市：復旦大學中國語文學系博士論文，2008年）。

二 作者與成書經過

鄧翔，生卒年不詳，字巢甫，廣東南海人，著有《知不足齋詩草》十卷、《易經引參》十卷、《詩經繹參》四卷。《詩經繹參》（以下簡稱《繹參》）未見著錄於各種官私綜合性書目及《詩經》專門書目。據書前鄧氏於同治甲子年冬（同治三年，1864年）〈自序〉：

> 予讀二書，每有疑義，必旁加劄記，或參以見解，積數十年遂成卷帙，至庚戌、辛亥，已兩度脫稿矣。尚未敢自信也，身世忽忽，歲月如流，遭以紅匪之亂，暫束高閣，迨己未庚申，寓硯楊溪書屋，再加參訂，計成易經引參十卷、詩經繹參四卷。

可知此書是作者數十年讀《詩》累積的劄記，初步成書於道光三十年庚戌（1850）和咸豐元年辛亥（1851）之間。之後迨己未（1859）、庚申（1860），寓硯楊溪書屋，再加參訂，完成《易經引參》十卷、《詩經繹參》四卷，最後遲至同治三年（1864）才得以刊刻。

據香港中文大學圖書館中國古籍目錄：

> （清）鄧翔撰，清同治六年（1867年）羊城孔氏刻，朱墨套印本，四冊，是書牌記題「同治丁卯，孔氏藏版」。扉頁鈐「羊城雙門底九經閣發兌」朱文印記。卷首同治七年蔣益澧序曰：「其高弟孔君少唐以《繹參》刊成，問序於余。」

大略瞭解此書由赫赫有名的藏書家、刻書家孔廣陶（1832-1890）出版，孔氏最膾炙人口的事跡是曾編校隋代典籍鉅著《北堂書鈔》，以及斥巨資打通宮中寺人將殿本《古今圖書集成》秘運出來收藏。他字鴻昌，一字懷民，號少唐，廣東南海（今廣州）人，孔子第七十代孫。曾為國學生，官郎中、編修。編有《孔氏岳雪樓書畫錄》、《三十三萬卷堂書目略》，曾用銅活字印《古今圖書集成》一萬卷，影鈔文瀾閣《四庫全書》中三六五種，《永樂大典》中百餘種佚書。刻有《岳雪樓鑒真法帖》、《北堂書鈔》、《古香齋十

種》、《岳雪樓書畫錄》等。父孔繼勛，早年經商，以經營鹽業致富。嘉慶二
十三年（1818）舉人，道光十三年（1833）進士，入選翰林院庶吉士，散館
授編修，與林則徐、鄧廷楨等留辦軍務，積勞而疾；性喜藏書，有岳雪樓藏
書樓。孔廣陶繼承其父所藏，又創三十三萬卷堂藏書樓。所藏之書，皆為精
品，尤以清殿本為富。與伍崇曜「粵雅堂」、潘仕成「海山仙館」、康有為
「萬木草堂」，合稱「廣東四大藏書家」。光緒三十四年（1908）因鹽業改為
官辦，後家資中落，藏書漸次散出，大部份藏書為康有為所購。[9]

　　孔廣陶為鄧翔受業弟子，在《繹參》卷一：「受業孔廣陶少唐、馬浩泉
翰墀、羅嘉耀沛卿、莫壁書綺屏全參訂校刊。」可見此書經過鄧翔受業弟子
們參訂校刊。《繹參》在同治七年出版時，孔氏請蔣益澧寫序，蔣益澧湖南
湘鄉人，生於道光十三年（1833），卒於同治十三年（1874），是左宗棠屬下
大將，因戰功任浙江藩司，後擢廣東巡撫。[10]

三　版本與體例

（一）版本

　　《繹參》只有同治丁卯孔氏刻本，四卷，朱墨套印本一個版本，目前臺
灣大學圖書館、北京國家圖書館、上海復旦大學圖書館、香港中文大學圖書
館所見再印本，係據該本再印，再印年不詳。共四冊一函，線裝，九行，二
十三小字，雙行同白口，四周雙邊，單魚尾，牌記題「同治丁卯，孔氏藏

9　以上孔廣陶生平參梁戰、郭羣一主編：《歷代藏書家辭典》（西安市：陝西人民出版
　　社，1991年10月），頁13。書中記孔廣陶生於一八五一年，有誤，應是一八三二年、王
　　桂雲：〈藏書家孔廣陶藏書述略〉（辛亥革命網，2013年5月10日）、顧志興：《文瀾閣與
　　四庫全書》（杭州市：杭州出版社，2004年，頁136），以及夏和順：〈孔廣陶：名存惟
　　賴北堂鈔〉，《深圳商報》，2014年6月20日等文獻。
10　有關蔣益澧生平詳參王先謙：〈蔣果敏公家傳〉，《虛受堂集》，卷7、《清史稿列傳》卷
　　408，列傳195蔣益澧。

板」。由於此本罕見，二○一○年由林慶彰教授主編，台中文听閣圖書公司
出版《晚清四部叢刊》第一編十六－十七冊即據此版影印，本文採用此方便
取得版本。

（二）體例

《繹參》四卷，卷首依次有蔣益澧〈序〉、鄧氏〈自序〉以及〈義例〉
十二條。《詩經》正文及注解仿朱熹《詩集傳》格式，另增眉批，分別說明
如下；

1 正文

單行，夾注雙行標注直音、反切、韻腳、叶韻、異文、賦比興作法等。

2 集解

變朱熹《詩集傳》注解為集解，如〈義例〉所云：「此篇引注，皆云
『集解』。諸家之說兼從所長，不參己見，內有更損字句，其大旨亦仍原書
之意，斷不掠美，惟鄙見所及，則加另圈按字別之。」博引消化前人注解卓
見，為求簡直，不注書名或出處，特加圈按字，以和己見區隔。

每篇詩後依毛《傳》標注章句，彙集諸家論詩旨，圈按字後陳述己見。

圈點及句讀標點為紅色。

3 眉批

評點只有眉批一種格式，俱在版框之上天頭處，行數不拘，行十字。內
容多賞析詩之作法及作者讀詩心得。

眉批處亦有紅色圈點。

四 讀《詩》方法與觀點

　　鄧翔將書命名為《繹參》，顧名思義應是讀《詩》理出頭緒，廣泛參酌。他在〈義例〉中說：「一篇之詩如一篇文字，必有精神結聚之處，何章何句何字，再四吟繹，可得八九。」「繹」[11]、「吟繹」[12]、「細繹」[13]、「細審」[14]、「尋繹再三」[15]、「吟繹再四」[16]之類詞語經常出現書中，揭示他主張讀詩如抽絲剝繭，要不斷玩味詩意，不受傳統傳注，舊評舊說拘限。他在〈白駒〉眉批也說：「味『所謂』二字，知詩人必曾勸王用此賢，今賢者以不見用而去，王不復留，詩人復言此賢非無志用世者，所謂伊人尚可挽留也。……」[17]可見他承繼晚明、清代以來評點派注家玩味詩意，讀詩千遍，其意自現的讀詩方法。「參」，據鄧氏〈義例〉說是：「六義興象淵微，作詩者之心或專有所指，或兼有所指，千百世下安能入其心而印合之，言在此，意在彼，則又理可參觀，或不必盡泥以求也。」也就是要從興象參觀言意之理，探求作詩者之心，這還是尋繹詩意。不過從他書中博引諸家之說，應該

---

11 例如〈菀柳〉：「繹其意，曾無憂嗟忠愛之心，亦未實受其累，不過預作逆億（撰者按：「臆」字之誤）之詞，自鳴智巧，著之于篇，恐未足垂訓也。」見鄧翔：《詩經繹參》，收入林慶彰等主編：《晚清四部叢刊》（臺中市：文听閣圖書公司，2010年），第一編，第16冊-第17冊，頁507-508。

12 例如〈揚之水〉眉批：「既不能威蠻，又忘仇而德賊，其何以令諸侯？揚之水不能流束薪，有由然矣！戍者怨辭，雖僅以役使不均言然，誦其詩，論其世，覺當時藏而未露之旨，當于發端引興處，吟繹得之。」見鄧翔：《詩經繹參》，頁143。

13 例如〈雞鳴〉次章集解鄧氏按語說：「若照恆解應云匪雞之鳴，匪東方之明，其語為順，今用則字，細繹之，當為君之答語也。」見鄧翔：《詩經繹參》，頁189。

14 例如〈菀柳〉末章眉批：「予細審詩詞，疑不當照舊注解，此乃勸勉朝周之作也。」見鄧翔：《詩經繹參》，頁508。

15 例如〈斯干〉第五章眉批：「敘築室之成，上文分寫如繪，至此已畢，再加祝頌，不過於萬斯年永奠而已。然此是築城之頌，非築室之頌也。必有下四章云云，乃是築室頌禱。尋繹再三，乃知古人下筆不苟。」見鄧翔：《詩經繹參》，頁393。

16 例如〈竹竿〉次章集解鄧氏按語說：「杜詩咏武侯廟云：『猶聞辭後主，不復臥南陽。』吟繹再四，為之悵然。」見鄧翔：《詩經繹參》，頁129。

17 見鄧翔：《詩經繹參》，頁383。

也可以解釋為參酌吧！在消化豐富的舊注舊說之後，提出一己之見。他在
〈義例〉說到：

> 注書求是，多為前人傳注所局，若但隨文衍義，一如矮子觀場，何足
> 取焉。正須高著眼孔，尋出扼要見解，疏通證明，俾經義豁然渙然，
> 始覺經有益於我，即我亦不負于經。[18]

可見博參前人之見，卻不為所局，以高明的眼光讀經，發揚經義，是他撰作
《繹參》的期許。

鄧氏讀詩的方法主要是繹參，然而要如何繹參呢？通過〈義例〉配合全
書注解，可略窺其讀《詩》途徑，方法與觀點。茲歸納綜述如下：

（一）知人論世，不廢古序

清代經學初期在大，中期在精，晚期在新，晚清今文經學蔚為主流，三
家詩研究盛行，在這樣的《詩經》學背景下，《繹參》仍肯定古序可以幫助
讀者知人論世。他在〈義例〉說：

> 讀詩貴知人論世，當日有是人是事，當日乃有是詩，以詩印證之，覺
> 字句皆有來歷，此可以觀之根據也。觀彼而後可以觀我，而興群怨之
> 相因而得者在其中矣！故古序不可廢。[19]

《繹參》說《詩》尊古序，多採《詩序》，常為作解或補充，偶採朱熹《詩
集傳》，對朱熹淫詩說及去《序》說《詩》多有批評，於《詩》之寫作背景
注解尤詳，試舉詩例說明之：

---

18 見鄧翔：〈義例〉，《詩經繹參》，卷1，頁8。
19 見鄧翔：〈義例〉，《詩經繹參》，卷1，頁3。

1 為《詩序》作解補充

《繹參》往往於《詩》之第一章集解或最後章標詩之章句後，從興語隱喻，字詞訓解、歷史背景、詩之作意等，提出對詩旨的見解。全書多採《序》說，不脫《詩序》以歷史、道德、政治解詩色彩。舉例而言：

〈陳風〉〈東門之池〉首章集解：

> 詩人思賢女以配君子也。陳風詩言東門，蓋指所見起興。池，城池。漚，漬也。治麻者必先以水漬之，乃堪紡績，君欲成德，亦宜內助有人。淑，善也。逸詩雖有姬姜無棄憔悴，是姬姜婦人美稱也。晤，對也。對歌者，以歌詩陳善惡之事，感戒人君也。晤對切劘，君德成也。[20]

又於文末標完章句後說：

> 朱傳：「此男女會遇之詞」，古序云：「思賢妃也。諍臣直言，格而不入，賢媛晤對，曲諭情移，故思賢妃以成君德。」案此豈有慨于太姬之遺風而作者歟。古序所主，當為詩之正旨，至于知人論世，則又別有會心。詩無淫褻意，朱《傳》所云未當也。[21]

鄧氏肯定《詩序》尤其是古序保有詩人原意，批評朱熹說詩「去古義遠矣」之論，頻出書中，各篇論述方式大略相同，無須多舉。

2 批評朱熹說詩及淫詩說

清代《詩經》研究，從前期漢宋兼採、中期向乾嘉考據學發展、晚期今文經學隨社會變動興起，朱熹說《詩》已逐漸不受重視，鄧氏《繹參》對朱《傳》態度亦著時代色彩。全書除形式仿《詩集傳》，論詩旨偶採朱說外，對

---

20 見鄧翔：《詩經繹參》，頁270。
21 見鄧翔：《詩經繹參》，頁271。

朱熹不採《序》說，時見批評言論，如「殊非詩意」[22]、「去古義遠矣」[23]、「蓋欠考矣」[24]、「失詩旨」[25]、「取義無幾」[26]、「取義甚小」[27]「其說非也」[28]、「不必從」[29]之類否定朱熹說《詩》評語；或比較《詩序》、朱《傳》說詩，以為「序說較確」[30]對朱熹的淫詩說尤見嚴厲批評，於〈鄭風〉詩譜集解說：

> 夫子言鄭聲淫，聲，樂音，非詩詞也。淫，過也，非專指男女之欲也。經于雨、于水、于刑、于遊田，凡言淫者皆謂其過度耳。鄭聲靡曼，無中正和平之致，使聞者導欲增悲，沉溺忘返，故曰淫。朱子誤解，目為淫奔所作，幸免者數篇耳。若果盡淫詩，夫子刪詩，何乃廣收如是乎。[31]

除承繼前人對朱熹淫詩說的批評外，並加按語說：「以樂記聲淫及商旬例證，可知淫字不定指淫昵言。」他在〈將仲子〉首章集解說：

> 祭仲勸莊公除弟叔段，公欲從其言，詩人揣知其情，託為其言而刺之。將，請也。請陳吾意與仲子言之也。仲子，祭仲也。祭仲勸莊公蚤為之所，事見隱元年。踰，越也。里，里居，二十五家為里。杞柳生水傍，樹如柳，葉粗而色白，理微赤。踰里折杞，喻言無與我家事，無傷害我兄弟也。懷私曰懷。莊公父武公，母姜氏，父雖亡，遺

---

22 如〈騶虞〉，見鄧翔：《詩經繹參》，頁53。
23 如〈丘中有麻〉，見鄧翔：《詩經繹參》，頁153。
24 如〈木瓜〉，見鄧翔：《詩經繹參》，頁136。
25 如〈東門之楊〉，見鄧翔：《詩經繹參》，頁272。
26 如〈月出〉，見鄧翔：《詩經繹參》，頁277。
27 如〈晨風〉，見鄧翔：《詩經繹參》，頁259。
28 如〈杕杜〉，見鄧翔：《詩經繹參》，頁235。
29 如〈野有死麕〉，見鄧翔：《詩經繹參》，頁50。
30 如〈渭陽〉，見鄧翔：《詩經繹參》，頁261眉批。
31 見鄧翔：《詩經繹參》，頁155。

言尚存，與母連言之，謂父母之言，故不敢從仲謀也。[32]

加按語說：

> 杞桑，他詩以比父母，而兄弟者父母之遺體也。故此亦比兄弟父母之
> 言當敬當順，乃曰亦可畏，則其人可知矣！而仍幸其知有可畏在，故
> 三章中畏字要看小人何惡不作，尚或留一點畏心，天良仍未絕滅也，
> 若并此畏心去了，豈復有天地乎！[33]

仍是一貫的從字詞訓解、隱喻、歷史背景等建構《詩序》說詩之合理
性。於篇末標〈將仲子〉三章章八句下說：

> 《序》刺莊公也。詩不刺段而刺莊公，與〈揚之水〉不刺桓叔而刺昭
> 公，著亂之所由生也。朱子從鄭氏說，以為此淫奔者之辭，失之矣！[34]

除為《詩序》作說明外，還指出朱熹《詩集傳》以此詩為淫奔之辭謬誤。

3 詳注詩之寫作背景

《繹參》對詩之作者、寫作時間、意旨，經常博引諸家之說，或加上個
人按語，使詩意清楚易讀，試舉兩詩為例：

〈猗嗟〉集解：

> ……惠氏曰：「猗嗟之咏莊公也，先辨長短，次審其眉目，終得其趨
> 蹌步武，彎弓執矢之狀，非親狀而環視之，不能詳析如是。莊公四年
> 及齊人狩于禚，此詩疑即狩禚時，齊人驟見之之語。」……文姜譖魯
> 桓于齊侯，其述公之言曰：「同非吾子，齊侯之子。」事見《公羊
> 傳》。考春桓三年，夫人姜氏至自齊，六年九月子同生，中間無書姜

---

32 見鄧翔：《詩經繹參》，頁157-158。
33 見鄧翔：《詩經繹參》，頁158。
34 見鄧翔：《詩經繹參》，頁159。

氏如齊者，則非齊侯之子也。惠氏曰：「公初年往齊，國人聚觀，疑
其類于襄公，於是注目諦觀，知其非是，始恍然曰展我甥兮，則人言
藉藉，從此衰止矣！」[35]

除了引惠周惕《詩說》之見，還引《公羊傳》，以確定詩作時間，以及
齊人在注目諦視莊公長相，不類襄公，恍然大悟的情境下說「展我甥兮」，
此外眉批處還加上個人按語說：

按公羊言齊人以莊公為齊侯之子，亦不過因文姜之淫亂，而故為汙衊
之耳。然以訛為真，聖人所惡，春秋特筆書丁卯子同生，所以洗訛言
之穢。……[36]

引述《公羊傳》以及《春秋經》記載，以幫助讀者理解詩作背景，為舊
注汙衊訛言緣由作解。

〈板〉集解：

詩作于厲王三十四年，凡伯，周之同姓，周公之胤（按：原文作
「允」）也。入為王卿士，此詩實為刺王而作，雖切責用事之人，而
義歸于刺王。[37]

《繹參》從《詩序》：「凡伯刺厲王也。」並將詩作時間訂為厲王三十四
年用衛巫監謗之時。根據《史記》〈周本紀〉：「厲王即位三十年，好利，近
榮夷公……三十四年，王益嚴，國人莫敢言，道路以目……三年，乃相與
畔，襲厲王，厲王出奔於彘。」此時因厲王用榮夷公與民爭利政策，引來民
怨，厲王不知改過，反用高壓止謗，召公勸諫而王不聽。詩本為刺王，但切
責用事之人，然其意仍歸於刺王。

---

35 見鄧翔：《詩經繹參》，頁205-206。

36 見鄧翔：《詩經繹參》，頁206。

37 見鄧翔：《詩經繹參》，頁599。

（二）尋繹風人隱微之旨

風人隱微之旨表現在興象語言與文詞中，鄧氏以為讀《詩》應善於尋繹詩人隱微之意，在〈義例〉中他指出詩人在這兩方面的表現，並於注解時特別著重興語隱喻，以及解說詩之言外意。

1 興象淵微

《詩經》興語物象隱喻意不易瞭解，因此鄧氏於各章正文下特別標注賦、比、興，然而他對興的理解頗見矛盾，解釋物象取譬往往過於深文周納（論述見後），不過他在〈義例〉說：「六義興象淵微，作詩者之心或專有所指，或兼有所指，千百世下安能入其心而印合之，言在此，意在彼，則又理可參觀，或不必盡泥以求也。」指出要深入興語探求作者之心，不必盡泥以求，這樣的論點大致可取，不過如果因為不必盡泥以求，也會過度詮釋，而流於深文周納。茲舉他對興象淵微探求尚可接受數例，說明他如何從興象尋繹詩人之心。

（1）〈南山有臺〉「南山有枸，北山有楰」，枸、楰等植物興象，鄧氏在集解說：

> 枸似白楊，有子著枝端，大如指，甘美如飴，八月熟。楰，鼠梓也。樹葉木理如椒。臺萊桑楊杞李栲杻枸楰多其名，喻得賢之多，皆有用也。[38]

將臺、萊等多種植物興語物象隱喻為賢才，頗符《詩序》「樂得賢」之人事義。

（2）〈四月〉「山有蕨薇，隰有杞桋」，鄧氏集解說：

> 蕨薇杞見前，桋，赤楝也，楝葉如柞，皮薄而白，其木理赤者為桋，君子有位之稱。詩人自言也，作此詩歌以時事之可哀，告訴于王，言

草木尚得其所，人反不如之耶！[39]

《詩序》說詩旨：「天子不能紀綱四方，致下國搆亂也。」首章鄧氏集解說：「君子仕于朝，遇亂而作。」是以末章「山有蕨薇，隰有杞桋」鄧氏以草木得其所，反興人不如草木。

（3）〈葛藟〉「緜緜葛藟，在河之滸」，鄧氏在眉批說：

> 葛藟施條枚，纍樛木，扳援而上，吾無怪焉。茲平鋪在河滸，應各庇本根，今乃自別枝條，自離本根，一何可慨，此是反興。[40]

從葛藟本應攀援喬木物象，今在河之滸，失去本根，反興人本應依附家園親人，今竟遠離之可慨。

2 言外之意

鄧氏在〈義例〉說：「風人之旨，用意隱微，斷不在于言中，其所激射者，或在旁面，或在反面，或在歇後語，悉心以求，正如分陰陽天色，看見五色十光，閃爍不定。」點出詩意隱微，往往激射在不同面向，須悉心以求之。例如：

在〈澤陂〉集解：

> 序刺時也。靈公淫于國，男女相說，憂思傷感焉！說者謂東門之枌，蕩之應也，澤陂，株林之應也，聖人存而不刪，所以示戒也，而學者讀詩之法，又當引伸觸類，篇內三言美人，簡兮以美人目君，葛生以予美稱夫，此作思君思夫之詩觀可也。又傳言靈公宣淫，洩冶諫死，君子傷之，則以此詩作思賢詩觀，亦無不可，求之于意言之表，三百篇可一言蔽之矣。[41]

---

39 見鄧翔：《詩經繹參》，頁453。
40 見鄧翔：《詩經繹參》，頁147眉批。
41 見鄧翔：《詩經繹參》，頁280。

　　他以為〈澤陂〉一詩，可以作思君、思夫、思賢之詩來讀，以思無邪讀詩觀點，打開多元閱讀視角。

　　又在〈碩人〉集解說：

> 案詩人用意，每于歇後語尋出，或于對面及旁面處尋出。此章不見答，更于反面處尋出，無子意又于反面歇後語尋出，真曲而又曲矣！未見齊之盛，可為聲援，他日狄入衛，而齊桓能遷衛，卒如詩人之期。[42]

　　〈碩人〉四章從文字意表讀之為描寫莊姜家世、美貌以及出嫁衛莊公時情景，鄧氏以為《詩序》「無子意」應曲折從反面歇後語尋繹。

　　鄧氏主張讀《詩》應探其微旨，不為舊說所限，在〈義例〉他指出：「一詩言近指遠，義蘊深微，數千百年闡發不盡，惟以文律求之，因得其用意。」並謙言自己所作只是一個開端，只是略舉一隅，期盼後賢循此路徑，修正他所未及之處。

（三）別有會心，發掘《詩經》價值

　　鄧氏在〈義例〉中提到他的讀《詩》的態度，以及尋繹關注面向說：

> 讀詩當別有會心，愚以馮天閑讀左傳之法，讀之覺其文筆變幻，每為拈出，一似別開生面也。[43]
> 風雅頌三體，風斷無頌體，頌斷無風體，惟雅之肅穆者或如頌，委婉者或如風，敘事敘詞遂多，體格平奇濃淡各出手眼。愚之眉批已略為拈出，而未能總會分舉，如馮氏之讀左卮言。蓋恐眼光所及，尚有掛漏，不妨姑留有待也。[44]

42　見鄧翔：《詩經繹參》，頁123。
43　見鄧翔：〈義例〉，《詩經繹參》，頁4。
44　見鄧翔：〈義例〉，《詩經繹參》，頁7。

可見他讀《詩》不受限前人之說，要效法馮天閑《讀左巵言》別有會心。馮天閑即馮李驊，字天閑，錢塘（今浙江杭州市）人，康熙時經學家，生平事跡不詳，與陸浩同編《左繡》三十卷行於世。《讀左巵言》是馮李驊論《左傳》文章、文學成就特色的長篇專論，內容豐富，文字華美。作者於其「格調」、「筆法」、「篇法」、「作意」、「敘法」等評點之，指出《左傳》「極工於敘戰」、「好奇」、「極長於詩」等許多特點，以及描寫人物的傑出成就。全書評點包羅甚廣，條分縷析，細加尋繹，雖不免有穿鑿過度之譏，然其別有會心處，確能令人耳目一新。鄧氏欲效法馮李驊評點《左傳》方式，展現在《詩經》的評點上，書中不論集解或眉批都相當詳細，尤其是眉批處對《詩》之作法的評點，條分縷析文筆變幻及表現風格特色，闡釋《詩經》文藝美學。

此外鄧氏還在〈義例〉提及：

> 三百篇乃六經中有韻之文賡歌而後詩之祖也，後來名句多從此奪胎，尋繹自當會悟。[45]

點出三百篇是詩歌之祖，文學源頭，為後來文學或語言所接受，讀者應尋繹會悟。由於全書鄧氏於此著力甚多，後文再舉例說明。

（四）其他讀《詩》觀點

以上方法與觀點皆於〈義例〉中點出，尚有一些讀《詩》觀點則分散於書中，有幾項或可提出來，以見〈繹參〉是一部廣泛論《詩》的書。

1 正變

傳統舊注以政治興衰說正變，《詩序》：「至於王道衰，禮義廢，政教失，國異政，家殊俗，而變風變雅作矣。」鄭玄《詩譜》則以為凡文、武、

---

45 見鄧翔：〈義例〉《詩經繹參》，頁4。

成王時詩，皆為正詩，懿王以後之詩，皆謂之變詩。孔穎達《毛詩正義》則以為：

> 變風變雅之作，皆王道始衰，政教初失，上可匡而革之，追而復之；固執彼舊章，繩此新失，覬望自悔其心，更尊王道，所以變詩作也。以其變改舊法，故謂之變焉。[46]

在衰世要以尊王道為宗旨，以變改舊法為目標，進而端正政教人心，猶《詩序》所言：「達於事變，而懷其舊俗者。」然舊注正變之說，在今日已普遍不為學者所接受，屈萬里《詩經詮釋》對此問題就有很好的評論：

> 盛世之詩叫做正，衰世之詩叫做變，這種見解是否合理，我們姑且不論。即使承認毛鄭之說為合理，而他們所定的詩的時代，已多半靠不住——如周南召南，顯然有東周時詩，他們都認為是周初的作品；何況毛鄭認為豳風諸詩，皆作於成王之世，而鄭氏卻把它列入變風，這豈非自相矛盾嗎？總之，正變之說，本來沒有什麼道理，只是詩學史上的陳跡而已。[47]

鄧翔在〈六月〉集解提出他對正變的看法說：

> 案：菁莪以上為正雅，六月以下為變雅。變者其聲變也。夫車攻、吉日、采芑、六月非衰世之詩也，而入變雅，非以其聲變歟！如崧高、烝民、韓奕、江漢、大明諸詩，均入變大雅，是聲相應，故生變，變成方謂之音，此以聲之清濁升降言也，若以治亂言，則豳詩何為入變風耶！[48]

他不以政治興衰作為《詩》正變發生的依據，提出變是聲音改變，演奏

46 見〔漢〕毛亨傳、鄭玄箋，〔唐〕孔穎達疏、〔清〕阮元重刊宋本《毛詩注疏》（臺北市：藝文印書館，1985年），頁17。

47 見屈萬里：〈敘論〉，《詩經詮釋》（臺北市：聯經出版事業公司，2004年），頁16，。

48 見鄧翔：《詩經繹參》，頁364-365。

時聲音之清濁升降有所改變，而不以治亂言也，否則豳詩為西周早期詩歌，如何得入變風呢？他主張正變是以聲之清濁升降，不以政之治亂言之，可備一說。

2 詩題

《詩》的篇名由來，不論能否解說，皆是《繹參》常提出來論述的議題。順便一提，學者侯美珍《晚明詩經評點之學研究》[49]及張洪海《詩經評點研究》咸以為評點之書源於科考，不脫時文之習。然《繹參》不論於詩題或作法評點用語，皆少八股色彩，似是為教學而作，應非直接為科考服務。

（1）得名由來：

〈巧言〉集解說：「以五章巧言二字名篇」[50]〈巧言〉詩第五章有「巧言如簧，顏之厚矣！」全詩內容亦寫巧言為禍，詩題從該句出來，應無問題。

〈下武〉集解說：「案：武，跡也。步武之武，生民篇，帝武下第五章祖武同一解耳。下者繼上之詞，太王、王季、文王肇跡于上，武王繼跡于下，故曰下武。」[51]詩題出現於首章開頭兩字，鄧氏對難解的詩題「下武」加以明晰之解說。

〈酌〉集解說：「酌即勺也，不以詩字名篇，十三舞勺，即以此詩為節而舞也。」[52]〈酌〉詩從內容看不出和詩題之關係，鄧氏從《禮記》〈內則〉：「童子十有三年，學樂、頌詩、舞勺；成童舞象。」周人十三歲學習勺舞，以為此詩是大武樂章之一。

---

49 見侯美珍：《明代詩經評點之學研究》（臺北市：花木蘭文化出版社，2009年）。

50 見鄧翔：《詩經繹參》，頁435。

51 見鄧翔：《詩經繹參》，頁557。

52 見鄧翔：《詩經繹參》，頁685。

（2）闕疑：

〈大東〉集解：

> 譚，小國也，在周之東，詩列小雅，不名小東，而名大東何也？[53]

鄧翔對〈大東〉詩列〈小雅〉何以不名〈小東〉提出疑問，然惠周惕（？-約1694）《詩說》對此問題已有研究說：「小東、大東言東國之遠近也。〈魯頌〉『遂荒大東』，《箋》云：『極東也。』……遠言大，則近言小，又可知矣！譚在濟南平陵縣，實是東國，因其國而及其鄰封，故言小東大東也。」[54]〈大東〉不以編列〈小雅〉名篇，而以其國距周極遠。據〈城子崖發掘報告〉大東即為古譚國，遺址在今山東濟南附近，可證惠氏之說。

鄧翔對於無法確知篇名由來的詩，多存闕疑，持保留態度，如〈雨無正〉：

> 序云：「雨自上而下者也，眾多如雨，非所以為政也。」詩因而作，非詩有此詞意也。歐陽修云：「古人于詩多不命題，往往無義例，今序所言，與詩絕異，當闕疑焉。」[55]

有關〈雨無正〉詩題歷來有許多不同看法，[56]他採歐陽修存疑說，不強

---

53 見鄧翔：《詩經繹參》，頁450。
54 見惠周惕：《詩說》，《文津閣四庫全書》（北京市：商務印書館，2005年），第30冊，卷下，頁100。
55 見鄧翔：《詩經繹參》，頁420。
56 〈雨無正〉篇名歷代《詩經》注家說法紛紜，略舉其要：《毛序》：「雨自上下也，眾多如雨，而非所以為政也。」鄭《箋》、孔《疏》從之；《韓詩》首章多：「雨無其極，傷我稼穡」二句；林義光以為是「周無正」之誤，金文「周」字與「雨」相似；高亨以為當作「雨無止」；屈萬里以為《序》當作「雨無，正大夫刺幽王也。」關於此議題的討論劉釗〈卜辭「雨不正」考釋—兼《詩》〈雨無正〉篇題新證〉一文（文載《殷都學刊》2001年第4期）、李旭昇〈小雅雨無正解題〉一文（文載《古籍整理研究學刊》第3期〔2002年5月〕），皆以甲骨文「正雨」為證，且應從《韓詩》，首章多出「雨無其極，傷我稼穡」二句，「雨無正」意為雨下得不合適。

不知為知。

其他如詩之次序、作者、笙詩、詩教等議題,《繹參》皆有或詳或略的論述,不一一例舉說明。

五　評點內容與特點

《繹參》評點範圍廣泛,就其內容與表現特點,舉以下幾方面論述之:

(一)博引眾說,內容豐富

《繹參》不論在集解、眉批都博引眾說,是一部內容豐富,論述廣泛,兼顧經學、文學全面讀《詩》之作。於《詩經》漢學,或採《詩序》、或申《序》意,或棄《序》說,或補充修正毛、鄭。於《詩經》宋學,或修正朱熹《詩集傳》,或採朱《傳》補充《詩序》,或採《詩序》棄朱《傳》。整體而言比較尊《序》,如上所言對朱熹說《詩》及淫詩說有較多批評。於文學評點部分,兼顧作者創作論及讀者接受論,旁徵博引文獻典籍、歷史人物、前人言論證詩,於詩之字詞訓解、歷史、地理、風俗、俚語、次序、篇名、正變、音樂等等多有論述,涉及內容廣泛,論述繁略不一。

(二)細析作法,審美闡釋

《繹參》對前代注家評點粗略,時有批評,[57]尤其是在眉批處,對詩之作法,文藝審美常有精細的論析,是一部兼顧集解與評點注解《詩經》的書

---

57 例如〈靈臺〉眉批:「前二章從民建,後二章從士建。古之士皆民也,士與民皆樂文王之樂,其樂大矣!呂氏謂前二章有臺池鳥獸之樂,後二章有鐘鼓之樂,直看得粗。」對呂祖謙只粗略就前後二章點出詩之大意,有所批評。見鄧翔:《詩經繹參》,收入林慶彰等主編:《晚清四部叢刊》(臺中市:文听閣圖書公司,2010年),第一編,第16冊-第17冊,頁555。

籍，揭示詩人之創作論，啟發讀者應如何接受《詩》之文學美學，全書細膩闡發《詩》之文學價值，由於評點內容過於龐大，詩句評點過於瑣細，茲試舉以下幾項為例，說明鄧氏如何發掘《詩》之文學審美：

1 字、詞、句、章法

（1）字法

〈沔水〉眉批：

> 凡事死心塌地，不念則已，念則必憂，憂之愈不忘，而求所以弭之之法。特一讒方弭，一讒復興，不絕興之端，弭何了期。躊躇要道，止有一敬可以自全。故首章出個念字，次章出個憂字，末章結個敬字。[58]

點出〈沔水〉詩人畏懼讒言，首章寫「念」、次章寫「憂」，畏懼讒言之心理層次，末章以「敬」作結，以為我友敬矣，方可止讒，得以自全。

（2）詞法

〈杕杜〉眉批：

> 「胡不」二字，藏裡邊許多緣故，在問之也。[59]

〈杕杜〉首章「有杕之杜，其葉湑湑，獨行踽踽，豈無他人，不如我同父。嗟行之人，胡不比焉？人無兄弟，胡不佽焉！」《繹參》點出詩人以「胡不」一詞反詰無兄弟之人何以得不到他人之助？問而未答，裏頭藏許多緣故。

〈無衣〉眉批：

> 「豈曰」之前把許多說話一概藏去不說，前事不問，彼此心照。今日

趙主趙帝，我自為之，只借重一句口上人情，是自謂識禮體處，而朱傳云倨慢無禮，真抉出姦狀也。其所以必請者，一以弭舊臣義士，免興討賊之兵，一以杜諸侯聯合，勿加問罪之師，一以塞天子不能再伸前議，即可永斷後患，後世諷加九錫之命，逼書禪受之文皆祖其，故晉武公蓋萬世罪魁也。[60]

《繹參》點出〈無衣〉首章「豈曰無衣七兮，不如子之衣，安且吉兮。」「豈曰」一詞背後隱藏許多說話，晉武公與周天子皆心照不宣，只借「豈曰無衣」一句口上人情，不僅識君臣之禮，而且一則可以免除舊臣義士興兵討賊，再則可以杜絕諸侯聯合興師問罪，三則可以塞周天子再伸前議，可以永絕後患，詩之用詞精準，寫出晉武公之居心，實為後世那些加九錫、逼禪篡位者之祖。

（3）句法

〈祈父〉眉批：

此篇似歌行體，句法錯落長短，凡二三四五字句皆備，且予字應逗，則亦一字句也。[61]

〈祈父〉「祈父，予，王之爪牙。胡轉予于恤？靡所止居。祈父，予，王之爪士。胡轉予于恤？靡所厎止。祈父，亶不聰。胡轉予于恤？有母之尸饔。」《繹參》點出此詩是長短不齊的歌行體，「予」字下應逗，則此詩從一到五字句皆備。

（4）章法

〈崧高〉眉批：

---

60 見鄧翔：《詩經繹參》，頁239-240。

61 見鄧翔：《詩經繹參》，頁383-384

起勢鎮重，似即地寫景起興耳，第三句落脈，謀意謀局精神駿發，亦從申甫為四岳之裔，故串入有情。生甫及申，雖似雙起，實則借入，故承轉先言申，用筆如帆隨湘轉，下章又專落申。[62]

〈崧高〉首章「崧高維嶽，駿極于天。維嶽降神，生甫及申。維申及甫，維周之翰。四國于蕃，四方于宣。」《繹參》點出開頭兩句即地寫景，起勢重鎮，第三句全詩之脈絡、布局，寫申及甫為四岳之神後裔，寫得精神駿發，第四句生甫及申，看似雙起，實則甫只是借入，第五句承轉即先言申，筆法流暢，如帆隨湘轉。次章又專門言申伯事功。

其他如起結、起承、排句、收法、轉筆、蟬聯、頂針……等等，往往涉及非單一評點，既繁多論述又細節，不暇一一例舉。

2 結構安排

〈清人〉一詩，鄧氏於眉批處先說詩意：

> 鄭文之使高克，如齊襄之使連稱、管至父，瓜期不代，請代又不許，欲激其亂，而誅之有名，卒之克旋奔陳，并不可得而誅，而徒以病國。[63]

然後分別分析三章詩之結構安排說：

> 每章上三句振起，氣勢勃勃，至第四句乃落，而五字為句。又僅以末二字形容寫景，遂如冷水潑煬灶，星燄俱無，不覺付之一笑。筆墨離奇，孰逾于此。[64]
>
> 時世每吟十七字詩，以作嘲諷，都在末二字打趣，正取此篇為濫觴。末章十六字，略似稍變，而體格則不過減一字耳。[65]

---

62 見鄧翔：《詩經繹參》，頁628。
63 見鄧翔：《詩經繹參》，頁163。
64 見鄧翔：《詩經繹參》，頁163，首章眉批。
65 見鄧翔：《詩經繹參》，頁164，次章眉批。

兵事皇急危悚，當以嚴慎蒞之，豈容玩視耶。今每章末二字，都與上文意絕不相類，是作者故意，結構體格描寫形態處。[66]

剖析詩之前三句為起，第四句為落，五字為句，前二章十七字，末章十六字，每章末二字嘲諷打趣；於危悚的戰爭詩，用翱翔、逍遙、作好和上文兵馬壯盛，武器精良絕不相類用語，這是詩人故意描寫形態處。

3 聲情

《繹參》除於每章正文下標出韻字及反切外，還特別注重詩之聲情，於評點時常點出詩之押韻特點，如平仄押韻、四聲同叶、一章兩韻、對語雙敲成韻⋯⋯，或評點詩之字詞聲韻，所呈現出來的聲情，例如：

〈鴟鴞〉首章眉批：

> 子、室二字韻，勤、閔二字韻，固矣，而詩可四聲同叶，則子、室與三斯字，可以同韻，即分讀。首句二鴞為韻，二三句子室為韻，以下恩勤閔成韻，亦可吟繹得之。
> 碩鼠重呼中含忿懷，今鴟鴞重呼，又有甚焉！一憾其食禾，一憾其毀室，再加取子，此一層哀憤之情，更難堪矣！字多唇齒之音，鳴鳥之韻也。[67]

〈鴟鴞〉首章「鴟鴞鴟鴞，既取我子，無毀我室，恩斯勤斯，鬻子之閔斯。」《繹參》點出「子」、「室」二字押韻；「勤」、「閔」二字平仄相押；「子」、「室」和三「斯」字四聲通押。也可以分讀，開頭兩句二「鴞」為韻；二、三句「子」、「室」為韻；以下「恩」、「勤」、「閔」為韻，鄧氏提出不同吟繹體會詩之聲情的方式。又舉〈碩鼠〉詩重呼「碩鼠」含憤懷，此詩重呼「鴟鴞」尤甚，而且全詩多用唇齒音，猶聞鳥鳴吱喳之聲。

〈伐木〉眉批：

---

66 見鄧翔：《詩經繹參》，頁164，三章眉批。
67 見鄧翔：《詩經繹參》，頁305-306。

章首六句三轉韻，頓住。七、八句承轉脫卸，九、十句敲岩成文，絕好聲調。[68]

〈伐木〉首章「伐木丁丁，鳥鳴嚶嚶。出自幽谷，遷于喬木。嚶其鳴矣，求其友聲。相彼鳥矣，猶求友聲；矧伊人矣，不求友生！神之聽之，終和且平。」《繹參》點出丁、嚶，谷、木，鳴、聲，前六句三轉韻「相彼鳥矣，猶求友聲」承上轉下，由鳥及人，「矧伊人矣，不求友生」猶如敲開岩石，不僅聽見好聽的聲音，也看見裡頭歌頌親友和樂可貴的文彩。

4 修辭

《繹參》對《詩》之寫作用各種修辭方法，都鉅細靡遺加以指出，試舉其中對偶、排比、設問、呼告為說：

（1）對偶

〈伐木〉次章「伐木許許，釃酒有藇。既有肥羜，以速諸父。寧適不來，微我弗顧。於粲洒埽，陳饋八簋。既有肥牡，以速諸舅。寧適不來，微我有咎。」鄧氏於眉批說：「寧適二句深諳世情，明知他不肯來，不能來，必須用此周旋，方免旁人議論，且不授本人口實，皆所以和之而平其心也。此章扇對體。」[69]《繹參》點出「既有肥羜，以速諸父。寧適不來，微我弗顧」、「既有肥牡，以速諸舅。寧適不來，微我有咎。」詩人對於人情世故有深切體會，以及用扇對體來寫作。[70]

（2）排比

〈崧高〉「柔亦不茹，剛亦不吐。不侮鰥寡，不畏強禦。」集解：「不剛

---

68 見鄧翔：《詩經繹參》，頁331。
69 見鄧翔：《詩經繹參》，頁331。
70 扇對是律詩中的對仗句子，上一聯和下一聯相對，也就是兩聯四句的第一句對第三句，第二句對第四句，又稱「隔句對」，鄧氏拿後世律詩的特殊對仗形式來說《詩經》的複疊，其實兩者是不同的概念。

不柔，長發所以頌成湯；不茹不吐，烝民所以美山甫，以過剛即上九之亢，過柔即六極之弱也。」眉批：「不茹、不吐、不侮、不畏，四不字排說有勢。」[71]引〈長發〉寫商湯「不剛不柔」人格特質，來對照〈崧高〉仲山甫之「不茹不吐」，並引《易經》過剛過亢，過柔太弱皆非良好特質。點出詩人用排比之氣勢與張力。

（3）設問

〈株林〉首章「胡為乎株林，從夏南，匪適株林，從夏南。」鄧氏集解「……婦人夫死從子，夏南為主，故以夏南言之，其初往也，有怪問者，胡為往此處，意君不當臨臣家也。有解事者，從而諱之曰『非往此處』，言別往他處耳。此詆拒之詞，為君隱諱也。案設為問答，跌宕出之，此解嘲賓戲所本也。」[72]《繹參》點出詩人用「胡為」設問語氣，跌宕出譏刺嘲諷深旨。

（4）呼告

〈巧言〉眉批：

> 文字有以鍛煉雕琢為佳者，即有以偏不用鍛煉雕琢為佳者；有以安詳妥適為佳者，即有偏不必安詳妥適而亦為佳者。如首章突遭禍害，摸頭不著，呼天疊疊稱冤，蓋描神之筆也。[73]

文章貴修辭鍛煉、安詳妥適，然《繹參》點出〈巧言〉獨特的創作論點，以為詩人突遭禍害，疊疊呼天稱冤，頗能描其神態。《詩經》中不少篇章抒發現實無奈困頓，都以呼天呼父母，人窮則反本方式，用最質樸無鍛煉的文詞來表達，《繹參》對此詩的評點，亦適用於他篇。

---

71 見鄧翔：《詩經繹參》，頁634。

72 見鄧翔：《詩經繹參》，頁277。

73 見鄧翔：《詩經繹參》，頁431-432。

5 獨特筆法

〈大東〉眉批：

> 蓄憤悶之意，無所宣洩，則借端寓言，以大吐其塊磊，此離騷叩閽求
> 女，天問諸篇所由作也。曼衍天倪，幾同游騎無歸,此篇一或字引端，
> 至不以其長歇住，言尚不以其漿，不以其長，此外空無長物，除是向
> 天借取，以供億耳。旋以維天二字起波瀾，如泰山之雲，觸石而起，
> 膚寸而合，不崇朝而雨遍天下矣！……緊承七襄，轉撇三四，卻不承
> 天漢說，而取漢西之牽牛與漢東之織女對說，亦用筆之奇變處。[74]

〈大東〉據《詩序》說詩旨：「東國困於役而傷於財，譚大夫作是詩以
告病焉。」詩人從現實寫東國受到周重斂，物資缺乏，職勞不均，最後無從
宣洩怨怒，曼衍天倪，罵及天上星宿尸位素餐，以吐塊磊。又不承天漢，而
分寫牽牛、織女星亦徒在其位，無所作為，點出詩人寓言用筆奇變之處，開
〈離騷〉、〈天問〉浪漫想像寫作之端。

〈韓奕〉眉批：

> 韓侯既出祖歸韓，便可直接溥彼韓城章作結。取妻相攸，實非篇意所
> 重，而必極意鋪排，見一時之榮盛，有此一段，亦王錫二字之波瀾
> 也。與上二篇作法又變。文人一時結構，分出幾樣手筆來。故取妻必
> 牽汾王之甥，與上王親命之有情，相攸極稱韓土，與下韓城相貫，皆
> 一定手法也。高華典重中，忽著數艷冶俊俏語，所謂老樹著花，無醜
> 枝也。[75]

《繹參》點出〈韓奕〉詩寫到韓侯出祖歸韓，甚至遙接「溥彼韓城」末
章作結即可，娶妻相攸非篇義所重，卻極意鋪排，見其一時榮盛，並為「王
錫」二字增生波瀾，看似是主結構外的閒筆，卻為書寫駐外諸侯回國述職高

---

74 見鄧翔：《詩經繹參》，頁448-449。
75 見鄧翔：《詩經繹參》，頁639-640。

華典重詩章增添風華，好像蒼老遒勁的老樹枝幹上點綴花朵，更覺饒富生意。這裏引用梅堯臣〈東溪〉「老樹著花無醜枝」詩句評點詩篇中用閒筆點綴之法，他如〈大叔于田〉、〈淇奧〉等篇亦應比照讀之。

6 詩之情趣

「情」為詩之胚，《繹參》最重玩味詩意，於〈白駒〉提出深體詩之興致與深情。[76]於〈匪風〉集解也說：「讀素冠而興孝思，讀匪風動忠義，故曰興於詩。」[77]《詩》中充滿理趣、情趣，鄧氏於此有細膩的闡發，例如：

（1）〈頍弁〉首章「有頍者弁，實維伊何？爾酒既旨，爾殽既嘉。豈伊異人？兄弟匪他。蔦與女蘿，施于松柏。未見君子，憂心奕奕。既見君子，庶幾說懌。」眉批：

> 起六句皆質樸直賦，事取紀實，至六句以下忽用比喻吟哦，歡欣鼓舞中寓慨懷，寫得深情款款。[78]

〈頍弁〉為宴兄弟甥舅之詩，開頭六句寫法確如《繹參》點出質樸直賦。至「蔦與女蘿，施于松柏」以景物寓託親友間的依附關係，未見之憂，既見之樂對照，固如《繹參》所云：「寫得深情款款。」

（2）〈隰有萇楚〉集解：

> 案：樂子之無家以女人言，又統一家言。樂子之無室，專言男子，至不能養活其妻也。有與無相反對，樂與憂相倚伏。人欲有家室之樂，便有牽累之憂，特于中乘除較量，憂少樂多，可以相抵，便是生人之趣。故必有知，及有家室而後可樂，今佛氏只一無字，一無盡無，安得樂處，并知亦無，安得有樂，以無為樂，是自相矛盾也。詩人不過憤激言之，而釋氏乃執為宗旨，妄矣。[79]

---

76 詳參《詩經繹參》〈白駒〉集解，頁385-386。

77 見鄧翔：《詩經繹參》，頁285。

78 見鄧翔：《詩經繹參》，頁488。

79 見鄧翔：《詩經繹參》，頁284-285

　　《繹參》從人想要有知、有家室之樂，自然便會有牽累之憂，應於其中乘除較量，追求憂少樂多之趣，若以無為樂，一無盡無，安得樂處？指出此詩不過詩人憤激之語，不能以佛家空無觀點讀之。鄧氏讀出詩之理趣，確為的見。

　　（3）〈采綠〉集解：

> 案：魴鱮不吞餌，婦人不諳物情，不過隨口舉似，直把親熱聲口鈎扶出來。[80]

　　《繹參》點出婦人不知魴鱮特性不吞餌，卻設想之子歸時無往而不與俱，替他先整理好釣絲。詩人傳神勾畫她對丈夫的親熱聲口，讀者當亦能感受這對夫妻間的恩愛情趣。

　　（4）〈何草不黃〉集解：

> 詩作於幽王之世，苕華言國家衰微，民生鮮飽，傷民貧也。何草言國家多事，征役煩勞，苦役重也。危亡之事多端，莫大于民貧而役重，民不聊生，則常思亂，再加之重役，未有能靖者矣！故小雅終此。見王澤之竭，而天命人心不可復挽也。西周亡，東周弱，豈不以此哉！[81]

　　《繹參》點出〈苕之華〉、〈何草不黃〉作於幽王之衰世，前者傷民貧，後者苦役重，民心思亂，兩詩居〈小雅〉之末，詩中充滿王澤竭，失去天命人心的哀傷情調。

（三）前後參照，融會讀《詩》

　　鄧氏《繹參》除對個別詩篇詳加注解外，還前後參照，融會通讀相關詩篇，在書中常見參互比較，整體性考察闡釋詩義，由於例子甚多，分成以下

80　見鄧翔：《詩經繹參》，頁512。
81　見鄧翔：《詩經繹參》，頁526。

幾項，並分別僅舉一、二例說明：

1 相關詩篇參照

《繹參》解《詩》經常貫串同一〈風〉、〈雅〉詩篇詩義，或相互參照，以利閱讀瞭解詩義。例如：

〈鄘風〉〈干旄〉集解：

> 按自簡兮秉翟，北風同車，賢才淪落久矣。茲文公興起，而大夫知好賢，所謂蟋蟀俟秋吟者耶。味其詞意與敬教勸學，授方任能之意，蓋相表裏焉。[82]

鄧氏貫串〈簡兮〉、〈北風〉衛國賢才淪落詩篇，對照衛文公興起之後，〈干旄〉詩寫大夫知好賢，敬教勸學，授方任能，這些詩互為表裏。

〈小雅〉〈小宛〉集解：

> 小雅言敬者五篇，巷伯言敬聽，雨無正言敬身，小宛言敬儀，沔水言敬以弭讒，示人弭謗之道至矣。小弁言敬父母道尤要也。[83]

連貫〈巷伯〉、〈雨無正〉、〈小宛〉、〈沔水〉、〈小弁〉等五首表現「敬」之雅詩，分別為敬聽、敬身、敬儀、敬以弭讒、敬父母等各不相同，參照這些詩篇，可以瞭解周人持敬精神。

2 同一主題參照

〈有杕之杜〉眉批：

> 此篇與常棣、葛藟皆說兄弟，而用意不同。常棣言兄弟能急難，葛藟言謂他人為兄弟，終不我顧，此則言棄兄弟者，他人亦莫之親，大意略與葛藟同。但葛藟重識二本，此重識薄行耳。夫朋友可與共患難，

---

82 見鄧翔：《詩經繹參》，頁112-113。
83 見鄧翔：《詩經繹參》，頁428。

非謂同父同祖兄弟而外，概以他人薄之也。特不如云耳。凡人性情仁厚者，必先怡怡于兄弟，次亦切切偲偲于他人，苟有事變，豈有不比之伖之，獨此人用情刻薄待親兄弟，且踽踽嬛嬛，待他人必更甚，于所厚者薄，無所不薄他人，知之論矣，誰復肯比之伖之焉。[84]

鄧氏將〈常棣〉、〈葛藟〉、〈有杕之杜〉三首書寫兄弟之詩，相互參照，比較詩意異同，提出他個人讀〈有杕之杜〉的心得。雖然他說此人用情刻薄待兄弟，因而無人肯比伖之，未必是詩之本義，但就多元解詩觀點，無從得知此人何以不受到他人之助？或許他從另面思考，亦可備一說。

3 作法異同參照

〈信南山〉集解：

楚茨、信南山同為一時之作，楚茨詩詳于後而略于前，自祭祊以前，但以祀事孔明一語該之。南山詩詳于前，而略于後，自薦熟以後，亦但以祀事孔明一語該之。古人文字詳略互見之妙，有如此。[85]

鄧氏將〈楚茨〉、〈信南山〉二首同為一時，同寫祭祀詩作，參互比較兩詩作法詳略異同，俾助瞭解詩人寫作手法變化。此外書中尚有諸多寫作技巧同異參照，對作者創作理論有詳細的析論，有益於讀詩文學審美。

4 表現風格參照

〈定之方中〉一詩寫衛國為北狄所亡，衛文公建都楚丘，艱苦卓絕興國。全詩歌頌衛文公多難興邦，鄧氏評為風之似頌者。除此詩外，鄧氏拿其他詩篇來參照，論述其不同風格表現：

言情寫意，則語覆韻長，一唱三嘆，風之體也。述德紀功，則鋪張揚

屬，典重高華，雅頌之體也。體制既殊，聲韻自別。以牆茨桑中視
此，蓋判若霄壤矣！淇澳之篇，風之似雅者，茲篇風之似頌者也。[86]

〈風〉、〈雅〉、〈頌〉表現風格各不相同，鄧氏區分〈風〉之異於
〈雅〉、〈頌〉。同屬風詩，〈淇奧〉描繪一位君子，文辭優美典雅，鄧氏評為
〈風〉之似〈雅〉者，異於〈定之方中〉之似〈頌〉。〈牆茨〉、〈桑中〉則表
現〈風〉之語覆韻長，一唱三嘆，異於〈雅〉、〈頌〉述德紀功，鋪張揚厲，
典重高華風格。

（四）《詩》、《易》會通，以《易》解《詩》

《詩》、《易》因時代、地域重疊，不論用語、象徵義涵雷同甚多，自漢
以來學者即將兩書互證會通，清代學者更是承繼發揚之，並取得學術價值。[87]
鄧翔對《易經》亦有涉獵研究，著有《易經引參》，因此於注《詩》時，很
自然的徵引《易經》來闡釋《詩》義。粗略統計《繹參》書中約有三十九處
引《易》說《詩》。他在〈氓〉集解會通惠周惕《詩說》、朱熹《詩集傳》及
雲峰胡氏《易經》〈蒙卦〉〈六三〉爻辭之言說：

> 詩之比興，猶易之取象，燕生子則委巢，為戴嬀比也。鳩知雨則逐
> 婦，為棄婦詠也。女一失身，為人賤惡，士君子立身，一敗萬事瓦
> 裂，何以異此？[88]

以為《詩》之興語物象，無異於《易》之取象。〈燕燕〉一詩用燕生子
後離巢，象戴嬀的離別。〈氓〉一詩用鳩鳥知雨象婦人被休，女子失身，為

---

86 見鄧翔：《詩經繹參》，頁105-106。

87 黃忠天〈清儒《詩》、《易》互證會通的學術意義與價值初探〉一文（臺灣師範大學
《國文學報》第54期〔2013年12月〕），提出清儒《詩》、《易》互證會通具有：有助二
書在音義詮解的闡發、有助二書在詮解爭議的辨證、有助多元詮解的擴大、有助二書
用語交涉上的考察等四點學術意義。

88 見鄧翔：《詩經繹參》，頁128。

人賤惡，猶如士君子處世身敗名裂。鄧氏延伸棄婦詩意於君子立身處世。書中對於物象品德，亦多從漢學派舊注與語隱喻取義，如雀之淫，鼠之貪，羔羊節儉正直，麟仁厚。

又於〈蟋蟀〉眉批，提出《詩》、《易》之理相通說：

> 易艮大象云：「君子以思不出其位」，此言其居，即其位也。職思于此，即思不出其位也，詩易之理相通矣。[89]

〈艮卦〉〈序卦傳〉曰：「震者動也。物不可以終動，止之，故受之以艮。艮者，止也。」事物的動和止是相互的，動必有止，止必有動，艮即是止，卦不名止，是因為艮除止義外，還有山之象，山有安重堅實之意。所以艮卦卦象曰「兼山，艮，君子以思不出其位。」卦象是兩山重疊，兩個艮卦相重為艮卦，這就是止中之止。君子的思維與心態，不能離開本位。鄧氏以為《詩》、《易》之理相通，用艮卦卦象「君子以思不出其位」來闡釋〈蟋蟀〉詩中「職思其居」，以加深讀者對句義的瞭解。鄧氏更多處引用《易經》卦象輔助《詩》義的解釋，例如他用〈咸卦〉感少女來闡釋〈車舝〉：

> 集解：此燕樂新昏之詩……昏禮親迎者乘車而往迎，欲其德音之來會，匪飢渴，思更甚于飢渴。雖無好友，亦當設燕以待之，志喜也。咸卦感少女，可以見天地之情，車舝思季女，可以見義理之正。[90]

〈咸卦〉：「亨，利貞，取女吉。」彖曰：「咸，感也。柔上而剛下，二氣感應以相與，止而說，男下女，是以亨利貞，取女吉也。天地感而萬物化生，聖人感人心而天下和平，觀其所感，而天地萬物之情可見矣！」咸卦☰，艮下兌上，卦畫表面是一個陽卦，一個陰卦，上面的兌卦是陰卦，為少女；下卦是陽卦，為少男。此卦說的是少男和少女相互間的感應。於物象上卦兌卦為澤，下卦艮卦為山，澤性下而潤山，澤里有水，滋潤著山體。山

---

89 見鄧翔：《詩經繹參》，頁224。
90 見鄧翔：《詩經繹參》，頁491。

在下而承澤，象山與澤相互感應。鄧氏引〈咸卦〉男女相感來渲染〈車舝〉親迎用燕誌喜，期望讀者進入詩中的情調與氣氛。

鄧氏更是經常延伸《易經》的解釋，賦予《詩》義別解，例如〈吉日〉眉批：

> 《易》曰：「田獵三品，有功也。」喻得賢也。〈騶虞〉篇云「一發五犯」，喻得賢人之多。賢人多則官備，故天子以騶虞為節，樂官備也。我文王獵于渭水，非熊非羆，而得姜尚，意不在禽也。今宣王之田，專志于常典，以御賓客，酌醴為盛舉，不聞得一賢士，古禮雖存，而文武之業怠矣，賓客何人不聞以賢德著譽也。一篇之中，有美有惜，意味深長。[91]

鄧氏引用〈巽卦〉☴ 六四：「悔亡，田獲三品。」象曰：「田獲三品，有功也。」來解釋〈吉日〉、〈騶虞〉等詩。〈巽卦〉六四卦象說田獵獲得了三品，一品是作祭禮的，就是所獲的獵物作為祭品；第二品就作為宴請賓客用；第三品敬獻給君主。這三種作用都是上品，可見其立下功勞。他把打獵獲得三品獵物，延伸過來比喻得到賢人之多，賢人多則官備，並引文王狩獵得姜太公，類比《詩經》之田獵詩，以合理化詩義，也用來解釋〈吉日〉、〈騶虞〉、〈馴鐵〉等詩狩獵獲獸喻天子得賢。

整體而言鄧氏充分發揮「《詩》之比興，猶《易》之取象」、「《詩》《易》相通」，將中國兩部重要經典人情事理打通，拓展《詩》義闡釋，固然有時不免說得迂曲，但他提出別解之用心可見。

（五）文學之源

鄧氏細析《詩》之作法，提點《詩》之文學美學，又常考察《詩經》對後代文學作品的影響，肯定《詩經》為我國文學源頭。試舉幾例：

---

91 見鄧翔：《詩經繹參》，頁374-375。

1 〈摽有梅〉眉批：

> 天地生才為世用也，有而不用，或以困屈死，或流變于異學，或漂蕩
> 而失身，故有摽梅之懼。古詩云「傷彼蕙蘭花，含英揚光輝，過時而
> 不采，將隨秋草萎。」即此詩之意。[92]

鄧氏以求士過時不用，猶求女過時不聘，多元視角闡釋此詩。並述及
〈古詩十九首〉〈冉冉孤生竹〉「傷彼蕙蘭花，含英揚光輝，過時而不采，將
隨秋草萎。」即〈摽有梅〉詩意。

2 〈柏舟〉集解：

> 按：此離騷之所祖也。帝高陽之苗裔，朕皇考曰伯庸，首二句已提明
> 宗臣不能去國。此詩于二章亦提明兄弟則同姓公族也。不能奮飛，安
> 能翱翔于千仞，覽德輝而下乎？[93]

鄧氏點出〈離騷〉開頭二句「帝高陽之苗裔，朕皇考曰伯庸」，屈原已
言明自己是宗臣不能去國。〈柏舟〉第二章亦提到同姓公族的兄弟不可據，
末章言不能奮飛，無法翱翔，覽德輝而下。〈離騷〉之意祖述〈柏舟〉。

〈燕燕〉眉批：

> 瞻望弗及四字，寫盡送別情形。東坡送子由詩云：「登高迴首陂隴
> 隔，但見烏帽出復沒」二句，實本此四字意。[94]

如何描述黯然銷魂的送別呢？〈燕燕〉被推為千古送別之祖。「瞻望弗
及」寫盡離人遠去，佇立原地，無法收回目光的依依不捨，蘇軾送弟蘇轍詩
句「登高迴首陂隴隔，但見烏帽出復沒」即此句之意。相較於他本評點，鄧
氏不僅更加揮灑自如，而且甚少承襲前人，此處引東坡詩，則承陳繼揆《讀

---

92 見鄧翔：《詩經繹參》，頁44。

93 見鄧翔：《詩經繹參》，頁58。

94 見鄧翔：《詩經繹參》，頁61。

風臆補》之後批。

3 〈木瓜〉眉批說：

> 張平子四愁詩云：「美人贈我金錯刀，何以報之英瓊瑤。」直襲步邯
> 鄲于此。[95]

鄧氏以張衡〈四愁詩〉「美人贈我金錯刀，何以報之英瓊瑤。」邯鄲學步承襲〈木瓜〉贈報書寫。

〈葛生〉第三章「角枕粲兮，錦衾爛兮。予美亡此，誰與獨旦？」眉批：

> 粲爛如是，想于歸未久者也。愁多知夜長，漫漫何時旦乎？
> 潘岳悼亡詩云：「豈曰無重纊，誰與同歲寒。」又曰：「展轉盼枕席，
> 長簟竟空床。」又曰：「牀空委清塵，靈室來悲風」，正從此化出。[96]

鄧氏以潘岳〈悼亡詩〉詩句多從〈葛生〉變化而來。

六　缺點與不足

（一）比興觀念，含糊不一

《詩經》興語物象義所隱喻的人事義，注家闡釋往往人言言殊。鄧翔說：「詩興象深遠，包羅無際。」[97]《繹參》在解詩時不免於此興象隱微處過度發揮，深文周納，流於臆測想像，如下文所述。然更含糊讓人看不懂的是他於詩文標示賦、比、興皆在一章之末，不合興語在詩之起頭處，而且有時用兼體，略論於下：

---

95 見鄧翔：《詩經繹參》，頁135。
96 見鄧翔：《詩經繹參》，頁242-243。
97 見鄧翔：《詩經繹參》，〈衡門〉集解按語，頁270。

1 興標章末

《繹參》書中少數時候對興語位置，以及物象義與人事義間的隱喻，做出正確的闡釋。例如〈葛藟〉眉批：

> 葛藟施條枚，纍樛木，扳援而上，吾無怪焉！茲平鋪在河滸，應各庇本根，今乃自別枝條，自離根本，一何可慨，此是反興。[98]

以詩之首二句為反興，葛藟無樛木可攀，猶人自離根本。物象與人事關聯如此。然而全書興語之標注，幾乎都在章末，未能呈顯它在開頭的特質。例如〈摽有梅〉「摽有梅，其實七兮。求我庶士，迨其吉兮。」他於章末標興也，不合起興只出現於章首。在此前二句為物象起興，後二句為由此物象所感發之人事義。

全書幾無例外，將興標於章末，令人誤會以為整章皆為興。無需多加舉例。

2 兼體

〈氓〉第三章「桑之未落，其葉沃若。于嗟鳩兮，無食桑葚。于嗟女兮，無與士耽。士之耽兮，猶可說也，女之耽兮，不可說也。」《繹參》於章末標「比而興也。」集解說：

> 上言貿絲，則飼蠶必樹桑，故即景為比，以桑之潤澤，比己之容色不可恃也。鳩，鵻鳩，似山鵲而小，尾青黑色。葚，桑實也。鳩嗜葚之甘，則致醉。女圖男之私，則失身。……案：鳩性專一，居鵲巢，則享畢世之安，食桑葚則謀一朝之醉，鳩甘所應甘，尚防過醉，況女耽非所應耽，不嫌蕩佚乎？士耽亦豈可說，不得以會真記改過為詞也。而以女耽對舉，分輕重，則曰猶可云耳。恕于責氓，厚于責己，故曰可以怨。[99]

---

98 見鄧翔：《詩經繹參》，頁147。
99 見鄧翔：《詩經繹參》，頁125-126。

詩人以桑樹取譬棄婦容色，固然。此比也，但興從何來？鄧氏未能言明開頭起興，此興中有比義，而以比而興兼體為說，這種兼體標法承襲朱熹《詩集傳》。

〈我行其野〉眉批：

> 起二句是興體，讀至第五句覆味之，則似興而兼賦矣。蓋果見收恤于舊姻，奚必行吟于曠野？此乃不見收恤時，宿食無所，故憩樗以托廕，采蓫以療疾，采葍以充飢也。[100]

《繹參》全書興語幾乎都標在章末，但在這裡很難得看到他標在一章開頭，這教人看來不解他對興語的真正想法如何？他把「我行其野，蔽芾其樗」看成興兼賦。在集解說：「蔽芾，盛貌。樗，惡木。野中惡木，猶堪藉廕，昏姻至親宜相依托，敢謂爾曾樗木之不若乎？今不見收恤，我留此何為矣！」可以瞭解他視首二句為興語，以惡木猶有蔭蔽，隱喻反襯婚姻至親不能依託。

3 比興不分

〈小弁〉眉批：

> 詩必多用比興，乃覺情韻宛曲，義味深長。此篇與白華皆八章用比興，似出一人手筆也。[101]

〈小弁〉鄧氏於八章詩末，分別標：興也、比也、興也、興也、興也、興也、賦而興也、比也。試以第七章「君子信讒，如或酬之。君子不惠，不舒究之。伐木掎矣，析薪扡矣。舍彼有罪，予之佗矣！」來說，鄧氏標賦而興，前幾句鋪陳屬賦，「伐木掎矣，析薪扡矣」為興，此句出現章中，以伐木析薪，必有規則理路，以喻君子信讒失察。只能說是比，因為並非出現在詩章開頭起興。

---

100 見鄧翔：《詩經繹參》，頁389。
101 見鄧翔：《詩經繹參》，頁430。

〈巧言〉眉批：

> 凡詩必有興有比，乃有點染，有駘宕。有全章皆比興者，如匏有苦葉
> 及卷阿之九章，其先比興後正意者，恆調也。惟此篇，正意在中，比
> 興在起結，格局一新。[102]

〈巧言〉詩，起結皆為賦體，此處鄧氏顯然誤解。另他所說的比興，是就整章詩而言，混淆比、興兩種詩之作法為一，他這種觀念已是後人對中國文學重「比興」的融合式說法，而非原始《詩經》興體之概念了。

4 標注缺乏標準

《繹參》於賦、比、興之標注，經常缺乏準則，有時複沓，形式完全相同詩篇，各章標注竟不一，令人難明鄧氏對賦比興詩之作法的認識，例如：

（1）〈鹿鳴〉三章複沓，皆以「呦呦鹿鳴，食野之苹（蒿、芩）」起興，但首章標賦，二、三章標興。

（2）〈四牡〉五章，《繹參》分別於章末標注：賦也、賦也、興也、賦也、賦也，然三、四章「翩翩者鵻，載飛載下（止），集于苞栩。王事靡鹽，不遑將父（母）。」複沓，一標興、一標賦，缺乏標準。

類似這些情況，在在顯示鄧氏的比興觀念是含糊的。

（二）深文周納，臆測想像

《繹參》闡釋詩義有時過於從物象隱喻，以比解詩，流於深文周納，臆測想像。試舉幾例為說：

1.〈匏有苦葉〉次章「有瀰濟盈，有鷺雉鳴。濟盈不濡軌，雉鳴求其牡。」集解說：

> ……飛曰雌雄，走曰牝牡。今以雌求牡，刺夷姜乃宣公父妾，宣姜宣

---

102 見鄧翔：《詩經繹參》，頁433-434。

公子婦，非其匹耦而相從，以車渡水，喻宣公不知畏忌，雄鳴求牡，喻夫人不知愧恥也。[103]

說詩從鄭《箋》，孔《疏》，配合《詩序》：「刺宣公也，公與夫人並為淫亂」，曲折闡釋詩中所見景物的人事隱喻，延伸於歷史、政治、諷刺、教化式解釋詩義。

2.〈魚藻〉眉批：

有頒其首，喻首出庶物也，以地勢言，亦踞龍首矣，莘其尾，喻卜世卜年也，豈虞尾大不掉乎！那其居，所謂左界殽函，右界襃隴，太華終南為鎮，洪河涇渭為帶，九州上腴，天地奧區，謂非子孫帝王萬世之業乎。[104]

〈魚藻〉從文字上看是寫周王安居鎬京，豈樂飲酒，如魚之悠遊蒲藻。《繹參》將魚首、魚尾分別賦予豐富的聯想，延伸及於國土之固、國祚之永，將周王那其居聯想及於能建萬世太平之業，確實在言外做了許多臆測。

3.〈泮水〉集解：

茆，鳧葵也。江南人謂之蓴菜。茆取有味，知道之味而嗜學焉，則茆之譬也。[105]

茆即便有味，也未必和知道之味有關，而且取譬為嗜學，《繹參》承《毛詩集解》過於揣測詮釋詩意。

（三）迂迴闡釋，曲合《序》說

《詩序》解詩固然有其最早傳承，至今仍不到可以全然廢除的地步。鄧

---

103 見鄧翔：《詩經繹參》，頁73。
104 見鄧翔：《詩經繹參》，頁500-501。
105 見鄧翔：《詩經繹參》，頁694。

翔在三家《詩》研究盛行的晚清，仍能尊古《序》，肯定其價值，確實想法
獨到。然全書中也有不少處過於迷信古《序》，而於字詞訓解、情境想像曲
折闡釋，以迎合《序》說，試舉三例說明之：

1.〈月出〉，《詩序》：「刺好色也，在位不好德，而說美色焉。」舊注都
從《序》說，三家《詩》亦無異義，皆以此詩寫陳靈公淫於夏姬事，然詩之
文字簡約，實難從中窺測此意，《繹參》眉批精細描繪詩之情境：

> 觀下篇朝食於株句，則不待月上柳梢頭，人約黃昏後也。而畫會不如
> 宵會，月下看美人，分外添色，故儇也。又燈下不如月下，燈掩映色
> 紅，月瑩淨色白，更覺文靜，故懰也。且月有光耀，與人面光耀相
> 射，尤覺罩目，故燎也。詩人筆妙，寫生細緻，誰出其右。
> 普天同照，一樣明月。而三處地面，三處人事，三處心情，快活、憤
> 恨、憂勞月色，亦與之俱變。快活者快活欲死，不顧人之憤恨，此一
> 班人痴迷作夢也。憤恨者憤恨欲死，切齒彼之快活，此一班人磨刀屬
> 劍也。憂愁者白白憂愁，說他不得，止他不得，救他不得，沒奈何，
> 如熱磨上之蟻而已。同在月光中，情事各別，而詩人都面面寫出，豈
> 特張藻畫松，雙管齊下，榮枯各肖而已。[106]

他將每章詩分為三截，說成三處地面，三處人事，三處心情，設想出月
下陳靈公淫於夏姬之快活，夏徵舒之憤恨，詩人之憂愁，不同面目，恍如張
藻畫松，神情畢現。其實就詩意而言，前三句寫佼人之美好，末句寫憂勞之
思，如是而已，何來三處三人複雜情事？甚至和下首〈株林〉有何牽連？可
見鄧氏曲合《序》說的闡釋策略。在集解他為《序》「刺好色」做了完美的
闡釋說：

> ……此詩三章言舒字，直指其名，殺機已動，而公不知，故國人作詩
> 諷告之。淫之禍烈矣，淫人之女，如其父何？淫人之妻，如其夫何？
> 淫人之母，如其子何？聖人錄月出，使淫亂之人知憒愛濃，禍機烈，

---

106 見鄧翔：《詩經繹參》，頁276-277。

庶幾畏而中止,非徒播靈公之惡也。……[107]

2.〈碩人〉,《詩序》:「閔莊姜也。莊公惑於嬖妾,使驕上僭。莊姜賢而不答,終以無子,國人閔而憂之。」舊注多從《序》說,鄧翔闡釋詩意,亦多曲合「賢而不答,終以無子。」如在眉批處說:

> ……二章描寫一位美人,手膚領齒額眉件件絕頂,任是無情也動人矣。加以含笑、送目二樣兼行,其笑又巧,其目又美,豈不足愜莊公之心。詩人體物入細,寫生特工,此特為不見答作勢反擊。……
> 首章四之字,次章四如字,二兮字。四章六疊字,皆指數不盡之詞,勢位如是,容貌如是,皆加等出色,入眼洽心,而不見答,豈非世間大不可解之事?既不見答,安得有子?[108]

他不僅就詩中諸多禮讚莊姜貌美,家世高貴,以為這些都是作勢反擊莊姜後來之不見答。而且為了曲全《序》說不見答,他也很自然的扭曲詩之詞語解釋,於末章集解說:

> ……夫人來歸之始,何一不如人意乎?以齊之廣大富饒若此,衛與聯婚,他日固可為聲援也。一說庶姜孽孽,孽者,孽子也。言從嫁庶姜有子,而夫人獨無子旁證,因不見答之故,亦通。[109]

「孽孽」疊字,詞性為狀詞,毛《傳》訓為盛飾,如何可訓為「孽子」?可見鄧氏為了《詩序》「不見答」之意,於詞意訓解上做了曲解牽合。從詩之文字上,委實很難看出不見答之意,鄧氏又從全詩反面、歇後語等不同思考面向,賦予此詩更多的闡釋空間,在詩末集解說:

> 案詩人用意,每于歇後語尋出,或于對面及旁面處尋出。此章不見

---

107 見鄧翔:《詩經繹參》,頁277。

108 見鄧翔:《詩經繹參》,頁121-123。

109 見鄧翔:《詩經繹參》,頁123。

答,更于反面處尋出;無子意,又于反面、歇後語尋出,真曲而又曲矣。[110]

3.〈野有死麕〉《詩序》:「惡無禮也。天下大亂,彊暴相陵,遂成淫風,被文王之化,雖當亂世,猶惡無禮也。」《繹參》不論在集解或眉批處都迂曲為《詩序》之意作解,在次章集解說:

> 按:此篇諸說分歧,細繹以死麕為興者,死麕之肉不如生麕之美。猶懷春之女,不及如玉之貞白者矣!死麕而施以白茅之包,不欲彰其為已死之麕也。求女而反為非禮之誘,是轉欲彰其為懷春之淫婦也。何以正內助之名,矧身為吉士,乃為此喪德敗名之舉乎?觀樸樕之處,死鹿之肉,猶且束以白茅,然則女雖懷春,尚不可誘以非禮,況此女如玉之德,堅白之操,詎可非禮要之耶?諒吉士當不如是也。[111]

從死麕肉不如生麕肉美,類比懷春女不及如玉女,死麕尚用白茅包之,不欲彰其已死。求女反為非禮所誘,是轉欲彰其為懷春之淫婦。將物象義和人事義之間用抽象難解的認知類比,說得如此迂曲,恐怕只為符合《序》意罷了!接著於末章集解說:

> 按:感悅句,鄭作女子奔走自動巾悅,則與尨吠未恰合。感我二字亦未甚生動,如常說則作誘者感女子之悅,又似太不文矣。然此非實有之事,乃預防而遠絕之詞耳。夫彼未必有是事,而在我不可不設是防,作詩者特預為是言以嚴戒,而峻絕之禮以防淫,其義深矣。[112]

鄧氏以詩中「感悅」、「感我」皆非實有之事,而是作者預為是言,以禮防淫,為《詩序》「惡無禮」作解。

---

110 見鄧翔:《詩經繹參》,頁123。
111 見鄧翔:《詩經繹參》,頁48-49。
112 見鄧翔:《詩經繹參》,頁49。

七 結語

　　清代學術研究的特點是「國初之學大，乾嘉之學精，道咸以降之學新。」[113] 整體而言《繹參》是一部承繼晚明、清代以來評點派，涵詠篇章，尋繹詩義之作，在形式上簡化只剩集解和眉批，是一部評點內容龐大，詳細讀詩，既有特點，又難免有瑕疵之作。於《詩》之作者寫作方法，以及讀者該如何接受，都有詳細闡釋，在晚清三家今文詩學盛行，對《詩序》有相當維護，並發掘《詩經》文學價值之作。具有博引諸說，內容豐富、細析作法，審美闡釋、前後參照，融會讀《詩》、《詩》《易》會通，以《易》解《詩》、肯定《詩經》文學之源等闡釋特點。但也存在比興觀念，含糊不一、深文周納，臆測想像、迂迴闡釋，曲合《序》說等缺點。清代《詩經》文學研究尚有許多書籍因取得不便，學者未予觀照，若能將罕見評點書籍逐一加以研究，必能建構較為精細的清代《詩經》文學研究，以及清代《詩經》學史，甚至考察晚清《詩經》文學研究，如何過渡到五四時期的《詩經》研究。本文對《繹參》的研究只是一個開始，期盼有更多的人力投入考察這些罕見的《詩經》評點書籍。

---

113 見王國維：〈沈乙庵先生七十壽序〉，《王國維先生全集》（臺北市：大通書局，1976年7月初版），頁1163。

章太炎《尚書》說對石經的運用

蔣秋華

中央研究院中國文哲研究所副研究員

提要

民國初年，魏正始三體石經於洛陽出土，一時之間，引起學界的關注，不少學者撰文探討，其中章太炎不僅與學侶、弟子以書信、論文商議，更藉以研治《尚書》。章氏除撰寫〈新出魏石經考〉一文，探討石經的雕刻時間、書寫者、碑數等問題，更利用石經文字解說《尚書》經文。本文即針對其《尚書》著作中，有關石經的運用情形，予以深入考索。

文中先考究章氏從友人所贈新出魏石經拓本的始末，進而介紹其研治《尚書》的相關著作，可知其有《太史公古文尚書說》、《古文尚書拾遺》、《太炎先生尚書說》三本專著，前兩種為其生前撰就，第三種則為逝世後，由弟子諸祖耿整理而成。最後考察其用石經解經的實況，得知其援引了魏正始石經、漢熹平石經、唐開成石經，尤以魏石經為多。

經由分析，發現章氏對魏石經文字多予肯定，反映其深信古文的治學態度。

關鍵詞：章太炎　《尚書》　漢熹平石經　魏正始石經　唐開成石經

一　前言

　　古代中國在印刷術發明以前，書籍的流傳，主要是靠手抄，既是手抄，同一部書往往出自眾人之手，因而也就難免出現異文。面對此現象，要如何取擇一個標準的文本，以供閱覽者遵循？尤其是國家的考試，以經書作為衡量的準則，欲求公允的評判，勢需定出一套令眾人皆信從的傳本。古人解決之道，便是雕刻上石。最早刻石者，為東漢靈帝熹平年間以隸書字體刻的，立於洛陽太學的「熹平石經」。其後，為曹魏齊王芳正始年間亦在洛陽，以古文、小篆、隸書三種字體刻的「正始石經」。這些石經的製刻，對於經書的流傳，有其重要的意義，除作為考生應試的定本，也可反映當時流傳的文字。然而因為政局的更迭及戰爭的動亂，石經被多次的遷移，導致流落遺失，終而湮沒無聞。[1]因此，後人僅能依據極少的拓本，以探討石經的面貌。

　　至於漢、魏殘石的出土，歷代偶現，惟數量不多，學者寶之，清儒尤其重視，研之者蔚然成風。清末民初，魏石經一再重現於洛陽，其中民國十一年所出者，所獲字數多達二千餘字，為歷來之冠。一時之間，學者撰文考論，興起風潮。國學大師章太炎（1869-1936）獲友人李根源（字印泉，1879-1965）、于右任（1879-1964）所贈拓本，遂與弟子、學友研商，並撰〈新出三體石經考〉一文，考訂石經文字，復據以注解經書，頗出新見。本文試就章氏的三種《尚書》專著，考察其運用石經之詮解情況。

二　章太炎與新出魏石經

　　魏石經自從遺逸後，間有拓本、摹本傳世，章太炎〈新出三體石經考〉簡述宋以來魏石經殘字的流傳與考辨情況，曰：

　　　　宋皇祐時，蘇望摹三體石經，名為《春秋左氏傳》者，至南渡，洪氏

---

[1]　有關魏石經的存亡情況，可參邱德修編撰：《魏石經初撰──魏石經古篆字典》（臺北：學海出版社，1978年），頁69-78〈存廢小史〉。

錄入《隸續》，古文、篆、隸八百有餘字。洪氏攷《水經注》，乃知正
始所刻，與熹平蔡邕所書者異事。前此范氏《後漢書》、陸氏《經典
釋文》、司馬氏《資治通鑑》皆誤以三體書為熹平所立，趙明誠先辨
之。清臧琳、孫星衍氏辨其文句，始識為《尚書》、《春秋》二經。
《尚書》則〈大誥〉、〈呂刑〉、〈文侯之命〉，《春秋》則桓公經傳、莊
公經、宣公經、襄公經也。自洪氏以下，未有親見石本者矣。[2]

北宋蘇望的摹本被南宋洪适（1117-1184）收入《隸續》中，僅存八百多
字，前此諸家均誤認為東漢所刻之熹平石經，趙明誠（1081-1129）、洪适始
辨其非是，逮清人臧琳（1650-1713）、孫星衍（1753-1818），方識其為《尚
書》、《春秋》、《左傳》之文，但他們都未能一睹石本。民國初年，魏石經復
出土面世。相較之下，章太炎比前人有幸，得以見到新出之拓本。

　　民國十二年五月十七日，章太炎撰〈論魏正始三體石經書〉，與易培基
（字寅邨，1880-1937）討論石經，述其獲贈正始石經拓本之事，曰：

寅邨我兄左右，不通信稟月，近三體石經忽有數碑現世，此實怪絕。
先是民國十一年，李印泉贈我一冊，乃《尚書・君奭篇》百廿餘字，
字頗蠹蝕，而紙墨不過三數十年。然〈君奭〉為《隸續》所未錄，怪
問李君。李君則云：「從長安作客得之，終不能尋其根也。」[3]

對於李根源所贈之石經拓本，紙墨甚新，章氏有所疑惑，問所從來，李氏僅
告知得自長安，其實際來源則無法察明。章太炎於〈新出三體石經考〉則曰：

民國十年，[4] 友人騰衝李根源，以長安肆中所得石本〈君奭〉古文、
篆、隸一百有十字贈余，獨出《隸續》之外，余甚奇之。恨已翦戳成
冊，無由識碑石形狀。久之，知其石出洛陽龍虎漢民家，嘗以繫牛，

2　章太炎：〈新出三體石經考〉，《章太炎全集》第7冊（上海：上海人民出版社，1999
　　年），頁482-483。
3　章太炎：〈章太炎論魏正始三體石經書〉，《國學叢刊》第1卷第3集（1923年），頁153。
4　據上引文，知應為十一年之誤。

印師劉克明始識之，卒歸黃縣丁氏。後得攝影本，於是識其行列部區
也。[5]

新獲李氏所贈的魏石經百餘字拓紙，觀其內容，可知屬《尚書・君奭篇》，
為《隸續》所未收錄，然因已裝訂成冊，無法讓他辨識石碑的原貌。此石後
為山東黃縣丁樹楨所收藏。此時章氏所見拓紙，僅有石碑的正面文字。

此後，章太炎又獲于右任贈送魏石經拓本，曾寫〈右任贈三體石經〉
詩，以詠其事，曰：

> 正始傳經石，人間久不窺。洛符無故發，孔筆到今垂。八體追秦刻，
> 千金笑華碑。中原文武盡，麟出竟何為。[6]

詳觀其意，似帶有譏諷的語氣，蓋對當前的局勢，頗有不滿，因而藉題發
揮。其〈論魏正始三體石經書〉記此事，曰：

> 今年三月，偶以此事語于右任，右任即取六大幅見贈。《尚書》則
> 〈多士〉、〈君奭〉、〈無逸〉，《春秋》則僖公經、文公經，悉《隸續》
> 所不載，而完好過於李本。問其故，則云：「去歲有人在洛陽廁牆
> 中，見其石壁有古篆文，設法壞壁，得一石，以示人，知為三體石
> 經。洛陽居民轉相傳告。或云：『某廟某寺亦有石壁，文字相近。』
> 因共壞之，復得二石。此即得石後所拓也。其石或入官，或歸富人，
> 分散矣。」因歎清世諸老校剔石刻，不為不勤，獨於此未及，真所謂
> 掎（掎）檢星宿，遺一義娥者也。[7]

從于右任處得到六紙拓本，乃出自洛陽民間，也都不見錄於《隸續》，完好
程度勝過李氏所贈。于氏交待了獲石的經過，且感慨清儒校訂石經者，費盡
心力，卻未能寓目，至為可惜。〈新出三體石經考〉亦記此事，曰：

5　章太炎：〈新出三體石經考〉，《章太炎全集》第7冊，頁483。

6　章太炎：〈右任贈三體石經〉，《國學周刊》第6期（1923年），頁3。

7　章太炎：〈章太炎論魏正始三體石經書〉，《國學叢刊》第1卷第3集（1923年），頁153。

十二年，新安張鈁又屬三原于右任以石經拓本六紙未裝者贈余，讀其
文，則《尚書・多士》、〈無逸〉、〈君奭〉，《春秋》僖公經、文公經，
悉蘇望所未見者。以書問所從來，鈁答曰：「民國十一年十二月二
日，洛陽東南碑樓莊下朱圪塔邨民剷藥，得石經於土中，為巨石一，
其文表裏刻之，以其重，斲為二，他碎石亦一散於公私。」手摹者鈁
也。[8]

此次他所得到的六紙拓本，是張鈁（1886-1966）透過于右任轉送的，屬於
《尚書》的〈多士〉、〈無逸〉、〈君奭〉三篇與《春秋》僖公、文公的經文，
也是未見於《隸續》所收蘇望摹本者。[9]〈新出三體石經考〉續曰：

余視諸石上下不完，此表刻〈無逸〉、〈君奭〉者為上段，丁氏所得
〈君奭〉石，乃其下段不全者，其裏則《春秋》僖、文經也。本以一
石解析為二，表裏分摹，故為四紙。行列不壞，每面三十二行，其碎
石所拓二紙，為〈多士篇〉一、文公經一，則行列亦泯焉。以是六紙
與丁本并，古文、篆、隸幾千八百字，視《隸續》一倍而羨。[10]

章太炎將兩次所得拓本仔細研究，發現張鈁所摹本乃由一石剖分為二，正反
兩面皆刻，故有四紙。正面所刻為〈無逸〉、〈君奭〉兩篇的上半段部分，丁
氏本則屬〈君奭〉下半段；背面則屬《春秋》僖公、文公之經文。另外二
紙，則為碎石拓本，屬《尚書・多士》與《春秋》文公經文。總計兩次所
得，有古文、篆、隸三體字一千八百多個，比《隸續》超出一倍多。

民國二十五年，章太炎的學生潘承弼（號景鄭，1907-2004）又從上海
獲得續出兩紙魏石經拓本，其〈書洛陽續出三體石經後〉敘曰：

民國二十五年春，余因潘生承弼得洛陽續出三體石經拓本兩紙，前為

8　章太炎：〈新出三體石經考〉，《章太炎全集》第7冊，頁483-484。

9　有關張鈁收藏魏石經拓本的情形，可參潘永耀：〈張鈁舊藏三體石經冊考述〉，《東方藝
術》2009年第6期，頁24-51。

10　章太炎：〈新出三體石經考〉，《章太炎全集》第7冊，頁484-485。

《尚書》，後為《春秋》，《尚書》存十五行，《春秋》存十四行，每行約十五六字，以通行本《尚書》、《春秋》對校，每行下當尚有七字。其上所損，則三十餘字。此石與十一年所得一石，正相銜接，此石「公子買戍衛」，至「衛」字盡，彼石起「戍」字，而「不卒」兩字則在此石斷泐中，蓋一石被破為二，故祇得十四五行，上段又缺，故每行祇十五六字也。《尚書》亦〈君奭〉經。……此石出土後，為人攜至上海，故潘生由上海碑估得之。其年四月，章炳麟記。[11]

其所獲拓本，應拓自十一年所得之丁氏藏石，蓋其時僅獲正面，即〈君奭〉經文，此次則兼有正背兩面，亦即多出背面之《春秋》經文。

以上所述，為章太炎自言所獲之魏石經拓本，且信其為真者。此外，他曾見其他拓本，卻疑為偽造。民國十三年九月三十曰，章太炎〈與弟子吳承仕論三體石經書·第一書〉曰：

覗齋足下：來書稱徐君曾赴洛陽，得熹平石經、正始石經殘片，所摹熹平殘片，其迹近真，正始殘片，不知何似？前歲之冬，石經既出，隨有偽作殘片者，自洛陽來。僕因與原石相比，往往取三四字摹刻之，以是不信。隨有偽作三體，以品字式作之者，其篆體肥俗，或疑為宋時嘉祐石經。然此不應出於洛陽，且行列亦不合，決知其偽。乃羅振玉、王國維等尚信之，豈真不辨篆法工拙邪？蓋習于好奇，雖偽者必仞之也。僕意除丁氏所得者，及朱圪塔村所得二石外，如有殘餘，必其篆法瘦逸，而又非在曾得之石之中者，且其文義可讀者，然後始信為真。不知徐君所得，亦有合于斯例乎？暇問之，則可知也。[12]

自從洛陽新出漢、魏石經殘片，偽作者尾隨而出，章氏以其所見，謂熹平石經字跡近乎真，而正始石經則字體可疑。他認為品字式的魏石經，篆文的字

---

11 〈書洛陽續出三體石經後〉，《制言》第16集（1936年），頁1-2。
12 章太炎：〈與弟子吳承仕論三體石經書〉，《華國》第2期第4冊（1925年5月），頁31-32。

體肥俗，頗不相似，疑為宋朝的嘉祐石經，但所獲地點不對及行列款式不類，因而判定為偽。對於其他學者不從篆字筆法的優劣，來分辨真偽，是受到好奇心的影響。[13]因此，他指出如何認定三體石經真偽的方式，希望弟子吳承仕（字絸齋，1884-1939）能夠體會。

民國十二年，章太炎撰〈新出三體石經考〉一文，分四次連載於《華國》月刊。[14]民國二十二年，錢玄同（原名夏，1887-1939）與吳承仕發起，由在北平的弟子出資刊刻《章氏叢書續編》，將此文收入，修訂重刊，章氏撰寫〈後記〉曰：

> 吳興錢夏，前為余寫《小學答問》，字體依附正篆，裁別至嚴，勝於張力臣之寫《音學五書》。忽忽二十餘歲，又為余書是攷。時勢遷蛻，今茲學者能識正篆者漸希，於是降從開成石經，去其泰甚，勒成一編，斯亦酌古準今，得其中道者矣。稾本尚有數字未諦，夏復為余攷核，就稾更正，故喜而識之。夏今名玄同云。民國二十二年三月，章炳麟記。[15]

弟子錢玄同先前曾用篆體，為其師書寫《小學答問》一書，章太炎稱此舉勝過清康熙時張弨（字力臣）為顧炎武（1613-1682）書寫《音學五書》。然而時隔二十多年，因為世人已鮮有能識篆體者，遂改用唐開成石經的字體書寫〈新

---

13 章太炎有另一段相似之語，曰：「未幾，復有偽作三體書者，以古文居上，篆、隸居下分列，俗云鼎足，或云品字式，亦出洛中。余見其篆書肥俗，知為詐，或疑宋嘉祐石經之遺。然彼以篆、隸、真書為三，三體為三行書，既無古文，形式亦殊異。且宋人篆法雖拙，亦未有如彼擁腫者。一二好異之士，若羅振玉、王國維，猶信之，亦可哂也。魏世石經既立，無幾，梅氏偽古文作。今石經出於洛陽，而偽作三體以衒貫者旋起，所謂巫者之效禹步已。幸其學蓺不逮梅氏閎雅，足以絕智者之聽。」見章太炎：〈新出三體石經考〉，《章太炎全集》第7冊，頁599-600。

14 章太炎：〈新出三體石經考〉，《華國》第1期第1冊（1923年9月）至第1期第4冊（1923年12月）。

15 章太炎：〈新出三體石經考〉，《章太炎全集》第7冊，頁606-607。

出三體石經考〉。同時錢氏也為原稿幾處不夠精確的部分，考核修訂。[16]

　　章太炎〈新出三體石經考〉根據當時所得見之正始石經拓本，考證其源流，對於書碑者邯鄲淳的生平事略，頗多抉發，並且推測所刻碑數約有四十八石。[17]其文共考石經古文一百二十七件，一百五十九字，另有闕文二件，補定二件，自言：「今所見三體石經盡是矣。」[18]民國二十一年六月四日，于右任因事拜訪章太炎，持茹欲立（1883-1972）所撰〈章先生新出三體石經考歌〉詩稿相示，章氏欣然為之手定。[19]其詩曰：

> 餘杭先生貌奇古，學通今古無不有。兩京孔、鄭任箋箸，佐以篆籀兼蝌蚪。好事時來就質疑，先生諾諾復否否。蕭然一室供踤躞，暇或逃禪捧巵酒。民國十二年，洛陽石出土。氈蠟初成遠寄來，欲尋真賞窺庭戶。先生一見喜欲狂，寶完不異陳倉鼓。中原文武掃地盡，麟出今將為誰某？披圖握管手不停，考訂遺經夜至午。蔡邕（邕）石經何時立？邯鄲子叔生先後。熹平下數迄正始，甲子方周未云久。一體未該三體出，乃知邯鄲意別有。石數古今無定說，先生度量求中數。《尚書》卅篇字萬餘，《春秋》經傳又幾許。算及秋毫雖未盡，我信已得十八九。許書郭簡供鉤攷，旁及漢碑采周鹵。文成數千書在紙，蘭陵孫翁應卻走。于先生，亦好古，尋常觀書鄙章句。既驚先生老益勤，更喜絕學有其緒。欲得先生欣然諾，即時鐫勒公傳布。嗚呼！安得十萬五千開山手？徧掘洛下窮巖藪。石經盡出人盡見，古學光輝燦宇宙。[20]

16 章太炎與錢玄同的師生情誼，可參沈世培：〈錢玄同與章太炎的交往〉，《民國春秋》2001年第6期，頁37-41。

17 章太炎推測若將《尚書》、《春秋》、《左傳》全部刻齊，應有一百六十餘石，因《左傳》未刻齊，所刻成者僅四十八碑。

18 章太炎：〈新出三體石經考〉，《章太炎全集》第7冊，頁599。

19 參見汪運渠：〈胸有方心身無媚骨——說民國書家茹欲立先生〉，《收藏家》2010年第12期，頁100。

20 茹欲立：〈章先生新出三體石經考歌〉，《國學周刊》第8期（1923年），頁3。

此詩頌揚章太炎考訂正始石經之功，述及其對書手、石數之考證，可謂推崇備至，讚譽有加。

民國初年的魏石經出土，可謂學界一大盛事，吸引許多學者的興趣，紛紛投入研究，彼此之間，也會相互研討，如章太炎、于右任、胡樸安（1878-1947）、蒙文通（1894-1968）等，就有來往商議的信函。[21]除了學者之外，章太炎也曾與弟子商討，其中最重要的是吳承仕。民國十四年四月、五月間，章太炎有與吳承仕討論《尚書》的五封信函，[22]發表於《華國》月刊。[23]此五篇信札之內容，均為兩人對《尚書》今、古文字的討論，章氏頻頻舉例，以曉喻吳氏，其中頗多涉及魏石經者。他們師弟之間的切磋論學，也敦促了章太炎對《尚書》一經的研究。

三　章太炎的《尚書》說

章太炎有關《尚書》的專著有三部：《太史公古文尚書說》、《古文尚書拾遺》、《太炎先生尚書說》。前兩部是其生前自撰完成的，最後一部則是其逝世後，由弟子諸祖耿（1899-1989）為之編定的。此外，尚有多篇相關的論文。[24]

21　如章太炎有〈與于右任論三體石經書〉，《國學週刊》第5期（1923年），頁1；又見《國學彙編》第1集（1923年），頁1-2；又見《華國》第1卷第4集（1923年），頁44-46。胡樸安有〈與于右任論三體石經書〉，《國學彙編》第1集（1923年），頁69-72；〈與章太炎論三體石經書〉，《國學週刊》第29期（1923年），頁1。蒙文通有〈與胡樸安論三體石經書〉，《國學彙編》第2集（1924年），頁51-53；又見《國學週刊》第44期（1924年），頁3。

22　〈第一書〉撰於一九二四年十二月二十六日、〈第二書〉撰於一九二五年三月五日、〈第三書〉撰於一九二五年三月十一日、〈第四書〉撰於一九二五年四月三日、〈第五書〉撰於一九二五年四月四日。著成時間，參見李希泌：〈章太炎先生致吳承仕的六封論學書──兼正《章炳麟論學集·釋文》之誤〉，《文獻》1985年第1期，頁112-113。

23　章炳麟：〈與吳承仕論《尚書》古今文書〉，《華國》第2期第6冊（1925年4月）刊載第一至第三書；章炳麟：〈與吳承仕論《尚書》古今文書續〉，《華國》第2期第7冊（1925年5月）刊載第四、第五書。

24　參見蔣秋華：〈章太炎《尚書》著作考述〉，《政大中文學報》第21期（2014年6月），頁37-58。

　　章太炎生前完成的《太史公古文尚書說》、《古文尚書拾遺》兩書，均收入民國二十二年在北平刊印的《章氏叢書續編》中，此叢書收錄他在五四前後撰成的著作，一共七種，總其事者是吳承仕與錢玄同。後來《太史公古文尚書說》和《古文尚書拾遺》卷一又一同刊載於民國二十三年十一月的《國學論衡》第四期上冊，《古文尚書拾遺》卷二登於二十四年六月的第五期下冊。《章氏叢書續編》於民國三十二年，又由成都薛氏崇禮堂重刊。民國四十七年，臺北世界書局亦予翻印。

　　章太炎逝世後，弟子將增補後的《古文尚書拾遺》，加上「定本」二字，刊登在民國二十五年九月《制言半月刊》第二十五期的紀念專輯，並同時出版單行本，當時標榜其書為「太炎先生最後著作」。此一《定本》是章太炎在蘇州的章氏國學講習會上，以半年的時間講解《尚書》全書，其間有一些新的見解，弟子遂將其與先前的《古文尚書拾遺》合併成《定本》，可說是一部增訂本。民國二十八年，上海章氏國學講習會有此書的再刊本。民國五十七年，香港九龍的廣華書店，亦據以翻印。民國一百年五月，王小紅選編《章太炎儒學論集》時，也將《太史公古文尚書說》、《古文尚書拾遺定本》兩書收入其中。[25]以下略述三書的撰作經過。

（一）《太史公古文尚書說》

　　民國十四年十一月，章太炎撰〈疏證古文八事〉，曰：

> 《尚書》初出壁中，孔安國以今文字讀之，……其以聲音訓故展轉求通者，慮亦不少。今壁中古文殘存于正始石經，而孔氏所讀者，多存于太史公書。石經所錄，上古文，下師讀，……皆上存真本，而下以師讀通之。其師讀訖馬而止，已不盡安國舊訓。若《經典釋文》、《尚書正義》、《史記集解》所引馬、鄭諸說，云馬作某、鄭作某者，兩家

---

25 見王小紅選編：《章太炎儒學論集》（成都：四川大學出版社，2011年），頁1-11、13-65。

有異，則其一必為改讀之字。兩家相同，亦或為相沿師讀之字，不應執是以求壁中古文也。《周官》始出山巖屋壁，蓋有未校勘者，杜子春以下，多所發正，誠如晦之見明，然以意擅定者不少。今取《尚書》太史公本及《周禮》故書各四事，為疏通證明如左。後之賢者，其將觸類而長諸。[26]

此文對孔壁中所出之《古文尚書》，認為孔安國以今文字讀之，當中應有不少以聲音訓詁展轉求通者，而壁中古文殘存於正始石經，孔氏所讀，間存《史記》之中，蓋太史公曾從其學古文。三體石經所錄，上為古文真本，下為師讀，師讀或有異同，已不復為孔氏之舊。陸德明（550？-630）《經典釋文》、孔穎達（574-648）《尚書正義》、裴駰《史記集解》所引馬融（79-166）、鄭玄（127-200）之說，兩家有異者，其一必為改讀之字；兩家相同者，也可能是師讀相沿之字，不可執此以求壁中古文。於是取《尚書》太史公本及《周禮》故書各四事，為之疏通證明。其中《尚書》四事，為〈堯典〉「嵎夷」、「昧谷」，〈微子〉「淪喪」，〈洪範〉「曰圛」，這幾條都見於後來的《太史公古文尚書說》，不過文字有所不同。此篇之作，殆為《太史公古文尚書說》之先聲。此處顯示章太炎對於研治《尚書》的態度，即重視古文，以此之故，便對保有古文的魏石經，特別看重。

有關《太史公古文尚書說》的撰著原由，章太炎曰：

今欲見《古文尚書》真本，非三體石經盡出無由。若其閒存古字，未及改竄者，雖衛包以來俗本尚然。……《經典釋文》及諸書所引馬、鄭《尚書》，有閒存古文真迹者，亦有直以馬、鄭所讀為正文者，同一古文而馬、鄭異字，雖《說文》所引《尚書》，亦有杜林、衛宏以來師讀之文矣。……大氐杜氏肇精小學，發疑正讀，上捃臨淮，賈、馬諸君依以訓說者眾，亦或考訂稍疏，所改乃不如其舊。今臨淮之書不傳，惟太史公嘗從問故，以其書考之，猶略得二十許事。雖遺文殘

關，如窺貌得其一斑，猶可喜也。[27]

這也是延續對魏石經古文的重視，而闡發的論述。他認為要知真本《古文尚書》只有靠三體石經全部出土面世，但今日僅存有殘石，無法見其全貌，所以不能靠它來作整體的印證。後世各家學者所引用東漢馬融、鄭玄書中的古文，章太炎認為都遭到後人的改竄，只有孔安國所傳之古文，才是真跡，但其書已不傳，而因司馬遷曾從其問學，所以《史記》保有部分孔氏古文之說，故章氏自其中摭檢二十餘事，為之申說考辨，遂成《太史公古文尚書說》一書。雖然只有零星的片段，他卻感到值得欣喜。在此書中，章太炎運用了許多石經的資料，查覈之下，約有七則，除一則為熹平石經外，其餘皆屬正始石經，足見其對三體石經古文的青睞。

（二）《古文尚書拾遺》

民國二十一年七月，章太炎撰〈古文尚書拾遺後序〉敘述研治《尚書》的歷程，曰：

> 六經之道同歸，獨《尚書》最殘缺難理。舊傳「古文讀應《爾雅》」，解者牽于一隅，其說猶躓。後之說者，獨高郵王氏以由裕為道，瑞安孫仲容以棐諶棐彝為匪字，持之有故，言之足以成理，其餘皆皮傅爾。余始以為《尚書》必不可通，未甚研精也。[28]

述說他早年對《尚書》並沒有深入的研究，因為這時他認為此書殘闕，而且甚難知曉。雖然班固（32-92）在《漢書·藝文志》中，曾說過讀《尚書》應採取「古文讀應《爾雅》」的方式，但注解者多有偏頗，所說仍舊難通。對於歷來學者的說解，章太炎僅欣賞王引之（1766-1834）與孫詒讓（字仲

---

27 見章太炎：《太史公古文尚書說》（北平：1933年，《章氏叢書續編》本），頁1上-1下。
28 見章太炎：《古文尚書拾遺》（北平：1933年，《章氏叢書續編》本），卷末，頁1上-1下。

容，1848-1908）兩家，其他學者的撰作，全都不入他的法眼。[29]

〈古文尚書拾遺後序〉接著說明章太炎改變觀念的原因，曰：

> 弟子歙吳承仕，獨好古文，先以敦煌所得〈堯典〉《釋文》，推定枚氏
> 隸古，又參東方足利諸本，增損文字，以為壁中書雖亡，其當與此不
> 遠。嘗以質余，余甚是之。其後自雒陽得三體石經殘碑，發見古文真
> 迹，以校枚氏〈堯典〉，多相應，知其所以取信士大夫者，非妄而獲
> 是，恨清時段、孫諸師未見也。然于通訓故、撰大義，吾猶未暇。[30]

他後來受到弟子吳承仕的影響，對於《尚書》古文有重新的體認。吳氏先依
據敦煌唐寫本〈堯典〉的《經典釋文》，又與日本的足利各本相比勘，以為
兩者字體當與枚賾的《古文尚書》字體相近。他將心得詢問章氏，獲得認
可。後來吳氏又以當時洛陽新獲的魏三體石經殘碑，校勘枚本〈堯典〉，發
現其文字多能相應，認為枚書應有所本，並非妄作。這個發現，清代治理
《尚書》的大家如段玉裁（1735-1815）、孫星衍（1753-1818）等人卻無緣
見到，讓人覺得相當可惜。此時章太炎雖然從字體的辨識上，對《尚書》有
了不同於前的體會，卻以沒有餘暇，仍無全力投入研究、撰述的心意。

〈古文尚書拾遺後序〉又曰：

> 民國二十一年夏，返自宛平，盛暑少事，念棘下生孔安國之緒言，獨
> 存于太史公書，往反抽讀，略得統紀，因成《太史公古文尚書說》一

---

29 章太炎對清儒《尚書》學的成就，評價不高，曾曰：「……江聲（艮庭）作《尚書集注
音疏》，於古今文不加分別，古文『欽明文思安安』，今文作『欽明文塞晏晏』，東晉古
文猶作『欽明文思安安』，江氏不信東晉古文，寧改為『文塞晏晏』。於是王鳴盛作
《尚書後案》，一以鄭康成為主，所不同者，概行駁斥，雖較江為可信，亦非治經之
道。至孫星衍作《尚書今古文注疏》，古文採馬、鄭本，今文採兩《漢書》所引，雖優
於王之墨守，然其所疏釋，於本文未能聯貫。蓋孫氏學力有餘，而識見不足，故有此
病。今人以為孫書完備，此亦短中取長耳。要之，清儒之治《尚書》者，均不足取
也。」見章太炎：《國學講演錄》，《章太炎講國學》（南京：鳳凰傳媒出版集團鳳凰出
版社，2009年），頁104。

30 見《古文尚書拾遺》，卷末，頁1上-1下。

卷，次以己意比考，通其故言。以舊書雅記徵其事狀，復成《古文尚
書拾遺》二卷。雖發露頭角，於所不知，蓋闕如也。以詒承仕，其將
有以恢弘之。昔鄭君注《左氏》未成，悉以與服子慎。余何敢望鄭
君，而承仕敦古，次于子慎，其以是為執鞭前躓歟？[31]

章氏於民國二十一年夏天，認為漢孔安國的《古文尚書》說，被從其學的司
馬遷紀錄於《史記》當中，於是利用閒暇，抽繹《史記》中之《古文尚書》
說，撰成《太史公古文尚書說》一卷。接著用自己的想法，考證訓詁，並參
考舊籍，徵引史事，再撰《古文尚書拾遺》二卷。至此雖已有些微成就，但
仍顯不足，遂將兩書託付吳承仕，希望他能將此學發揚光大。這兩卷的著
作，是為考辨《尚書》經文的古、今字而作，先刊登於學刊，後來章氏在蘇
州章氏國學講習會上，面對群眾宣講，由弟子筆記，整理增補，成為《定
本》，篇幅較前增加甚多。而此書的撰成，由上引〈後序〉一文，可知頗受
與弟子吳承仕討論今、古文字的影響。細考其書，採用石經解說者，多達三
十一則，除一則為熹平石經外，其餘全屬三體石經，其對三體石經古文的重
視，於此可以明顯呈露。

（三）《太炎先生尚書說》

至於出版於章太炎去世之後的《太炎先生尚書說》，其出版經過，諸泓
曰：

《太炎先生尚書說》原題作《章氏尚書學》，後父親諸祖耿改此名，
是父親聽章先生講《尚書》的記錄稿。是稿早在章先生逝世時就完成
了，定稿在1938年前後。父親一直珍藏未示人，直到年邁，才示告
我，囑我手抄清稿，在1995年[32]左右交給江蘇教育出版社，由主編繆

---

31 見《古文尚書拾遺》，卷末，頁1上-1下。
32 「1995年」應是「1986年」之誤。

詠禾先生親自負責。出版社在排版後，將清樣送到家中，時父親視力不佳，已無法看稿，後由我代為逐一讀樣。出版社連封面都設計好了，但因為全國徵訂數字太低，無法付印，將校樣和原稿又退回給我。現由中華書局刊出是書，甚為可感。[33]

原來此書是諸祖耿在國學講習會聆聽其師講授《尚書》的記錄稿，待民國二十五年章氏逝世之後，諸氏花了兩年的時間，將此書稿編纂完成，起先題作《章氏尚書學》，後來才改為如今的名稱。雖然沒有花太多的時間，便將此書纂成，卻遲遲未得出版的機會。民國七十五年，也就是章氏逝世五十年後，諸祖耿才將書稿交給出版社，盼望早日刊行，以了心願。[34]但是經過了三年，儘管校樣與封面都已完成了，只因當時徵訂讀者的數目太少，不得不輟止。[35]此一決定，令諸祖耿抱憾而終。其後又經過大約二十五年，此書才得以出版。

根據諸祖耿晚年的回憶，提到：

> 太炎先生耽翫《尚書》，老而彌篤。自言已通百之八九十，勝於清儒。著《太史公古文尚書說》、《古文尚書拾遺定本》。又於《文錄》、《檢論》、《文始》、《新方言》、《小學答問》中，臚陳字義，詳其類別，幾於纖屑靡遺。晚以全書親授及門諸子。余參末座，備聞其詳，有聞必錄，積累成冊。季剛先生曾請先生手注全經，先生笑而未遑。此冊所錄，則先生所講之全也。暇加整理，以類相從，計：《尚書故言》、《尚書略說》、《書序》、《尚書》二十九篇全文講義。其《太史公

---

33 諸泓：〈寫在前面的幾句話〉，見章太炎講、諸祖耿整理：《太炎先生尚書說》（北京：中華書局，2013年），頁1。

34 諸祖耿於自訂年譜1986年曰：「校《太炎先生尚書說》，付江蘇教育出版社。」見諸祖耿：〈雪龕自訂年譜〉，《文教資料》1999年第6期，頁18。

35 諸祖耿於自訂年譜1989年曰：「六月五日，江蘇教育出版社通知：《太炎先生尚書說》已校對清樣完畢，因訂購不足三千冊，只能保存紙型，暫停出版。」見諸祖耿：〈雪龕自訂年譜〉，《文教資料》1999年第6期，頁18。

古文尚書說》、《古文尚書拾遺》，則散見當篇之中。末復殿以附錄四
種：〈與吳承仕論尚書古今文書〉五通、〈與簡竹居書〉一通、《文錄
一‧徵信論下〉（一條）、〈說亂洪迪爽四字義〉。凡先生所說《尚
書》，具於是矣。於是定其名曰《太炎先生尚書說》。不敢自秘，公諸
同好。疏漏之責，或者可免，編次不當，或前後重複，則請達者教而
正之。[36]

謂其師晚年專研《尚書》，創見頗多，先後完成兩本專著，而在其他的著作
中，對於相關的字義，也有所詮釋，往往在講學之際，將其心得，傳授弟
子。當時弟子黃侃（字季剛，1886-1935）曾請其注解全經，章氏則以無暇
回應。諸氏仰承此意，詳錄所見所聞，區為「《尚書故言》、《尚書略說》、
《書序》、《尚書》二十九篇全文講義」四部分，並附錄四種，作為其師疏釋
《尚書》之大全。

　　章太炎兩部《尚書》專著，均以「古文」標名，可見其對經書文字的重
視，他曾說：

今日治《書》，且當依薛季宣《古文訓》及日本足利本古文，刪去偽
孔所造二十五篇，則本文已足。至訓釋一事，當以「《古文尚書》讀
應《爾雅》」一言為準，以《爾雅》釋《書》，十可得其七八，斯亦可
矣。王引之《經義述聞》解《尚書》者近百條，近孫詒讓作《尚書駢
枝》亦有六七十條，義均明確，猶有不合處。余有《古文尚書拾
遺》，自覺較江、王、孫三家略勝，然全書總未能通釋，此有待後賢
之研討矣。[37]

指出研治《尚書》經文當用薛季宣（1134-1173）的《書古文訓》和日本足
利本即可，至於字義的闡釋，他認為應依班固在《漢書‧藝文志》所說
「《古文》讀應《爾雅》」，亦即依照《爾雅》一書來解讀，可以解決大部分

---

36 見章太炎講、諸祖耿整理：《太炎先生尚書說》，〈前言〉，頁1。
37 見章太炎：《國學講演錄》，《章太炎講國學》，頁104-105。

的問題。而王引之的《經義述聞》、孫詒讓的《尚書駢枝》雖有很好的解說，但也有不妥切處。而章氏自己已有的《古文尚書拾遺》，並非通釋全書之作，所以他希望後人能完成此項事業。以此之故，諸祖耿蒐羅章氏所有著作當中，有關解說《尚書》的材料，分別部居，編纂完成《太炎先生尚書說》一書，可說是替其師彌補此缺憾。由於是拼補而成的，其中難免有解說繁簡的差別，甚至有部分空闕無解，與一般完整的專門注釋，尚有一些距離。儘管如此，已大致將章太炎的《尚書》說，集中一處，方便讀者的研讀。通觀此書解釋經文的部分，引用了五十三則石經的資料，除兩則唐石經外，皆為魏石經，這是貫徹了章氏一生治經重尚古文的精神。

四 章太炎解《尚書》對石經的運用

由前一節的討論，可知章太炎的《太史公古文尚書說》有七則運用石經，《古文尚書拾遺定本》有三十一則運用石經，諸祖耿所編纂的《太炎先生尚書說》有五十三則運用石經。其中前兩部書所運用的材料，均被收錄於《太炎先生尚書說》內，而且後者還多補輯了不少則。以下對章氏三書運用石經的情形，略作析論。

（一）魏正始三體石經

章太炎解說《尚書》時，引用石經時，運用最多的是三體石經，其方式主要以下數種：

1 校勘誤字

（1）〈皋陶謨〉：「天敘有典，勑我五典，五惇哉。天命有禮，自我五禮，有庸哉。同寅協恭，和衷哉。天命有德，五服五章哉。天討有罪，五刑五用哉。」《太炎先生尚書說》曰：

三體石經「五」作「乂」，而「有」作「多」。「五惇」、「五章」、「五用」之「五」，或為「有」字之誤。五禮，吉、凶、賓、軍、嘉也。衷，心也。[38]

據魏石經之「五」字作「乂」，章太炎謂其形與作「多」之「有」字相近，因而指出「五惇」、「五章」、「五用」之「五」字均為「有」字之誤。他是根據「天命有禮，自我五禮，有庸哉」的句型推斷的，即「五惇哉」當作「有惇哉」、「五服五章哉」當作「五服有章哉」、「五刑五用哉」當作「五刑有用哉」。他以古文字形校改今本，謂其字誤，因而提出新解，可備一說。

（2）〈高宗肜日〉：「典祀無豐于昵。」《太炎先生尚書說》曰：

「典祀無豐于昵」，《史記》作「常祀毋禮于棄道」（舊本皆如此作，清殿本改「禮」為「豐」，大謬。）。案：三體石經「禮陟配天」，古文「禮」作「豐」，此太史所據古文真本亦作「豐」，故以「禮」讀之。馬注：「昵，考也。」謂禰廟也。繹其辭意，知始改「豐」為「豐」，蓋以「典祀無豐于昵」，文有難解耳。今尋〈釋詁〉：「于，曰也。」《春秋傳》：「于民生之不易。」「于」正訓「曰」。此「于」亦同。當讀「典祀無（禮）」為句，「于昵」為句。昵者，止也，故孔安國故說為「棄道」。《逸周書·文酌解》：「惡有二咎，咎有三昵。」是「昵」有憎惡義。惡之，斯棄之矣。常祀無禮曰「棄道」，其義自明。[39]

他以魏石經〈君奭篇〉之古文「禮」字作「豐」，其因是馬融注「昵」為「考」，釋作「禰廟」，則導致「典祀無禮于禰廟」語意難解，遂改作「豐」字。《史記》所據古文作「豐」，因以「禮」說之。又根據《爾雅·釋詁》，謂「于」有「曰」之義，於是更其句讀為「典祀無禮，于昵」，「于昵」即「曰昵」。此說已見於《太史公古文尚書說》。

---

38 章太炎講、諸祖耿整理：《太炎先生尚書說》，頁71。
39 章太炎講、諸祖耿整理：《太炎先生尚書說》，頁97。

2 理出條例

（1）〈堯典〉：「靜言庸違，象恭滔天。」《太炎先生尚書說》曰：

> 《尚書》凡「恭工」，三體石經均作「龔」，「龔」讀為「恭」，恐孔安國已誤矣。[40]

據魏石經「恭」字均作「龔」，指此處經文亦當作「龔」。在其他經文中的多處「恭」字，章太炎都據魏石經，認為當作「龔」，如：

> 「恭」，三體石經作「龔」，奉也。[41]

章氏依據魏石經的體例，將此視為一項通例。

（2）〈洪範〉：「饗用五福，威用六極。」《太炎先生尚書說》曰：

> 「嚮用五福，咸用六極」，〈宋微子世家〉、〈五行志〉引「威」作「畏」；〈谷永傳〉引……「威」亦作「畏」。……「威」字作「畏」，三體石經古文盡爾，則當依「畏」為正。[42]

他根據《史記》、《漢書》引用經文，「威」作「畏」，並依魏石經古文作「畏」，指此為正字，經文宜以其為正。相同事例又見：

> 若〈康誥〉言「天畏棐忱，民情大可見」，「天畏」即「天威」（石經古文「威」皆作「畏」）。[43]

章氏依據魏石經的體例，將此視為一項通例。

---

40 章太炎講、諸祖耿整理：《太炎先生尚書說》，頁57。
41 章太炎講、諸祖耿整理：《太炎先生尚書說》，頁104。
42 章太炎講、諸祖耿整理：《太炎先生尚書說》，頁106。
43 章太炎講、諸祖耿整理：《太炎先生尚書說》，頁122。

3 訂正說解

（1）〈金縢〉：「王亦未敢誚公。」《太炎先生尚書說》曰：

> 史公作「王亦未敢訓周公」，《說文》作「王亦未敢誚公」，與今本同。
> 錢氏《考異》以為「誚」字古或省從「小」，轉寫譌為「川」。段氏
> 《撰異》謂《玉篇》「信」古文作「訫」，即《說文》「𧨏」字，《玉
> 篇》從立心也。《史記》之「訓」，乃「訫」字之誤。蓋《今文尚書》
> 作「未敢信公」，與古文作「誚公」不同。今案：依段氏說，史公所
> 據為今文，今文隸寫已久，何得殘存古文「𧨏」字？若史公依用古
> 文，石經古文「信」作「𧪄」，亦不作「𧨏」，進退相徵，其非「信」
> 字，無可疑者。錢謂「誚」省作「訫」，亦是臆說。史言「王未敢順
> 周公」者，非獨以流言致疑，其時邦君、庶士、御事悉右管叔，以東
> 征為不可，王其敢咈眾心而順一人邪？杜、衛改「訓」為「誚」，不
> 思六尺之孤，未能臨御，固無威柄足以誚人，何須遜言未敢也。[44]

經文「誚」字《史記》作「訓」，錢大昕（1728-1804）以為「誚」字偏旁省
作「小」成為「訫」字，「小」又譌成「川」，因而成為「訓」字。段玉裁
（1735-1815）以為《史記》為今文，作「訓」字是「𧨏」之誤。但是章氏以
為《史記》從古文，而古文「信」字不作「𧨏」，故史公必不作「信」。他又
反駁錢氏作「訫」之說，認為成王尚幼小，當無威權以訓斥大臣，故不必
謙遜而曰不敢。所以《史記》作「訓」，當是順從之意。此處除訂正字誤
外，亦反駁前人之說，而提出確解。此說已見於《太史公古文尚書說》。
　　（2）〈君奭〉：「巫咸乂王家。」《太炎先生尚書說》曰：

> 「巫咸乂王家」，「巫咸」，三體石經古文作「晉咸」，自餘《史記》、
> 《漢書》、《莊子》、《楚辭》皆稱「巫咸」，經無異讀，惟《白虎論》
> 云：「殷以生日名子。以《尚書》道殷家大甲、帝武丁也；於臨民亦

得以生日名子，以《尚書》道殷臣有巫咸、有祖己也。」王氏《述聞》謂：「彼文巫咸當作巫戊，用今文，故與古文不同。」案：三體石經「大戊」作「大咸」，「咸」之與「咸」祇差一畫，《白虎》當本作「咸」，寫者譌為「咸」耳。此蓋壁中古文出後，傳寫有異，遂書「咸」作「咸」，而時班固、賈逵輩，猶識其為古文「戊」字，故言之如此，非今文與古文異也。古文傳寫，不無小小異同，如「南宮括」，馬本作「南君括」，亦因古文「君」作「𠻜」，與「𡧦」相似致誤耳。虎觀說經，古今文師皆有之，不得悉指所引為今文也。[45]

以魏石經作「𠻜咸」，諸書均從之作「巫咸」，王引之據《白虎通德論》「於臣民亦得以生日名子，以《尚書》道殷臣有巫咸、有祖己也」，謂此「巫咸」當是「巫戊」之誤，如此乃今文家說。章氏據魏石經古文「大戊」作「大咸」，而「咸」字與「咸」字只有一畫之差，《白虎通》原當作「咸」，抄寫者譌為「咸」，古文傳寫也犯同樣的錯誤。但是並不能據此以為今文家說，因為白虎觀論經義，參與者今古文家兼有。這是難得以古文經字有誤之例，儘管如此，章氏亦不欲將正確的說法歸屬今文家。此說已見於《古文尚書拾遺定本》。

（二）漢熹平石經

章太炎解釋《尚書》時，也有運用漢熹平石經之例，如：

1 〈高宗肜日〉：「天既孚命正厥德。」

《太炎先生尚書說》曰：

〈殷本紀〉「孚命」作「附命」，〈孔光傳〉引《書》作「付命」，熹平石經同。據此，是太史公以今文釋古文也。「孚」與「附」、「付」音

---

45 章太炎講、諸祖耿整理：《太炎先生尚書說》，頁163-164。

雖近，然此似本作「叟」，轉寫誤作「孚」。《說文》：「叟，物落上下相付也。」讀若《詩‧摽有梅》。「叟」、「付」古亦雙聲相轉，音近義同，故今文直以「付」為「叟」。太史作「附」，亦「付」字耳。據《漢‧食貨志》「野有餓莩而弗知發」，鄭氏曰：「莩音『薶有梅』之『薶』，莩，零落也。」此字今《孟子》作「莩」，注：「餓死者曰莩。《詩》曰：『莩有梅。』莩，零落也。」是則正字作「叟」，漢時作「莩」，誤書作「莩」，「莩」誤作「莩」，正猶「叟」誤作「孚」也。[46]

「孚命」二字，《史記‧殷本紀》釋經文作「附命」，《漢書‧孔光傳》引經文作「付命」，熹平石經亦相同。孚、附、付三字雖然音相近，章太炎卻以為「孚」是「叟」字轉寫之誤。「叟」、「付」雙聲相轉，音近義同，今文以「付」為「叟」，太史公作「附」，與今文同義。而「叟」乃經文正字，其所以誤作「莩」字，正猶「叟」字誤作「孚」字一樣，應該都是漢人的失誤。此則以漢石經為例證，認為《史記》將經文「孚」字寫作「附」字，是以今文解釋古文，所以是誤採其說。此例已見於《古文尚書拾遺定本》。

2 〈牧誓〉：「昏棄厥遺王父母弟不迪。」

《太炎先生尚書說》曰：

〈周本紀〉述〈牧誓〉「昏棄其家國，遺其王父母弟不用」，今本作「昏棄厥遺王父母弟不迪」。案：熹平石經存「厥遺任父母弟不迪」八字，是今文誤「王」為「壬」，故轉為「任」。史公用古文，則為「王父母弟」。「家國」二字，諸家皆無，蓋其脫漏久矣。壁中古文當作「昏棄厥家，遺厥王父母弟不迪」（案：今文蓋以「昏棄厥遺任」為句，「父母弟不迪」為句。「任」即古「妊」字。《帝王世紀》云：「紂剖比干妻，以視其胎。」此為比干遺腹，故云「遺妊」。然〈大

誓〉言：「離逖其王父母弟。」則今文之誤可知。）。[47]

他比較《史記》與今本《尚書》的文字，發現兩者不同，《史記》採用古文家說，故其斷句當作「昏棄厥（家國），遺厥王父母弟」，而諸家本遺漏「家國」二字。漢石經「王」字作「任」字，乃由今文家之「壬」字轉誤而來，因而斷句有異，當作「昏棄厥遺任，父母弟不迪」。而「任」即古「妊」字，「遺任」即「遺妊」，據《帝王世紀》之說，比干有遺腹子，便是此遺妊，然而他又據〈太誓〉之文，認為商紂遺棄的是「王父母弟」，否定今文家說。此則以漢石經字誤，致令後世產生奇異的疏釋，是他不能贊同的。此說於《太史公古文尚書說》已先提出。

3 〈無逸〉：「惠鮮鰥寡。」

《太炎先生尚書說》曰：

> 「惠鮮鰥寡」，《傳》以「鮮鰥寡」三字平列，訓鮮為鮮乏，蓋古文師舊說。《漢・谷永傳》引「鮮」作「于」，熹平石經同，近人因之，紛紛改字，皆不嫻古文句度使然。凡三字連讀在上者，〈周頌〉「儀式刑文王之典」、《春秋・襄公傳》「繕完葺牆」是。三字連讀在下者，〈秦風〉「載獫歇驕」、《春秋・襄公傳》「無觀臺榭」是。此「鮮鰥寡」則後一例也。然《傳》以鮮為鮮乏，語終未完。案：《春秋・昭公傳》「萊鮮者自西門」、《漢・司馬遷傳》「定計於鮮也」，皆稱不以壽終為「鮮」。文王之民，雖無凍餒，征伐數行，固有死於戰陣者矣。鮮則殯葬之，鰥寡則周給之，各所以為惠也。不言孤獨者，辭略。[48]

「惠鮮鰥寡」，偽《孔傳》釋曰：「又加惠鮮乏鰥寡之人。」[49]章太炎認為是

---

47 章太炎講、諸祖耿整理：《太炎先生尚書說》，頁104。

48 章太炎講、諸祖耿整理：《太炎先生尚書說》，頁159-160。

49 題孔安國傳、孔穎達疏：《尚書正義》（上海：上海古籍出版社，2007年），卷15，總頁634。

根據古文家的舊說。《漢書》引用時,將「鮮」字作「于」字,熹平石經與其相同,後人遂多據此而改經文,其實這是不明瞭古文的句法,於是他講出一套古文三字連續的體例。他又指出偽《孔傳》「鮮乏」的訓釋,語意不夠完整,其意應是「不以壽終」,即死於戰陣者,與鰥寡孤獨者,均受到文王的照顧,前者為之殯葬,後者予以周給,至於只言鰥寡而未提孤獨,則是語句省略之故。此則乃糾正漢石經的不當,亦已見於《古文尚書拾遺定本》。

三則引用漢石經之例,都是校證經文,章太炎相信古文,對於今文隸書的說法,全部否定。

(三)唐開成石經

章太炎解釋《尚書》時,也有運用唐開成石經之例,如:

1 〈湯誓〉:「今爾有眾,女曰:我后不恤我眾,舍我穡事而割正夏。」

《太炎先生尚書說》曰:

據〈殷本紀〉及《傳》皆無「夏」字,今從之。夏,唐石經所加。《傳》以我后為桀,則下不應言「夏罪其如台」。今謂我后,自指湯言。[50]

他根據《史記・殷本記》和偽《孔傳》,認為兩書皆無「夏」字,因而認定今本所以有「夏」字,應為唐人刻石經時所添加。案:《史記・殷本記》曰:「今女有眾,女曰:我君不恤我眾,舍我嗇事而割政。」[51]偽《孔傳》曰:「汝,汝有眾。我后,桀也。正,政也。言奪民農功,而為割剝之政。」[52]確如其言,沒有「夏」字。不過,瀧川龜太郎(1865-1946)《史記

---

50 章太炎講、諸祖耿整理:《太炎先生尚書說》,頁85。

51 瀧川龜太郎:《史記會注考證》(高雄:立文文化公司,1997年),卷3,總頁51。

52 題孔安國傳、孔穎達疏:《尚書正義》,卷8,總頁285。

會注考證》曰：「楓、三本『政』下有『夏』字。」[53]這就牽涉版本的問題，章氏應當採信無「夏」字本。然而兩者的解釋，都將我后釋為夏桀，章太炎卻不以為然。他認為下文出現「夏罪其如台」的文句，則此處之我后不可指夏桀，而應當指商湯而言。此則乃依據《史記》與偽《孔傳》糾正經文，並指出其誤始自唐石經。

2 〈盤庚上〉：「汝無侮老成人，無弱孤有幼。」

　　《太炎先生尚書說》曰：

　　　唐石經作「侮老成人」，古文作「老侮成人」，老侮，狎侮也。[54]

章太炎認為唐石經作「侮老」，不當，應依古文作「老侮」，釋作狎侮，亦即將「老」字當作動詞。案：鄭玄注云：「老、弱，皆輕忽之意也。」[55]亦以老為動詞，則此二字當作「老侮」為佳。此則校正經文，採信古文，不贊同唐石經。

　　兩則引用唐石經的注釋，都涉及經文的校勘，章太炎相信《史記》與偽《孔傳》，而不同意後出的唐石經，因前者保留了古文說法，反映他的一貫信念。

五　結語

　　民國初年，魏三體石經重新出土，引起學者的關注，章太炎以古文經學家的身份，也投入研究，除撰寫〈新出魏石經考〉一文外，探討石經的雕刻時間、書寫者、碑數等問題，對於殘留各字，也一一闡釋，其後並據以說解經書。由前文所述，可知他在《尚書》方面，有三種專著——《太史公古文

53　瀧川龜太郎：《史記會注考證》，卷3，總頁51。
54　章太炎講、諸祖耿整理：《太炎先生尚書說》，頁90。
55　題孔安國傳、孔穎達疏：《尚書正義》，卷9，總頁347。

尚書說》、《古文尚書拾遺》、《太炎先生尚書說》。前兩部是其生前自撰的，第三部則是其逝世後，由弟子諸祖耿為其編纂而成的，自撰書中大量運用三體石經的說法，而編纂本除將兩書引用的部分採入外，又據上課聽聞和章氏相關著述，採入書中，較前兩書的運用情形，有甚多的增補，應是維持了章氏一貫的精神。

根據分析，章太炎運用魏石經的時候，絕大部分是予以肯定的，此正反映他對古文深深信從的態度。

張國淦《漢石經碑圖・儀禮》與
《儀禮異文表》勘證

程克雅

東華大學中國語文學系副教授

提要

　　張國淦（1876-1959）是清末民初著名政壇人物、方志學與文史學者，然而既以清末舉人出身，又嘗任職禮學館；晚年歸隱著述，著有《歷代石經考》、《漢石經碑圖》並考辨諸經異文編著對勘表，收錄於《張國淦文集續編》。在經籍方面的研究成果斐然，值得重視並深入研探。

　　今筆者擬就〈張國淦《漢石經碑圖・儀禮》與《儀禮異文表》勘證〉為題，回顧清代以來關於《儀禮》注述的異文現象及相關考述，藉《儀禮》漢熹平石經文本及其相關引書文獻，探討經籍異文之通假校勘、訂正《儀禮》在傳抄過程中致誤字訛形的現象，從而闡發張國淦研究漢石經《儀禮》對於經籍注疏訓詁和詮釋的作用與意義。

關鍵詞：經學文獻學　漢石經　儀禮　張國淦　異文　訓詁

一 前言

漢靈帝熹平年間，寫刻石經立於太學門外，不僅為後代學者視為勘正異
體字的一次創舉，也是東漢太學與帝王鴻都門學對於今文經籍文獻具體的官
方結集。經籍文獻的異文異體現象在復原經典文本、解析經籍章句、探討經
典原旨等方面具有理據作用，後人藉異文異體和異說的流傳，也藉以考察家
法師承與經學流派；探尋淵源脈絡。

民國初年學者張國淦（1879-1959），早年從政，後來則退出政壇潛心著
述，專注於方志學、金石學等研究，在張國淦的石經研究成果中，特別王國
維和推崇羅振玉、羅福頤父子；[1]和張國淦約為同時進行漢石經拓本收集與
考證的馬衡，其所著《漢石經集存》一書集殘石與今本不同的文字約一百九
十餘字，[2]據今人趙超所引，其中如「求」寫作「救」（《尚書·盤庚》「□救
舊」206號石）、「刺」寫作「剌」（《毛詩·魏風·葛屨》「是以為剌」37號
石）、「䜌」寫作「戀」（《儀禮·既夕禮》「戀木鏢馬不齊毛」398號石）等
等。又如，永康元年《馮緄碑》「令荊州剌史」（《隸7·13》）、建寧三年《夏
承碑》「轄軒六戀」（《隸8·9》）、熹平三年《周憬功勳銘》「若奔車失戀」
（《隸4·13》）等，正與此相同。

---

1 張國淦著：《歷代石經考·序》（北京市：北京圖書館出版社據民國十九年(1930)燕京
　大學國學研究所鉛印本刊行，2005年）。
2 馬衡著：《漢石經集存·序》（北京市：科學出版社，1957年）。

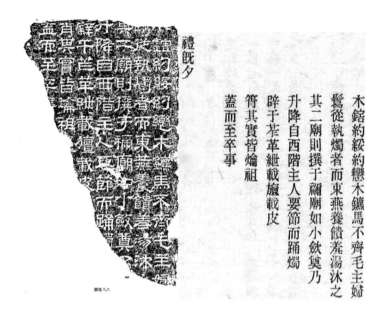

圖版八十六；拓片398號

前所臚列《漢石經集存》石經拓片中的文字異體異形和同時代其他出土石刻文字可以互證於傳世經典者，仍需一一審視其後所呈現的意義，例如：刾與剌，係隸變以致形體不同；求與救是正意為借意所奪，而加偏旁以別之古今字；彎與戀則是缺乏文字規範時代部首異寫異形的普遍現象。趙超認同馬衡研究石經文字和傳世經典不同，是基於音近假借的原理而致，因推論這些異體字大多來自民間，便於書寫，所以在一定時期內具有廣泛的影響和流傳，即使正經正史，也不能避免。《漢石經》和《說文解字》就是極好的證據。[3]漢石經也數度經由學者摹寫流傳，據南宋沈适《隸釋》所引漢石經和其他石刻隸字，則不能僅能探究字形，需再勘正字體差異原由。[4]清康熙戊戌年間項絪為顧藹吉撰《隸辨・序》，認為考釋金石遺文字體，主張「夫欲讀書必先識字，欲識字必先察形。」又認為「篆變而隸，隸變而真，真去篆已遠，

3　趙超撰《中國古代石刻概論》（北京市：文物出版社，1997年），頁178。

4　趙超撰：《中國古代石刻概論》，頁178。

而隸在其間。挽而上可以識篆所由來，引而下可以見真所從出。」[5]對於石經考述重視異文與異寫的情形，歷來學者研探的方法實有承遞和積累。清人嚴可均《唐石經校文》有謂：「石經者，古本之終，今本之祖。」[6]此語以七朝石經之首部《漢石經》來看，確實指出了石經研究者關注的核心議題。

張國淦在《歷代石經考·漢石經考》中曾說：

> 案新出漢石經殘字，魯《詩》校記有齊韓言，《公羊傳》傳有顏氏，《易》、《書》、《禮》未見，僅後記有《易》梁、施氏，《尚書》小夏侯字，未知以何一家本為主，亦無從得諸家異同之說，未敢以臆推斷也。[7]

張國淦在《漢石經碑圖·敘例》中引述洪适《隸釋》與王國維《觀堂集林·魏石經考·三》中附帶言及漢石經的源流始末，即根據異文判斷漢石經今文家法，並配合以實物上題識和文獻現象，對漢石經采用的今文經系統加以分析：

> 進而言諸經文字，石經文字係今文，以立學官者為主，漢時立學官者，《詩》有魯、齊、韓三家；《書》有歐陽、大、小夏侯三家；《禮》有大小戴二家，《易》有施、孟、梁丘、京氏四家；《春秋公羊傳》有嚴、顏二家。石經在此諸家中就可考者，《詩》校記有齊、韓言，係用魯本；《春秋公羊傳》有顏氏言，係用顏本；《儀禮》有「〈鄉飲酒〉第十」篇題，係用大戴本；《論語》校記有盍毛包周字，論者謂係用魯論本。若《尚書》後記有《尚書》小夏侯字，似係用小夏侯本。《周易》後記有梁□施氏字，然據《釋文》，坎，京作欿；虩

5　清人項絪撰：《隸辨·序》，顧藹吉撰《隸辨》卷首（北京市：中華書局，2003年1）。

6　清人嚴可均著：《唐石經校文》，收入《續修四庫全書·經部··群經總義類》（上海市：上海古籍出版社（影印上海辭書出版社圖書館藏清嘉慶刻四錄堂類集本）第184冊，1995年。

7　張國淦著：《歷代石經考·漢石經考》。

脆，京作剗剴；洗心，京作先；晁氏云：「其形渥，京作刑劇」與石
經同，似係用京本也。石經殘字在洛陽新出殘石以前，僅得見孫氏承
澤、黃氏易、蔡氏嘉三拓本，俱《尚書》〈盤庚〉五行、《論語》〈為
政〉八行、〈堯曰〉四行，黃氏本《尚書》末行，較孫蔡二氏本少
「凶德熙績」四字，雖未敢斷為熹平原石，或即洪氏适會稽蓬萊閣
本。抑石氏熙明越州本。然其出諸漢石原本無疑。[8]

藉石經殘字試圖考論漢代今文官學與師法家法，其來有自；也可進而論證石
經所依定本。這是張國淦《漢石經碑圖》中考辨的學術背景和基本立場。在
方法上，逐碑對比今古文經籍文字以考證復原，藉異文現象考釋經本依據，
或藉漢石經內之本經與本經、本經與他經；漢石經與今本等等相互校正者，
皆有辨說。他不僅在《歷代石經考》與《漢石經碑圖》中處理異文對比和古
訓的實際解釋，又於《群經異文考》中，收入眾經籍異文考錄成果，擇重要
之例詳加辨說，其中以表格排列對比勘正方式，納入歷朝石經文字與今本，
詳徵鄭玄注釋訓讀及《經典釋文》，比勘各本，撰成《詩經異文表》、《尚書
異文表》、《周易異文表》、《春秋異文表》、《論語異文表》和《儀禮異文表》
等，此外又依相同體例考察《漢書》撰著《漢書字考》。[9]這些異文表，更是
和漢石經研究中重視文字的另一互證依據，其中采錄多項清儒考釋成果，例
如惠棟、李富孫、馮登府、胡承珙、阮元、徐養原、陳壽祺、段玉裁、俞
樾、章太炎等說法。藉著異體字或異文，在反映漢代今文經學背景下的漢石
經現象中，細審辨別文獻本身的異同、特色、流衍、時世，而非僅孤立的搜
集其字形。臚列其注釋，加以分析比勘，可進而反映漢世經籍面貌。因此，
筆者即擬以張國淦《漢石經碑圖‧儀禮》與《儀禮異文表》為研究主要對象
進行勘證，說明張國淦石經考述的方法與貢獻。

8　張國淦著：《漢石經碑圖‧敘例》（臺北市：信誼書局，1976年）。
9　見張國淦著，杜春和編：《張國淦文集續編‧經學研究》部份收錄（北京市：燕山出版
　社，2003年）。

二 石經研究與異文考辨的學術史背景：以張國淦 《漢石經碑圖・儀禮》與《儀禮異文表》為主

張國淦一方面在比勘石經異文時羅列諸多現象，並依照不同時個別石經中的各經異文，進行以經證經、以同一石經之不同經本互證；再對照傳世經籍，以闡發異文的原理，更延伸異文現象校訂傳世之本，梳理古注疏正誤。據《孔子遺書考・敘錄》，《儀禮異文表》等著述成於一九二八年，《歷代石經考・漢石經考》成書於一九三〇年，較《漢石經碑圖》成書於一九三一年著述略早，而《漢石經碑圖》序中又提及經常請益於羅振玉與羅福頤父子，其稿凡十數易始克蕆成。所以，據《漢石經碑圖》，張國淦的見解是推得《詩》用魯《詩》、《春秋公羊傳》用顏本、《儀禮》用大戴、《論語》用魯《論》、《尚書》用小夏侯「字」、《周易》用京氏。石經之例，其後在馬衡《從實驗上窺見漢石經之一斑》文中也有謂：

> 後漢立五經博士十四：《易》有施、孟、梁丘、京氏四家，……諸家各以家法教授，故章句間有異同。石經之立，欲盡刻十四家之章句，其勢有所不能，故以一家為主，而羅列諸家異同於各經之末，此漢石經之例也。[10]

馬衡研治石經，參稽當時新出殘石及其石刻形製，也致力於搜求集拓；馬衡在其所著《凡將齋金石叢稿》卷六〈石經〉一章中，對於陳述歷代石經的經別和流衍，與張國淦所述大抵既同，且於考證各經所用漢代官學家數，並謂：熹平石經之例以一家為主，而著他家異同於後。除《尚書》有不同意見外，與張國淦看法一致。[11]對於歷朝各石經亦分就字體、經本、經數、行款、石數與人名，一一加以考述。他說：

> 時新自洛陽歸來，得見《儀禮・鄉飲酒》殘石拓本，故定《儀禮》為

---

10 馬衡撰：《從實驗上窺見漢石經之一斑》。
11 馬衡撰《凡將齋金石叢稿・卷六》〈石經〉（北京市：中華書局，1966年）。

大戴本,而《尚書》之本尚付闕如也。嗣後又得見《尚書序》殘石拓本,於是七經之本皆可確定。[12]

張國淦雖然也涵蓋了周康元所拓、孫伯恒編、馬衡撰序的《集拓新出漢魏石經殘字》(1928)的底本為基礎,但在《尚書》依據的說法,張國淦與馬衡主張有異。[13] 張國淦《漢石經碑圖》實納入石經以外諸家引用今文實例加以互證,石經銘刻的異文現象來源複雜,諸如家法、傳抄、隸寫、訛字等因素,不僅只是異體字問題,釋讀石刻異體字,需結合文字學、文獻學、考古學等專業知識;張國淦研究石經的意義,一方面在於對前人的綜輯,其糾舉錯謬,采擇正解,既如前述;另一方面與同時的另一學人馬衡,分別累積了不同的成果。張氏以傳統的輯錄長編考釋之法,結集了《歷代石經考》;而馬衡則在現代學術論文的形式上,首先發表〈從實驗上窺見漢石經之一斑〉(1931)一文,繼又收入《慶祝蔡元培先生六十五歲論文集》與《凡將齋金石叢考》卷六之石經部分。

　　相對馬衡之說常得徵引,而張國淦之書反而少見稱述。馬衡在張國淦的復原《漢石經碑圖》上加以檢討,指出張國淦在徵驗石經殘石上的不足和局限,駁正其所知原碑形制、高廣和基座的認識不足,而肇致所定各經碑數、每碑行數、每行字數和碑圖復原的失誤,歷經馬衡、劉文獻、許景元、范邦瑾、虞萬里、馬濤等學者述補新出材料及論證,包括具存碑緣與碑陰陽面之證據,重新將《漢石經碑圖・儀禮》之石數訂為十一碑,二十二面,每行約均三十八至三十九行;每行約七十二至七十三字。[14] 茲就致力於主要排列漢

12 馬衡撰《凡將齋金石叢稿・卷六》〈石經〉。

13 以漢石經《尚書》所據今文官學,張國淦與馬衡主張有異,目前有兩種論述,一是皮錫瑞、吳維孝、陳夢家、屈萬里、劉文獻、程元敏之說,主小夏侯本;一是馬衡,主張歐陽容本,唯另又有學者主張「師法既然系出同源,無需強加分析」,如段熙仲說。

14 以上諸學者論述分別見於:馬衡:《漢石經集存》,(北京市:科學出版社,1957年);馬衡:《凡將齋金石叢稿》,(北京市:中華書局,1966年);屈萬里:《漢魏石經拊校錄》,(濟南市:山東省立圖書館集拓本,1934年);劉文獻:《漢石經儀禮殘字集證》,(臺北市:嘉新水泥出版,1969年)。馬衡:〈漢石經概述〉,《考古學報》第10期

石經儀禮碑數面次篇第章次行款各家說法，對比傳世目錄劉向《別錄》篇
次，依序列表比較如下：

唐石經篇次 （劉向《別錄》篇次）	漢石經篇次（大戴禮篇次）		
	張國淦《碑圖》	馬衡《集存》	劉文獻《集證》[15]
碑數、面次；每碑篇目　　行數、每行字數	13碑；25面 約行；約73字，間有70-76字	11碑；22面 約38-39行；約72-73字	11碑；22面 約38-39行；約72-73字
《士冠禮》第一	《士冠禮》第一	《士冠禮》第一	《士冠禮》第一
《士昏禮》第二	《士昏禮》第二	《士昏禮》第二	《士昏禮》第二
《士相見禮》第三	《士相見禮》第三	《士相見禮》第三	《士相見禮》第三
《鄉飲酒禮》第四	《士喪禮》第四	《士喪禮》第四	《士喪禮》第四
《鄉射禮》第五	《既夕禮》第五	《既夕禮）第五	《既夕禮）第五
《燕禮》第六	《士虞禮》第六	《士虞禮》第六	《士虞禮》第六
《大射》第七	《特牲饋食禮》第七	《特牲饋食禮》第七	《特牲饋食禮》第七

（1955年10月），頁1-11；陳子怡：〈熹平石經後記真偽考〉，《女師大學術季刊》第1卷
第1期（1930年3月），頁157-164；陳子怡：〈漢熹平石經後記真偽考內的自行更正〉，
《女師大學術季刊》第2卷第1期（1931年3月），頁10-16；許景元：〈新出熹平石經《尚
書》殘石考略〉，《考古學報》1981年第2期。（1981年2月）；范邦瑾：〈《熹平石經》的
尺寸及刻字行數補證〉，《文物》1988年第1期（1988年3月）；邱德修：〈漢熹平石經的
新發現及其價值 -上-〉，《國立編譯館館刊》第19卷第1期（1990年6月），頁25-52；邱
德修：〈漢熹平石經的新發現及其價值 -下-〉，《國立編譯館館刊》第19卷第2期（1990
年12月），頁117-173；陸泰龍：〈東漢〈熹平石經〉殘石〉，《國立歷史博物館館刊》第
20卷第8期（2010年8月），頁54-59；虞萬里：〈鄭玄所見《三禮》傳本殘闕錯簡衍奪
考〉，《中國經學》第12期（2014年6月）；虞萬里：〈熹平石經《魯詩‧鄭風》復原平
議〉，《七朝石經研討會學術論文集》（2014年12月）頁29-52；馬濤：〈漢石經《儀禮‧
鄉飲酒》記文異象經辨〉，《七朝石經研討會學術論文集》（2014年12月）頁53-74。

15　在表格中列舉之諸書張國淦《漢石經碑圖》、馬衡《漢石經集存》、劉文獻《儀禮漢石
經殘字集證》，分別簡稱為：張國淦《碑圖》、馬衡《漢石經集存》、劉文獻《集證》。

唐石經篇次 （劉向《別錄》篇次）	漢石經篇次（大戴禮篇次）		
	張國淦《碑圖》	馬衡《集存》	劉文獻《集證》[15]
篇目＼碑數、面次；每碑 ＼行數、每行字數	13碑；25面 約行；約73字，間有70-76字	11碑；22面 約38-39行；約72-73字	11碑；22面 約38-39行；約72-73字
《聘禮》第八	《少牢饋食禮》第八	《少牢饋食禮》第八	《少牢饋食禮》第八
《公食大夫禮》第九	《有司徹》第九	《有司徹》第九	《有司徹》第九
《覲禮》第十	《鄉飲酒禮》第十	《鄉飲酒禮》第十	《鄉飲酒禮》第十
《喪服》第十一	《鄉射禮》第十一	《鄉射禮》第十一	《鄉射禮》第十一
《士喪禮》第十二	《燕禮》第十二	《燕禮》第十二	《燕禮》第十二
《既夕禮）第十三	《大射》第十三	《大射》第十三	《大射》第十三
《士虞禮》第十四	《聘禮》第十四	《聘禮》第十四	《聘禮》第十四
《特牲饋食禮》第十五	《公食大夫禮》十五	《公食大夫禮》十五	《公食大夫禮》十五
《少牢饋食禮》第十六	《覲禮》第十六	《覲禮》第十六	《覲禮》第十六
《有司徹》第十七	《喪服》第十七	《喪服》第十七	《喪服》第十七

《儀禮》十七篇，鄭玄皆依《別錄》為序。賈公彥《儀禮疏‧漢鄭氏目錄》下，有曰：

其劉向《別錄》，即此十七篇之次是也，皆尊卑吉凶次第倫敘，故鄭用之，至於大戴，即以士喪為第四，既夕為第五，士虞為第六，特牲為第七，少牢為第八，有司徹為第九，鄉飲酒第十，鄉射第十一，燕禮第十二，大射第十三，聘禮第十四，公食第十五，覲禮第十六，喪服第十七，小戴於鄉飲鄉射燕禮大射三篇，亦依此別錄次第，而以士虞為第八，喪服為第九，特牲為第十，少牢為第十一，有司徹為第十二，士喪為第十三，既夕為第十四，聘禮為第十五，公食為第十六，

　　覬禮為第十七，皆尊卑吉凶雜亂，故鄭玄皆不從之矣。[16]

歷來學者考證及復原漢石經，關於篇第名稱與章次的討論皆有注意，在篇名
及順序的排列方面，即如劉向《別錄》序次看，《禮經》十七篇已有大、小
戴二氏之別，再從學者關注最多的漢代今古文問題論述，探勘張國淦的觀點
與研究立場，他說：

> 就今古文論，西漢末並未淆亂也，匪唯西漢末然也，東漢靈帝熹平時
> 刊立石經，今存漢石經可考者，《詩》用《魯詩》，有《齊》、《韓》二
> 家異字。《儀禮》用《大戴禮》有大戴「〈鄉飲酒〉第十」篇題，《公
> 羊傳》用嚴氏，有嚴氏異字。《論語》有盍、毛、包、周諸家異字，
> 以一家為主，兼存諸家異同於後，皆今文本。在東漢古文方盛之時，
> 而蔡邕等以「經籍去聖久遠，文字多謬，俗儒穿鑿，貽誤後學，求正
> 定《六經》文字」，仍用今文。是今、古文在東漢末亦未淆亂也。[17]

在其石經研究中，依各經索探源流，其論述重點有四：其一「正經本師法與
學術脈絡」：例如：在《漢石經》采用《尚書》今文家數的依據問題，張國
淦雖一直有不能驟爾斷定之意，但還是在其《漢石經碑圖》中藉《尚書說》
明辨石經殘字與舊注引用今文家數主要依據。在《詩經說》分析《魯詩》與
其他經師之異文字例。在《儀禮說》，考辨鄭注與後人辨說，梳理今古文異
文的擇用與出注情形。其二「辨今傳經籍文字之訛」：張國淦並非徒對比羅
列諸家異字異寫，而是窮究原委，在《論語》據古論而改魯論的例子中一一
揀出，辨明其異，同樣也藉此論辨《禮經》用字。其三：「申經籍古注疏之
誼」：例如對於《魯詩》而有異文影響詩說篇旨章旨者，張國淦也在《詩經
異文考》與《漢石經碑圖·魯詩》圖說部份逐一詳析；對於《禮經》而有異

16　賈公彥《儀禮疏·漢鄭氏目錄》，據阮元等：《十三經注疏》，（臺北市：藝文印書館據
　　嘉慶二十年刻本重印，1983年）。

17　張國淦撰：〈孔子遺書考·敘錄〉，收入杜春和編：《張國淦文集續編》經學卷，（北京
　　市：燕山出版社，2003年），頁8。

文影響禮說字辭章句涵義者，張國淦也在《儀禮異文考》注出「石經與某字同」，與《漢石經碑圖‧儀禮》圖說部份逐一考辨，驗證今文與石經相合與否。其四「訂經籍舊說之謬」：對於漢石經經字與鄭注、孔疏所據及今本有牴牾者，延伸而至清儒之說，說釋訂駁疑誤。

根據上表所示《儀禮》篇次，對照《漢石經碑圖‧儀禮說》《儀禮‧鄉飲酒》第十，有謂：

> 石經〈鄉飲酒〉第十，此篇小戴及《別錄》皆第四，此作第十，與大戴同。知石經篇次依大戴也。又此左有餘石，是此面首行。[18]

《漢石經集存‧六‧儀禮》《儀禮‧鄉飲酒》第十：

禮鄉飲酒

鄉飲酒禮第十
鄉飲酒禮主人就先
在西設匯于禁南東
相迎于門外再拜
欄北面荅拜主人坐
沃洗者西北面卒洗主人
少退賓進受爵以復位主人
與加于俎坐帨手遂祭酒興席
爵洗南北面主人阼階
阼階上拜賓
端阼階

圖版七十一；拓片414號[19]

---

18 《漢石經碑圖‧儀禮說》《儀禮‧鄉飲酒》第十，頁151上。

19 拓片及釋文見馬衡撰《漢石經集存‧六‧儀禮》，上欄《儀禮‧鄉飲酒》第十，頁45下；圖版七十一；拓片414號。

段熙仲〈《禮經》十論〉依據漢石經《禮‧鄉飲酒》第十，舉出以下禮經研究的論點：「第一題目當從漢師」、「第二篇第當從大戴」、「第三文字當從今文」，他主張：漢代稱所存十七篇今文者為禮、禮經，係相對傳、記而言；五十六卷為禮古經、逸禮，係相對今存十七篇而言。東晉後始稱儀禮（見《晉書‧荀崧傳》「請置儀禮鄭氏學博士」），是古文家門戶之見。《周官》既專《周禮》之名，禮經則遂貶稱《儀禮》。再從篇第當從大戴論，西漢今文家不從《周官》後起之「吉、凶、兵、軍、嘉」五禮說，而從《禮記》之「冠、昏、喪祭、朝聘、射鄉」之五禮說。再就文字當從今文論：熹平石經傳世史料今存唯有〈大射〉經四十五字（見洪适《隸釋》）、〈聘禮〉經三十六字、〈士虞〉經二十字。文從今文。故可知沿至東漢官學，所傳仍實為今文經。今文經為齊魯間經師所傳；古文雖曰出淹中，實恐漢世關中及荊沔間儒者得之傳聞者。鄭玄注《儀禮》疊出今古異文凡二六七處，注從今文者一五二，皆以今文為正字，古文為假借字，胡承珙謂其中且有古文決為誤字者。鄭玄作注，去取以其所好，非有經例於其間。[20]

　　《漢石經碑圖‧儀禮說》《儀禮‧鄉飲酒》、《儀禮‧鄉射》、《儀禮‧燕禮》因適有殘石，殘字亦較多，所存殘字對應今本的章次與儀式節目，在多篇中有接近的事類可以對照，在出土文物形製和傳世經典的內容本文方面，形成可據以考辨的指標，近現代石刻研究者，雖皆致意於石經的發掘和探討，但也有學者對於石經和石刻文字形體，以同一標準予以判讀，未能充分運用相關的既有考辨成果，但若參考傳世經籍及古注疏，對比石經殘字，張國淦石經及群經異文的對比勘正，以及後來學者進行對比復原交互參見的驗證，具有充實與參酌之益。因此，以下即就《儀禮‧鄉射》、《儀禮‧燕禮》和《儀禮‧鄉飲酒禮》中的章次、內容及異文，藉《漢石經碑圖‧儀禮說》與馬衡《漢石經集存》拓本和釋文，考察張氏校理復原漢石經的視角和得失：

---

20 段熙仲撰：〈《禮經》十論〉，《文史》第一輯（北京市：中華書局，1962年）。

其一、《儀禮·鄉射》例：

《漢石經碑圖·儀禮說》《儀禮·鄉射》第十一；第十六行：

今本執觶者，洗升、實觶、反奠于賓與大夫。《注》，今文無執觶及賓觶，大夫之觶皆為爵，實觶，觶為之。胡云：此節注疏皆訛錯不可讀。許氏宗彥曰：此注「今文無執觶及賓觶，大夫之觶皆為爵」十五字，當在上執觶者節下；考此經卒受者以下，並無「賓觶大夫觶」字，注何得為此語。疏亦不應眛目而釋之如此。自是上節執觶者受觶以下之注，誤移於此。但云今文無執觶亦誤，彼經云：「觶者受觶遂實之賓觶以之主人，大夫之觶長受而錯，皆不拜。《注》當云：今文執觶及賓觶大夫之觶皆為爵，蓋總言執觶以下諸觶字，今文皆為爵。今文下衍無字耳。若今文無執觶二字，則者字無所屬，不成文義矣。案殷本移此注於執觶者受觶遂實之賓觶以之，主人大夫之觶，茲據改正。」案，據此似以下觶字當俱作爵，俟考。[21]

《漢石經集存·六·儀禮》《儀禮·鄉射》第十二：

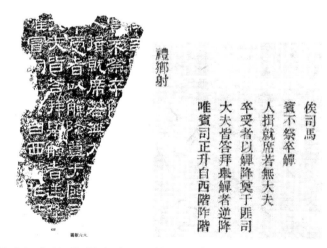

禮鄉射

俟司馬
賓不祭卒觶
人揖就席若無大夫
卒受者以觶降奠于匪司
大夫皆答拜興觶者逆降
唯賓司正升自西階阼階

圖版六六

原石在張國淦《碑圖》第七十一面第六至十二行，馬衡有謂：

21 《漢石經碑圖·儀禮說》《儀禮·鄉射》第十一；第十六行，頁152上。

匡，今本作篚，「受者以觶降于篚」下，今本自「司正降復位」別為一章，此于篚、司二字不加點，知石經於此處不分章也。[22]

本篇在傳世《儀禮·鄉射》經文「卒受者以虛觶降奠于篚，執觶者洗，升實觶，反奠於賓與大夫。」下，鄭玄注謂：「今文無執觶及賓觶。大夫之觶，皆為爵。實觶，觶為之。」賈疏則謂：「釋曰：今文此經云執觶者，無此執觶，又今文無執觶及賓觶、大夫之觶皆為爵。不從者，以其皆在無筭爵之科，明不為爵。云『實觶，觶為之』者，亦不從也。」注疏中，不僅艱澀難讀，章次亦有疑義，胡承珙，許宗彥等學者皆以為此處的注疏位置應當移易至上段「卒觶者」（即執觶者）節下。殿本則移至「而錯，皆不拜」之下。劉文獻《漢石經儀禮殘字集證》則認為此處除了文句誤移之外，還有鄭注「今文無執觶及賓觶。」的「無」字，注疏家皆謂為衍文，包括戴震、胡承珙、胡培翬、盧文弨等皆持此一看法，刪除「無」字，內容方可順釋；今古文字數也無歧異。[23]

其二、《儀禮·燕禮》例：

《漢石經集存·六·儀禮》頁四七下，下欄《儀禮·燕禮》第十二：

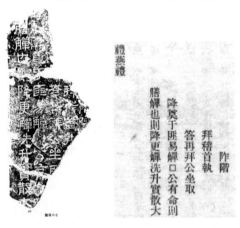

---

22 《漢石經集存·六·儀禮》下欄《儀禮·鄉射》頁46下，第十二。

23 見劉文獻《漢石經儀禮殘字集證》頁75-76。

原石在張國淦《碑圖》第七十二面第十一至十五行，馬衡有謂：

> 羅氏謂為〈大射〉文，余謂此為〈燕禮〉文，毋煩改字，皆與今本相
> 合，惟較今本每行字數參差不齊耳。若以為〈大射〉文，則文固不
> 同，且與「北降」一石及《隸釋》所錄〈大射〉之文皆不相合，匪，
> 今本作篚。[24]

「媵觶、酬賓、旅酬」諸事，同見〈大射〉、〈燕禮〉篇經文。且在「主人酬
賓」章，儀式為〈鄉飲〉、〈鄉射〉、〈大射〉、〈燕禮〉等皆具，但文字因實際
儀節而有異。〈鄉飲〉、〈鄉射〉因未及升筵降筵之事所以先排除；馬衡認為
置諸〈燕禮〉，就可符合。若不如此，依羅振玉說，字數參差不齊的因素在
於比較張國淦碑圖復原的行次和字數，排列太擠，不符實際經文，劉文獻重
新對比洪适《隸釋》、〈大射〉、〈燕禮〉等文字，從馬衡之說。再從每行復原
文字逐一梳理對照漢石經〈燕禮〉「酌散」與「媵爵」在今本鄭注、賈疏校
注和唐石經的異文，或用石經訂正賈疏疑義，又可以〈大射〉、〈燕禮〉文字
參照〈鄉飲記〉、〈鄉射記〉，訂正〈儀禮校勘記〉、〈儀禮石經校勘記〉中的
疑義。[25]

其三、《儀禮‧鄉飲酒》例

再就《儀禮‧鄉飲酒》復原碑圖看第二十八行至第二十四行，張國淦引
述羅振玉所釋，有謂：「儀禮章次古今文亦有異同」，並云：「前此治禮經諸
儒所未知也。」對比《漢石經集存‧六‧儀禮》頁四五上-下，下欄《儀
禮‧鄉飲酒》第十：

---

24 《漢石經集存‧六‧儀禮》，下欄《儀禮‧燕禮》第十二，頁47下。
25 見劉文獻《漢石經儀禮殘字集證》頁78-81。

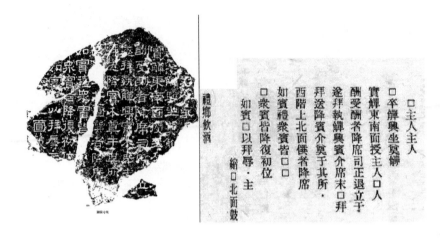

圖版七十四；拓片420號

馬衡釋文有謂：

> 「僎者降席」，今本僎作遵，注云：「今文遵為僎，或為全」。「賓介奠
> 于其所」「主人如賓服以拜辱」兩句下各有點分章。又十行與十一行
> 之間，相距二百二十四字，疑石經與今本章次有異同，否則不致相差
> 三行有奇也。[26]

劉文獻則梳理賈疏與清人之說，[27]就「鹽」字有無、衍二二四字「章次之
異」、「肺」字之有無，以上三個問題各提出兩解：其一是據張淳《儀禮釋
誤》看，若引經不誤，則賈疏本無鹽字，且唐時已有二種異本。再次是二二
四衍字的問題，羅振玉謂：「『階間縮醻』數語，不應行次相違，知《儀禮》
章次古今文亦有異同。」此看法與張國淦、馬衡所疑一致。但張國淦未能解

---

26 《漢石經集存・六・儀禮》，下欄《儀禮・鄉飲酒》，頁45上-下。

27 劉文獻回顧清人相關說法與此殘石篇什有關者，包括：胡承珙《儀禮古今文疏義》、胡
　培翬《儀禮正義》、徐養原《儀禮古今文異同疏證》、嚴可均《唐石經校文》四、王念
　孫王引之父子《經義述聞・儀禮》「服鄉服」條、阮元《儀禮石經校勘記》《儀禮校勘
　記》與王聘珍《儀禮學》、金曰追《儀禮正訛》、《儀禮集說正誤》、《殿本考證》、《儀禮
　集釋》戴震輯校案語等。見氏著《漢石經儀禮殘字集證》頁70-71。

決此一問題，劉文獻扣除可以排列的五十五字之後猶有一六九字衍文，張氏則姑置復原碑圖旁。而且殘石所示《儀禮・鄉飲酒・記》在當時即有兩種不同傳本的現象也藉此而呈現，可見張國淦的立場仍然蘊涵著因章次之異所示傳本不同，意謂著家法也有不同，詮釋和學說也會有不同的涵義。但畢竟總字數無論章次移易如何，若無碑緣及篇名節目可考，對證明漢石經《儀禮》家法的證據還是有一定局限。

此後有又今人王竹林與許景元另就新出《熹平石經》《儀禮・士虞禮》碑文加以重訂行數和字數，若將此碑置於張國淦碑圖第六十二面第二十六至二十九行，左與馬衡《漢石經集存》404號殘石相接，下與402、403上下相連貫，每行經文七十三至七十四字不等。此殘石的綴連，有助於重新計算上述碑圖在復原時，未能處理而暫置碑圖旁的一六九字衍文。[28]藉茲篇以修訂張國淦原來碑圖的闕疑，從張國淦所處的時代看其歷史研究回顧與問題意識，固然不免於後出轉精，新出文物的證據，足以補正前人在說釋時證據的缺環。

图三　《仪礼》石经拓片

三　《漢石經碑圖・儀禮》與《儀禮異文表》的考辨

關於今古文字異體與異文的討論，王國維《觀堂集林・毛公鼎考釋序》嘗謂：

28　參王竹林、許景元：〈洛陽近年出土的漢石經〉，《中原文物》1988年第2期，頁14-18。

本之《詩》、《書》以求其文之義例，考之古音以通其義之假借，參之
彝器以驗其文字之變化。由此而之彼，即甲以推乙，則于字之不可
釋，義之不可通者，必間有獲焉。然後闕其不可知者，以俟後之君
子，則庶乎其近之矣。[29]

文例、古音、假借、字形變化，是藉已知的傳世典籍知識釋讀新出文獻需涵
蓋的各個方面，張國淦於一九二八年撰著《儀禮異文表》，逐一臚列《儀
禮》十七篇異文，計共三百七十餘字例，旁附說釋，以阮元主纂十三經注疏
本《儀禮》為底本，舉《經典釋文》、明監本、明毛晉汲古閣本，加以對
比，辨「當作」、「誤作」；明補字之誤；說明脫、衍、奪等異文現象；並存
聲近音同之假借；兼涵或作之字；「石經某作某」；附述「今石經與此同」以
相證驗。《漢石經碑圖·儀禮》在考察石經異文和異說時，皆就個別字例提
出前人釋讀的說法，並進行驗徵；《儀禮異文表》也在對比諸本異文的同
時，查核對應具存的石經殘字形體，附述於各本所據字形之末。例如《儀禮
異文表》〈有司徹〉中對比「授」、「受」二字的語脈曰：

> 「尸卻手授匕枋」今石經「授」作「受」；「賓以覆手以受」監本、毛
> 本誤作「受」。[30]

「受」字本兼「授」、「受」二義，有施予義與接受義。但卻手、覆手的禮容
則與「授」、「受」二義搭配有別。漢石經「授」作「受」反映今文的字體；
傳世本將「受」反作「授」則變接受義為施予義。《漢石經碑圖·儀禮》與
《儀禮異文表》對比查核諸本異文，間有辨正今古本末、別擇當否、勘正是
非的見解，茲分就考辨內容，依以下相關問題意識列舉考辨與析論，包括今
古文抉擇訓釋規律、兩存異文訓詁術語的反映、同聲假借而擇用古文之例、
同聲假借而擇用今文之例、釐清交互混用的異文性質，正本析源、改今文為

---

29 王國維《觀堂集林·毛公鼎考釋序》，《王國維遺書》第一至二冊，（上海市：上海書店
　　1983年）。

30 〈有司徹〉《儀禮異文表》《張國淦全集續編》頁512

古文、據石經識今文本字本義、今文與石經殘字相合、商榷鄭玄訓詁文例術語、訂正今古文或作之字的誤說錯亂，計就以上十項經注及後人說釋所見異文現象，旁涉他經可證字例相重者，以對照《漢石經碑圖・儀禮》與《儀禮異文表》的論述，闡述張國淦的研究方法與觀點。

其一、關於今古文抉擇的訓釋規律

「廟」、「庿」二字，《漢石經碑圖・儀禮說》《儀禮・冠禮》第一：

> 今本「筮于庿門」阮元《儀禮校勘記》：「《儀禮》廟庿錯出，庿乃古文，鄭不疊今文者，庿廟同字，故不疊。」案，石經《論語》太廟作廟。[31]

《儀禮異文表》〈士冠禮〉「厥明夕，為期于庿門之外。」，張國淦曰：

> 「監本、毛本庿作廟，案，石刻唯〈士昏禮〉『字至于廟門』、〈公食大夫禮〉『及廟門』、〈公食大夫禮〉『為之築宮廟』『君埽其宗廟』四字作廟；餘皆作庿。今石經悉改從庿。」[32]

庿為古文，廟為今文，二者同字。因此鄭玄用古文；今文出注；在此則不疊。同時，漢代石刻僅四字作廟，今石經則劃一，皆作庿。在鄭注「廟」、「庿」二字的選擇上，張國淦承清人說解鄭注的用語和訓釋規律，運用在考辨石經用字的現象上。

其二、關於兩存異文，從訓詁術語上來進行考察

「肫」、「純」、「鈞」三字，《漢石經碑圖・儀禮說》《儀禮・冠禮》第一：

> 今本「腊一肫」《注》「肫或作純」。胡承珙《儀禮古今文疏義》：「此經今文作肫，本肫之假借，當時蓋別有作純之本。故鄭云：肫或作

---

31 《漢石經碑圖・儀禮說》《儀禮・冠禮》，頁149上。

32 〈士冠禮〉《儀禮異文表》頁492。

純。純，全也。其下則就純字疊之云：古文純為鈞，若本無作純，但推〈少牢〉之純以釋全義，則仍當云古文肫為鈞，而不當云純為鈞矣。」又云：「鄭注云或作，蓋各有一字兩作者，鄭兩存之。」案，此不知石經為何字，凡類此者併兩存之，俟考。[33]

張國淦細究鄭汪術語，結合異文，不僅注意此三字在名物實質的說明，也有助於推敲章句解釋和碑文前後文的關連，與石經前後篇章的印證。劉文獻運用揣摩鄭玄術語的方法，更藉《儀禮・鄉飲酒禮・釋文》與賈疏所據之異，疑有複本的情形，兩存肫、純二字，以示其異所據。

其三、同聲假借而注今文作古文之例

「密」、「冪」、「鼏」三字，《漢石經碑圖・儀禮說》《儀禮・相見禮》第三：

> 今本「冪用疏布」《注》「今文冪皆作密」胡云：「冪之作密，猶鼏之作密。皆同聲假借」《禮經》古文鼏皆為密，故鼏亦作密。此注今文作古文。《校勘記》云：通部皆古文作密，此不當作今文。」[34]

《漢石經碑圖・儀禮說》《儀禮・少牢》第八：

> 今本皆有鼏，《注》「今文鼏作冪」胡云：「此古文或本作冪。今本則又作鼏；《注》當云：今文冪作鼏。」[35]

《儀禮異文表》〈少牢饋食禮〉：

> 「皆設扃鼏」監本、毛本鼏作冪，今石經與此同。[36]

33　《漢石經碑圖・儀禮說》《儀禮・冠禮》，頁149上。

34　《漢石經碑圖・儀禮說》《儀禮・少牢》，頁151上。

35　《漢石經碑圖・儀禮說》《儀禮・鄉飲酒》，頁151下，第卅行。

36　〈少牢饋食禮〉《儀禮異文表》《張國淦全集續編》頁511。

在此例中，主張石經與傳世文本皆應作「冪」，鄭注之說未盡達意，胡承珙也逕予以清楚陳述，謂「今文冪作冪」，以示「今文作古文」。

「僎」、「遵」二字，《漢石經碑圖‧儀禮說》《儀禮‧鄉飲酒》第卅行：

> 今本遵者降席，石經遵作僎。案，《注》：今文為僎或為全。羅云：
> 《禮記‧冠義》：介僎陰陽也。《注》古文禮僎者皆作遵。又〈少儀〉
> 僎爵。《注》僎或為驨，古文禮俱作遵。胡氏承珙曰：「古文禮者，指
> 此禮經古文也。」此石作僎，與鄭注合。[37]

《漢石經集存‧六‧儀禮》《儀禮‧鄉飲酒》第十，馬衡有謂：

> 「僎者降席」，今本僎作遵，注云：「今文遵為僎，或為全」。[38]

《禮記正義‧少儀》孔穎達疏曰：

> 古文《禮》「僎」作「遵」，遵為鄉人為卿大夫來觀禮者，酢，或為
> 作。僎，或為驨。……僎音遵。驨，責留反，本又作馴，一音巡。[39]

「僎」、「遵」、「全」、「驨（音馴，通循）」等字，皆以同聲假借的原理而通用，鄭注擇用古文「遵」，而今文與石經則作「僎」。

其四、同聲假借而擇用今文之例

「冕」、「免」、「絻」三字，《漢石經碑圖‧儀禮說》頁150上《儀禮‧士喪禮》第六十面，第一行：

> 今本，眾主人免于房。注：今文免皆作絻。[40]

37 《漢石經碑圖‧儀禮說》《儀禮‧鄉飲酒》，頁151下，第卅行。

38 《漢石經集存‧六‧儀禮》下欄《儀禮‧鄉飲酒》，頁45上-下。

39 見《禮記正義‧少儀》孔穎達疏；收入《十三經注疏》，（臺北市：藝文印書館據嘉慶二十年刻本重印，1983年）。

40 《漢石經碑圖‧儀禮說》《儀禮‧士喪禮》第六十面，第一行，頁150上。

《儀禮異文表》〈喪服經傳〉第十一：

> 「記，朋友皆在他方，袒免」《釋文》：免字或作絻。[41]

《漢石經碑圖・儀禮說》《儀禮・覲禮》第七十九面，第十八行：

> 今本「侯氏裨冕」，注：「冕皆作絻。」（依宋本補）。[42]

「黻」、「絻」字，又見第八十九面《漢石經碑圖・論語說》，第八行：

> 今本「而致美乎黻冕」依「冕衣裳」，魯讀為「絻」，似此亦當作
> 「絻」，《鄉黨》篇亦然。[43]

「冕」、「免」、「絻」三字也因同聲假借的原理而常見互相通用，如鄭注所說：「今文免皆作絻。」係擇用今文之例。

其五、釐清交互混用的異文性質，正本析源

「歸」、「饋」字，見第七十七面《漢石經碑圖・儀禮說》，第四行：

> 今本「歸饗餼五牢」《注》「今文歸或為饋」。
> 第八十九面《漢石經碑圖・論語說》，第六行：
> 今本「康子饋樂」，依「咏而歸」、「饋孔子豚」鄭注，魯讀，「饋為歸」，似此當亦作歸，後放此。
> 第九十一面《論語》圖說，第三十七行：
> 今本「歸孔子豚」《釋文》：「鄭本作饋，魯讀饋為歸」。[44]

歸、饋二字在經籍中常交互使用，雖然石經多歷年所，本身也有磨改，然張國淦參各本及經注，釐清異文不同性質，正本析源，加以論斷。

---

41 《儀禮異文表》〈喪服經傳〉第十一，頁505。
42 《漢石經碑圖・儀禮說》《儀禮・覲禮》第七十九面，第十八行，頁153上。
43 《漢石經碑圖・論語說》，第八十九面，第八行。
44 《漢石經碑圖・儀禮說》，第七十七面，第四行。

其六、改今文為古文

「宴」、「燕」字，《漢石經碑圖・儀禮》皆作燕，另見《漢石經碑圖・論語說》，第九十一面二十九行：

> 今本「樂宴樂」，王國維云：〈述而〉篇「予之燕居」，《釋文》「鄭是宴居」與〈季氏〉篇「樂宴樂」之宴，從古改魯也。[45]

今文俱作燕，宴字係改今文為古文。

其七、據石經識本字本義

「匪」、「篚」二字，《漢石經碑圖・儀禮說》《儀禮・鄉飲酒》第三行：

> 今本：設篚於禁南，石經篚作匪。羅云：《說文》匪：「似竹筐，从匚非聲」，《逸周書》曰：「實玄黃于匪。又，篚，車笭也，从竹匪聲。」是匪、篚二字二義。石經作匪，乃本字本義也。[46]

《漢石經碑圖・儀禮說》《儀禮・鄉飲酒》第五行：

> 今本坐奠爵于篚下，石經無爵字。篚作匪。羅云：石經坐奠于篚，今本奠下有爵字，而鄭注乃云：「今文無奠。」胡氏承珙曰：「上文主人坐取爵，興，適洗南面，今文蒙上爵字，但云坐奠于篚下，注當云：『今文無奠下爵』。傳寫脫下爵二字。」今此石有奠無爵，與胡氏說合。[47]

《儀禮異文表》〈士喪禮〉「受用篚」，《釋文》作篚，今石經作篚，監本、毛本亦作篚。[48]又《儀禮異文表》〈士虞禮〉「一人衰絰奉篚哭從尸」，《釋

45　《漢石經碑圖・論語說》，第九十一面，第二十九行。

46　《漢石經碑圖・儀禮說》《儀禮・鄉飲酒》第三行，頁151下。

47　《漢石經碑圖・儀禮說》《儀禮・鄉飲酒》第五行，頁151下。

48　〈士喪禮〉《儀禮異文表》，頁505。

文》:「筐，本亦作匡」，張國淦在《儀禮異文表》中據石經、《經典釋文》、傳世文本辨篋字、筐字當作筐，又依胡承珙申論今文筐作匡係本字本義以辨正鄭注之說。

其八、今文與石經殘字相合

「說」、「悅」、「挩」三字，《漢石經碑圖·儀禮說》《儀禮·鄉飲酒》第四行：

> 今本：賓厭介入門左。介厭眾賓入。石經厭作揖，案，注：今文皆作揖，與石經合。[49]

《漢石經碑圖·儀禮說》《儀禮·鄉飲酒》第八行：

> 今本：坐挩手。石經挩作悅。羅云：注：古文挩作說，《釋文》坐挩，始銳反，拭也，注悅同。今注中無悅字，胡氏承珙曰：賈疏云：〈內則〉事佩之中有帨，則賓客自有帨巾以手也。據此似經文挩手字本作帨。蓋《禮經》今文作坐帨手。古文作坐說手。鄭從今文，故疊古文云古文帨作說。今殘字正作悅，可證胡說之精確矣。[50]

> 《儀禮異文表》〈公食大夫禮〉「賓稅手」：各本皆作「挩手」。[51]

古文作說、今文作悅。此三字不同字形交參互見，藉鄭注可判斷其齊整字形的涵義和層次。胡承珙之說可以驗證與石經字形作悅字適相符合。

其九、商榷鄭玄訓詁文例術語

今本「坐奠爵于篚下」、漢石經「坐奠于篚」二語，《漢石經碑圖·儀禮說》頁《儀禮·鄉飲酒》第五行：

49　《漢石經碑圖·儀禮說》《儀禮·鄉飲酒》第四行，頁151下。
50　《漢石經碑圖·儀禮說》《儀禮·鄉飲酒》第八行，頁151下。
51　〈公食大夫禮〉《儀禮異文表》，頁503。

今本坐奠爵于篚下，石經無爵字。篚作匪。羅云：石經坐奠于篚，今
本奠下有爵字，而鄭注乃云：今文無奠。胡氏承珙曰：「上文主人坐
取爵，興，適洗南面，今文蒙上爵字，但云坐奠于篚下，注當云：今
文無奠下爵。傳寫脫下爵二字。」今此石有奠無爵，與胡氏說合。[52]

此例同第七項，但著眼於石經和傳世本異文的討論。在鄭注用語中未能確切
達意表示無「奠爵」的爵字和「篚下」的下字；使前後文脈不明，而胡承珙
的考釋則商榷鄭注術語，無論作「脫文」或「省文」解，與後來漢石經所作
皆吻合。

其十、訂正今古文「或作」之字的誤說錯亂

「鸁」、「膴」、「麋」三字，《漢石經碑圖‧儀禮說》《儀禮‧公食》第十
五：

「今本南麋鸁以西菁菹、鹿鸁。」
《注》：「今文鸁皆作鹿」
胡云：《說文》：「膴：有骨醢也。鸁，膴或从難。」
段玉裁曰：
麋係膴之誤，《儀禮》，《爾雅音義》曰鸁。《字林》作膴，《五經文
字》曰：鸁見《禮經》；《周禮》、《說文》、《字林》皆作膴。據此則
《說文》本無膴字，甚明。後人益之也。許於《禮經》或從今文或從
古文，此從今文，誤。鄭則從古文鸁也。
案，段說是也。此注當本是今文鸁皆作膴，若今文鸁皆作麋，則於義
不通。茲據改正。[53]

《說文解字注》：膴：有骨醢也。酉部曰：醢，肉醬也。〈釋器〉曰：
肉謂之醢，有骨者謂之鸁。醢人注曰：鸁亦醢也。或曰：有骨為鸁，

---

52 《漢石經碑圖‧儀禮說》《儀禮‧鄉飲酒》第五行，頁151下。
53 《漢石經碑圖‧儀禮說》《儀禮‧公食》第十五，頁153上。

無骨為醢。〈公食大夫禮〉注曰：醢有骨謂之臡。從肉難聲。人移切。
古音在十四部。臡，腝或從難。難、難二聲同在十四部。按〈公食大
夫禮〉注曰：今文臡皆作麋。麋系腝之誤。《儀禮》、《爾雅音義》曰：
臡，字林作腝。《五經文字》曰：臡見《禮經》。《周禮》、《說文》、
《字林》皆作腝，據此則《說文》本無臡字甚明，後人益之也。許於
《禮經》或從今文，或從古文。此從今文腝，鄭則從古文臡也。[54]

「臡」、「腝」、「麋」三字，張國淦就石經指出段玉裁所辨麋字為誤，臡為古
文，當就石經腝字改正。

「膞」、「膊」二字，〈少牢饋食禮〉《儀禮異文表》有謂：

> 「肩、背、臑、膞、胳」：監本、毛本膞作膊，誤。《釋文》今石經並
> 作膞。後凡膞字皆同，惟上「馬升羊右胖」節膞字，石刻亦誤作膊。[55]

「胳」、「骼」二字，〈有司徹〉《儀禮異文表》有謂：

> 「肩、背、肫、胳、臑」：骼作胳，云：本亦作骼。[56]

「臡」、「腝」；「膞」、「膊」；「胳」、「骼」等名物，藉石經文字可以參驗在傳
世文本及舊注疏所見「亦作」、「或作」與「當作」、「誤作」等異文中當否之
辨。雖然有時張國淦也不一定能就中加以抉擇正字，仍標識「俟考」；但彙
整材料，比較勘驗，「復原」碑圖文本不僅有利於石經的全篇經字之恢復，
也提供了「構擬」漢代今文經典面貌的方案。

四　結論

張國淦退出政界，於半百之年才潛心研究傳統經典，其石經考辨的部份

---

54 《說文解字注·月部》「腝」字下：
55 〈少牢饋食禮〉，《儀禮異文表》，《張國淦全集續編》，頁511。
56 〈有司徹〉，《儀禮異文表》，《張國淦全集續編》，頁512。

不僅裒集自宋至清的紛雜資料，逐一梳理，撰成《歷代石經考》；思繼王國維魏石經研究後漢石經未竟之業，更加推展，首先全面撰為《漢石經碑圖》。使後來學界尤為重視的屈萬里、馬衡、許景元等學者，皆在《碑圖》基礎上，補苴罅漏，張皇幽渺，使石經殘石能藉綴連與釋文、校文，更達到反映漢代經籍的作用。

　　張國淦的校文釋讀與考證，更紹承清儒的群經異文考辨方法，進行詳密的各經對勘，製成群經異文表，和石經復原圖適可參稽正誤及衍變的脈絡。雖然張國淦一生學術最受重視的，主要以方志及永樂大典研究而知名，然而其傳統學術研究中用力甚深的經學研究、孔子學說，立論的態度、治學的立場，均貫注於石經與傳世典籍異文研究當中。

　　藉著《漢石經碑圖・儀禮》與《儀禮異文表》勘證的方法和論述過程，可以重新衡量今古文問題在家學和師法上反應於文字、章次與經籍文本的可能性；在文篇不一、文字字形不一的情形下，反而透露著與今古文家學有關的異本、異文、異解訊息。從張國淦紹繼於羅振玉父子的研究，後來之劉文獻《漢石經儀禮殘字集證》進行的校釋，延伸應用於相關石刻和漢代新出文獻考證，張國淦以其考實詳密，細大不捐之功，呈現釋讀經義，闡揚經學所需具備的語文基礎，實踐對勘方法的意義與價值。

《論語》「自行束脩」義理新疏
──從「脩」與「修」之形義糾葛談起

杜忠誥

提要

　　《論語‧述而第七》說：「自行束脩以上，吾未嘗無誨焉。」這是孔子自述收受學生的基本條件，一語道盡儒家「成人」教化的重點所在。由於諸家對「束脩」一詞說解紛歧，不僅孔子形象遭受扭曲，儒門進德的工夫宗趣，也因諸多詮釋學上失焦誤解，而漸至淹晦難明。這些無謂的糾葛，實與「束脩」的「脩」字之形義演化及訛變密切相關。事實上，「脩」字原本從肉攸聲，初義是製作肉乾之義，引申而有修德、修治等意；其後，因隸變及草化之故而漸次訛作從「彡」的「修」。故「脩」是「修」的本尊正體，「修」是「脩」的後起訛俗字，兩字本是音義全同的異體字。唐代顏元孫在《干祿字書》中，已將「脩」、「修」分作兩字，並以「脩」作為「肉脯」的專用字。後儒未嘗深考，並將訛體之「修」字收入許慎《說文解字》書中，使得「修」、「脩」二字之形義關係更加糾葛不清。到了南宋朱熹，又沿訛將此義寫入《四書集注》「自行束修」句下的注釋中，遂令後人對此更加迷茫。本論文除針對「脩」、「修」二字的形意糾葛有所舉證析論外，並將「自行束脩」之詮釋及其所具顯的道德實踐智能，略作義理之疏解與闡發。

關鍵詞：自行束脩　脩與修　脩身　道德實踐　下學上達

一　關於「束」、「脩」與「束脩」之訓詁學考察

《說文》六下束部：「束，縛也，從□木。」段注：「□，音韋，回也。詩言『束薪』、『束楚』、『束蒲』，皆木也。」依此，「束」字的本義，是用繩索周回環繞來綑綁木頭的意思。因綑紮可令鬆散之木頭變成緊固，故引申而有整飾約束之義。

《說文》四下肉部：「脩，脯也。從肉攸聲。」同部「脯」字下釋曰：「乾肉也。」鄭玄注《周禮‧膳夫》，同。桂馥在《說文義證》釋「脩」，引《廣雅》云：「脩，脩縮也，乾燥而縮也。」另注〈腊人〉云：「薄析曰脯，捶之而施薑桂曰段（鍛）脩。」[1]桂注本於此提出了乾脩與鍛脩的製作工序。

一九七三年底，長沙馬王堆三號漢墓出土大量帛書，據墓中木牘所記，推定為漢文帝前元十二年（西元前168）所葬。其中醫書「養生方」，有「取白苻、紅苻、伏靈各二兩，薑十果，桂三尺，皆各治之，以美醯二斗和之。即取刑馬脊肉十口，善脯之，令薄如手三指，即漬之醯中，反復挑之，即扁（漏）之；已扁，陰煬之……沸，有（又）復漬煬如前，盡汁而止。煬之□脩，即以椎薄段（鍛）之，令澤……。乾，即善臧（藏）之。」[2]文中所云「陰煬之」即置於陰涼處風乾之意。上引這一段文字，這應是古人製作臘肉，析脯鍛脩完整方法的首次出現，在此詳細記載了西漢時代馬肉脩脯的製作工序。朱駿聲《說文通訓定聲》於「脩」字條下所注「捶而施薑桂乾之」，與此正合。據此可知，「脩」的本義是製作肉乾，就其製作的動態過程而言，有「脩治」之義，當動詞用；脩養、脩德是其引申義；就其製作成品而言，則為「脯脩」，即今之「肉乾」，當名詞用。至於久遠、修長之意，則為「脩」之假借義。許書以義為「乾肉」的「脯」字訓「脩」，顯然只及「脩」字的名詞性本義，而遺漏其作為動詞性的本義，卻因而肇下「修」字

1　桂馥：《說文義證》（北京市：中華書局，1987年），頁354。
2　見《馬王堆漢墓帛書》（肆）（北京市：文物出版社，1985年），頁111。

訛形出現以做補救，總算讓「脩」字本具的動、名詞雙義，取得分頭的歸宿。就因其本義兼有動、名詞兩義的特殊性，導致後人對於「脩」字初義理解上的困擾。

隋、唐以後，學者對於「脩」、「修」這一正一俗的異體字，其處理手法儘管不同，但基本態度相當一致；即凡遇到「脩」之動詞性本義（如脩治），或引申義（如脩德）及假借義（如脩長）時，「脩」這個古字往往被置換成後出的「修」。唯有「束脩」的「脩」字，若有鬼神呵護般始終不動如山，沒人敢動，也動不得，因為此字一改作從彡的「修」，它的肉乾義之護身符便不見，似乎已被某種魔力賦予專門承祧「脩」的「脯脩」義之專字，故而有此不被改動的豁免權。

完成於唐文宗開成二年（西元837年），具有經典範本功能的《開成石經》，在《論語》經文中，其他六章的「脩」字，都保存「脩」的古形，卻赫見〈季氏第十六〉「修文德以來之」的「修」字，也混用了訛形俗體的「修」，[3]足見當時脩、修兩字混訛紛擾之一斑。

有關「束脩」的歧義，始於漢儒的經典注釋之後。歸納起來，諸家對於「束脩」的理解，可有三種釋義：一是肉脯之類的贄見禮物，有何晏（曹魏）、皇侃（梁）、孔穎達、顏元孫（唐）、邢昺、朱熹（宋）、劉寶楠（清）等；二是束帶，指年十五歲以上，有鄭玄（漢）等；三是約束修飭，有孔安國（漢）等。

後世對於《論語》此章的注解，三種釋義都各有信從者。第三種釋義，以漢、魏以來史傳文獻，諸如「束脩良史」、「束脩其心」、「束脩至行」、「束脩安貧」（以上並見《後漢書》）、「言行束脩」（晉〈成晃碑〉）之類的表述，頗為常見，觀其上下文意，都跟「約束修飭」的義理接近，足見這個釋義在魏、晉以前，應是大部份學者對「束脩」一詞的普遍共識；但六朝、隋、唐以後，卻漸成絕響，惟今人南懷瑾先生仍主此說。[4]而承用第二種釋義的學

---

3 沈映冬、徐國楓合輯：《石頭上的學問》（香港：香港文淵閣學術資料供應中心，2004年），213頁。

4 見南懷瑾述著：《論語別裁》（臺北市：東西精華協會、人文世界雜誌社，1976年）。

者，相對而言偏少，今人傅佩榮[5]仍主此說。倒是第一種釋義，自從唐代孔穎達、顏元孫以下，被歷代眾多注疏家廣泛接受傳衍，似有定於一尊之勢。

孔穎達在《禮記・少儀》：「其以乘壺酒、束脩、一犬賜人。」句下說：「束脩，十脡脯也。酒脯及犬，皆可為禮也。」[6]從經文的上下義看，孔氏在此用「脩」的名詞性本義，而以「脯」釋「脩」，自無可疑。但他把「束脩」明確說成是「十脡脯」，而將「束」字斬截實落地說成「十脡」，則不知究何所據？但這卻是筆者考察所及，《論語》「束脩」一詞被訓解作敬師贄禮的肉脯義的最早文獻出處。

漢孔安國注《論語》說：「言人能奉禮自行束脩以上，則皆教誨之。」[7]只於原文「自行束脩以上」加「奉禮」二字為注，其語意曖昧，猶未確指。而唐孔穎達在疏解《尚書・秦誓》時，引孔安國「有束修一介臣」注語時，卻說：「孔注《論語》，以束脩為束帶脩節。」[8]在這裡，其實他加入了自己的理解，扭曲了孔安國的原意，學術態度並不嚴謹。可見孔穎達對於「束脩」一詞的理解，原是兩義並陳，恐亦不無猶疑在。

唐顏元孫在《干祿字書》中，將「脩」、「修」分作兩字，並於兩字下注云：「上脯脩，下修飾。」[9]明確地把從肉的「脩」字指作「肉脯」的專用字。到了南宋的朱熹，又沿訛而將此義寫入《四書集注》「自行束脩」句下的注釋中，他說：「脩，脯也。十脡為束。古者相見，必執贄以為禮，束脩其至薄者。」[10]到了明代，朱子的這本著作，又被欽定為應舉者必讀的教科書，從此以後，「束脩」作為敬師贄禮的肉乾之釋義，便逐漸定於一尊，相沿迄今。

筆者以為，就儒家道德實踐之義理系統看來，仍以第三種釋義最合情

5　見《論語》（臺北市：立緒文化事業有限公司，1999年），頁158。

6　見《十三經注疏5・禮記》（臺北市：藝文印書館），頁634。

7　〔曹魏〕何晏：《論語集解》引《十三經注疏》（臺北市：藝文印書館），頁60。

8　見《尚書》，《十三經注疏1》（臺北市：藝文印書館），頁315。

9　見施安昌編：《顏真卿書干祿字書》（北京市：紫禁城，1992年），頁32。

10　見《四書集註》（臺北市：學海書局，1991年），卷4，頁94-95。

理。試想,如把第七章理解成只要繳交肉乾,以當學費,我沒有不教的,這豈不把孔子當成庸俗市儈的補習班老闆,視同「不見利不動」的小人。這不僅跟儒家義理系統格格不入,也與孔聖的生命氣象背道而馳。

由於當前關於此章的義理詮釋,仍處於歧義淆混的狀態,嚴重影響到儒家道德實踐義理及聖學心脈之正面理解。而有關「束脩」釋義的種種紛擾,實與「脩」與「修」的字形訛變及淆混難明有密切關係。故欲究明《論語》「自行束脩」的釋義問題,唯有先釐清「脩」與「修」的形義糾葛,方為釜底抽薪之策。

二 「脩」與「修」之形體學考察

(一)《說文》書中的「脩」與「修」

今本《說文》書中,除了前述四下肉部釋作「脯也。從肉攸聲」的「脩」字外,另於九上彡部,又有釋作「飾也。從彡攸聲」的「修」字,「脩」與「修」被當成音同義異的兩個字看待。然而,這「脩」、「修」兩字,在諸多古籍文獻中,又常相互作,似為音義皆同的異體字,究竟真相如何?不能無所辨析。

筆者為進一步解決「脩」與「修」的形義關係,曾就這兩個字在歷代文獻的實際用字情況進行蒐集,略依時代先後製成字表(見附表)。從表中可知,「脩」字始見於戰國中、晚期之際,包括〈包山楚簡〉、〈戰國官印〉、〈青山木牘〉、〈睡虎地簡〉等,「脩」字多見,並皆從肉作「脩」。其中〈中山王器〉從食作「有」,依上下文意當作修學用。從食與從肉義近可通,此亦可見戰國時代「文字異形」之一端。惟此乃不同形符異域別造的異體字,屬於漢字形體之理性發展,跟其他非理性發展之訛變者迥殊。

「脩」與「修」之歷代形體演化一覽

（歷代形體字例圖表，各格標示如下，由右至左、由上而下編號 1–40）

第一列：
1. 說文篆文
2. 說文篆文
3. 中山王器
4. 戰國·包山楚簡
5. 脩武府盉
6. 戰國官印
7. 青川木牘
8. 睡虎地秦簡
9. 睡虎地秦簡
10. 老子甲後 四二四

第二列：
11. 武威簡·有司 一三〇
12. 老子乙前 一一上
13. 定縣竹簡 四五
14. 脩武 丞印
15. 漢印徵
16. 鮮于璜碑
17. 熹平石經
18. 魏·孔羨碑
19. 魏·受禪碑
20. 王羲之喪亂帖

第三列：
21. 晉王羲之十七帖
22. 王羲之澄清堂帖
23. 晉·皇帝三臨辟雍碑
24. 晉·成晃碑
25. 劉宋·爨龍顏碑
26. 北齊·高貞碑
27. 北魏·脩羅碑
28. 梁武帝三希堂法帖
29. 隋·龍華寺碑
30. 隋·龍華寺碑

第四列：
31. 隋·龍藏寺碑
32. 唐·歐陽詢皇甫誕碑
33. 唐歐陽詢千字文
34. 虞世南夫子廟堂碑
35. 虞世南太子廟堂碑
36. 唐·李陽冰千字文
37. 唐·顏真卿多寶塔碑
38. 顏真卿脩書帖
39. 唐·開成石經
40. 唐·開成石經

　　同是戰國楚簡，〈包山楚簡〉已在「攸」上加了肉旁作為聲符，〈郭店楚簡〉未見「脩」字，惟在〈性自命出〉簡中有兩「攸身」，〈六德〉簡也有「以攸其身」[11]，前後八處的「攸」字，觀其文意應讀作「脩」，以「形聲字必以聲符為初文」之古文字通例考之，則在從肉的「脩」字未被創造以前，原本都假借作為聲符的「攸」為「脩」。後來才以「攸」作為聲符，另增形符肉旁而造「脩」字。依此可知，《尚書·洪範》「五福」之「攸好德」，本當讀作「脩好德」，即修養善德之意，既與次句「考終命」之詞性相類，也跟「自行束脩」的正面人性之顯揚語義通契。明白了古代漢字往往

---

11 均見〈郭店楚墓竹簡〉（北京市：文物出版社，1998年）。

「以聲符為其初文」的歷史真相，則不僅〈中山王器〉從食的「籩」字可與從肉的「脩」為同字異體，進而對於在更早的商、周時代，為何會看不到「脩」字一事，也就思過半矣。

　　直到西漢以前，包括西漢早期的簡牘帛書等資料中，「脩」字的用例，約有二十條之多，並皆從肉作「脩」；從彡的「修」字，直到漢代方才出現，且僅《秦漢魏晉篆隸字形表》所收〈定縣竹簡四五〉及〈漢印徵〉兩個字例而已。可怪的是，自從從肉的「脩」字始見的戰國中、晚期，以迄南北朝時代，前後近一千年間，「脩」字的用例有將近一百個；而「修」字卻只見此兩例。這事頗不尋常，可見其中必有蹊蹺，不能無疑。

　　經考《定州漢墓竹簡・論語》，唯見〈述而〉「德之不脩也」（141簡）及〈堯曰〉「脩廢官」（601簡）共兩例，兩處簡文實皆從肉作「脩」，並非如《秦漢魏晉篆隸字形表》所收從彡之「修」。[12]或係該簡此字右下方字跡稍有模糊，從其上下文雖可確定其為「修」，或因摹寫者不知今本《論語》此句的「修」字，漢、晉以前的古本並皆從肉作「脩」，故爾自我作古，略依其體勢而以三撇之彡改寫之，致有此失真之誤。總而言之，此摹本字例已無足採信，實可剔除。

　　在羅福頤《漢印文字徵》書中，收錄從肉的「脩」計十七例，而從彡的「修」字卻只有一例，也就是被收到《秦漢魏晉篆隸字形表》中的那一個字例。這個從彡的「修」，或係彼時個別篆刻家因「攸」字古有從水之說，[13]而偶作似隸變後「水」形之三短橫者；抑或此印根本就是後人贗偽之物而誤屬，未可必也。總之，這是「脩」字自戰國、秦、漢，以迄魏、晉、南北朝的近一千年間，僅見非從肉作的孤例，所謂孤證不成立，實已無損於筆者對於「脩」、「修」兩字形體考察之任何論斷。

　　到了隋代以後，這個從彡的「修」字，才以「脩」的異體角色開始大量出現，如隋〈龍華寺碑〉中，「同植來因，俱脩後果」作「脩」，「偃武修

12　分別見該書32、97兩頁。文物出版社。
13　見段玉裁：《說文解字注》三下（臺北市：黎明文化公司，1974年），頁125。

文」作「修」，兩形互出。考其上下文意，或作修養解，或作修學解，義甚相近。到了唐朝初、中期，「脩」、「修」兩字混用的情形，已甚為普遍，如虞世南〈孔子廟堂碑〉也是兩形並出，「棟宇弗脩」用「脩」（當董理修治講），「修春秋以正褒貶」作「修」，當修整撰著講，用的是「脩」的動詞性本義；顏真卿〈多寶塔碑〉「肘攌脩蛇」，脩蛇，指長蛇（即大蛇），於此作「修長」義用。唯其行書體〈脩書帖〉，則作从彡的「修」，是在不同場合互用。與歐陽詢之〈皇甫誕碑〉楷法作「修」而〈行書千字文〉作「脩」者，大略相似。可見直到隋、唐時代，「脩」、「修」兩字仍被當作同字異形的「異體字」看待而普遍行用。

故知「脩」是「修」的本尊正體，「修」是「脩」的後起訛俗字，「修」與「脩」，原本是音義全同的異體字。其後，原係正體字的「脩」，因唐代以後注疏家跡近一面倒地把論語「束脩」一詞都解作「脯脩」義的肉乾，「脩」字遂漸漸成為「脯脩」的名詞性本義之專用字，而這個後起的訛形「修」字，卻被拿來充當其動詞性本義之專用字。

經此論證，吾人甚至可以進一步推斷，凡著作年代在漢、晉以前的古籍，不管原書在行文上是用「脩」的何種義，都應作从肉的「脩」，其或作从彡之「修」者，必係經後人傳抄時轉寫之故。行用久之，唐以後儒者對於「脩」、「修」二字之形義關係既已蒙昧，反而誤以《說文》為漏收「修」字，將這個訛形俗體的「修」字增添補入許書中，遂令原本是音義全同而為一字異體的「脩」、「修」，頓然變成之形義皆別、宛若無何瓜葛的異部異字。

筆者考察日本學者伏見沖敬《隸書大字典》書中，所收漢、魏、晉等隸書碑刻，「脩」字共三十八例，清一色是从肉作「脩」，未見从彡之「修」字；另有兩晉至南北朝間之楷、行、草書數十例，也全皆从肉作「脩」，無一「修」字。[14]唯三希堂梁武帝書草「脩」字（表之），右下方肉旁經隸變後所成「月」形，其所書草形已接近楷法的「修」字。於此，已約略可以覘知，這個後起俗體「修」字訛形由來之端倪。

---

14 見伏見沖敬：《隸書大字典》（東京都：角川書店，1989年），頁590-591。

　　試想，豈有《說文》成書之前，舉世普遍行用从肉的「脩」字，成書之後的三四百年間，也未出現从彡的「修」字，而謂「五經無雙」的許慎《說文》書中，竟會預先收錄四五百年後方才出現的俗體「修」字，這是絕無可能的事。

　　吾人作出「脩」正、「修」俗及「修」字是唐以後學人增添補入《說文》的論斷，除了通過地毯式的漢字發展史上實際用例之舉證外，還可以從許書本身找到一些蛛絲馬跡，如《說文》有從「脩」構形的字，如一下艸部的「蓨」、四上目部「脙」、六上木部「樤」、十一上水部「滫」；卻未見從「修」構形的字。這個事實，應可作為「脩」字為許書本有，而「修」字乃後人增補竄入的有力旁證。

（二）「脩」與「修」的形體遞嬗

　　「脩」是「修」的本尊正體，「修」是「脩」的後起訛俗字，已如上述。
　　至於从肉的「脩」為何會訛變成「修」，除了前引漢字發展史上之實際用例之證據力外，若不從「脩」字之形體遞嬗演化實況加以析論，單憑擬議猜想，終難得其確解。其實，「脩」之訛變成「修」，只是作為形符的「肉」旁訛變為「彡」形而已。但這個肉旁的訛化，是在篆文經由隸化為「月」形後才開始的。此形跟由「月」、「舟」字隸變後的「月」同形，在隸書字體中，成了異源同形字，惟皆同出於書寫草化及連帶現象。其形體演化過程，大致可有甲、乙兩式之可能推索。

甲式：月 ─ 月 ─ 月 ─ 勿 ─ 勿 ─ 彡
乙式：脩 ─ 脩 ─ 脩 ─ 修 ─ 修 ─ 修

　　先說甲式，由於漢、晉時代人常把「月」形寫成由右上向左下傾倒的斜勢，而「月」形內部的兩短橫，又被快寫而縮橫為點，然後再連結兩點而成

一斜筆。同時「月」旁第二筆先橫後豎的短橫起筆處，也漸次因短縮而變成跟左邊第一筆漸拉漸遠；由於形近之故，傳寫者又誤解了第二、三兩筆的筆順，遂順勢寫成了三撇的「彡」形。

乙式的演化，是就著「脩」字右半部整個筆勢，從上到下的連筆草寫法之形變。右上方攴旁的第三、四兩筆，在演變過程中，由於連筆之故，與右下方的「月」形產生部件的整合，而成看似「有」形。在（b）的右半「有」形的三個交筆連帶中，其所形成的鉤環狀，在（c）、（d）兩形中已逐漸弱化；到了（e）形，後兩個鉤環已完全消失；最後的末筆，則被誇張強調而向左帶出，形似撇筆，再經規整化之修整，便成「彡」形。

以上所述，堪為「脩」字訛變為「修」的形體學之證成。

（三）《論語》書中的「脩」與「修」

如前所述，「修」字始見於隋代，而「脩」、「修」兩字之混用與混淆，也始見於隋、唐之際的實物用例中。從上引五位書家對於「脩」、「修」兩形正俗並用的考察，可知彼時民間學人，基本上是把它們當成是同字的異體看待，「脩」字尚未被當作「脯脩」的專用字。然後知彼等書家之所以兩形同用，或者只是純粹出於形體結構變化美觀之考量而已。直到唐代顏元孫《干祿字書》刊行，才正式將「脩」、「修」的義項分工拍板定案，馴至被分別部居，以致形成看似略無瓜葛的局面。

當後起俗體的「修」字被增添補入《說文》以後，這個把「脩」解作肉乾的的「知見」，乃告大勢底定，並漸漸約定成俗而相沿至今。再加上後人為了傳習講學之便，往往以當時通行文字改寫經典文獻古字，如《論語》：「子夏之門人，洒掃應對」，「應」原係師生課間相應對的古字，後皆改為「應」。[15] 又如長沙馬王堆帛書《易·坎卦》，「習贛」之「贛」，今本均改作

---

15 見《原本玉篇殘卷》（北京市：中華書局，1985年），言部，顧野玉案語，頁245。

「坎」；¹⁶此外，凡西漢以前出土文獻，言及孔門弟子「子貢」，多作「子贛」。《論語》一書的命運，自然也無從例外。

在今本《論語》書中，計有五篇七章出現十一次「脩」字，其中〈述而〉第三章「德之不脩」及第七章「自行束脩以上」各一次；〈顏淵〉第二十一章「脩慝」重複兩次；〈憲問〉第八章「行人子羽脩飾之」一次，第四十二章、「脩己以敬」的「脩己」，重複出現四次；〈季氏第〉第一章「脩文德以來之」一次；〈堯曰第〉第一章「脩廢官」一次。

當代坊間較為通行的《論語》讀本，對於「脩」、「修」兩字的處理手法，頗不一致。如楊伯峻《論語譯注》（漢京版），書中除〈述而〉第七章的「束脩」作「脩」外，其餘全皆改成「修」；三民版《四書讀本》同。南懷瑾先生《論語別裁》（老古版），「束脩」、「脩慝」三處作「脩」，餘八處均作「修」；錢穆《論語新解》（東大版），「束脩」、「脩飾」、「脩文德」三處作「脩」，餘均作「修」；王財貴《學庸論語經典誦讀本》，「束脩」、「脩慝」、「脩飾」、「脩己」四處作「脩」，其餘三處皆改為「修」。可謂五花八門，莫衷一是。就聞見所及，唯有李炳南長老《論語講要》（台中蓮社）一書，十一處全皆用「脩」，或係更古老版本。而就目及諸家著述，「自行束脩」之「脩」已改「修」者，唯見清代程樹德《論語集釋》一例而已。¹⁷

舉出這些當前通行本《論語》書中，使用「脩」、「修」二字的混亂情況，是想說明一件事：「脩」與「修」，是音義全同的異體字，或稱古今字，它們原本是同一個字，現在依然是同一個字。不僅「脩慝」即「修慝」，「脩飾」即「修飾」、「脩文德」即「修文德」、「脩廢官」即「修廢官」，而且「自行束脩」就是「自行束修」。兩字可以互作，無二無別。

總之，「脩」、「修」兩字原本就是一正一俗的異體字，兩字同時兼具肉乾、修治和修長三個義項。一旦理清了其間錯綜複雜的關係，不僅「束脩」一詞的肉乾專義可得解放，其他一切攸關兩字的形義詮釋，皆可依據上下文

---

16 見《馬王堆漢墓文物》（長沙市：湖南出版社，1992年），頁108。

17 〔清〕程樹德：《論語集釋》（臺北市：鼎文書局，1973年），頁387。

而得善解。而稍前國內學者對於宋代「歐陽修」的「修」究當作「脩」，還是作「修」的無謂爭議，亦可迎刃而解矣。

三 《論語》「自行束脩」的義理詮釋

(一) 說「自行」

這「自行」二字，是效法天地的剛健自強，表示對於這個「束脩」的努力動機，是出於求學者內在本心的自發自動的想望，並非由於外來的逼迫或誘引，純粹是主動而不是被動的。出於內在需要的主動向學，企圖心旺盛，動能較強，學習容易持久，且易見成效；要是出於某種無奈、有「功利性目的」的被動學習，一旦目的達到，就會罷手而不再學下去，學習成效迥異。後者由於功利性目的太過明顯，缺乏學習的真誠，所謂「不誠無物」，違悖孔子的教學宗趣，老人家顯然沒有收受的意願；而前者則是抱著一種「無目的」、「非功利」卻又「合目的性」的心態在學習，以安心、成長、通達，乃至完成他自己為終極目標。他是樂在學習與成長的過程，智慧的開發過程就是他的目的。可見這「自行」二字，不可輕輕看過。

《易》曰：「乾道變化，各正性命。」人生上達或下達，是禍是福，無非自求、自作而自受。實則，若於孔子「性相近，習相遠」（陽貨第十七）、「為仁由己，而由人乎哉」（顏淵第十二）、「仁遠乎哉，我欲仁，斯仁至矣」（述而第七）等語，能有深切體認，則於「自行」之真義，便可思過半矣。

(二) 說「束脩」

「束脩」，是檢束脩身，其內在義理包含「束」和「脩」兩個面向；束，是約束、節制，屬負面的遮阻；脩，是修養、精進，屬正面的顯揚；束是諸惡莫作，脩是眾善奉行；束是善轉邪念，脩是善護正念。佛家以修「十

善」業道來轉「十惡」業、[18]菩薩道修「六度」以對治「六蔽」,[19]無一非「束」、「脩」之事,故能導情歸性,轉識成智而超凡入聖。總而言之,束是負面習氣的克治,脩是正面德能的存養,「束脩」,就是導其人欲以合天理,在理性的約束節制中,求正法之精進。

〈述而〉第三章云:「德之不修,學之不講,聞義不能徙,不善不能改,是吾憂也。」此中提出了孔門講學的四個重點:修德、講學、徙義和改過遷善。修德,是正面德性的存養,「徙義」和「改過遷善」,是導負以就正的調轉,偏屬於正心誠意的實踐理性邊事;而「講學」則是不斷深化對於性命義理的精微窮究,偏屬於格物致知的理論理性邊事,恰恰呼應了筆者先前所解說的「束脩」之義理內涵。而這四個以躬行實踐為主,兼顧義理探索的「成人」品德教化重點,正是孔子傾其畢生心力,「祖述堯舜,憲章文武,上律天時,下襲水土」,述古法天,身體力行所歸納得的生命學問綱領。

(三)說「自行束脩」

「自行」,屬內在自發性的尋求上達之想望;「束脩」,是指言行上「任意性」的自我約束與超越;[20]「自行束脩」,是道德意志的自我立法,並自己遵行,為達最高之理想與自由而自願戒慎節制。故筆者曾將「道德」一詞,界定為「內在心甘情願的自我節制」。縱觀古今來聖賢,其所以業能日廣,德能日進,以至於成德成藝,除了「自行束脩」(脩身)以外,沒有第二條捷徑可走。

---

18 佛家謂能永離殺生、偷盜、邪行(身業)、妄語、兩舌、惡口、綺語(口業)、貪欲、瞋恚、邪見(意業)等「十惡」業,即是修「十善」業道。見《十善業道經》。

19 即以「布施」對治「慳貪」、「持戒」對治「毀犯」、「忍辱」對治「瞋恚」、「精進」對治「懈怠」、「禪定」對治「散亂」、「般若」對治「愚癡」。

20 席勒說:「有教養的人把自然當作自己的朋友,尊重它的自由,只是約束它的任意性。」見弗里德里希‧席勒著,馮至、范大燦譯:《審美教育書簡》(臺北市:淑馨出版社,1999年),頁21。

〈述而〉第八章:「不憤不啟,不悱不發;舉一隅不以三隅反,則不復也。」在這裡,孔子明白指出教師與學生之間角色分際:當學生的,就是自發自動,唯在「憤」、「悱」;當老師的,充其量也只能是「啟」之「發」之而已。這個「憤悱」,正是「自行束脩」的精誠表現,故此章不啻為前章再進一解。

「自行束脩以上,吾未嘗無誨焉」,只要肯勤學上進,有心拉抬自己的人格品德,提昇自己的生命境界,我都樂於啟發教導他!如此理解,不是更像個莊嚴萬世師表的聖者氣象嗎?這是夫子自述收受門下學生的基本條件,也一語道盡儒家「成人」教化的重點所在。禪家有言:「最初的,就是最後的。」它既是是儒家最初入門的必備條件,其實也是最後人格圓滿成就前始終不可少的緊密功夫。就道德實踐義上看,它絕對是君子下學上達徹頭徹尾的必要條件。孔子自己以身作則,便是一好榜樣。且看他成學經歷的夫子自道語:「十有五而志於學,三十而立,四十而不惑,五十而知天命,六十而耳順,七十而從心所欲,不踰矩。」每一階段都是這位老師「自行束脩」的修煉成果,是孔夫子「自強不息」、「闇然日彰」而超凡成聖的最佳寫照。

此外,就上下章文意看來,這〈述而〉第六、七、八三章的說話內容,都是孔子對於文化教育的抱負與理想,是他私人辦學的文化志業之宣言。第六章「志於道,據於德,依於仁,游於藝」,說的是他德藝兼備的全人教育宗旨,光憑這簡潔鏗鏘的十二個字,已足覘知他融攝古今,集華夏傳統文化大成的聖者氣象,千載下讀來,猶覺很能豁人心目。而這第七章緊接著被編排在「志於道,據於德,依於仁,游於藝」四句教之後,是進一步把「自行束脩」列為他收受學生的門檻條件。須是先能有此勤敏向學的承諾,肯奮發圖強主動上進,方才允許學生辦理入學手續,這是正面表達了他辦學的開放胸懷。而接下來的第八章,「不憤不啟,不悱不發,舉一隅不以三隅反,則不復也。」則是從正言若反的角度,來誡勉學生要勤於思辨,並強調主動學習的重要性。三章氣脈相貫,層層遞進,其間的關聯是顯而易見的。

《論語》一書,不僅是兩三千年來華夏子民獨擁的存在智能資糧,尤其在網路資訊無遠弗屆的今日,其所蘊藏的道德實踐價值,早已成為全世界共

享「人類文化財」。被收錄到書中的每一句話，哪怕再短，字字句句都對心靈生命的成長具有深刻的提撕點化作用，言不虛發，是真正意義上的「實踐的智慧學」。孔門上上下下，其所關注講究的，始終扣緊道德生命的轉化和人格境界的圓成。「束脩」一詞，倘若只是指已達束髮脩飾的十五歲成童，那麼，孔子講這一句話，便只能是在規範學生的年齡下限，對心靈生命不具任何積極性的啟導功能。何況在句首尚有「自行」二字，就修辭學上看，文義突兀乖隔，很難「說得去」。

孔門教化的核心精神，是念茲在茲，想把每一個讀書人都設法培養成為「行己有恥」、仁智雙彰的君子，而不淪落為只顧自家，唯利是圖的小人。孔子說過：「君子謀道不謀食。」（〈衛靈公〉）怎會在乎區區幾束肉乾呢？他真正在乎的是，學子內在憤悱之誠的本質條件之期盼；若把「束脩」解為「贄敬禮」的肉乾，便是徒重學子外在禮儀節文的形式條件之滿足，既忽略孔子此話對人性的激勵作用，更弱化了它對人格道德實踐義理上的正面價值。無論怎麼說，都難逃「利其利」之嫌，便與整部《論語》的孔子言語氣象全不搭調。

《大學》提出「格物」、「致知」、「誠意」、「正心」、「脩身」、「齊家」、「治國」、「平天下」八條目，而用「明明德於天下」加以貫串會通。最後，還以斬截的語氣，總括地說：「自天子以至於庶人，壹是皆以脩身為本。」（經一章）這個「脩身」，在八條目裡居於中介的關鍵角色，與「自行束脩」無二無別。「格、致、誠、正」四目，關乎個人內在主體心靈的調適順遂，是偏向立己成己之學；「齊、平、治」三目，則關乎外在客體事業的擴大開展，偏向立人成物之學。故「自行束脩」，正是由「脩己以敬」到「脩己以安人」的全幅體現，也是「明明德於天下」，合內外之道的實落義方。這個大智慧方向的覺悟和道德生命的真實踐履，須是學人先有自尋轉路的憤悱精誠，方有可能。這才會是孔子所以要公開宣示「自行束脩以上，吾未嘗無誨焉」的聖者本懷。

四 「自行束修」所具顯的道德實踐義

如前所述，「自行束脩」所具顯的義理內容，以其同時涵蓋人性中負面習氣之遮阻（束）與正面德行之顯揚（修），正與傳統儒、釋、道三家以務實與中道為主軸的存在智能教義相融契。故即就此工夫論之次第，分別從下列五個面向，略為闡發「自行束脩」所具顯的道德實踐義。

（一）藉修顯性以自立

醴泉無源，芝草無根，人貴自立。欲自立，不能無學。人若不甘自居下流，就非立志勤學不可。立志，佛家名為發心、又名發願，無論如何要立志做一個「志於道」的「人格者」，發一個學做「聖人」而不做小人，自立立他，成己成物的大願。人能把君子做到底，便自有成賢成聖之資糧。

孔子說：「唯上智與下愚不移。」又說：「中人以上，可以語上也；中人以下，不可以語上也。」天地間上等天才絕少，大部份都屬於可上可下的中材資質。既然資質同屬中等，卻因有人向上提升，有人向下沉淪，最後的命運完全不同，其中關鍵，就在於志之立與不立，立之善與不善，乃至為善之至與不至。孔子於此，也肯定人有先天才性高下之不同，但他更加強調的是後天「下學」工夫自我超越的努力。

關於先天性分與後天人事的辨證關係，《圓覺經》有一段偈語講得極為透闢：「譬如銷金礦，金非銷故有。雖復本來金，終以銷成就。一成真金體，不復重為礦。」[21] 此偈把真妄同體的人身比作礦石，靈明覺性比做精金，修養工夫比做冶鍊。前兩句說，靈明覺知的佛性乃人所本有；次兩句說，性雖本有，仍須假手後天修學工夫，方能顯此先天之性德；末後兩句，則強調這個圓明妙覺的天德知體，一悟永悟，一明永明，一旦銷礦得金，便由自家的真宰作主，不再受私欲之牽掣繫縛而悠忽度日。

---

21 見憨山大師：《圓覺經直解》（臺北市：老古出版社，1983年），卷之上，頁90。

張橫渠說：「天所性者，通極於道，氣之昏明不足以蔽之；天所命者，通極於性，遇之吉凶不足以戕之。不免於蔽之戕之者，未之學也。」[22]足見學問思辨為脩身之本，不可以不講求。人生一世，到頭來，其所想望乃全圓成的一切理想境界，全都是我們這一期生命在肉體存活時限內，藉「修」顯「性」所創造出來的成果。元人蘇霖論書說：「有功無性，神采不生；有性無功，神采不實。兼此二者，然後能齊於古人。」(《書法鉤玄》卷四)雖係論書，理致可以旁通人間百業。

《中庸》說：「人一能之，己百之；人十能之，己千之。果能此道矣，雖愚必明，雖柔必強。」(二十章)可見聖賢設教，實為中人「語上」而立說。《論語・學而》開宗明義，便說「學而時習之」，只此「學而時習」四字，便把古今聖賢踐形成性的秘訣盡洩無遺。但能真懇講學時習，便可不問天分。

事實上，性，是天之所命，其清濁、高低、多寡，生來已然，只是先天的潛在可能，這個「性德」，「雖在父兄，不能以移子弟」；修，是我人之率性，後天的努力是我的本分，由我作主。唯有實修實證，令潛而微者變成顯而揚，暗而昧者變為明而達，勉之勵之，催化促成之，全靠自己後天的勤敏懇習，好讓自家所擁有的「可能」成為「必能」。才說天分，便落口實，便是自我暴棄，便是甘居下流，便無指望。

(二) 知病去病以上達

人的心性未起用時，寂然不動，為一渾然的獨體；感于外緣而起用，便名為情。情有當有病，合乎時宜謂之「當」，當者，當於天理；不合時宜謂之「病」，病者，違離中道，過與不及，都是病。人的言行舉止，當進而進，當止而止，當退而退，各當其位，動靜不失其宜，則已發與未發，皆未離中；已發的情與未發的天理之性合一，便是和。故「中」是「和」的先決

---

22 〈橫渠學案〉，《宋元學案》(臺北市：河洛圖書出版社，1975年)，頁29。

條件,「和」是「中」的必然效果。《易》以得中為吉,但得中與否,不能只從單純的行為事相上看,還跟事件的時節因緣有密切關係,故失於「時中」為病。聖人之教人,使人自己努力遮阻其負面的習氣,將正面的能量向著美善而開展,讓生命潛能作出合乎中道理想的發揮。

老子說:「夫唯病病,是以不病。聖人不病,以其病病,是以不病。」(七十一章)因其坦誠面對真實自我,能以病為病,絕不曲加迴護,故能由多過而寡過,乃至由寡過而臻達精義入神,「言滿天下無口過,行滿天下無怨惡」(孝經卿大夫章)的至人聖境。凡夫愚迷,不知省察,往往自我感覺良好,既不識自家過錯,或逢人指出,尚且要百般文飾,當然「過少」。醫家所謂「病不許治,病必不治」,德業如此,藝業亦然。何止儒家四書,即便是號稱中華文化總源頭整部《易經》,所有言論,無一而非為「自行束脩」之憤悱君子而發。究其宗旨,亦不外教人「改過遷善」而已。倘能於此信得過,行得去,則氣象日新,氣質漸化,何愁才藝與德能之不能日就上達?

宋儒陸象山以篤實直截為時稱重,嘗有人問他學問淵源,他答說,不過就是「切己自反,改過遷善」而已。[23]真是要言不煩!反省,是人類獨有的美德。人不反觀自照,便不會知過,有過而不知,則日處於錯謬中,甚至或以錯謬為當然,又何能侈談改過?故欲求不落小人窠臼而變化氣質,當以知過改過為落實。周濂溪《通書》說:「人之生,不幸不聞過;大不幸無恥。必有恥則可教,聞過則可賢。」[24]對於一個真心學道的人而言,自己有不當處,當下便知過,當下便知轉,等到人家來指指點點,已落下乘。倘若還文過飾非,百般掩飾,便是自甘墮落;至於聞過則怒,那豈不等而下之?

劉蕺山「紀過格」,主改過,善補過,分「微過」、「隱過」、「顯過」、「大過」、「叢過」、「成過」(惡),小過(病)不改,終成大過(惡)。由惡

---

23 見〈象山學案〉,《宋元學案》(臺北市:河洛圖書出版社,1975年),頁36。
24 見〈通書〉,載在〈濂溪學案上〉,《宋元學案》(臺北市:河洛圖書出版社,1975年),頁96。

及刑，此亦理勢之常然。故云：「君子拳拳於改過，所以杜為惡之路也。」[25] 不遠能復，先聖所重。可不慎乎？

凡事知道容易踐行難，正如鳥窠禪師回答白居易問法公案所舉揚的：三歲孩童雖道得，八十老翁行不得。[26]知病是覺知的感受力，雖是天生本能，仍賴後天修鍊開發；去病則是致知的實踐力，純靠個人後天的努力。吾人平日讀書，明得許多道理，不能只是拿來當作一場話說。若能反身而誠，就把這些學問道理體貼到自身，來刮磨對治自家的負面習氣，便能真實受用。

（三）知止定靜以明體

莊子曾假借孔子的話說：「人莫鑑於流水，而鑑於止水。唯止能止眾止。」（《莊子・德充符》）人的心（神）與身（氣）原本是一體的，氣動則心動，心動則氣動，心與氣兩相涵攝。離心而言氣，固然不是；捨氣而言心，也斷非至理。故此身如不由動歸靜，則狂心如潑猴奔馬，又如瀑布水流，這個心「知」的習氣，永遠沒有趨緩乃至近乎「止」息餘地。心知止而後能定靜，不能定靜，狂心不歇，過亦隨之。故欲求寡過，須先澄其心源，復其天則之獨體本然，鑄就一面內觀自照的明鏡，則平日起心動念，若浮雲生於太虛，如同對越神明，苟有未盡合宜處，當下便自覺知，才覺即轉，久轉則氣質自化。

載籍謂程明道常終日靜坐，如泥塑人，然接人渾是一團和氣。他曾說：「學者須先識仁。仁者渾然與萬物同體。」又說：「靜後，見萬物皆有春意。」[27]是他經由靜坐而「識仁」後的明驗。劉宗周在《人譜》「訟過法」

---

25 見吳光主編：《劉宗周全集》（杭州市：浙江古籍出版社，2007年），第2冊，「語類」，頁425。

26 瞿汝稷編集：《指月錄》（臺北市：新文豐出版公司，1976年），頁102載：白居易守杭時，曾問鳥窠禪師：「如何是佛法大意？」師曰：「諸惡莫作，眾善奉行。」白曰：「三歲孩兒也解恁麼道。」師曰：「三歲孩兒雖道得，八十老人行不得。」白作禮而退。

27 並見〈明道學案〉，《宋元學案》（臺北市：河洛圖書出版社，1975年）。

下，自注云：「即靜坐法」。有人質疑其說「近禪」，便廢去不用。不久，又覺得靜坐也是一種學習法，除了靜坐可以作為「訟過」之資外，「亦別無所謂涵養一門矣。」又聞前賢「不是教人坐禪入定，蓋借以補小學一段求放心工夫」之言，以為靜坐並非教人一無事事，乃又保存其說。[28]前輩忠於自我之誠如此。

定靜的止觀工夫，是儒教成德成性的無上助道品。張橫渠說：「始學者亦要靜以入德，至成德亦只是靜。」[29]高度肯定定靜工夫對於成德成性的正面功能。乃當代新儒家大宗師牟宗三先生竟然說：「打坐不能增加道德感。」[30]造成後人對於通過打坐修習靜定工夫的迷惑。

實則，一個人道德感的強弱，跟他本身知體「明德」的復「明」程度有密切相關。儒家強調要「明明德」，跟佛家的明心見性及道家的「知常曰明」、「莫若以明」，原是同一件事。三家都強調明「體」（宗）以達「用」（教）的修養，吾人性體若未瑩明，發用必難通達，如《大學》關於「定」、「靜」、「安」、「慮」、「得」之次第，老子《道德經》有關「致虛極，守靜篤」、「歸根曰靜，靜曰復命」之言，以及佛家《楞嚴經》「靜極光通達，寂照含虛空」、「一切清淨慧，皆由禪定生」等語，都是同一機栝。其所逆覺體證到的圓明知體無異，只是所開演的教義宗旨不同罷了。故知「定靜」實為儒、釋、道三家逆覺體證工夫的通途共法。透過正確而持久的定靜修鍊，能淨化澄瑩吾人的知能之良，令根本智——「智的直覺」潛能獲得良好的開顯。

真知出於實踐，向上一路，不於證上取圓，此學終難明徹。張橫渠常勸來學者說：「學，必如聖人而後已。」[31]周濂溪說：「聖，誠而已矣。」[32]人能於事事物物上盡其精誠。誠之又誠，以至於至誠，則「至誠如神」，無不應感明通，自可由勉入安而漸臻於化境。

---

28 見吳光主編：《劉宗周全集》，第4冊，頁15-16。

29 見《張載集》（臺北市：漢京文化公司），頁284。

30 見牟先生主講，蔡仁厚輯錄：《人文講習錄》（臺北市：台灣學生書局，1996年），頁95。

31 見〈橫渠學案〉，《宋元學案》（臺北市：河洛圖書出版社，1975年），頁3。

32 〈泰州學案三〉，《明儒學案》（臺北市：河洛圖書出版社，1974年），頁13。

其實,所謂聖人,說穿了,不過就是「歸根復命」,徹底放下一切對立的分別執著,既默識其「明德」(道心,即良知真心),又能擴而充之,自覺覺他,「明明德於天下」,活得最像一個「人」的人而已。羅近溪說:「古今學者,曉得去做聖人,而不曉得聖人即是自己,故往往去尋作聖門路。殊不知門路一尋,便去聖萬里矣。」[33]後儒不知聖心實際便是你我的本然真心,因而不免誤以識神(人心、妄心)為真心,以至放肆而無歸者,皆緣於此等處未能審詳之故。劉蕺山說:「才見聖人為不可為,姑做第二等人,便是自棄;才說聖人為必可為,仍做第二等人,便是自欺。」[34]此又學人所宜深戒者。

(四)敦倫盡分以事天

儒家講學問,講道德實踐,始終扣緊做人作事為第一要義。孔子說:「弟子入則孝,出則弟,謹而信,汎愛眾,而親仁。行有餘力,則以學文。」(學而第一)明確點出做人根本,在於「孝」、「弟」之篤行,其他均屬次要。有子則順著這個進路,進一步把「孝弟」的德行,直接跟孔子的學術思想精蘊的「仁」接上了軌,他說:「君子務本,本立而道生。孝弟也者,其為人之本於與!」。而曾子在《大學》裡頭則說:「孝者,所以事君也;弟者,所以事長也;慈者,所以使眾也。」更明確標出「孝」、「弟」、「慈」是「君子不出家而成教於國」的治國利器,把他在篇首開宗明義章所說,從「明明德」、「親民」、「止至善」的大人之學,一以貫之地落實到倫常日用中來。

在《論語》顏淵問仁章裡,孔子答覆顏回「克己復禮」的為仁「四

---

33 〈泰州學案三〉,《明儒學案》(臺北市:河洛圖書出版社,1974年),頁13。

34 孟子曰:「君子有三樂,而王天下不與存焉。父母俱存,兄弟無故,一樂也;仰不愧於天,俯不怍於人,二樂也;得天下英才而教育之,三樂也。君子有三樂,而王天下不與存焉。」這前後重複強調的「王天下不與存焉」一句,不僅對當權者有所棒喝,對學者來說也是一大點撥。不宜輕易讀過。

目」，非禮則勿視、勿聽、勿言、勿動，[35]都不離人的一身，欲「修」此「身」而歸於「動容周旋中禮」，也唯有在敦倫盡分中體現。再看《孟子·盡心上》所說君子的「三樂」，把「父母俱存，兄弟無故」的孝、弟之道，看作是天地間第一等樂事，可以連「王天下」（做到國家最高領導人）都不在此「三樂」之中，唯有在人倫職分上盡了心而無愧無怍，然後通及他人，自然學不厭而教不倦，才是君子之真樂。[36]這是何等心腸！

《大學》首章有言：「物有本末，事有終始。知所先後，則近道矣。」在日常動靜之間，遇事能夠預先思之擬之，認清本末輕重與先後緩急，然後再把那最根本性的先做，所謂「本始所先，末終所後」，雖然並不就是道，但離道也不遠了。然而，道心本恆在，人心常偏執。總迷失在功名富貴的無盡追求，以致五倫多所逃避虧缺，捨本逐末，豈不可悲？

《中庸》說：「天命之謂性，率性之謂道，修道之謂教。道也者，不可須臾離也，可離，非道也。」（第一章）人不能離開人世上的事物而談率性修道，否則，必是違性偽道。王陽明說：「若離了事物，便是著空。」著空與著有，只是執著的事物理境不同，却都同樣不合「中道」。永嘉大師說：「棄有著空病亦然，還如避溺而投火」，[37]指摘的便是讀書人光知空談義理的通病。想救正這個病痛，只有面對現實，切己反省而回到天倫親情的孝弟上，盡其本分，老實做人。

儒者以三綱、五常為其根本，本立則道生。前述之定靜澄源，是盡心知性以知天的明體工夫；此處之敦倫盡分，則是存心養性以事天的篤實踐履。回思吾人為了追求學業、事業、志業乃至道業之理想，不知承蒙古今來多少

---

35 顏淵問仁。子曰：「克己復禮為仁。一日克己復禮，天下歸仁焉。為仁由己，而由人乎哉？」顏淵曰：「請問其目？」子曰：「非禮勿視，非禮勿聽，非禮勿言，非禮勿動。」

36 孟子曰：「君子有三樂，而王天下不與存焉。父母俱存，兄弟無故，一樂也；仰不愧於天，俯不怍於人，二樂也；得天下英才而教育之，三樂也。君子有三樂，而王天下不與存焉。」這前後重複強調的「王天下不與存焉」一句，不僅對當權者有所棒喝，對學者來說也是一大點撥。不宜輕易讀過。

37 見《永嘉禪宗集註·證道歌註》合刊（淨空法師唱印本，1978年），頁54。

識與不識者之協助、犧牲與成全，宜當飲水思源，常存感恩圖報之心，和善對待有緣相遇的人。尤其是家中親長，裨助特大，愧負當更多，平日如有爭端不悅，念及過去諸多恩義未報，怨尤自消。須於此中行拓得去，方名真存養。如此，方能由親吾親，長吾長，幼吾幼，然後能及人之親之長之幼而無憾。

（五）敬慎忘懷以安命

敬，是敬事，禮以節文，心中常懷恭敬，不敢隨便；慎，是慎獨，隨時如有神明監臨在上一般，唯恐隕越。分而言之，「敬」係就所對應的客體說，偏重已發；「慎」是純就主（獨）體而說，沒有已發或未發之別。合而觀之，敬、慎皆是存心養性工夫，皆可歸本於誠。這個「誠」，是主、客二元對立消除後的一種平常情懷。落實到日用應事接物之際，則表現為一切直覺觀照的坦然面對。誠，是仁體的發用，天命本然，如溥博淵泉，無有間歇。《大學》整個「定、靜、安、慮、得」的工夫論，也唯有在真正「慎獨」的束脩自律下，方能闇然而日彰地次第圓成。

劉蕺山說：「君子之學，慎獨而已矣。無事此慎獨，即是存養之要；有事此慎獨，即是省察之功。獨外無理，窮此之謂窮理，而讀書以體驗之；獨外無身，脩此之謂脩身，而言行以踐履之。其實，一事而已。」[38]這「獨外無身」的「身」，指的是只能逆覺體證而無法拈以示人的「法性身」，也就是大人之學首要工夫的「明德」之獨體，故曰「慎獨」、曰「戒慎」、曰「勿忘勿助長」，此心須令此明覺之照體常存，以免所為有失中道而不覺而不知轉化。

孔子說：「君子有三畏：畏天命，畏大人，畏聖人之言。小人不知天命而不畏也，狎大人，侮聖人之言。」（季氏十六）所謂畏天命，是常令天德良知作主，如臨深履薄，戒慎敬謹之意。用世俗的話說，就是心中有神，是

---

38 見吳光主編：《劉宗周全集》（杭州市：浙江古籍出版社，2007年），第4冊，卷21，頁118，「書鮑長孺社約」。

上帝與你同在。心中有神，則不敢放肆妄行。《中庸》強調慎獨工夫，其實是對於天命的一種敬畏心情，也是誠意正心的具體表現。

明儒羅近溪初見顏山農時，嘗自述自己身遭危急而生死毫不動心，後失科舉而得失絕無掛懷。山農都不以為然，說道：「是制欲，非體仁也。吾儕談學當以孔、孟為準，志仁無惡，非孔子之訓乎？知擴四端，若火燃泉達，非孟氏之訓乎？如是體仁，仁將不可勝用，何以制為？」羅聞之，大有省悟，說：「道自有真脈，學原有嫡旨也。」遂一心師事之。[39] 顏山農把「體仁」拿來跟「制欲」對舉，很能扣緊孔、孟心法真傳。此處的「體仁」，是一依天理流行而無非份之求索，學到無求自樂天。羅氏即由此調適上遂，而成就其純然知體流行之「真人」。[40]

筆者常言，關於身心性命的安頓，有兩個法則不能不明白：一個是必然（因果）法則，亦即「種瓜得瓜，種豆得豆」的必然律；種瓜不會得豆，這是天地間萬物發展的鐵律。另一個是變動（因緣）法則，亦即宇宙萬象及人間一切成就或毀敗，都不外是內在主觀因素加上外在客觀境緣錯綜作用的結果。任何主客觀條件的更動改變，其引生的結果（現象）都有無窮變化的可能性。

這兩個法則，是人間一切正智的基礎。明白了動機與結果之間的必然法則，可以讓人戒慎恐懼，知所節制，不敢過於放縱自己的情欲而多行不義，此可謂畏天；明白了主客觀因素錯綜而萬變的變動法則，對一切寵辱得失，便可隨緣歡喜，勝固不至驕矜自滿，敗亦無怨無尤。誠能如此，則俯仰無愧，不卑不亢，自然無入而不自得，[41] 此之謂樂天。

---

39 見羅近溪：《盱壇直詮》（臺北市：廣文書局，1977年），卷6，頁220。詰案：羅氏此書，原名應是《盱壇真詮》，「直」當作「真」，以形近傳訛。牟宗三先生《從陸象山到劉蕺山》亦隨俗作《盱壇直詮》（見該書頁293-296），恐非是。此從羅氏卒後未久，同時人兵部尚書郭子章撰〈皇明議諡理學名臣傳〉及四川巡撫譚希思撰〈皇明理學名臣傳〉兩文文末列舉所著，并作《盱壇真詮》可證。兩文並見舊版《羅近溪先生全集》卷之十，頁五及頁九。筆者所據為影寫本，未見出版年月。

40 參牟宗三先生：《從陸象山到劉蕺山》（臺北市：台灣學生書局，1990年），頁297。

41 見杜忠誥：《池邊影事》（臺北市：三民書局，2014年），頁330-331。

然則，樂天必以畏天為基，捨畏天，必無樂天可說。人若無所知則無所畏，故能知天命而畏之，即是事天，及其義精仁熟，但盡本分，當下全是，自然入於畏天與樂天不二之境。陶淵明〈飲酒詩〉云：「縱浪大化中，不喜亦不懼。應盡便須盡，無復獨多慮。」是殆所謂忘懷得失，無待逍遙，非真識得孔、顏樂處而安於義命者，哪得到此？

五　結語

本論文依儒學與儒教所舉揚的道德實踐觀點，從《論語》〈述而第七〉「自行束脩」之詮釋疑義開始，分別自「束脩」一詞之訓詁歧義及「脩」、「修」二字之形體糾葛兩方面進行考察，以論證「束脩」即「修身」，「自行束脩」一詞，當以「自我約束脩養」為正詮，而否定以「束脩」為獻納贄禮的肉乾之釋義等說，對其內在義理重新予以疏解。最後，並試以務實與中道為主軸的工夫論角度，對於「自行束脩」所具顯的道德實踐義，略申所見。

對於「自行束脩」的疏解，看似一般訓詁學上的小問題，何須如此大費周章？當知人類一切智性活動的運用與實踐，無不繫於「詮釋」，而「詮釋」全皆緣自「理解」。何況是極精微，「費而隱」的心性之學！一旦在本源處蒙昧，「理解」有所偏蔽，毫釐之差，便有千里之謬。這其實是一個攸關學術真與偽的大問題，故不能不辨。張橫渠說：「知人而不知天，求為賢人而不求為聖人，此秦、漢以來學者之大蔽也。」[42]其浩嘆與傷痛，難說跟歷代學人對於孔子此話的「理解」之歧出全無瓜葛。

牟宗三先生說：「現代人的生命完全放肆，完全順著自然生命而頹墮潰爛，就承擔不起任何的責任。」[43]透過對「自行束脩」一詞的重新省視，或將更有機會將吾人及族群由「放肆」的邊緣挽回「節制」的理性與祥和。當

42　見〈橫渠學案〉，《宋元學案》（臺北市：河洛圖書出版社，1975年），頁3。

43　見《中國哲學十九講》（臺北市：學生書局，1991年）第六講〈法家之興起及其事業〉，頁163。

今的學術界，泰半唯西方之馬首是瞻，而牟先生卻不只一次提到，當今的西方哲學界，早已經不講工夫論，只講方法論，更不講善與道德了。[44]這無疑是一大警訊！德國美學家席勒說：「要使感性的人成為理性的人，除了首先使他成為審美的人以外，別無其它途徑。」[45]而這個「審美的」中道靈智，是要依賴個人「自行束脩」的真實踐履方能實現的。

　　以上所論，對於「自行束脩」之古義，雖然微有抉發，但充其量只是一場讀書的心得報告而已。孔子既把「自行束脩」（脩身）當作學人入德之基，若回到本題而反躬自問，則我平生所為，因循拖沓之痼習，已如油入麵，刮洗非易。兼又一向貪多務得，多歧亡羊，違義失時，實忝所生。孔子曾自言：「文，莫吾猶人也；躬行君子，未之有得。」（述而第七）聖者成性，猶作是言；我是何人？尚且但知責求於他，寧不愧煞？

　　回思此文撰寫期間，屢曾捧讀《論語》，臨流自照，時生警策。尤其讀到「六言六蔽」之說：「好仁不好學，其蔽也愚；好知（智）不好學，其蔽也蕩；好信不好學，其蔽也賊；好直不好學，其蔽也絞；好勇不好學，其蔽也亂；好剛不好學，其蔽也狂。」（陽貨第十七）這原是孔子主動告訴子路的誡勉語，卻嚇然驚覺，孔子指出的這些學人病痛，在我身上竟一一應現，不覺額頭出汗！既已知過，就請以此文充當筆者親向孔聖所作的一番自我告解與發露懺悔吧！

---

44 見牟氏「實踐的智慧學」演講錄（五），《鵝湖》總397期（2008年7月），頁2-8。
45 弗里德里希‧席勒著，馮至、范大燦譯：《審美教育書簡》（臺北市：淑馨出版社，1999年），頁113。

論今本韓愈《論語筆解》的若干問題

兵界勇

明道大學中國文學學系助理教授

提要

　　韓愈一生致力於文章，並因之以成家，然亦未嘗不留心於撰述。韓愈經學之專著，今可考者，僅有兩部關於《論語》之作而已，即《論語注》與《論語筆解》。韓愈極尊孔子，常以為「孔子之道大而能博」，又自度「若世無孔子，不當在弟子之列」，其論經之作乃捨五經傳注而獨取《論語》，其反本歸源之意誠有超乎當時人者。然韓愈之《論語注》今不傳，而《論語筆解》雖存，但其真偽後人多所存疑。本文即取今之《四庫全書》本《論語筆解》考究，辨明其中若干問題：一論其成書真偽，二論其解說體例，三論其與朱熹《論語集注》之比較。此等問題之釐清，或將有助於理解韓愈經學之歸趣，並亦可由此下窺唐宋經學轉變之關鍵，宜為學者所留意。

關鍵詞：韓愈　《論語筆解》　李翱　朱熹　經學史

一　前言

　　有唐自高宗時頒定《五經正義》用以取士以來，經學定於一尊，士子皆奉之為進階取榮之圭臬，故而謹守官學，莫敢或違；然物極則反，私家論經者或不滿於此，遂隱然生起改革逆潮。自代宗而後，經學專門名家輩出，有蔡廣成之《周易》，有項強之《論語》，有啖助、趙匡、陸質之《春秋》，有施士丐之《毛詩》……等[1]，此輩率皆厭棄舊章，不務駕說，而以一家獨斷之學擅世。以施氏為例，貞元年間嘗為太學博士，明毛鄭《詩》、通《春秋左氏傳》，甚得朝廷士大夫敬仰，韓愈、劉禹錫、柳宗元諸人皆曾執經考疑於其門下。其講《毛詩》，解〈曹風・候人〉「維鵜在梁」句，云：「言鵜自合取魚，不合於人梁上取其魚；譬人之自無善事，攘人之美者，如鵜在人梁上焉。」又解〈小雅・大東〉「維北有斗，不可以挹酒漿」句，云：「言不得其人也。」[2]凡此皆不同於先儒舊義。故唐文宗嘗譏其人曰：「穿鑿之學，徒為異同。」[3]然韓愈卻為之記墓誌，並有銘贊之：

> 先生之興，公車是召；纂序前文，于光有曜。古聖人言，其旨密微；箋注紛羅，顛倒是非。聞先生講論，如客得歸；卑讓朒朒，出言孔揚。今其死矣，誰嗣為宗？[4]

是對施氏之講論深表孺慕之情。

　　韓愈既從施氏聽講，其師梁肅又嘗作〈西伯受命稱王議〉[5]，駁斥舊說，謂文王未嘗受命稱王，頗令人一新耳目，故韓愈生當此時，其經學實亦從此風向，對拘守章句傳注之迂謹小儒，極為不喜，曾謂：

1　〔唐〕李肇《國史補》卷下。

2　〔唐〕韋絢《劉賓客嘉話錄補遺》，原出於《唐語林》卷2　。

3　見《新唐書》卷200，〈啖助傳〉。

4　〈施先生墓誌銘〉，馬伯通校注：《韓昌黎文集校注》（臺北市：華正書局，1982），卷6，頁203。

5　見《全唐文》卷519。

> 漢氏以來，群儒區區修補，百孔千瘡，隨亂隨失，其危如一髮引千
> 鈞，綿綿延延，寖以微滅。[6]

故韓愈起而倡道統、排佛老，力挽儒學之狂瀾於既倒，其自任誠偉矣，然若
非其對經學別有會心，焉能有此卓識哉？今觀韓愈文集中，確有引用經典，
而其解不同舊章者，其例如〈五箴〉第五〈知名箴〉云：

> 內不足者，急於人知；霈焉有餘，厥聞四馳。今日告汝，知名之法；
> 勿病無聞，病其曄曄。昔者子路，惟恐有聞；赫然千載，德譽愈尊。[7]

案《論語》〈公冶長第五〉：「子路有聞，未之能行，唯恐有聞。」何晏《論
語集解》引孔安國曰：「前所聞未及行，故恐後有聞，不得並行也。」朱熹
《四書章句集注》亦云：「前所聞者既未及行，故恐復有所聞而行之不給
也。」是此章「子路有聞」之聞乃「聽聞」之意，即「聞善」也，前儒後儒
皆無異同，惟韓愈此處卻解為「著聞」之聞，即「聲聞」也，分明是異讀，
然竟亦可通。故清林雲銘曰：「至所引『子路有聞』解作著聞之聞，似『未
之能行』句作不稱其實看。昌黎註《論語》，此類甚多，然皆奇合，不可拘
朱註而訾其謬也。」由此即可管窺韓愈經學不泥舊章而務為新說之大要。

　　韓愈雖致力於文章之學，並因之以成家，然亦未嘗不留心於撰述也。韓
愈經學之專著，今可考者，實僅有兩部關於《論語》之作而已，即《論語
注》與《論語筆解》。韓愈極尊孔子，常以為「孔子之道大而能博」[8]，又自
度「若世無孔子，不當在弟子之列」[9]，其論經之作乃捨五經傳注而獨取
《論語》，無乃反本歸源之意乎？此見誠有超乎當時人者。然愈之《論語
注》今無見其書，而《論語筆解》雖存，但其真偽後人多所存疑。

　　今欲究韓愈之經學，實宜由《筆解》入手；而欲究《筆解》之內容，當

6　韓愈：〈與孟尚書書〉，馬伯通校注：《韓昌黎文集校注》，卷3，頁124。

7　韓愈：〈知名箴〉，馬伯通校注：《韓昌黎文集校注》，卷1，頁32。

8　韓愈：〈送王秀才（塤）序〉，馬伯通校注：《韓昌黎文集校注》，卷4，頁152。

9　韓愈〈答呂毉山人書〉。馬伯通校注：《韓昌黎文集校注》，卷3，頁126。

先考訂其真偽。本文取用清乾隆皇帝所編《四庫全書》文淵閣本《論語筆解》二卷[10]作為考釋之依據。

二 《筆解》之成書

據《四庫全書總目提要》云：

《論語筆解》二卷，舊本題唐韓愈、李翱同撰，中閒所注以「韓曰」、「李曰」為別。考《張籍集》〈祭韓愈詩〉有「《論語》未訖注，手跡今微茫」句，邵博《聞見後錄》遂引為《論語注》未成之據，而李漢作〈韓愈集序〉則稱有《論語注》十卷，與籍詩異，王楙《野客叢書》又引為已成之證，晁公武《讀書志》稱《四庫邯鄲書目》皆無之，獨田氏書目有《韓氏論語》十卷、《筆解》兩卷，是《論語注》外別出《筆解》矣。《新唐書》〈藝文志〉載愈《論語注》十卷，亦無《筆解》，惟鄭樵《通志》著錄二卷，與今本同，意其書出於北宋之末。然唐李匡乂，宣宗大中時人也，所作《資暇集》一條云：「《論語》『宰予晝寢』，梁武讀為寢室之寢，晝作胡卦反，且云當為畫字，言其繪畫寢室，今人罕知其由，咸以為韓文公所訓解。」又一條云：「『傷人乎不問馬』，今亦謂韓文公讀不為否。」然則大中之前已有此本，未可謂為宋人偽撰，且「晝寢」一條今本不載，使作偽者剽撮此文，不應兩條相連撫其一而遺其一，又未可謂因此依託也。以意推之，疑愈注《論語》時或先于簡編有所記錄，翱亦間相討論，附書其間，迨書成之後，後人得其稿本，採注中未有載者，別錄為二卷行之，如程子有《易傳》而遺書中又別有《論易》諸條，朱子有《詩傳》而朱鑑又為《詩傳遺說》之例；題曰「筆解」，明非所自編也。

《提要》討覈詳確，所辨甚是。撮要言之，《筆解》乃出於唐末宋初

10 《四庫全書》文淵閣本（臺北市：臺灣商務印書館，198年3）。

間，後人輯錄韓李二公討論《論語》之殘稿而成，即令非韓愈手定之原本，亦尚能略窺其經學之堂奧。況愈所著之《論語注》究已成否，人存異說，若已撰成，失傳亦久，當無可為說，今欲論韓愈之經學，非依此殘篇剩簡不可。然《提要》僅舉《資暇集》所載韓愈注「晝寢」與「廄焚」兩條為據，指作偽者不應「兩條相連摭其一而遺其一」，以反證《筆解》非為贗作；斯論雖言之有理，恐仍嫌不足。

今欲知《筆解》是否源出於韓愈之手，與其旁搜遠紹，迷而不返，莫若直接取資韓愈文集，視其中言論與《筆解》之說相合者有幾，以此作證乃更為得實。茲檢得下列資料數則，確可明其一二：

> 韓集卷一〈讀墨子〉有云：「《春秋》譏專臣。」

《筆解》卷下〈季氏第十六〉「孔子曰：「禮樂征伐自諸侯出，蓋十世希不失矣。」（原注下引「孔曰」，此刪）」條，云：

> 韓曰：「此義見仲尼作《春秋》之本也。吾觀隱至昭十君，誠然矣；禮樂征伐自作，不出於天子，亦然矣。若之稽諸《春秋》，吾疑十二公引十世為證，非也。」

李曰：「退之至矣。觀隱公不書即位，而書王正月；定公不書正月，而書即位，此有以見自桓至定為十世，仲尼本旨存。不言哀公，未沒，不可言世也。」

韓曰：「其然乎！吾考隱公書正月者，言周雖下衰，諸侯秉朔不可不書也。隱攝政，不書即位，言不預一公之數也；定書即位，繼體當為魯君，不書正月者，不秉朔也。秉朔由三桓，強盛不由公室也。政去公室，則自桓公至定公為十世，明矣！」

李曰：「吾觀〈季氏〉一篇皆書『孔子曰』，餘篇即但云『子曰』，此足見仲尼作《春秋》本惡三桓，正謂『亂臣賊子』，當時弟子避季氏強盛，特顯孔子之名，以制三桓耳，故悉書『孔子曰』，以明當時之事，三桓可畏，宜其著《春秋》以制其彊焉。」

韓曰：「深哉！先儒莫之知也。今驗《魯論》，因知《春秋》本末惟〈季氏〉篇章，學者盍三復其義！

案此《筆解》此條載韓、李二公往復商討之辭，乃就孔子作《春秋》本意深切言之，謂其為「制三桓」而著。三桓者，魯國之家臣，孟孫、叔孫、季孫，三卿皆出於桓公，故云三桓。三桓專擅魯國之政，乃強臣、專臣也，此正孟子所謂孔子懼以作《春秋》之「亂臣賊子」。韓文云：「《春秋》譏專臣。」實與此意同。又《筆解》同篇「故夫三桓之子孫微矣」條，亦載李曰：「仲尼魯定公十三年自衛反魯，使子路伐三桓城，不克；至十四年，叔孫氏西狩獲麟，仲尼乃作《春秋》，……故徵王經以貶強臣。」此條不載韓曰，可知韓愈無異議，因又見《筆解》與韓集相合，此其證一也。

韓集同卷〈讀墨子〉又云：「孔子賢賢，以四科襃進弟子。」

《筆解》卷下〈先進第十一〉「德行：顏淵、閔子騫、冉伯牛、仲弓；言語：宰我、子貢；政事：冉有、季路；文學：子游、子夏」（原注下引「說者曰」，此刪）條，云：

> （中略）韓曰：「德行科最高者，《易》所謂『默而識之』，故存乎德行，蓋不假乎言也；言語科次之者，《易》所謂『擬之而後言，議之而後動』，擬議以成其變化，不可為典要，此則非政法所拘焉；政事科次之者，所謂『雖無老成人，尚有典刑』，言非事文辭而已；文學科為下者，《記》所謂『離經辯志，論學取友，小成大成』，自下而上升者也。」

李曰：「凡學聖人之道，始於文；文通而後正人事；人事明而後自得言；言忘矣，而後默識己之所行，是明德行斯入聖人之奧也。四科如有序，但注釋不明所以然。」

案孔門四科，何晏《集解》無存舊說，然邢昺《疏》此章則云：「此四科唯舉十人者，但言其翹楚耳。」是不以為有高下之序，而朱子《四書章句集注》亦云：「弟子因孔子之言，記此十人，而并目其所長，分為四科。孔子教人各因其材，於此可見。」是朱子不僅不認有高下之序，且無所謂「自

下而上升」之說也。可知《筆解》所言，為韓李二公獨到之新詮，而韓文此所謂「褒進」云者，實即「四科如有序」、「自下而上升」之意焉。《筆解》與韓集相符，此其證二也。

韓集同卷〈讀墨子〉又云：「孔子祭如在，譏祭如不祭者。」

《筆解》卷上〈八佾第三〉「子曰：『吾不與祭，如不祭。』」（原注云：「包曰：『不自親祭，使攝者為之，不盡敬與不祭同。』」）」條，云：

> 韓曰：「義連上文：『禘，自既灌而往者，吾不欲觀之矣。』蓋魯僖公亂昭穆，祭神如神在，不可躋而亂也，故下文云『吾不與祭』，蓋歎不在其位，不得以正此禮矣，故云『如不祭』，言魯逆祀與不祀同焉。」

李曰：「包既失之，孔又甚焉。孔注『祭神如神在』，謂祭百神，尤於上下文乖舛。」

案朱子《集注》「祭如在，祭神如神在」章，注云：「程子曰：『祭，祭先祖也。祭神，祭外神也。』愚謂此門人記孔子祭祀之誠意。」又同章「吾不與祭，如不祭」，注云：「言己當祭之時，或有故不得與，而使他人攝之，則不得致其如在之誠。故雖已祭，而此心缺然。如未嘗祭也。」是程朱二子明白蹈襲孔安國與包咸之舊注，而《筆解》之說為新解也。韓文云：「譏祭如不祭者。」所以譏之之故，正是《筆解》所言：「魯逆祀與不祀同焉。」故知韓集與《筆解》相侔，此其三證也。

韓集卷一〈師說〉云：「句讀之不知，惑之不解；或師焉，或不焉。小學而大遺，吾未見其明也。」

《筆解》卷上〈為政第二〉「子曰：『溫故而知新，可以為師矣。』」（原注云：「孔曰：『溫，尋也。尋繹故者，又知新者，可以為師矣。』」）」條，云：

> 韓曰：「先儒皆謂尋繹文翰，由故及新，此是記問之學，不足為人師也。吾謂：故者，古之道也；新，謂己之新意，可為新法。」

李曰：「仲尼稱子貢云：『告諸往而知來者。』此與『溫故知新』義同。孔謂尋繹文翰則非。」

案〈師說〉斥「句讀」為「小學」，此正與《筆解》斥「尋繹文翰」為「記問之學」同；而〈師說〉又云：「師者，所以傳道、授業、解惑者也。」此亦猶如《筆解》所謂「溫古道而知新法」、「告諸往而知來者」之意。是見《筆解》與韓集並無牴牾，此其又證四也。

除以上四證之外，韓集中必尚有與《筆解》之說相合者，今毋需多煩檢索，不妨再由李翱文集反求之。

李集卷二〈復性書〉云：「性者，天之命也，聖人得之而不惑者也；情者，性之動也，百姓溺之而不能知其本也。聖人者，豈其無情邪？聖人者，寂然不動，……制作參乎天地，變化合乎陰陽；雖有情也，未嘗有情也。」又云：「《易》曰：『夫聖人者，與天地合其德。』……此非自外得者也，能盡其性而已。」

《筆解》〈陽貨第十七〉「子曰：「性相近也，習相遠也。」子曰：「惟上智與下愚不移。」（原注下引「孔曰」，此刪）」條，云：

> （中略）李曰：「窮理盡性以至於命，此性命之說極矣，學者罕明其歸。今二義相戾，當以《易》理明之：『乾道變化，各正性命。』又：『利貞者，性情也。』又：『一陰一陽之謂道，繼之者善也，成之者性也。』謂人性本相近於靜，及其動感外物，有正有邪，動而正則為上智，動而邪則為下愚；寂然不動，則性情兩忘矣，雖聖人有所難知。故仲尼稱顏回：『不言如愚，退省其私，亦足以發，回也不愚。』蓋坐忘遺照，不習如愚，在卦為復，天地之心邃矣。亞聖而下，性習近遠，智愚萬殊，仲尼所以云：『困而不學』、『下愚不移』者，皆激勵學者之辭也。若窮理盡性，則非《易》莫能窮焉。」

案翱之〈復性書〉引《易傳》明聖人所以與天地合其德者，在於「能盡其性」，而此性之極至，乃是動靜合乎陰陽變化之理，雖有情而不為情所累之「寂然不動」者也；而《筆解》李曰亦引《易傳》「窮理盡性以至於命」

之語釋《論語》「性相近，習相遠」之義，謂「寂然不動，則性情兩忘」為聖人之最高境界，而顏回「坐忘遺照，不習如愚」，能盡其性之上智，此所以孔子亟稱之以激勵學者。此二處正可以轉相發明，其所源之思想並無二致，而其所言說者殆必出於同一人。是又可證《筆解》之說不僅合於韓愈之言論亦與李翱之言論相符無誤。

於此益能確定《筆解》成書之可信，執此以論韓愈之經學，雖不中亦不遠也。

三　《筆解》之體例

《論語筆解》序云：「昌黎文公著《筆解論語》，其間翱曰者，蓋李翱之同與切磨。……始愈筆大義則示翱，翱從而交相明辨，非獨韓制此書也。」是以為《筆解》乃二人合撰之作。然今觀此書之條撰，皆先韓曰而後李曰，甚且有韓曰而無李曰，故而是書之成，不得不推韓愈為首功，其中若干爭議往還，實亦一以韓愈之意為主導，但見其可而存者，不見其不可而存者。因知，《筆解》體例之發明，固屬韓愈無疑。究《筆解》之體例，正可以明韓愈經學之歸趣，並亦可由此下窺唐宋學轉變之關鍵，宜為學者所留意也。

竊謂韓愈之所以不自獨撰《筆解》，實因其意欲融合前古「經傳」與「集解」之體，不惟斷以己意，且欲參酌他人之成說以助己說；而此他人既非古人，亦非今人，乃亦門人亦學友之李翱也，以此答彼應之方式援引成說，更可有同聲相應之效。此體前所未見，當為韓愈所獨造也。除此而外，《筆解》之體例，明而可辨者，茲有下列數端：

（一）駁注：

〈學而第一〉「有子曰：『信近於義，言可復也。』」（原注云：「馬曰：『其言可反覆，故近義。』」）」條，云：

> 韓曰:「反本要終謂之復。言行合宜,終復乎信;否則小信未孚。非
> 反覆不定之謂。」

李曰:「尾生之信,非義也。若要終合宜,必不抱橋徒死。馬云『反覆』,是
失其旨。」

〈先進十一〉「子曰:『從我於陳蔡者,皆不及門也。』(原注云:「鄭
曰:『皆不及仕進之門而失其所。』」)」條,云:

> 韓曰:「門,謂聖人之門第。學者學道,由門以及堂,由堂以及室,
> 分等降之差,非謂言仕進而已。」

李曰:「如由也,升堂未入於室,此等降差別。不及門,猶在下列者也。」

　　案此「駁注」之法,《筆解》最為常見,亦是斯編據以成書之基礎,韓
愈勇於駁前人之舊注以立己之新說,於此顯見無遺。而其所駁之注,或有所
失。如前條,馬融曰「反覆」乃是「反而復之」之意,邢昺《疏》即云:「復
猶覆也,……以其言可反復不欺」,並舉尾生抱柱而死謂其乃非義之信,意
正與李曰同,韓曰「反覆不定」實曲解馬意。如後條,鄭玄以「仕進之門」
釋「不及門」之門固非允稱,韓曰釋為「聖人之門第」,恐亦求之過深,當
以朱《注》直釋為「不在門」為是。然此皆未損韓愈破舊立新之意也。

(二)申注:

〈里人第四〉「子曰:『君子懷德,小人懷土;君子懷刑,小人懷惠。』」
(原注云:「孔曰:『懷德,懷安也。懷土,重遷也。懷刑,安於法也。』包
曰:『懷惠,恩惠也。』」)條,云:

> 韓曰:「德難形容之,必示之以法制;土難均平,必示之以恩惠。上
> 下二義,轉相明也。」

李曰:「君子非不懷土也,知土均之法,乃懷之矣。小人只知土著樂生之

惠，殊不知土之德何極於我哉？」

〈憲問第十四〉「子曰：『君子而不仁者有矣夫，未有小人而仁者也！』（原注云：「孔曰：『雖君子猶未能備。』」）」條，云：

> 韓曰：「『仁』當為『備』，字之誤也，豈有君子而不仁者乎？既是小人又豈求其仁耶？吾謂君子才行或不備，有矣；小人求備則未之有也。」

李曰：「孔註云『備』，是解其不備明矣。正文『備』作『仁』誠字誤，一失其文，寖乖其義。」

案《筆解》之作雖以駁舊注為主，然對舊注之可者，未嘗不擇善而從焉，並加以申說，此即所謂「申注」之法。然此卻未便直曰韓愈採納舊說而全無疑義；實則，愈乃藉前人之成說翻成己說，可謂「移花接木」也。如前條原注孔曰：「懷土，重遷也。」邢《疏》云：「小人安安而不能遷者，難於遷徙，是安於土地也。」此「土」乃指鄉土。而韓曰：「土難均平，必示之以恩惠。」此「土」則指田地，遂使李曰進而將「法制」之法釋為「土均之法」，轉滋歧義矣。再如次條，「君子而不仁」，朱《注》引謝氏曰：「君子……忽毫之間，心不在焉，則未免為不仁也。」因其忽毫之間違仁，謂之「未能備」亦可矣；然韓曰既採信舊說，卻反疑經文有誤，並直易「仁」字為「備」字，此則未免匆遽而失之允當。韓愈不安於前人成說，益發可見。

（三）合章連讀：

〈為政第二〉「子曰：『君子不器。』子貢問君子。子曰：『先行其言，而後從之。』（原注云：「孔曰：『疾小人多言而行不周。』」）」條，云：

> 韓曰：「上文『君子不器』與下文『子貢問君子』是一段義，孔失其旨，反謂疾小人，有戾於是。」

李曰：「子貢，門人上科也，自謂通才可以不器，故聞仲尼此言而尋發問

端，仲尼謂但行汝言，然後從而知不器在汝，非謂小人明矣。」

〈衛靈公第十五〉「子曰：『由，知德者鮮矣！』」（原注云：「王曰：『君子固窮，而子路慍見，故謂之少於知德。』」）」條，云：

> 韓曰：「此一句是簡編脫落，當在『子路慍見』下一段為得。」

李曰：「『濫』字當為『慍』字之誤也，仲尼因由慍見，故云：『窮斯濫焉』，則知之固如由者亦鮮矣。」

案《論語》乃記言之體，由眾弟子輯錄孔子言論而成，非一時一地一人之作，故於章與章之間未必有連貫可通之意義，即有之，亦常在似可非可之間；況古書著於竹簡，繫之韋編，零散脫落遺而復輯乃屬必然之事，今之所見，亦非當初原貌。然此固可使學者就其節間而揮其游刃，恢恢乎必有餘地矣。韓愈所為，正是如此。「合章連讀」之法，即將舊注或相連或不相連之兩章，足成一章而讀之，遂生別解。此法雖或偶見於前賢，然卻為韓愈廣為施用，《筆解》即常以「上文」、「下文」聯繫原本截分之兩章，合為通解。此法若施之過頻，實與移易經文無異，而愈初不以為非也。如此舉二例即是，其解僅可備一說，若驟斷為是，則恐曰不然。

又案朱注《論語》亦經常合章連讀，如〈雍也第六〉，何晏本共三十章，朱子併為二十八章，且其讀與《筆解》有偶合者，如此處之第二例即是，殆以韓愈為濫觴歟？

（四）改讀：

〈雍也第六〉「子曰：『君子博學於文，約之以禮，亦可以弗畔矣夫！』」（原注云：「鄭曰：『弗畔，不違道也。』」）」條，云：

> 韓曰：「『畔』當讀如『偏畔』之畔，弗偏則得中道。」

李曰：「文勝則流靡，必簡約。《禮》稱『君子之中庸』是也。鄭言『違畔』之畔，豈稱君子云哉？失之遠矣！」

〈衛靈公第十五〉「子張問『行』。子曰：『立，則見其參於前也；在
輿，則見其倚於衡也；夫然後行！』（原注云：「包曰：『衡，軛也。言思念
忠信，立則常想見，參然在目前，在輿則若倚車軛。』」）」條，云：

> 韓曰：「『參』古『驂』字；『衡』，橫木式也。子張問『行』，故仲尼
> 喻以車乘：立者如御驂在目前，言人自忠信篤敬，坐立不忘於車乘之
> 間。」

李曰：「『大車無輗，小車無軏，其何以行之哉？』與此意同。包謂『參』為
『森』，失之矣！」

案所謂「改讀」，即以引申別義之原字或同音相近之他字，改易經文而
讀之，此即漢人「讀如」、「讀為」之法，乃注經之常規。韓愈嫻熟古文舊
籍，「沉浸濃郁，含英咀華」，對於字詞之別讀別義獨有所見，常可以左右逢
源，汲之不盡，施於說經，乃若虎添翼。本文前引其解「子路有聞」之聞為
「聲聞」，又如此處釋「弗畔」之畔為「偏畔」、釋「見其參於前」之參為
「御驂」，皆其顯例。此等注解，洵如林雲銘所言：「往往奇合」，予人一新
耳目之感，於研經讀經亦可提供佐助，頗有裨益。然若因「好奇」過甚而滋
生怪異之說，則不可為訓。以今所見，韓愈《筆解》似尚未蹈此病也。

（五）改字：

〈雍也第六〉「子曰：『人之生也直，罔之生也幸而免。』」（原注云：「馬
曰：『人之生自終者，以其正直也。』包曰：『誣罔正直是幸也。』」）」條，
云：

> 韓曰：「『直』當為『德』，字之誤也。言人生稟天地大德，罔，無
> 也，若無其德，免於咎者戡矣。」（原注云：「古書『德』作
> 『悳』。」）

李曰：「《洪範》三德正直在其中，剛柔共成焉，無是一者必有咎，況咸無

之，其能免乎？包謂誣枉正直則罪無赦，何幸免哉？馬言自終，又非『生也』之義。」

〈公冶長第五〉「宰予晝寢。子曰：『朽木不可雕也，糞土之牆不可杇也。於予與何誅？』（原注云：「舊文作畫字。」）」條，云：

> 韓曰：「『畫』當為『晝』，字之誤也。宰予四科十哲，安得有晝寢之責乎？假或偃息，亦未深誅；又曰『於予』，顯是言宰予也。下文『始吾』、『今吾』者，即是仲尼自謂也。」

〈衛靈公第十五〉「子曰：『君子貞而不諒。』（原注云：「孔曰：『貞，正也；諒，信也。君子正其道不必小信。』」）」條，云：

> 韓曰：「『諒』當為『讓』，字之誤也。上文云『當仁不讓於師』，仲尼慮弟子未曉，故復云『正而不讓』，謂仁人正直，不讓於師耳。孔加一小字為小信，妄就其義，失之矣。」

案「改讀」乃僅易其義而不易其字，「改字」則直易其字耳。《筆解》中凡言「某字當為某，字之誤」或「某當為某」，皆是改字之例。改字較諸改讀有更甚者，蓋因其所改易者已非經文原貌，輕重之間，失之毫釐，差以千里，若非有確切可靠之依據，不宜妄改。韓愈之改字，或依古文而改，如第一例；或據舊本而改，如第二例；然亦有直以己意改之者，如第三例即是。而《筆解》中，實以後例最為常見，是知韓愈不憚改易經文以就己也。

（六）改經：

〈子罕第九〉「子曰：『可與共學，未可與適道；可與適道，未可與立；可與立，未可與權。』（原注云：「孔曰：『雖能之道，未必能有所立；雖有所立，未必能權量輕重。』」）」條，云：

> 韓曰：「孔注猶失其義。夫學而之道者，豈不能立耶？權者，『經權』

之權，豈輕重之權耶？吾謂正文傳寫錯倒，當云：『可與共學，未可與立；可與適道，未可與權。』如此則理通矣。」

李曰：「權之為用，聖人之至變也，非深於斯道者，莫能及焉。下文云：『唐棣之華，偏其反而。』此仲尼思權之深也。《公羊》云：『反經合道謂之權。』此其義也。」

案凡解經不通者，始則改其讀，改讀又不通者則繼以改其字，漸浸而積，則改經之舉出焉。是故由改讀、改字，以至於改經，乃勢之必然也。韓愈以前之私人經說，雖已有將舊傳注束諸高閣者，但仍多恪守經文，罕有改經之舉；而愈之改經，並無確信版本之依據，僅憑上下經文而以己意疏通之、移易之，如此例即是。然此法僅只一見，其改易之故亦有理可尋，雖稱大膽，尚未踰越法度，至宋人則愈加浮濫，改經之不已，又加以刪經，不可不謂韓愈有以啟之也。

（七）以意逆志：

〈雍也第六〉「子見南子，子路不說。夫子矢之曰：『予所否者，天厭之！天厭之！』」（原注云：「孔曰：『行道非婦人之事，與之咒誓，義可疑焉。』」）」條，云：

韓曰：「矢，陳也；否，當為『否泰』之否；『厭』當為『厭亂』之厭。孔失之矣。為誓非也，後儒因以誓，又以『厭』為『撅』，蓋益失之矣。吾謂仲尼見衛君任南子之用事，乃陳衛之政理，告子路云：『予道否，不得行，汝不須不悅也。天將厭此亂世而終，豈泰吾道乎？』」

李曰：「古文闊略，多為俗儒穿鑿，遂失聖人經旨，今退之發明經義，決無疑焉。」

〈述而第七〉「子曰：『述而不作，信而好古，竊比於我老彭。』」（原注

云：「包曰：『若老彭祖述之而已。』」）條，云：

> 韓曰：「先儒多謂仲尼謙詞，失其旨矣。吾謂仲尼傷己不遇，嘆其道
> 若老彭而已。」

> 李曰：「下文子曰：『甚矣吾衰也！久矣吾不復夢見周公！』是制禮作
> 樂慕周公所為，豈若老彭述古事而已？顯非謙詞。蓋嘆當世鄙俗，竊
> 以我比老彭，無足稱爾。」

> 韓曰：「殷賢惟伊傅，餘固無足稱。」

案「以意逆志」乃孟子教人論《詩》之法，韓愈學之復能勝於藍矣。
《筆解》此法亦甚多，每有關於孔門師生之言行可疑者，愈皆設其身處其地
而置之詞。如此處二例，舊注之解平實可信，未便斥之為非，然韓愈仍可別
生新說，謂「予所否者」乃孔子自道其「道否，不得行」、又謂「竊比於我
老彭」非謙詞，乃孔子「傷己之不遇」，此直如起孔子於地下奪其衣冠而代
言之；而李曰又從旁揄揚，竟謂：「俗儒穿鑿，遂失聖人經旨，今退之發明
經義，決無疑焉。」是若毋需辯白已然證成其實矣。此最見韓愈說經勇決無
前自成一家之言之特色。

（八）存疑：

〈憲問第十四〉：「子曰：作者七人矣。（原注云：「包曰：『長沮、桀
溺、丈人、石門、荷蕢、儀封人、楚狂接輿。』」）條，云：

> 韓曰：「包氏以上文連此七人，失其旨。吾謂別段，非謂上文避世事
> 也。下文『子曰』別起義端，作七人非以隱避為作者明矣。避世本無
> 為，作者本有為，顯非一義。」

> 李曰：「其然乎！包氏所引長沮以下，苟合於義，若為作者，絕未為
> 得。吾謂包氏下篇長沮桀溺云：『與其從辟人之士也，豈若從辟世之

士哉？』遂舉此為七人，苟連上義。殊不知仲尼云：『鳥獸不可與同群。』此則非沮溺輩為作者明矣；又況下篇云逸民：伯夷、叔齊、虞仲、夷逸、朱張、柳下惠、少連七人，豈得便引為作者，可乎？包謬不攻自弊矣。」

韓曰：「《齊》《魯》記言無不脫舛，七人之數，固難條例，但明作者實非隱淪，昭昭矣。」

李曰：「以『作者之謂聖』之義明之，則理道明矣。」

韓曰：「仲尼本至誠如此乎，但學者失之云耳。」

案「疑則闕疑」乃注經務實之法，韓愈於此等處，尚能遵其軌轍。如此例之「作者七人」，韓愈既辯明包咸以「作者」為「隱者」之非，復又謂「七人之數，固難條例」，不率爾牽足此七人之名氏，可謂得其法也。朱《注》此章亦引李氏曰：「今七人矣，不可知其誰何？必求其人以為實之，則鑿矣。」正是其意。然此法於《筆解》殆不多見，韓愈仍多以己意添解之，即如此例之旨未詳亦必謂「仲尼本至誠如此乎」，則又蹈求之過深之弊矣。

四　《筆解》與朱熹《集注》之比較

以上略論韓愈《筆解》之體例，已可見其解經之法對宋儒深有開源導流之影響。皮錫瑞《經學歷史》嘗云：「宋人不信注疏，馴至疑經，疑經不已，遂至改經、刪經、移易經文以就己說……。」此皆可在《筆解》中尋得蛛絲馬跡。韓愈之經學雖未曾直接啟示宋儒，然其開先之功，固不僅在〈原道〉一篇而已。

朱子常譏韓愈「只是要作好文章，令人稱賞而已」[11]、「只是要做得言

11　見《朱文公全集》卷74〈滄州精舍論學者〉。

語似六經，便以為傳道」[12]，言下殆以為韓愈乃跡似而行非之偽儒者。然今取《筆解》與朱《注》並而觀之，兩者解說竟有不謀而同者，且其條目非在少數，此絕非所謂「奇合」，乃理有所必至。前文已略有提及，茲再引四則為例：

〈里仁第四〉「子游曰：『事君數，斯辱矣；朋友數，斯疏矣。』」（原注云：「包曰：『數謂速數之數。』」」條，云：

> 韓曰：「君命召不俟駕，速也，豈以速為辱乎？吾謂數當為『頻數』之數。」

> 李曰：「頻數再三，瀆必辱矣。朋有頻瀆，則益疏矣。包云『速數』，非其旨。」

案此章朱《注》引程子曰：「數，煩數也。」又引胡氏曰：「事君諫不行，則當去；導友善不納，則當止。至於煩瀆，則言者輕，聽者厭矣，是以求容而反辱，求親而反疏矣。」是韓愈與朱子同以「數」為頻數、煩數之意。

〈公冶長第五〉「子謂子貢曰：『女與回也，孰愈？』對曰：『賜也，何敢望回？回也，聞一以知十；賜也，聞一知二。』子曰：『弗如也；吾與女，弗如也。』」（原注云：「包曰：『既然子貢不如，復云「吾與汝俱不如」者，蓋欲以慰子貢爾。』」」）」條，云：

> 韓曰：「回，亞聖矣，獨問子貢孰愈，是亦賜之亞回矣。賜既發明顏氏具聖之體，又安用慰之乎？包失其旨。」

> 李曰：「此最深義，先儒未有究其極者。吾謂孟軻語回深入聖域云：『具體而微。』其以分限為差別，子貢言語科，深於顏回不相絕遠，謙云得具體之二分。蓋仲尼嘉子貢亦窺見聖奧矣，慮門人惑以謂回多聞廣記，賜寡聞陋學，故復云俱弗如，以釋門人之惑，非慰之云也。」

---

12 見《朱子語類》卷137〈時舉〉。

案此章朱《注》引胡氏曰：「子貢方人，夫子既語以不暇，又問其與回孰愈，以觀其自知之何如。聞一以知十，上知之資，生知之亞也；聞一以知二，中人以上之資，學而知之之才也。子貢平日以己方回，見其不可企及，故喻之如此。夫子以其自知之明，而又不於難於自屈，故既然之，又重許之。此其所以終聞性與天道，不特聞一以知二而已也。」是韓愈與朱子同認為此章乃夫子嘉勉子貢之辭。

〈子罕第九〉「子路使門人為臣。（原注云：「鄭曰：『子路欲使弟子行為臣之禮也。』」）」條，云：

> 韓曰：「先儒多惑此說，以謂素王素臣，後學由是責子路欺天。吾謂子路剛直無諂，必不以王臣之臣欺天爾。本謂家臣之臣以事孔子也。」

> 李曰：「卿大夫稱家，各有家臣，若輿臣隸、隸臣臺、臺臣僕之類，皆家臣通名。仲尼是時患三家專魯，而家臣用事，故責子路以謂不可效三家欺天爾。」

案此章朱《注》云：「夫子時已去位，無家臣。子路欲以家臣治其喪，治其喪其意實尊聖人，而未知所以尊也。」又云：「……言我之不當有家臣，人皆知之，不可欺也。而為有臣，則是欺天而已，人而欺天，莫大之罪。」是韓愈與朱子同釋「臣」為家臣，非王臣。

〈堯曰第二十〉「帝臣不蔽，簡在帝心。（原注云：「包曰：『桀居帝臣之位，罪不可隱蔽。』」）」條，云：

> 韓曰：「『帝臣』，湯自謂也，言我不可蔽隱桀之罪也。包以桀為帝臣，非也。」

> 李曰：「吾觀《湯誥》云：『爾有善，朕弗敢蔽，罪當朕躬，弗敢自赦，惟簡在帝心。』此是湯稱帝臣明矣。疑古文《尚書》與古文《論語》傳之有異同焉，考其至當，即無二義。」

案此章朱《注》云：「此引《商書》《湯誥》之辭。蓋湯既放桀而告諸侯也。與《書》文大同小異。……簡，閱也。言桀有罪，己不敢赦；而天下賢人，皆上帝之臣，己不敢蔽。簡在帝心，惟帝所命。此述其初請命而伐桀之辭也。」是韓愈與朱子同謂「帝臣」乃指湯，「不蔽」是指於桀之罪不敢蔽也。

由此可知，雖朱子之究極《論語》，然於此等處亦不得不讓韓愈於先也。而由何晏《集解》至朱熹《集注》之間，韓愈之《筆解》實為考究《論語》學發展之重要橋樑，未可輕忽也，皮錫瑞《經學歷史》僅謂其「寥寥短章，無關閎旨」，恐失之矣。

五　結論

本文討論舊題韓愈李翱所撰之《論語筆解》，略得四點結論如下：

一　韓愈之經學受師承影響，務求一家之言，不拘守舊注。

二　以韓愈〈讀墨子〉等文驗之，《筆解》確信出於韓愈之手。

三　《筆解》所發明之體例實已導宋人經說改經、刪經之先聲。

四　《筆解》之釋《論語》，語多可採，未必定遜於朱《注》。

從《朱子語類》考察朱子師生
論學《論語‧學而時習之章》

陳金木

慈濟大學東方語文學系教授

提要

　　傳統文獻學透過版本、目錄、輯佚、辨偽追求文獻的真實與完整，歷來研究朱子論語學者，多半據《論語集注》為唯一文本，實則朱子疏解論語的論著多元多方，類似現在教育學的學習成長檔案，一則可以考察其經學著作完成的歷程。二則可以確知其對經學家疏解的去取之道。三則可以考察其經學著作完成之後，對於同時期的激盪與影響。〈從《朱子語類》考察朱子師生論學《論語‧學而時習之章》〉，為筆者繼〈朱子《論語》論著對《論語》注疏傳統的融舊與創新〉之後，以《朱子語類》為文本，以考察朱子《論語學》的學思發展的歷程。全文分：一緒論。二、朱子講學時，啟發學生研讀《論語》的方法。三、朱子在講學時，闡述擇取前賢《論語》註解的考量。四、朱子講學時，師生對〈學而時習之章〉相關議題的闡發。五、結論。附錄：《朱子語類》〈學而時習之章〉資料彙編。

關鍵詞：朱子　《朱子語類》　《論語》　〈學而時習之章〉

一　緒論

　　朱子（1130-1200）一生勤於四部著述、書院講學與師友書信辨疑。現存疏解《論語》論著的資料有：一、《論語》專著：《論孟精義》《論語集注》《論語或問》三種。二、朱子講學的記錄：《朱子語類》共有一百四十卷，《論語》部份為卷十九至卷五十，共有三十二卷之多，將近占全部《語類》的五分之一。三、論學辨疑的書信：在《朱子文集》卷二十四至卷六十四，《續集》卷一至卷十一，《別集》卷一至卷六，總共有五十八卷的「書信」，二千三百餘通的「書信」，這些書信多有與師友門人、親朋故舊間，論學辨疑者，亦多有可供取資研究者。

　　是以筆者繼〈朱子《論語》論著對《論語》注疏傳統的融舊與創新〉[1]之後，再持《朱子語類》[2]，撰述〈從《朱子語類》考察朱子師生論學《論語·學而時習之章》〉，考察朱子《論語學》的學思發展的歷程。

二　朱子講學時，啓發學生研讀《論語》的方法

　　朱子生於宋高宗建炎四年（1130），卒於宋寧宗慶元六年（1200），在他生活的七十一年歲月中，除了仕宦為官的七年多的時間之外，其餘大部分的時間都家居福建。一生的主要工作就在於著作、講學、辨難三項。就以「講學」而言：大約二十四歲以後，到七十一歲易簀的前四天，共計四十七年的

1　此篇論文原題〈從《論語》首章朱子專著窺其《論語》學的融舊與創新〉，二〇一一年六月3三到四日在國立嘉義大學中國文學系主辦「第三屆宋代學術國際研討會」發表，後投稿《嘉大中文學報》獲得刊登，依照審查委員意見，改題〈朱子《論語》論著對《論語》注疏傳統的融舊與創新〉。見（《嘉大中文學報》（國立嘉義大學中國文學系，2012年9月）頁123-144。

2　《朱子語類》共有一百四十卷，其中《四書》共占五十一卷，《論語》部份為卷十九至卷五十，共有三十二卷之多，將近占全部《語類》的五分之一。其他《語類》各卷，亦多有涉及《論語》者。

時間，都在「講學」[3]。根據陳榮捷先生在《朱子實紀》、《考亭淵源錄》、《理學通錄》、《經義考》、《儒林宗派》、《宋元學案》、《宋元學案補遺》等資料為基礎，再從《朱子語類》中檢索，證得其確曾有問學而實為弟子者五十二人，總計考得朱子的門人共有入門弟子四百六十七人，另有未及門而私淑者二十一人，共四百八十八人[4]。師生關係的紀錄，大多見諸於《朱熹集》、《朱子語類》當中，《朱子語類》紀錄師生問答有一萬數千條之多，對話從十六個字到兩千四百六十一個字不等[5]。朱子的教學是採用「師徒結合型」的，也就是說個人收徒講學或個人在書院授課，師徒結合，相互交流，且師長處於核心的地位，[6]這種師傳授的性質，以及朱熹人格的力量，學問的淵博，學術的深度，產生了朱子與門人之間的強大凝聚力和向心力。朱熹在講學中，最著重的是義理的探討和接續道統；同時鼓勵學者多讀書，並相互發明，敢於說出別人不敢說出的道理；反對輕議前輩，憑空立論，但是可以以義理為標準，作為討論的依據；在教學中還議論、抨擊時政和官府制度的缺失。[7]

　　《論語》是儒家的「聖典」，朱子一生的精力，薈萃於《論語》一書當中，講學《論語》更是用盡心力，我們只要看《朱子語類》中有關朱子和學

3　許升，亦名升之，字順之，號存齋。泉州同安縣人。凌迪知《萬姓統譜》謂其從游最早。張伯行《道南源委》（此書本為明人朱衡《道南源委錄》，清人張伯行重加考定）認為是朱子在同安縣當主簿時（西元1153年，朱子二十四歲），許順之年十三歲，就從學於朱子，朱子三年秩滿，順之從其北歸。淳熙十二年（西元1185年，朱子五十六歲），順之卒，朱子為撰〈祭許順之文〉，就稱其在當同安主簿時就「諸生相從游者多矣」。詳見《朱熹集》卷87，祭文，〈祭許順之文〉，頁4485。陳榮捷：《朱子門人》（臺北市：臺灣學生書局，1982年）「許升」條，頁200-201

4　詳見陳榮捷《朱子門人》一書，陳榮捷〈朱子門人補述〉（收入於陳氏《朱子新探索》，頁454-461，陳榮捷：《朱熹》（臺北市：東大圖書公司，1990年），頁105-106

5　最短的對話為「或問：『明德便是仁義理智之性否？』曰：『便是。』」見《朱子語類》卷14，大學一，經上，頁260。最長的對話為「堯卿問『高為穆』之義」「義剛紀錄」，見《朱子語類》卷90，禮七，祭，頁2298-2302

6　劉樹勛：《閩學源流》（福州市：福建教育出版社，1993年），頁364-367

7　劉樹勛：《閩學源流》，頁371-378

生講學、討論《論語》的紀錄就有三十二卷之多，佔全部《語類》的五分之
一，就可見一斑了。我們從《朱子語類》中去分析，朱子在講學中，對於學
生研讀《論語》，在方法上的啟發。《朱子語類》卷八有「總論為學之方」卷
九有「讀書法上」「讀書法下」這些都是朱子在講學時，對於學生如何為學
的提示和教誨。對於學生如何研讀《論語》，這些紀錄就保存在《朱子語
類》卷十九，論語一，語孟綱領，共有一百零二條。朱子承繼著二程先生的
思想，因此，《論語集注》的《讀論語孟子法》，就是朱子摘錄二程子教導學
生如何研讀《論語》《孟子》的言論，共有九條，字字璣珠，明確切己。其
中最重要的有三條，現分別疏釋之：

1. 程子曰：「學者當以《論語》《孟子》為本。《論語》《孟子》既治，
   則《六經》可不治而明矣。讀書者當觀聖人所以作經之意，與聖人
   所以用心，聖人之所以至於聖人，則吾之所以未至者，所以未得
   者。句句而求之，晝誦而味之，中夜而思之，平其心，易其氣，闕
   其疑，則聖人之意可見矣。」

2. 程子曰：「學者需將《論語》中諸弟子問處便作自己問，聖人答處
   便作今日耳聞，自然有得。雖孔孟復生，不過以此教人。若能于
   《語》《孟》中深求玩味，將來涵養成甚生氣質。」

3. 程子曰：「學者先讀《論語》《孟子》，如尺度權衡相似，以此去量
   度事物，自然見得長短輕重。」[8]。

第一條二程先生的言論，首先說明《論語》《孟子》在儒家經典中的地位，
和學者為學的先後次第。其次勉勵學者當念茲在茲，以求聖人的用心，更重
要的是「闕其疑」，對於其所不知，當能「闕疑」，不厚誣古人。第二條二程
先生的言論，教導學者在研讀《論語》時，當如親身蒞臨孔子講學一樣，將
自己當成是孔子的弟子，如此「口問耳聞」，深求玩味，以涵養氣質。第三

8　朱子〈讀論語孟子法〉在《四書集注》頁44-45

條二程先生的言論，在說明研讀《論語》《孟子》時，要能潛移默化到自己的內心來，自己的言行舉止，一一以孔、孟言論為圭臬，涵養身心，變化氣質，自然為人處事，待人接物，心中就有一把尺可以度量了。總之，這三條二程先生的言論，都在勉勵學者：《論語》《孟子》的研讀，不單單是純粹知識的吸收，而在於道德的涵養，它是學者安身立命的根據。唯有學者能夠身體力行，終身實踐，《論語》《孟子》就能成為為學者入德之門，成聖成賢的階梯。

　　朱子也在順著二程先生教導學生研讀《論語》的理念，在講學中，學生多有紀錄，以下為較具代表性者：

1. 《論語》一日只看一段，大故明白底，則看兩段。須是專一，自早到夜，雖不讀，亦當涵泳常在胸次，如有一件事未了相似，到晚卻把來商量。但一日積一段，日日如此，年歲自是裏面通貫，道理分明。（黃榦紀錄）

2. 人之為學，也是難。若不從文字上做工夫，又茫然不知下手處；若是字字而求，句句而論，不於身心上著切體認，則又無所益。⋯⋯若每日如此讀書，庶幾看得道理自我心而得，不為徒言也。（壯祖紀錄）

3. 先生問：「《論語》如何看？」焞曰：「見得聖人言行，極天理之實而無一毫之妄。學者之用工，尤當極其實而不容有一毫之妄。」曰：「大綱也是如此。然就裏面詳細處，須要十分透徹，無一不盡。」（陳焞紀錄）

4. 《論語》難讀。日只可看一二段，不可只道理會文義得了便了。須是子細玩味，以身體之，見前後晦明生熟不同，方是切實。（賀孫紀錄）[9]。

9　詳見《朱子語類》卷19，語孟綱領，頁434-436

在第一條中，黃榦（1152-1221）紀錄朱子在講學時，告訴學生在研讀《論語》時，不但要心志專一，而且所研讀的章節也不要貪多，要涵泳在心中，日夜思量，如此日積月累，對於《論語》的道理，能夠「裏面通貫」。第二條為弟子李壯祖（寧宗嘉定三年進士，1211年）的紀錄。朱子對於學生在求學讀書，每苦艱難，告訴學生對於研求學術，不但要追求知識，更要於身心上去體認與力行實踐，使得聖賢的道理能在我自身上得到驗證，這才是真正的研讀學問的方法。第三條是弟子陳淳（1153-1217）的紀錄。這是朱子問陳淳「如何研讀《論語》？」朱子一則同意陳淳所回答的「見得聖人言行，極天理之實。」，並且要求能夠全面透徹與窮盡的瞭解《論語》所說的聖人的言行，以及所內涵的「天理」。第四條是葉味道（初諱賀孫，更字知道。寧宗嘉定十三年進士，西元1221年）的紀錄。這是朱子對於學生如何研讀《論語》的一貫的論點，告誡學生不要貪多勿失，要能仔細玩味，身體力行，在精熟原典和親身驗證之後，自然境界不同了。總之，朱子在這四條學生的講學紀錄中，仍然依循著二程先生對於《論語》的研讀方向，更加的要求學生能夠「專心致意」「身體力行」「始終如一」的將《論語》中聖人的言行與所內涵的「天理」，在自身的言行中實踐出來。

三　朱子在講學時，闡述擇取前賢《論語》註解的考量[10]

朱子自從二十三歲開始講學的工作，第一本著作《上蔡語錄》雖然是在他三十歲時編纂完成的，但是，相關的準備工作，應當更早。因此，我們可以說朱子的講學，其實是伴隨著他的著作相互進行的。以《論語》的講學為例，弟子就時常拿朱子先後有關《論語》的著作，請問朱子研讀的先後，也就其內容中，朱子對於諸家說法的取捨，朱子說法有否互相矛盾之處等等問

10　此僅就朱子在講學中與學生有關《論語精義》做說明，全部資料可參考《朱子語類》《語孟綱領》有三十六條的資料。

題，向朱子請教，這些都紀錄在《朱子語類》卷十九，論語一，語孟綱領中。現在就以朱子對學生討論其先前所撰述的《論語精義》的問題為例加以說明：

1. 問：「近看《論語精義》，不知讀之當有何法？」曰：「別無方法，但虛心熟讀而審擇之也」（人傑。《集義》）

2. 問：「要看《精義》，不知如何看？」曰：「只是逐段子細玩味。公記得書否？若記不得，亦玩味不得。橫渠云：『讀書須是成誦。』又曰：「某近看學者須是專一。譬如服藥，須是專服一藥，方見有效。」（幹）

3. 問：「《精義》有說得高遠處，不知如何看。」曰：「也須都子細看，取予卻在自家。若以為高遠而略之，便鹵莽了！」（幹）（440）

4. 讀《論語》，須將《精義》看。先看一段，次看第二段，將兩段比較孰得孰失，孰是孰非。又將第三段比較如前。又總一章之說而盡比較之。其間須有一說合聖人之意，或有兩說，有三說，有四五說皆是，有就其中比較疏密。如此，便是格物。及看得此一章透徹，便知便至。或自未有見識，只得就這裡挨。一章之中，程子之說多是，門人之說多非。然初看時，不可先萌此心，門人所說亦多有好處。蜚卿曰：「只將程子之說為主，如何？」曰：「不可，只得以理為主，然後看它底。看得一章直是透徹了，然後看第二章，亦如此法。若看得三四篇，此心便熟，數篇之後，迎刃而解矣。某嘗苦口與學者說得口破，少有依某去著力做工夫者。且如『格物、致知』之章，程子與門人之說，某初讀之，皆不敢疑。後來編出細看，見得程子諸說雖不同，意未嘗不貫。其門人之說，與先生蓋有大不同者矣。」（驤）。

5.讀書考義理，似是而非者難辨。且如《精義》中，惟程先生說得確
當。至其門人，非惟不盡得夫子之意，雖程子之意，亦多失之。今
讀《語孟》不可便道《精義》都不是，都廢了。須借它做階梯去尋
求，將來自見道理。知得它是非，方是自己所得處。如張無垢文字
淺近，卻易見了。問：「如何辨得似是而非？」曰：「《遺書》所謂
義理栽培者是也。如此用工，久之自能辨得。」（德明）

6.《集注》乃《集義》之精髓。（道夫）。《集注》、《集義》

第一條是弟子萬人傑[11]的記錄。萬人傑請教如何研讀朱子所著的《論語精
義》，朱子的回答是「虛心熟讀」，這和朱子講學時所揭示的讀書方法並無兩
樣。值得留意的是朱子要萬人傑「審擇之」，這和《論語精義》這本書的性
質是「匯集諸家之說」有關，《精義》所編選的各家說法，各有各的道理，
朱子要求讀者「虛心」「審擇」。第二條和第三條都是弟子黃榦的記錄。黃榦
是朱子的高弟[12]，向朱子詢問如何研讀《論語精義》，朱子告訴他要能研讀
時的態度要能「精熟」「專一」「子細玩味」，這是朱子一貫教導學生研讀學
問的方法。對於《精義》中的各家說法，如果有高遠的地方，仍然要以「謙
虛的心情」去對待，同時，自己首先要建立自己的「義理思想」，如此才能
「審慎擇取」[13]。第四條是弟子楊驤的記錄。朱子在教導門人在研讀《論
語》的時候，要先看《論語精義》，對於書中所載錄諸家的說法，要能以合
不合聖人的意思來加以比較其得失。朱子又揭示在諸家的說法當中，唯有二
程先生的說法，最得聖人之意，但是，儘管如此，對於研讀者而言，不可在

---

11 陳榮捷考證萬人傑師事朱子五次，即淳熙七、八年；淳熙十五、十六年；紹熙四、五
年間；慶元二至三年；慶元五年。每次或一月兩月。陳氏《朱子門人》「萬人傑」條，
頁248-249

12 宋史本傳曾載有朱子病革，以深衣所著書受榦。手書與訣曰，「吾道之託在此，吾吾憾
矣！」之嘆。但是，陳榮捷先生考證以為此為暗用「禪宗衣缽之說，其為赴會無疑」。
見陳氏〈朱門傳授〉收入於《朱子新探索》中，頁436-439。但是不管如何，黃榦確為
朱子高弟是可以確定的。

13 相類似的記載甚多，可見全部資料可參考《朱子語類》《語孟綱領》有三十六條的資料。

研讀時，心中就存有這種心理，仍然要看出他所以疏漏高遠的地方，直到一章透徹了解了之後，才進行下一章的閱讀工作。第五條是弟子廖德明（孝宗乾道五年進士，1169年）的記錄。這條記錄是在朱子完成《論語集注》之後，弟子向他請教《論語精義》的問題，朱子的回答。要將《論語精義》當成研讀《論語集注》的階梯。也就是說在《論語精義》中朱子展現的是「繼承」，在《論語集注》中朱子展現的是「創新」，也唯有將兩本著作一併研讀，才能看得出來。也才能了解朱子對於「義理的體會」，對於諸家說法的「繼承與發展」的痕跡，更可以知道朱子如何辨得諸家似是而非的言論的。這種真正做學問的方法，朱子在講學中隱約的透露出來了。第六條是弟子楊道夫所紀錄。朱子對於其《論語集注》與《論語精義》之間的關聯做了最精要的解說。以著作的方式了說，《精義》是羅列諸家的說法，自己並不下定論。《集注》則是針對諸家的說法，自己必定要建立「義理的架構」，再選擇、剪裁諸家說法，自己的意見，形成一「完足的義理疏解」。也因此，朱子才會說《集注》是《精義》的「精髓」。這也就是為《集注》《精義》的關係做最後的定論。以上六條弟子記錄「朱子在講學時，對於自己有關《論語》著作的說明」，我們可以一則可以知道朱子是研讀《論語》的讀書方法，再則也可以知道朱子是如何將《論語》的研讀，內化到自己的生命的，三則也可以知道弟子和朱子之間在講學與著述的互動關係。四則可以知道在《論語集注》完成之後，朱子是如何看待《論語精義》的。五則可以知道朱子對於《論語》的繼承發展與創新的過程。

四　朱子講學時，師生對〈學而時習之章〉相關議題的闡發[14]

　　有關朱子在講學中，師生間有關《論語‧學而篇‧學而時習之章》的紀錄，見之於《朱子語類》卷二十，論語二，學而篇上，學而時習之章，共有

---

14 限於篇幅，僅以以「學而時習之，不亦說乎？」學生的紀錄做抽樣的觀察。

五十八條之多，紀錄者有董壽昌、滕璘[15]（兩條）、沈僩[16]（三條）、吳雉、黃義剛（三條）[17]、陳淳（四條）[18]、楊驤、董銖（四條）、童伯羽、□屨[19]、葉味道[20]（四條）、林學蒙、甘節[21]、潘柄、王過、楊道夫（三條）、徐寓、黃卓（三條）、余大雅（兩條）、曾祖道（兩條）、潘時舉（四條）、周明作、周謨、萬人傑（兩條）、廖容、廖謙[22]、董拱壽、林夔孫、陳文蔚[23]、鍾震

---

15 朱子弟子中有「舒璘」「滕璘」兩位，《朱子語類》記載紀錄學生的姓名，都是只記載「名」而已，此處亦同，只只記載「璘」字。根據陳榮捷先生《朱子門人》的考證指出舒璘在《語錄》中並無其問答。又稱滕璘在《語錄》中有其問答約二十則，故可知此處的「璘」當為「滕璘」。見陳氏書，「舒璘」「滕璘」兩條，頁227-228，325。

16 《考亭淵源錄》稱朱子弟子中有「周僴」「沈僴」兩位。陳榮捷先生的考證，以為「周僴」恐為「沈僴」之誤，見陳氏書，「周僴」條，頁139。

17 另有一條的紀錄與林夔孫相同。見附錄：朱子《論語‧學而篇‧學而時習之章》相關資料彙編。陸、《朱子語類》中《論語‧學而篇‧學而時習之章》資料分析。（四）、第8條）

18 朱子弟子中有「陳淳」「詹淳」兩位。陳榮捷先生考證以為詹淳「文集語類均不劍奇名字」，陳淳為朱子的高弟，此處應當為「陳淳」所記。見陳氏書，頁282-283，220-221。

19 稱「□屨」是因為在《語類》卷20，論語二，學而篇上，學而時習之章，第十二條（也就是附錄：朱子《論語‧學而篇‧學而時習之章》相關資料彙編。陸、《朱子語類》中《論語‧學而篇‧學而時習之章》資料分析。（二）、第9條）記載者「或問「學而時習之」。曰：「學是學別人，行是自家行。習是行未熟，須在此習行之也。」（屨）。遍查陳氏《朱子門人》、〈朱子門人補述〉（在《朱子新探索》中），想得知「驤」究竟是「何姓」，但是，仍然一無所獲。即使翻檢《朱熹集》第十冊附有的《朱熹集》人名索引，也因為《語類》只紀錄「屨」這個「名」，沒有「姓氏」，幾乎無法查考起，因此，此處待詳細考察。所以用「□」來暫時代替。

20 《朱子語類》此處的記載為「賀孫」，賀孫為葉味道原先的名字，他後來改名「味道」。見陳氏《朱子門人》「葉味道」條，頁279-280。

21 朱子弟子中有「熊節」「甘節」兩位，陳榮捷先生考證甘節「嘗錄語類癸丑（1193）以後所聞約三百條，側重四書各題。」因將此處紀錄歸之。見「熊節」「甘節」條頁289、71。

22 朱子弟子中有「梁謙」「黃謙」（兩位，一字德之，一字德柄）「廖謙」共四位。陳榮捷先生稱「《語錄》其只云『謙』者，皆指廖謙，非黃謙也。」「梁謙」為朱子晚年弟子，《語類》只「梁謙問克己復禮」事，見《語類》卷四十一，因此，此處定為「廖謙」。詳見陳氏書「梁謙」「黃謙（字德之）」「黃謙（字德柄）」「廖謙」等條，頁197、264、287。

（兩條）[24]黃榦、龔蓋卿等三十二位弟子。值得留意的是弟子對於朱子的講學所作的紀錄，有兩條相同的[25]；也有對於朱子的講學，有不同的紀錄者[26]；更有弟子以類似現在的「現場直播」的方式，將其紀錄下來的[27]。在此，僅就以《論語‧學而篇‧學而時習之章》中有一段學生王過在朱子六十五歲以後講學的的紀錄為例，來探討朱子在講學中，師生間是如何進行《論語》相關議題來討論的。[28]

　　弟子王過，跟隨朱子的時間是在光宗紹熙五年（1194，朱子六十五歲）五月，朱子到湖南潭州，十二月返回考亭（福建建陽縣）建竹林精舍這段時間，為朱子晚年的弟子，《朱子語類》有關王過的記載，當在此年以後所聞。[29]在記載朱子講學到「學而時習之，不亦說乎？」這段經文時，朱子在《論語集注》中引用二程先生「習，重習也。時復思繹，浹洽於中，則說也。」這段注文中「浹洽」的討論，有以下的記載：

　　　　「浹洽」二字，宜子細看。凡於聖賢言語思量透徹，乃有所得。譬之

23　朱子弟子中有「陳文蔚」「許文蔚」兩位。陳榮捷先生稱「（許文蔚）文集語類全無影跡也。」，「（陳文蔚）四次師事朱子」，因將此處定為「陳文蔚」。詳見陳氏書，「陳文蔚」「許文蔚」條，頁209-210、201

24　朱子弟子中有「葉震」「鍾震」兩位。陳榮捷先生稱「（葉震）文集語類皆無記載」又稱「（鍾震）嘗錄語類甲寅（1194）所聞二十餘條。」，因將此處定為「鍾震」，詳見陳氏書，「葉震」「鍾震」條，頁281、355

25　如黃義剛的紀錄和林夔孫的紀錄相同，見附錄：《朱子語類》〈學而時習之章〉資料彙編（四）、第8條）

26　如黃義剛請問朱子「〈學而〉首章是始、中、終之序否？」這個問題，弟子的紀錄就有詳略的不同。見附錄：《朱子語類》〈學而時習之章〉資料彙編（四）、第12條為「陳淳」的紀錄，較為簡略，第13條為「黃義剛」的紀錄，較為詳盡。

27　見附錄：《朱子語類》〈學而時習之章〉資料彙編（二）、第16條。

28　因限於篇幅和時間，在此僅以在《語類》《論語‧學而篇‧學而時習之章》中「學而時習之，不亦說乎？」部份，王過的紀錄來作抽樣的觀察，另外，有關「朱子在講學中，師生間對於有關《論語‧學而篇‧學而時習之章》其他相關議題的討論」，「朱子在講學中，師生對於《論語‧學而篇‧學而時習之章》諸家說法的討論」這兩大部分筆者將另外撰文來詳加探討，特此說明。

29　此據陳榮捷先生的考證，見陳氏《朱子門人》「王過」條，頁63

浸物於水：水若未入，只是外面稍濕，裏面依前乾燥。必浸之久，則透內皆濕。程子言「時復思繹，浹洽於中，則說」，極有有深意。

『先生令諸生同講「學而時習之，不亦說乎」。「須以近者譬得分曉乃可。如小子初授讀書，是學也。令讀百數十遍，是時習也。既熟，則不煩惱，覆背得，此便是說也。書字亦然。《或問》中云：「學是未知而求知底工夫，習是未能而求能底工夫。」以此推之，意可得矣。」《雜說》載魏帝「三三橫，兩兩縱，誰能辨之賜金鍾」之令。答者云：「吳人沒水自云工，屠兒割肉與稱同，伎兒見擲繩在虛空」蓋有類三句。陳思王見三人答後，卻云：「臣解得是『習』字。」亦善謔矣。皆說習熟之意。先生然之。』（過）

這段記載總共兩百四十七個字。自「『浹洽』二字」至「極有深意」共有七十一個字，是王過的「上課紀錄」。朱子告訴學生二程先生以「浹洽」兩字解釋「學而時習」後，將聖人的「義理」，內化到自己內心，使自己的心靈體貼到聖人的心靈，所產生的「境界形態」，朱子將他詮釋為「凡於聖賢言語思量透徹，乃有所得。」，還怕學生無法透徹瞭解，接著就舉「浸物於水」為例，來補充說明。最後對於二程先生的解說，下了結論說：「極有深意」。接著《語類》又記載著「先生令諸生同講『學而時習之，不亦說乎？』」至「先生然之」共有一百七十六個字，是王過實際紀錄朱子在上課時，師生互動的「實況紀錄」。這段紀錄中的留意的是「先生令諸生同講『學而時習之，不亦說乎？』」這幾句話。我們從中得知朱子的講學過程中，除了老師講授、學生提問之外，還有老師就上課所講的內容，要學生充分的發言。根據《朱子語類》中學生王過的這條記載，我們可以推想朱子當時講學的經過是這樣的：

朱子在講到「學而時習之，不亦說乎？」時，引用了二程先生的說解中關鍵的「浹洽」兩字，先做說明，結論是「凡於聖賢言語思量透徹，乃有所得。」，說完之後，又深怕學生並沒有真正的瞭解其中的內涵，因此，就又以「浸物於水」做比喻，來加強說明。最後，還要求學生就自己的生活經

驗，或人生體驗，或學習所得，「舉出實例」來「驗證」這段經文的義理內涵。朱子又怕學生會離題太遠，引喻失義，因此，就將舉例的範圍加以設限為須以近者譬得分曉乃可。如小子初授讀書，是學也。令讀百數十遍，是時習也。既熟，則不煩惱，覆背得，此便是說也。書字亦然。《或問》中云：「學是未知而求知底工夫，習是未能而求能底工夫。」以此推之，意可得矣。」，於是學生們就七嘴八舌的發表個自的「心得」，王過於是記下了其中的一段發言：「《雜說》載魏帝「三三橫，兩兩縱，誰能辨之賜金鍾」之令。答者云：「吳人沒水自云工，屠兒割肉與稱同，伎兒見擲繩在虛空」蓋有類三句。陳思王見三人答後，卻云：「臣解得是『習』字。」亦善謔矣。皆說習熟之意。」，當時究竟有多少魏同學發言，不得而知，但是，王過所記下的這段發言，是得到朱子的肯定的，因為王過記載「先生然之」，至於這段話是誰說的，是「王過」嗎？有可能但不確定。

我們透過《朱子語類》《論語‧學而篇‧學而時習之章》王過的這條記載。我們可以知道一、《朱子語類》的大部分記載，都只是記載著「老師講學」「學生提問，老師回答」「老師提問，學生回答，老師再講述補充」這三方面的紀錄而已。至於師生間、同學間的互動情形，則較少被紀錄下來。王過這條的紀錄，是非常少數的，但也是彌足珍貴的。二、朱子的講學是非常符合現代的教育思潮的，因為新的知識，必定要和學習者的先前知識相結合，這種新的知識，才能內化為學習者所有。如何引發學習者將新舊知識連結起來，「譬喻」是最好的方法。朱子運用了最合乎學習者的生活經驗「浸物於水」，來作比喻，再要求學生「譬喻」時，又能將範圍設定好，如此，學生才不會離題太遠，其他的同儕，也才能收到「腦力激盪」，「共同學習」的效果。三、雖然朱子對於《論語》的看法，盡在《論語集注》一書中，但是，《集注》的文字極為「精要」，學習者的體會，是否和朱子所要傳達的意義，兩者之間的差距，一定有相當的距離，如果我們透過《朱子語類》這種活生生的「講學」紀錄，相信會拉近這兩者之間的距離才對。透過《朱子語類》學生的「上課紀錄」，加以深入的分析和釐清，在瞭解和嘆討朱子的《論語學》，一定大有助益才對。

五　結論

　　朱子對於其《四書集注》，自稱達到「義理上的完善」，並且要學者將注解「仔細體會」。[30]陳榮捷先生稱贊朱子為「集新儒家之大成」，並稱其有三端：即新儒家哲學之發展與完成，新儒家傳受道統之建立，論孟學庸之集合為四子書。日人大槻信良考證《四書集注》徵引自漢以下至於兩宋，凡五十六家，九百二十三語，其中宋人有四十一家，八百四十八語。其中以二程及程氏門人的說法最多，佔三分之二以上。《論語集注》也徵引有三十多家。朱子》的註解中，有「新義」的就有一百七十五處之多[31]。

　　筆者深信歷朝歷代的經學家從事註解的工作時，都是在「寓融舊於創新」的理念之下，以其時代的特殊背景，個人的特別感受，為著這本儒家的「聖經」，以注解與詮釋經典的方式，來建立起自己的思想體系，也就是說：透過這些基本文獻，在疏釋之時，寓維新於守舊之中[32]。

　　朱子在《論語集注》時，除了依循著經學的注疏傳統之外，[33]更關注到「義理的補充」[34]與「體系性的思維」[35]我們可以說：朱子和《論語》間有

30　朱子在《朱子語類》時有稱：「語吳仁人曰：「某《語孟集注》，添一字不得，減一字不得，公子細看。」又曰：「不多一簡字，不少一簡字。」（節）。（437）又稱：「某於《論孟》，四十餘年理會，中間逐字稱等，不教偏些子。學者將注處，宜子細看。」《朱子語類》（臺北市：文津出版社，1986年）卷19，《論語一》語孟綱領，頁437。

31　大槻信良《朱子四書集注典據考》（臺北市：臺灣學生書局，1976年）頁3以下。

32　黃俊傑〈舊學新知百貫通──從朱子「孟子集注」看中國學術史上的注疏傳統〉（收錄於林慶彰《中國文化新論──浩瀚的學海》（臺北市：聯經出版事業公司，1983年），頁195。

33　詳見陳逢源：《朱熹與四書章句集注》（臺北市：里仁書局，2006年），頁193-218。

34　陳逢源稱：「朱熹詮釋方向，似乎特別著力於形上思維的闡發、、道德原則的掌握、聖人形象的表彰以及修養進程的規劃，細膩處見其精微，妥貼處有其思考，可見彰顯儒學精神的用心。」詳見陳逢源：《朱熹與四書章句集注》，頁256。

35　陳逢源稱：「朱熹《四書章句集注》，不僅留意經文旨趣的掌握，更及於儒學體系的建構，提醒綱領，留意進學次第，更於聖賢授受之際，彰顯道統所在，深刻召喚後世學者有以繼起的歷史情懷。」詳見陳逢源：《朱熹與四書章句集注》，頁256。

著一種思想「對話」的關係。朱子透過「文獻的閱讀」,進行一場「了解」「詮釋」「實踐」的創造性轉化的活動關係[36]。

　　傳統文獻學透過版本、目錄、輯佚、辨偽追求文獻的真實與完整,歷來研究朱子論語學者,多半據《論語集注》為唯一文本,實則朱子疏解論語的論著多元多方,類似現在教育學的學習成長檔案,一則可以考察其經學著作完成的歷程。二則可以確知其對經學家疏解的去取之道。三則可以考察其經學著作完成之後,對於同時期的激盪與影響。

---

36 林月惠《良知學的轉折——聶雙江與羅念菴思想之研究》(國立臺灣大學中國文學研究所博士論文,1995年),在研究王學諸子與陽明致良知教的互動關係時,就是採用這樣的「詮釋方式」。見頁15-27。

附錄：《朱子語類》〈學而時習之章〉資料彙編

一 學而篇

（1）今讀《論語》，且熟讀〈學而〉一篇，若明得一篇，其餘自然易曉，（壽昌）（446）

（2）〈學而篇〉皆是先言自修，而後親師友。「有朋自遠方來」，在「時習」之後；「而親仁」，在「入則孝，出則弟」之後；「就有道而正焉」，在「食無求飽，居無求安」之後；「毋友不如己者」，在「不重則不威」之後。今人都不去自修，只是專靠師友說話。（璘）（446）

（3）入道之門，是將自家身己入那道理中去，漸漸相親，久之與己為一。而今人道理在這裏，自家身在外面，全不曾相干涉！（僩）（446）

二 子曰：「學而時習之，不亦說乎？」

（1）劉問：「學而時習之」。曰：「今且理會箇『學』，是學箇甚底，然後理會『習』字、『時』字。蓋人只有箇心，天下之理皆聚於此，此是主張自家一身者。若心不在，那裏得理來！惟學之久，則心與理一，而周流泛應，無不曲當矣。且說為學有多少事，孟子只說『學問之道，求其放心而已矣』。蓋為學之事雖多有頭項，而為學之道，則只在求放心而已。心若不在，更有甚事！」（雉）（學習）。（446-447）

（2）書也只是熟讀，常記在心頭，便得。雖孔子教人，也只是「學而時習之」。若不去時習，則人不都奈你何。只是孔門弟子編集，把這箇作第一件。若能時習，將次自曉得。十分難曉底，也解曉得。（義剛）（447）

（3）或問：「『學而時習』，不是詩書禮樂。」「固不是詩書禮樂。然無詩書禮樂，亦不得。聖人之學與俗學不同，亦只爭這些子。聖賢教人讀書，只要知所以為學之道。俗學讀書，便只是讀書，更不理會為學之道是如何。」（淳）（447）

（4）問：「注云：『學之為言，效也。』『效』字所包甚廣。」曰：「是如此。博學，慎思，審問，明辨，篤行，皆學效之事也。」（驤）（容錄云：「人凡有可效處，皆當效之。」）（447）

（5）吳知先問『學習』二字。曰：「『學』，是未理會得時，便去學；『習』，是已學了，又去重學。非是學得了，頓放在一處，卻又去習也。只是一件事。『如鳥數飛』，只是飛了又飛，所謂『鷹乃學習』是也。」先生因言：「此等處，添入《集注》中更好。」（銖）（447）

（6）未知未能而求知求能，之謂學；已知已能而行之不已，之謂習。（義剛）（447）

（7）讀書、講論、修飭，皆要時習。（銖）（447）

（8）「學而時習之」，雖是講學、力行平說，然看他文意，講學意思終較多。觀「則以學文」，「雖曰未學」，則可見。（伯羽）（447）

（9）或問「學而時習之」。曰：「學是學別人，行是自家行。習是行未熟，須在此習行之也。」（履）（447）

（10）問：「時習，是溫尋其義理，抑習其所行？」曰：「此句所包廣。只是學做此一件事，便須習此一件事。且如學『克己復禮』；便須朝朝暮暮習這『克己復禮』。學，效也，是效其人。未能孔子，便效孔子；未能周公，便效周公。巫、醫亦然。」（淳）（447）

（11）學習，須是只管在心，常常習。若習得專一，定是脫然通解。（賀孫）（448）

（12）且如今日說這一段文字了，明日又思之；一番思了，又第二、第三番思之，便是時習。今學者才說了便休。（學蒙）（448）

（13）問：「如何是時習？」曰：「如寫一箇『上』字，寫了一箇，又寫一箇，又寫一箇。」當時先生亦逐一書此「上（448）」於掌中。（節）（448）

（14）國秀問：「格物、致知是學，誠意、正心是習；學是知，習是行否？」曰：「伊川云：『時復思繹，浹洽於中，則說也。』這未說到行。知，自有知底學，自有知底習；行，自有行底學，自有行底習。如小兒寫字，知

得字合恁地寫，便是學；便須將心思量安排，這是習。待將筆去寫成幾箇字，這是行底學.；今日寫一紙，明日寫一紙，又明日寫一紙，這是行底習。人於知上不習，便要去行，如何得！.人於知上不習，非獨是知得不分曉，終不能有諸已。（賀孫）（448）

（15）問；「程子二說：一云『時復思繹』，是就知上習；『所學在我』，是就行上習否？」曰：「是如此。」（柄）（449）

（16）「浹洽」二字，宜子細看。凡於聖賢言語思量透徹，乃有所得。譬之浸物於水：水若未入，只是外面稍濕，裏面依前乾燥。必浸之久，則透內皆濕。程子言「時復思繹，浹洽於中，則說」，極有有深意。（先生令諸生同講「學而時習之，不亦說乎」。「須以近者譬得分曉乃可。如小子初授讀書，是學也。令讀百數十遍，是時習也。既熟，則不煩惱，覆背得，此便是說也。書字亦然。《或問》中云：「學是未知而求知底工夫，習是未能而求能底工夫。」以此推之，意可得矣。」《雜說》載魏帝「三三橫，兩兩縱，誰能辨之賜金鍾」之令。答者云：「吳人沒水自云工，屠兒割肉與稱同，伎兒擲繩在虛空」蓋有類三句。陳思王見三人答後，卻云：「臣解得是『習』字。」亦善謔矣。皆說習熟之意。先生然之。（過）（448-449）

（17）「學而時習之」，若伊川之說，則專在思索而無力行之功.；如上蔡之說，則專於力行而廢講究之義，似皆偏了。（道夫）（449）

（18）問：「程云：『習，重習也。時復思繹，浹洽於中，則說也。』看來只就義理處說。後添入上蔡『坐如尸』一段，此又就躬行處說，然後盡時習之意。」曰：『某備兩說，某意可見。兩段者各只說得一邊，尋繹義理與居處皆當習，可也。』後又問：「『，鳥數飛也』，如何是數飛之義？」曰：「此是《說文》「習」字從『羽』。《月令》：「鷹乃學習」只是飛來飛去也。」（寓）（449）

（19）問：「『學而時習之』，伊川說『習』字，就思上說；范氏游氏說，都就行上說。《集注》多用思意，而附謝氏『坐如尸，立如齊』一段，為習於行。據賀孫看，不思而行，則未必中道.思得慣熟了，卻行無不當者。」曰：「伊川意是說習於思。天下事若不先思，如何會行得！.說習於行

者，亦不是外於思。思與行亦不可分說。」（賀孫）（449）

（20）「坐如尸，立如齊。」學時是知得「坐如尸，立如齊」。及做時，坐常是如尸，立常是如齊，此是習之事也。（卓）（449）

（21）上蔡謂：「『坐如尸』，坐時習；『立如齊』，立時習。」只是攏侗說成一箇物，恁地習。以見立言最難。某謂，須坐常常照管教如尸，方始是習；立常常照管教如齊，方始是習。逐件中各有一箇習，若恁散說，便寬了。（淳）（450）

（22）「坐如尸，立如齊」，謝氏說得也疏率。這箇須是說坐時常如尸立常常如齊，便是。今謝氏卻只將這兩句來攏侗說了。不知這兩句裏面尚有多少事，逐件各有箇習在。立言便也是難。（義剛）（450）

（23）方叔弟問：「平居時習，而習中每覺有愧，何也？」曰：「如此，只是工夫不接續也。要習，須常令工夫接續則得。」又問尋求古人意思。曰：「某嘗謂學者須是信，又須不信。久之，卻自尋得箇可信底道理，則是真信也。」（大雅）。（450）

（24）「學而時習之」，須是自己時習，然後知心裏說處。（祖道）。說。（450）

（25）或問「不亦說乎」。曰：「不但只是學道有說處。今人學寫字，初間寫不好，到後來一旦寫得好時，豈不歡喜！又如人習射，初間都射不中，到後來射得中時，豈不歡喜！大抵學到說時，已是進一進了。只說後，便自住不得。且如人過險處，過不得，得人扶持將過。纔過得險處了，見一條平坦路，便自歡喜行將去矣。」（時舉）

（26）問：「《集注》謂『中心喜悅，其進自不能已』。曰：「所以欲諸公將文字熟讀，方始經心，方始謂之習。習是常常去習。今人所以或作或輟者，只緣是不曾到說處。若到說處，自住不得。看來夫子只用說『學而時習』一句，下面事自節節可見。」（明作）。（450）

三　有朋自遠方來，不亦樂乎？

（1）問：「『有朋自遠方來』，莫是為學之驗否？」曰：「不必以驗言。大抵朋友遠來，能相信從，吾既與他共知得這箇道理，自是樂也。」或問：「說與樂如何？」曰：「說是自家心裏喜說，人卻不知；樂則發散於外也。」（謨）。朋自遠方來。（451）

（2）鄭齊卿問「以善及人而信從者眾，故可樂」。曰：「舊嘗有『信從者眾，足以驗己之有得』。既己既有得，何待人之信從，始為可樂。須知己之有得，亦欲他人之皆得。然信從者但一二，亦未能愜吾之意。至於信之從之者眾，則豈可不樂！」又曰：「此段工夫專在時習上做。時習而至於說，則自不能已，後面工夫節節自有來。」（人傑）（451）

（3）問：「『以善及人而信從者眾』，是樂其善之可以及人乎，是樂其信從者眾乎？」曰：「樂其信從者眾也。大抵私小底人或有所見，則不肯告人，持以自多。君子存心廣大，己有所得，足以及人。若己能之，以教諸人，而人不能，是多少可悶！今既信從者自遠而至，其眾如是，安得不樂！」又云：「緊要在『學而時習之』，到說處自不能已。今人學而不能久，只是不到可說處。到學而不能自己，則久久自有此理。」（祖道）（451）

（4）問「以善及人而信從者眾」。曰：「須是自家有這善，方可及人；無這善，如何及得人。看聖人所言，多少寬大氣象！常人褊迫，但聞得些善言，寫得些文字，便自寶藏之，以為己物，皆他人所不得知者，成甚模樣！今不必說朋來遠方是以善及人。如自家寫得片文隻字而歸，人有求者，須當告之，此便是以善及人處。只是待他求方可告之，不可登門而告之。若登門而告之，是往教也，便不可如此。」（卓）（451）

（5）問：「『以善及人而信從者眾』。語初學，將自謀不暇，何以及得人？」曰：『謂如傳得師友些好說話好文字，歸與朋友，亦喚做及人。如有好說話，得好文字，緊緊藏在籠篋中，如何得及人。』（容）。（452）

（6）問：「『有朋自遠方來，』程先生云：『推己之善以及人。』有舜善與人同底意。」曰：「不必如此思量推廣添將去，且就此上看。此中學問，

大率病根在此，不特近時為然。自彪德美來已如此，蓋三十餘年矣。向來記得與他說《中庸》鬼神之事，也須要說此非功用之鬼神，乃妙用之鬼神，衰纏說去，更無了期。只是向高乘虛接渺說了。此正如看屋，不向屋裏看其間架如何，好惡如何，堂奧如何，只在外略一綽過，便說更有一箇好屋在，又說上面更有一重好屋在。又如喫飯，不喫在肚裏，卻向上家討一碗來比，下家討一碗來比，濟得甚事！且如讀書，直是將一般書子細沈潛去理會。有一看而不曉者，有再看而不曉者，其中亦有再看而可曉者。看得來多，不可曉者自可曉，果是不曉致疑，方問人。今來所問，皆是不曾子細看書，又不曾從頭至尾看，只是中間接起一句一自來備禮發問。此皆是應故事來問底，於己何益，將來何用。此最學者大病！」（謙）。（452）

（7）程氏云：「以善及人而信從者眾，故樂。」此說是。若楊氏云「與共講學」之類，皆不是。我既自未有善可及人，方資人相共講學，安得「有朋自遠方來」！（璘）（452）

（8）吳仁父問「非樂不足以語君子」。曰：「惟樂後，方能進這一步。不樂，則何以為君子。」時舉云：「說在己，樂有與眾共之之意。」曰：「要知只要所學者在我，故說。人只爭這一句。若果能悅，則樂與不慍，自可以次而進矣。」（時舉）（452）

（9）「說在心，樂主發散於外。」說是中心自喜說，樂便是說之發於外者。（僩）（說樂）（453）

（10）說是感於外面而發於中，樂則充於中而溢於外。（道夫）（453）

四 「人不知而不慍，不亦君子乎？」

（1）「人不知而不慍，不亦君子乎！」自是不相干涉，要他知做甚！自家為學之初，便是不要人知了，至此而後真能不要人知爾。若鍛鍊未能得十分如此成熟，心裏固有時被它動。及到這裏，方真箇能人不我知而不慍也。」（僩）（人不知不慍）（453）

（2）「人不知而不慍」。為善乃是自己當然事，與人何與。譬如喫飯，

乃是要得自家飽。我既在家中喫飯了，何必問外人知與不知。蓋與人初不相干也。（拱壽）。（453）

（3）問「人不知而不慍」曰：「今有一善，便欲人知；不知，則使有不樂之意。不特此也，人有善而人或不知之，初不干己事，而亦為之不平，況其不知己乎！此則不知不慍，所以為難。」（時舉）。（453）

（4）尹氏云：「學在己，知不知在人，何慍之有！」此等句極好。君子之心如一泓清水，更不起些微波。（人傑）。（453）

（5）問：「學者稍知為己，則人之知不知，自不相干。而《集注》何以言『不知不慍者逆而難』？曰：「人之待己，平平恁地過，亦不覺。若被人做箇全不足比數底人看待，心下便不甘，便是慍。慍非忿怒之謂。」（賀孫）。（453）

（6）或問「不亦樂乎」與「人不知而不慍」。曰：「樂公而慍私。君子有公共之樂，無私己之怨。」（時舉）。（樂，不慍）。（453）

（7）有朋自遠方來而樂者，天下之公也；人不知而慍者，一己之私也。以善及人而信從者眾，則樂；人不己知，則不慍。樂慍在物不在己，至公而不私也。(銖)（454）

（8）「《或問》謂朋來講習之樂為樂。」曰：「不似伊川說得大。蓋此箇道理天下所公共，我獨曉之，而人曉不得也自悶人。若『有朋自遠方來』，則信向者眾，故可樂。若以講習為樂，則此方有資於彼而後樂，則其為樂也小矣。這箇地位大故是高了。『人不知而不慍』，說得容易，只到那地位自是難。不慍，不是大故怒，但心裏略有些不平底意思便是慍了。此非得之深，養之厚者，不能如此。」（夔孫）（義剛錄同）。見訓揚。（454）

（9）聖賢言語平鋪地說在那裏。如夫子說「學而時習之」，自家是學何事，便須著時習。習之果能說否？「有朋自遠方來」，果能樂不樂？今人之學，所以求人知之。不見知，果能不慍否？（道夫）。總論。（454）

（10）問：「『學而時習之，不亦說乎！』到熟後，自然說否？」曰：「見得漸漸分曉，行得漸漸熟，便說。」又問：「『人不知而不慍』，此是所得深後，外物不足為輕重。學到此方始是成否？」曰：「此事極難。慍，非

勃然而怒之謂，只有些小不快活處便是。」正叔曰：「上蔡言，此一章是成德事。」曰：「習亦未是成德事。到『人不知而不慍』處，方是成德。」（文蔚）。（454）

（11）吳子常問『學而時習』一章。曰學只是要一箇習，習到熟後，自然喜說不能自已。今人學所以便住了，只是不曾習熟，不見得好。此一句卻係切己用功處，下句即因人矣。」又曰：「『以善及人而信從者眾。』善，不是自家獨有，人皆有之。我習而自得，未能及人，雖說未樂。」（銖）。（454）

（12）黃問：「〈學而〉首章是始、中、終之序否？」曰：「此章須看：如何是『學而時習之』，便『不亦說乎』！如何是『有朋自遠方來』，便『不亦樂乎』！如何是『人不知而不慍』，便『不亦君子乎』？裏面有許多意思曲折，如何只要將三字來包了！若然，則只消此三字，更不用許多話。向日君舉在三山請某人學中講說此，謂第一節是心與理一，第二節是己與人一，第三節是人與天一，以為奇論。可為作怪！」（淳）。黃錄詳，別出。（455）

（13）問：「〈學而〉首章，把作始、中、終之序看時，如何？」曰：「道理也是恁地，然也不消恁地說。而今且去看『學而時習之』是如何，『有朋自遠方來』是如何。若把始、中、終三箇字括了時便是了，更讀箇甚麼！公有一病，好去求奇。如適間說文字，只是他有這一長，故謚之以『文』，未見其他不好處。今公卻恁地去看。這一箇字，如何解包得許多意思？大概江西人好拗、人說臭，他須要說香。如告子不如孟子，若只恁地說時，便人與我一般。我須道，告子強似孟子。王介甫嘗作一篇〈兵論〉，在書院中硯下，是時他已參政。劉貢父見之，值客直入書院，見其文。遂言庶官見執政，不應直入其書院，且出。少頃廳上相見，問劉近作，劉遂將適間之文意換了言語答它。王大不樂，退而碎其紙。蓋有兩箇道此，則是我說不奇，故如此。」因言福州嘗有姓林者，解「學而時習」是心與理一，「有朋自遠方來」是己與人為一，「人不知而不慍」是人與天為一。君舉大奇之，這有甚好處！要是它們科舉之習未除，故說得如此。（義剛）（455）

（14）問：「橫渠解『學而時習之』云：『潛心於學，忽忽為他慮引去

者，此氣也。』震看得為他慮所引，必是意不誠，心不定，便如此。橫渠卻以為氣，如何？」曰：「人誰不要此心定。到不定時，也不奈何得。如人擔一重擔，盡力擔到前面，忽擔不去。緣何如此？只為力量不足。心之不定，只是合下無工夫。」曰：「所以不曾下得工夫，病痛在何處？」曰：「須是有所養。」曰：「所謂養者，『以直養』否？」曰：「未到『以直養』處，且『持其志無暴其氣』可也。若我不放縱此氣，自然心定。」震又云：「其初用力把捉此心時，未免難，不知用力久後自然熟否？」曰：「心是把捉人底，人如何去把捉得他！只是以義理養之，久而自熟。」（震）。（諸說）。（455-456）

（15）「范說云：『習在己而有得於內，朋友在人而有得於外。』恐此語未穩。」先生問：『如何？』卓云：「得雖在人，而得之者在我，又安有內外之別！」曰：「此說大段不是，正與告子義外之說一般。」（卓）。（456）

（16）再見，因呈所撰《論語精義備說》。觀二章畢，即曰：「大抵看聖賢語言，不須作課程。但平心和氣熟看，將來自有得處。今看老兄此書，只是揍成文字，元不求自得。且如『學而時習』一章，諸家說各有長處，亦有短處。如云：『鷹乃學習』之謂，與『時復思繹浹洽於中則說矣』，此程說最是的當處。如云『以善及人而信從者眾，故可樂』，此程說，正得夫子意。如云：『學在己，知不知在人』，尹子之言當矣。如游說『宜其令聞廣譽施其身，而人乃不知焉。是有命，「不知命無以為君子」』。此最是語病。果如此說，則是君子為人所不知，退而安之於命，付之無可奈何，卻如何見得真不慍處出來。且聖人之意儘有高遠處，轉窮究，轉有深義。今作就此書，則不遂復看《精義》矣。自此隔下了，見識止如此，上面一截道理更不復見矣。大抵看聖賢語言，須徐徐俟之，待其可疑而後疑之。如庖丁解牛，他只尋罅隙處，游刃以往，而眾理自解，芒刃亦不鈍。今一看文字，便就上百端生事，謂之起疑。且解牛而用斧鑿，鑿開成痕，所以刃屢鈍。如此，如何見得聖賢本意。且前輩講求非不熟，初學須是自處於無能，遵稟他前輩說話，漸見實處。今一看未見意趣，便爭手奪腳，近前爭說一分。以某觀之，今之作文者，但口不敢說耳，其意直是謂聖賢說有未至，他要說出聖賢一頭地。曾

不知於自己本無所益。鄉令老兄虛心平氣看聖人語言，不意今如此支離！大抵中年以後為學，且須愛惜精神。如某在官所，亦不敢屑屑留情細物者，正恐耗了精神，忽有大事來，則無以待之。」（大雅）。（456-457）

（17）問「學而」一章。曰：「看《精義》，須看諸先生說『學』字，誰說得好；『說』字，誰說得好，須恁地看。」林擴之問；「多把『習』字作『行』字說，如何？」曰；「看古人說『學』字、『習』字，大意只是講習，亦不必須是行。」榦問；「謝氏、游氏說『習』字，似分曉。」曰；「據正文意，只是講習。游謝說乃推廣『習』字，畢竟也在裏面。游氏說得雖好，取正文便較迂曲些。」問：「伊川解『不亦說』作『說在心』，范氏作『說自外至』，似相反。」曰：「這在人自忖度。」榦曰：「既是『思繹浹洽於中』，則說必是在內。」曰：「范氏這一句較疏。說自是在心，說便如暗歡喜相似。樂便是箇發越通暢底氣象。」問：「范氏下面『樂由中出』與伊川『發散在外』之說卻同。」曰：「然。」問：「范氏以『不亦說乎』作『比於說，猶未正夫說』，如何？」曰：「不必如此說。」問：「范氏游氏皆以『人不知而不慍，不亦君子乎』，作『不知命無以為君子乎』。如何？」曰：「此也是小可事，也未說到命處。為學之意，本不欲人知。『學在己，知不知在人，何慍之有』！」問：「謝氏『知我者希』之說如何？」曰：「此《老子》語也。亦不必如此說。」（榦）（457）

（18）蕭定夫說：「胡致堂云：『學者何？仁也。』曰：「『學』字本是無定底字，若止云仁，則漸入無形體去了。所謂『學』者，每事皆當學，便實。如上蔡所謂「坐如尸」，坐時習也；「立如齊」，立時習也，」以此推之，方是學。某到此，見學者都無南軒鄉來所說一字，幾乎斷絕了！蓋緣學者都好高，說空，說悟。」定夫又云：「南軒云：『致堂之說未的確。』曰：「便是南軒主胡幼峰而抑致堂。某以為不必如此，致堂亦自有好處。凡事，好中有不好，不好中又有好。沙中有金。玉中有石，要自家辨得始得。」（震）。（458）

（19）「致堂謂『學所以求仁也』。仁是無頭面底，若將『學』字來解求仁，則可；若以求仁解『學』字，又沒理會了。」直卿云：「若如此說，一

部《論語》，只將『求仁』二字說便了也。」先生又曰：「南軒只說五峰說底是，致堂說底皆不是，安可如此！致堂多有說得好處，或有文定五峰說不到處。」（蓋卿）。（458）

從〈武王踐阼〉論周初敬德明德之本

結合簡本與相關傳世文獻之討論*

林素英

國立臺灣師範大學國文系教授

提要

　　武王即位，請教太師尚父萬世可行之常道，遂鑄銘十七章（蔡邕以為十八章）以自警，語在〈武王踐阼〉。上博（七）亦有一篇原無篇題，內容卻極為相近之簡文，整理者因以〈武王踐阼〉名篇。簡文之出現，非僅為今本補充一些新資料，且可相對說明主體思想存在之時間，也能訂正一些今本之舛誤現象。更重要的，則是透過今本與出土文獻記載武王問道修德之事，可以體會周初如何效法先王之道，以成就子孫萬世可以恆久流傳之大道。由於周初極其強調明德敬德為王者施政之本，然追溯其源，則與武王踐阼之問道應該有關，故本文擬結合《書》、《逸周書》以及《詩》之相關記載，深入〈武王踐阼〉之內容，以觀周初王道之本。

關鍵詞：武王伐紂　武王踐阼　敬德明德　今本／簡本　尚書　逸周書　詩經

---

* 本文為 MOST103-2410-H-003- 064-MY2部分研究成果，初稿宣讀於二○一五年四月十一日-十二日明道大學與中研院文哲所共同主辦之「第九屆中國經學國際學術研討會」，修訂後，宣讀於二○一五年十月十六日-十七日香港大學中文學院主辦，香港中文大學歷史系中國歷史研究中心協辦之「出土文獻與先秦經史國際學術研討會」。二○一六年六月刊登於廣西師範大學出版社 CSSCI《中國經學》第十八輯，頁93-110。在此一併致謝！

一 前言：簡本對傳世本的貢獻

今本〈武王踐阼〉為《大戴禮記》中的一篇，與《禮記》之性質相同，乃戴德、戴聖講論《禮經》時各自選取相關古禮《記》之補充教材。然而由於成書晚，歷來懷疑其後出者多，以致其內容能否代表先秦文獻，學界不乏採取保留態度者，影響其應有的學術價值。不過在上海博物館收藏的楚竹書公布後，內含一篇與今本〈武王踐阼〉極為相近之簡文，遂將其命名為〈武王踐阼〉，經過科學鑑定，[1]約當戰國中晚期至漢初期間。再考量抄寫文字之狀況，則可確定為戰國中晚期楚文字，且完成抄錄時間約在西元前三百二十二年－兩百七十八年間。[2]由於簡本〈武王踐阼〉與傳世本之高度近似，雖有一些傳鈔異文之情形，仍可確定今本內容的寫定至遲也應在與簡本相近之時間，且因完成抄錄時間之下限可以確定，故而可向前回溯其底本資 料更應再向前推移一段時期，以滿足對同一事件之不同記錄以及多方流傳之現象，因此該資料屬於先秦文獻已毫無疑義。若將簡本與今本兩相對照，亦可作為補充或糾正今本訛誤之用，此可謂簡本對今本最明顯的重要貢獻之一。

至於〈武王踐阼〉內容之問題，乃武王詢問師尚父有關黃帝、顓頊、堯、舜之道存乎，而師尚父告之以丹書，武王遂鑄之銘器以自戒之事。由於研究《大戴禮記》者不多，雖有王應麟蒐集歷來相關說法而成《踐阼篇集解》，然篇幅有限。[3]從其所載，說明在宋代疑經風潮極盛之時期，對〈武王

---

1 濮茅左：〈上博楚簡的實驗室保護處理〉，參見武漢大學簡帛研究網，乃二〇〇七年十二月三日濮茅左在日本大東文化大學所作「上海博物館楚竹書概述」之報告內容之一。該報告指出：中國科學院上海原子核研究所又採用超靈敏小型迴旋加速器質譜計作竹簡年代測定，報告竹簡年代距今：2257±65年。

2 其詳參見趙宇衍：《《上博楚簡·武王踐阼》研究》（高雄市：國立中山大學中文所碩士論文，2010年），頁38。

3 〔元〕脫脫：《宋史》，卷202，〈藝文志〉雖著錄王應麟《踐阼篇集解》一冊，然而經查其收載王氏所編《玉海》合璧本（臺北市：大化書局，不著年月），即使該冊名為「集解」，對該篇內容之疏解篇幅仍極為有限，僅有頁4347-4352，所論不及三十條，所引錄最多者為北周為《大戴禮記》作注之盧氏，兩處兼採孔氏《禮記正義》之相關

踐阼〉採取之態度還是相信、肯定的，不過該內容能否代表武王時期的實錄，受到疑古派之影響而多有疑義。簡本〈武王踐阼〉問世後，廖名春主要以包含中山王鼎在內的「平山三器」銘文，都反復引用春秋前儒家經典之現象，認為〈武王踐阼〉有可能是西周史官所作。[4]相對於此，何有祖則認為從文體以及時代背景而言，此篇武王與師尚父的對話模式，與後世文獻所載「金人銘」在名稱與問答方式上頗為相似，馬王堆漢墓中的《黃帝書》、《十問》、《合陰陽》以及上博楚簡的《彭祖》等文本也多採用此手法，都先在文章開始先戴上武王與師尚父對話的帽子，因此主張托古傳文的跡象比較明顯。〈武王踐阼〉是否為西周史官之實錄，的確缺乏確切證據，然而對照今本與簡本，則可證實全篇主體乃由一組箴銘整合而成，其成篇大致在春秋中葉之後，戰國中期後段之前，該篇所收錄之楹銘，曾先後被《說苑》〈敬慎〉、《孔子家語》〈觀周〉收入，並各自有所改造。[5]雖然無法完全確認〈武王踐阼〉內容所屬之年代，然而成篇之年代已更為清晰，故而此也是簡本對今本的重要貢獻之二。

簡本〈武王踐阼〉共有十五簡，自第一簡至第十簡，第十一簡至第十五簡，簡文均可連讀，唯第十簡與第十一簡之間有缺失。針對此種狀況，復旦大學出土文獻與古文字研究中心研究生讀書會，認為可將其區分為甲乙兩本。由於此兩個版本都以楚文字抄錄，然而對姜太公（呂望，字尚，謚而稱尚父。）同一人之稱呼，卻有甲本稱師尚父，而乙本稱太公望之別，則值得進一步考慮。劉秋瑞在復旦讀書會的結論上，再就用字、稱呼、敘述風格以及形制等方面，論述兩個版本之差異，並引劉信芳之說法，認為甲本出自齊國（周之舊邦）之稱呼，乙本則因楚國與周之關係較疏遠，故直呼其名，以

紀錄，其餘引錄較多者為宋代學者之說法，依出現頻率多寡，分別是真氏十二條、朱氏十一條，其餘零星可見者，則有黃氏、程氏、呂氏、洪氏之說。

4　其詳參見廖名春：《新出楚簡式論》（臺北市：台灣古籍，2001年），頁267-270。

5　其詳參見何有祖：〈上博簡《武王踐阼》初讀〉，武漢大學簡帛研究中心（http://www.bsm.org.cn），2007年12月4日。

解釋二者之差異。[6]對照簡本兩個版本以及今本，正好說明由於一事多記，導致各段記載有所重複，也有所不同的事實。此一現象也可反映二戴《禮記》各自選取相關古文《記》，以為彼此補充教材之事實。由於戴德為博士官，因而就全篇之整體組織而言，今本無疑是較為完整的，但是因為時代湮遠以及錯簡殘編，今本自然也有訛誤之處，如今多有簡本可供對照，自然可綜合新材料而得到一些補正。綜合此三種版本所載內容看來，或許可說明武王初即位時殷切盼望政治上軌道之決心，乃眾所皆知，且廣為流傳之佳話，因而不但在以姜尚為始封君的齊國學者有所記錄，即使是後來興起的南方楚國學者對此問題也相當關心。至於戴德，則有鑑於武王伐紂之史事，對於說明歷史興衰更迭有極高的戒鑑性，以致綜合古禮記文之相關段落以成此〈武王踐阼〉。如今地不愛寶，增加兩種〈武王踐阼〉之紀錄，使今之學者得以比併觀之而見其詳，亦堪稱是簡本對今本的重要貢獻之三。

然而簡本〈武王踐阼〉對今本的重要貢獻是否僅止於上述三項？儘管要證明該篇為西周史官所作之實錄，或許缺乏積極證據，不過這也牽涉到對「實錄」條件之認定，若堅持一字一句皆應出自西周史官所錄而無誤，則此篇自然很難以「實錄」稱之，然而亦應考慮先秦諸子之說，亦非字字成於諸子自錄，而無礙於諸子之所有權。甚且只要考量武王伐紂，雖在七天內取得殷商王城朝歌，然而環顧四周，殷商仍有龐大武力，武王無論如何都會惴惴難安的，因而在踐阼之際，力求自我精進，又應是自然，而難以說明其必為後代托古之說。基於此篇內容所代表之時代、思想多有深入探討之空間，故而本文擬從武王即位多年始伐紂成功之經過，論述〈武王踐阼〉彰顯周初人文精神之可能，再以該篇所呈現的敬德明德精神，與《書》、《逸周書》、《詩》之相關篇章驗證，最後則可與徐復觀所稱周初人文理性覺醒的說法合觀。

6　其詳參見復旦大學出土文獻與古文字研究中心研究生讀書會（劉嬌執筆）：《〈上博七·武王踐阼〉校讀》，復旦大學出土文獻與古文字研究中心網站，2008年12月31日。劉秋瑞：〈再論《武王踐阼》是兩個版本〉，復旦大學出土文獻與古文字研究中心網站，2009年1月8日。

二 從武王伐紂論述〈武王踐阼〉彰顯周初人文精神之可能

　　史上多稱「文王受命，武王成命」，可概括說明武王伐紂成功，乃經歷極漫長之過程，[7]然於受命九年而薨。姬昌崩薨，太子發繼立。〈周本紀〉記載：「武王即位，太公望為師，周公旦為輔，召公、畢公之徒左右王，師修文王緒業。九年，武王上祭于畢。東觀兵，至于盟津。為文王木主，載以車，中軍。武王自稱太子發，言奉文王以伐，不敢自專。」杜正勝認為武王伐紂之年，應該根據《尚書》之說法，以文王受命為紀年之準，而非武王即位後之紀年，因此認可張守節「文王受命九年而崩，十一年武王服闋，觀兵孟津，十三年克紂。」的總結，是比較合乎文獻所載的。[8]

　　根據〈周本紀〉記載，武王遵文王遺志，會聚「戎車三百乘，虎賁三千人，甲士四萬五千人」之勢力以東伐紂，牧野誓師，諸侯兵會已達車四千乘。然而「帝紂聞武王來，亦發兵七十萬人距武王。武王使師尚父與百夫致師，以大卒馳帝紂師。紂師雖眾，皆無戰之心，心欲武王亟入。紂師皆倒兵以戰，以開武王。武王馳之，紂兵皆崩畔紂。」[9]可見商周兩軍陣營之規模龐大，然比數相當懸殊。〈大明〉亦記載這場戰役戰況空前，「牧野洋洋，檀車煌煌，駟騵彭彭。維師尚父，時維鷹揚；涼彼武王，肆伐大商，會朝清

7　〔漢〕司馬遷著，瀧川龜太郎會注考證：《史記》〈周本紀〉，《史記會注考證》（臺北市：洪氏出版社，1977年），頁65-68亦載：「古公乃貶戎狄之俗，而營筑城郭室屋，而邑別居之。作五官有司。民皆歌樂之，頌其德。……古公卒，季歷立，是為公季。公季修古公遺道，篤於行義，諸侯順之。……公季卒，子昌立，是為西伯。西伯曰文王，遵后稷、公劉之業，則古公、公季之法，篤仁，敬老，慈少，禮下賢者，日中不暇食以待士，士以此多歸之。……諸侯聞之，曰「西伯蓋受命之君」。……西伯崩，太子發立，是為武王。西伯蓋即位五十年。……詩人道西伯，蓋受命之年稱王而斷虞芮之訟。後十年而崩，謚為文王。改法度，制正朔矣。追尊古公為太王，公季為王季：蓋王瑞自太王興。」

8　其詳參見杜正勝：《古代社會與國家》（臺北市：允晨出版社，1992年），頁315。

9　其詳參見〔漢〕司馬遷著，瀧川龜太郎會注考證：《史記》〈周本紀〉，《史記會注考證》（臺北市：洪氏出版社，1977年），頁69-70。

明。」[10]不但特別突出師尚父之英勇雄姿,更以「會朝清明」收束全詩,留給後人許多解讀之空間,[11]此或許也與暗示這場戰役成功,與師尚父之戰略運用、戰線規劃、武力配置有決定性之關係。尤其對照《論衡》〈卜筮〉記載周武王伐紂,「卜筮之,逆,占曰:『大凶。』太公推蓍蹈龜而曰:『枯骨死草,何知而凶?』」[12]太公之說對於穩定軍心具有重要影響,且對照《國語》〈周語下〉記載「昔武王伐殷,歲在鶉火,月在天駟,日在析木之津,辰在斗柄,星在天黿。」韋昭注:「歲星在鶉火。鶉火,周分野也。歲星所在,利以伐之也。」[13]因此在周公執意維持原計畫下,不顧出兵時的惡劣天氣,在最後決戰時,天空竟大放清明,所以戰情雖激烈,但因為紂師倒戈助戰,武王遂在商紂自殺後,取得王城朝歌。如此以小勝大的戰果,周人雖然高興,卻不張狂,因為這是君臣積數十年努力的結果,且此時朝歌外的殷商勢力仍然強大無比,無法稍有鬆懈。

若從武王於西伯崩薨後即位,不過仍以太子發自稱,而專修文王未竟天命之緒業來看,即使伐紂,亦載文王之木主而行,說明不敢自專,乃奉文王之命以伐,則其戒慎恐懼,深恐有負王父使命之意,早已溢於言表。因此有關武王伐紂之年,文獻記載雖有差異,其實〈武王踐阼〉所載武王「踐阼」所踐之「阼」,究竟是西伯之「阼」?抑或必須等待伐紂成功,代殷而有天下之「天子阼」?二者並不相同。孰是孰非?恐也有文獻不足徵之疑慮。

根據《踐阼篇集解》所錄,在「武王踐阼三日」句下,諸家之疏解有:

---

10 《詩》〈大雅〉〈大明〉,見於〔漢〕毛亨傳,鄭玄箋,〔唐〕孔穎達等正義:《毛詩注疏》,收入《十三經注疏(附〔清〕阮元《校勘記》)》(臺北市:藝文印書館,1985年),頁543-544。

11 其詳參見季旭昇:《詩經古義新證‧《大雅‧大明》「會朝清明」古義新證》(北京市:學苑出版社,2001年),頁94-109。

12 〔漢〕王充:〈卜筮〉,《論衡》卷24,收入《四部備要》(臺北市:中華書局,1970年),子部,葉8。

13 舊題〔周〕左丘明撰,上海師範大學古籍整理組校點:〈周語下〉,《國語》(臺北市:里仁書局,1981年),頁138-140。

> 盧氏曰：既王之後。
>
> 《皇極經世》：己卯，周武王伐商，敗之于牧野，還歸在豐，踐天子位。(《通鑑外紀》：武王元年己卯。)
>
> 呂氏曰：踐，履也。阼，東階也。
>
> 真氏曰：阼者，君之階，故人君即位謂之踐阼。[14]

盧氏的「既王之後」，隱約指克商之後，而《皇極經世》之說法，則明指此事發生在武王克商成功後之踐天子位。然而由於大夫以上有采邑者皆可統稱為「君」，[15]因此真氏所謂的「人君即位」，嚴格言之，並無法確指其所踐之位是「西伯」之君位，抑或是天子之位（然而參照其稍後所說，則較偏向指稱克商後之即位。）不過，《竹書紀年》卻在記錄「西伯昌薨」之後，又有「西伯發受丹書于呂尚」，顯然將此「踐阼」視為文王既薨而克商未至前之事。前後兩說，顯然各有文獻所據，至於真相為何，其實已因文獻不足而難以論斷。

倘若〈武王踐阼〉所載事件發生之時間，在文王姬昌始崩薨之際，則姬發自我警惕奮勉，以期早日完成上帝交付文王之未竟使命，更是念之在茲，一刻不可忘懷的。換言之，姬發在關懷商周局勢以及所有天下大勢發展之外，更賦有一份人子欲完成先父遺志以盡孝之承擔，所謂「父在，觀其志；父沒，觀其行；三年無改於父之道，可謂孝矣。」[16]正是姬發日思夜想所亟於實現的，而與篇中在承受丹書之後，即刻銘以自儆之情況相呼應。當然，即使文意相符，也無法斷然排除該銘文乃後人據「受丹書」之文，再鋪陳衍生以為文之可能，故而言「實錄」自然會有「爭議」。然而若考慮古代典籍

---

14 〔宋〕王應麟：《踐阼篇集解》，收錄於氏編：《玉海》合璧本（臺北市：大化書局，不著年月），冊8，頁4347。

15 《儀禮》〈喪服〉，將為父服喪列在斬衰之首位，然後才依次是諸侯為天子、君。在「君」之下，緊接著《傳》曰：「君，至尊也。」鄭玄《注》曰：「天子、諸侯及卿大夫有地者，皆曰君。」

16 《論語》〈學而〉，見於〔魏〕何晏注，〔宋〕邢昺疏：《論語注疏》，收入《十三經注疏（附〔清〕阮元《校勘記》）》（臺北市：藝文印書館，1985年），頁8。

即使成篇較晚，也多有可能皆有所據，只是當時未曾記錄出處而已，因而即使是後代追記，也可以是記實之言，而不必定然為偽托的不實之言。倘若此「踐阼」為伐紂成功之後，則時值王朝更迭、新舊交替之際，姬發既已為天子，更應憂懷天下事，亦不可因已得位而稍有鬆懈，因此思求黃帝等聖主明君的治國之道，且刻銘以示決心，也是天下明王所當行者。因此，無論是前後哪一種情況，皆無礙於姬發繼承自文王演《易》，而銘刻於心的憂患意識，希望能朝朝夕夕永保自我警戒惕勵之心志，因此為銘於周遭視線所及之處，非僅用以自儆，更藉此垂戒後世子孫，都相當合理。如此自戒自儆，且永垂後世子孫戒鑑者，從周初文獻隨處可得印證，因而可以代表周初人文精神之表徵。此從《踐阼篇集解》之紀錄已可窺知一二：

> 黃氏曰：此書，世人罕有知者。東坡先生授余，因曰：自典、謨、訓、誥之後，維此書可以繼之。
>
> 朱氏曰：武王踐阼之初，受師尚父丹書之戒，退而於其几、席、觴、豆、刀、劍、戶、牖……，莫不銘焉。今其遺語，尚幸頗見於禮書。願治之君、志學之士，皆不可以莫之考也。[17]

《尚書》，乃上古之書，包含唐虞、夏、商、周四代之書，若依體式區分，則可大別為典、謨、訓、誥、誓、命六體。東坡將〈武王踐阼〉類比《尚書》六體中的前四體，蓋因此四體之性質，與〈武王踐阼〉之內容最為相似。其中，典、謨之性質，皆屬聖王賢臣談論嘉謀善政，可永為後世楷模者。至於訓與誥，或為說順其理而教人改過遷善，或為在上位者告誡屬下，都寓有儆戒、勸勉之意。由此可見在疑經風氣已起的北宋，蘇東坡以及黃庭堅都能盛讚〈武王踐阼〉之重要，將其與典、謨、訓、誥相提並論，並不拘泥於虞書、夏書、商書、周書四代之別，可見治國之常典與常道，可以跨越朝代而具有恆久性，其關鍵所在，僅在於有德、積德，或者失德、敗德之區

---

17 〔宋〕王應麟：《踐阼篇集解》，《玉海》合璧本（臺北市：大化書局，不著年月），冊8，頁4347。

別而已。故而即使在改經狀況頗為盛行之南宋，且朱熹本身即為疑經改經的重要實踐者之一，但是朱熹非僅未提〈武王踐阼〉著作以及成書年代可疑之問題，還特別珍惜倖存於禮書之遺語，[18] 看重其內容所代表之正向意義，且特別呼籲「願治之君、志學之士」不能不多加深思，確實已把握該文獻的可貴之處。因此縱令該篇為春秋戰國時期托古傳文之作，亦應主從其思想內容思考，若能與周初文獻相印證，則將其視為周初人文精神之表徵，亦應與事實相去不遠。

三　〈武王踐阼〉之德可與周初文獻相驗證

　　武王伐紂成功的原因當然有很多，不過孟子的意見雖不盡周延，卻已概括相當重要的條件，他認為「桀紂之失天下也，失其民也。失其民者，失其心也。得天下有道：得其民斯得天下矣。得其民有道，得其心斯得民矣。」[19] 得天下民心之關鍵，固然在德之盛衰消長，能積德、累德者得天下民心，更需判斷德行之本末先後，始可本末兼顧而發展茁壯。西伯昌自從得呂尚以為師，並非專致其力於用武取強之道，而是仍以尊仁、崇德、尚義為本。揆諸《六韜》之內容，依次為文韜、武韜、龍韜、虎韜、豹韜、犬韜，乃立足於大道之根本，以觀天下萬事萬物，故能依循天道，以仁德尚義為本，而戰略運用以及戰陣布局則為濟本之末，務必使本末先後皆各有其理序。透過呂尚應答西伯昌之一席話，不但使其馬上成為文王師，且其原理原則亦融入周王

---

18 今本〈武王踐阼〉著錄武王銘十七章，而《踐阼篇集解》，頁四三四九引蔡邕以為十八章，其《銘論》曰：「武王踐阼，咨于太師，作席、几、楹、杖、器、械之銘十有八章。」而簡本顯示兩種版本，在第十簡與十一簡間代表不同版本之間隙有缺失，也合乎《踐阼篇集解》，頁四三五一引朱氏所言：「此本《大戴禮》，然多闕衍舛誤，姑存其舊。」過去，學者曾有人懷疑今本「予一人所聞，以戒後世子孫」之結束語為後人所加，但無證據。如今簡本在第十五簡末「丹書之言有之」下有墨鉤，代表結束語，與今本不同，或可坐實前人所疑值得考慮，但也可能另有所本。

19 《孟子》〈離婁上〉，見於〔漢〕趙岐注，〔宋〕孫奭疏：《孟子注疏》，收入《十三經注疏（附〔清〕阮元《校勘記》）》（臺北市：藝文印書館，1985年），頁132。

朝之治政理念當中，其言云：

> 天下非一人之天下，乃天下之天下也。同天下之利者，則得天下；擅
> 天下之利者，則失天下。天有時，地有財，能與人共之者，仁也；仁
> 之所在，天下歸之。免人之死，解人之難，濟人之急者，德也；德之
> 所在，天下歸之。與人同憂同樂、同好同惡者，義也；義之所在，天
> 下赴之。凡人惡死而樂生，好德而歸利，能生利者，道也；道之所
> 在，天下歸之。[20]

西伯昌以呂尚為師後，先有五星聚於房之異常天象，隨後又有赤鳥集於周社
之佳兆，於是在獲得專征伐之權後，先後伐密須、取耆與邢、伐崇與昆夷，
史稱「三分天下有其二」。[21]西伯昌薨後，呂尚繼續輔佐西伯發伐黎、伐
殷，功業彪炳，《漢書》〈藝文志〉中著錄：「《太公》二百三十七篇。《謀》
八十一篇。《兵》八十五篇。」[22]同列入道家類之一家。雖其確實內容已難
得其詳，不過可以確定的，則是今本《六韜》中的《文韜》〈明傳〉載有一
段文王寢疾之時，詢問可以明傳子孫的至道之言，而太公曰：

> 見善而怠，時至而疑，知非而處，此三者，道之所止也。柔而靜，恭
> 而敬，強而弱，忍而剛，此四者，道之所起也。故義勝欲則昌，欲勝
> 義則亡，敬勝怠則吉，怠勝敬則滅。[23]

其中「義勝欲則昌，欲勝義則亡，敬勝怠則吉，怠勝敬則滅。」與《大戴禮

---

20 舊題〔周〕呂尚：《六韜》〈文韜〉〈文師〉，收入《百子全書》（長沙市：岳麓書社，
　　1993年），冊2，頁1086-1087。

21 《論語》〈泰伯〉，見於〔魏〕何晏注，〔宋〕邢昺疏：《論語注疏》，收入《十三經注疏
　　（附〔清〕阮元《校勘記》）》（臺北市：藝文印書館，1985年），頁72-73：孔子曰：
　　「三分天下有其二，以服事殷。周之德，可謂至德也已矣。」

22 〔漢〕班固，〔唐〕顏師古注：〈藝文志〉，《漢書》（北京市：中華書局，1962年），頁
　　1729。

23 〔周〕呂尚：《六韜》〈文韜〉〈文師〉，收入《百子全書》（長沙市：岳麓書社，1993
　　年），冊2，頁1088。

記》〈武王踐阼〉之「敬勝怠者吉，怠勝敬者滅，義勝欲者昌，欲勝義者
亡。」以及簡本「怠勝敬則喪，義勝怠則長。義勝欲則從，欲勝義則兇。」
僅在排列順序有別，而意義則相同。不過此三種版本中，又應以《大戴》本
之語義較易理解。歸納此三種版本這幾句重複出現的話，其實正是〈武王踐
阼〉全篇之宗旨。〈武王踐阼〉尚且在此關鍵句之後，再接續「凡事不彊則
枉，弗敬則不正，枉者滅廢，敬者萬世。」共同構成丹書之內容，又顯然可
見在敬與義二德中，丹書認為應當以敬為根本。因此師尚父遂明告武王：
「藏之約，行之行，可以為子孫恆者，此言之謂也。」甚且在此之後，再以
「以仁得之，以仁守之，其量（簡本此字皆作作『運』）百世；以不仁得
之，以仁守之，其量十世；以不仁得之，以不仁守之，必及其世。」為補充
說明，則訓勉警惕以行仁之義相當明確。因為所謂仁者，乃是能以恭敬之心
沉潛於中，然後又能躬行實踐合於義德之行為者。如此居敬以行義之道理，
真德秀言之甚詳，其文曰：

> 武王之始克商也，訪洪範於箕子；其始踐阼也，又訪丹書於太公，可
> 謂急於問道者矣。而太公望所告，不出敬與義之二言。蓋敬則萬善俱
> 立，怠則萬善俱廢；義則理為之主，欲則物為之主，吉凶存亡之所由
> 分。上古聖人已致謹於此矣。武王聞之，惕若戒懼，而銘之器物以自
> 警焉，蓋恐斯須不存，而怠與欲得乘其隙也。其後孔子贊《易》，於
> 〈坤〉之六二曰：「敬以直內，義以方外。」先儒釋之曰：「敬立而內
> 直，義形而外方。」蓋敬則此心無私邪之累，內之所以直也；義則事
> 事物物各當其分，外之所以方也。自黃帝而武王，自武王而孔子，其
> 皆一道與！[24]

從真氏將武王訪箕子問治國大法與其問萬世可傳之道於太公兩相對照，一來
因為時間接近（無論是姬發踐西伯之阼或天子之阼皆相近），再來，則其義

---

24 〔宋〕王應麟：《踐阼篇集解》，《玉海》合璧本（臺北市：大化書局，不著年月），冊
8，頁4348。

理亦相近，都旨在強調敬與義二德之發用，乃為政者立身施政之大本。由於敬與義二德之實踐，都應落實於日常生活的大小瑣事中，因而武王聞丹書之言以及師尚父之補充說明後，感覺戒慎恐懼，遂退而刻銘，於席之四端，於机，於鑑，於盥盤，於楹，於杖，於帶，於履屨，於觴豆，於戶，於牖，於劍，於弓，於矛等處，皆各有其銘，以達觸目所見，皆有可供自戒、自儆以自勉之銘文，庶幾可以時時警惕自己內存其敬，而義形於外，俾可達到以仁守之，國祚長運之境地。故而《太公金匱》有「武王曰：『吾欲造起居之誡，隨之以身。』」之紀錄，《鄧析子》也有「武有戒慎之銘。」[25]之紀錄，二者都以戒慎恭敬行德為主旨。不過可能因為刻銘之處有些瑣屑，導致各本所載互有出入、殘缺之狀況。

由上可見真氏以「敬以直內，義以方外」之言，乃源自孔子之〈坤〉〈文言〉。不過縱令其將〈文言傳〉之首發權歸於孔子，然而孔子已是春秋晚期之人，因而仍不宜貿然將「自黃帝而武王，自武王而孔子」之道，因為「一以貫之」之故，即認為周初思想亦必然如此，而須找到足以代表周初思想之文獻相對驗，方可確定〈文言傳〉乃前有所承而再行演繹發展者。檢視古代典籍中，保存周初思想最多的，應屬《書》、《詩》以及部分《逸周書》之材料，若是周初典籍已有相當明顯強調敬與義二德之記載，則〈文言傳〉所載，即可視為概括前說的文飾之言：

（一）《書》中所表現的周初精神

〈洪範〉是否果真為上天賜予禹的治國安民大法，並不重要，重要的是箕子對武王所陳的治國大道，的確可與〈武王踐阼〉所強調應躬行實踐敬與義之德相當接近。該篇提出九大治國要道：首言五行，注重水、火、木、金、土的存在特性。其次，敬用五事，注重貌、言、視、聽、思的運用官

---

25 此兩則紀錄皆見於〔宋〕王應麟：《踐阼篇集解》，《玉海》合璧本（臺北市：大化書局，不著年月），冊8，頁4351引。

能。其三，農用八政，注重食、貨、祀、司空、司徒、司寇、賓、師體國經野的八大要政。其四，協用五紀，注重歲、月、日、星辰、曆數，以敬授民時。其五，建用皇極，注重無偏無黨，作民父母，為天下王的治國君民大原則。其六，乂用三德，注重平康正直、沉潛剛克、高明柔克的三種重要德性修養。其七，明用稽疑，注重謀及乃心、卿士、庶人、龜、筮五種決疑的方式。其八，念用庶徵，注意雨、暘、燠、寒、風五種天候狀況之變化，善用肅、乂、哲、謀、聖五種美善徵兆，避免狂、僭、豫、急、蒙五種不良徵兆。其九，五福六極，注重行善則可得到壽、富、康寧、攸好德、考終命之五種福佑；行不善，則將得到凶短折、疾、憂、貧、惡、弱之六種禍殃。[26]

綜括〈洪範〉之內容，其首之五行，乃明察天地萬物自然之性，理解各順其性而成長之道，以為萬民生活日用之本。然而欲使民生日用之本得以永續發展，則有賴在位者率先為民榜樣，以恭敬之態度表現在日常行事之要求：容貌要莊重恭敬，言論要合理可從，觀察要清楚明確，聽聞應深入其幽隱之義以便於謀慮，思考應通達深遂以求聖明，善用各種官能，使能動而得其義，建立行政能力。待確立前兩項之基本行政能力後，則以「農用八政」與「協用五紀」之政務措施，具體實踐治國之要道：設立觀象授時之專門人員，制定準確之曆法，以掌握大化流行之規則，而提高四時作物之生長，照顧百姓之生活。建立農業、財貨、祭祀、地政、教育、刑法、禮賓、軍旅八大政事之主管機構，且使各級官員都能以恭敬之態度認真推動各項政策。當妥為設立體國經野的八大要政後，則是強調君主治國的最高原則，應以無偏無黨、平康正直之恭敬心為脊梁，以建用皇極，並以正直不阿為做人處世之根本原則，配合沉潛剛克、高明柔克彼此互補、相互成全之德性，作為輔助施政之雙翼，善用自己貌、言、視、聽、思的五種官能，知人善任，選拔並重用天下賢才，以協助自己行王道於天下。在具體的八大政事之外，還應建立卜筮機制，以輔助解決疑難問題。不過解決疑難之道，首先仍應先返回虔

---

26 其詳參見《尚書》〈周書〉〈洪範〉，見於舊題〔漢〕孔安國傳，〔唐〕孔穎達等正義：《尚書正義》，收入《十三經注疏（附〔清〕阮元《校勘記》）》（臺北市：藝文印書館，1985年），頁167-179。

誠恭敬之心，再徵詢臣民之意見，卜筮僅為輔助之用。能如此內存誠敬之結果，則不僅能外彰仁義，且常能得到福佑而免於禍殃。此外，還應善於未雨綢繆，懂得因應自然天候之轉化，詳察隱微之變，掌握各種美好的徵兆，而預防不良的徵兆發生，始能引導百姓獲得五福而遠離六凶。故知〈洪範〉九疇所言，仍然以君主之居敬行義以成敬德、明德為核心思想，與〈武王踐阼〉可以相互發揮其義。

商紂雖亡，但武王仍無法完全掌控殷商的舊勢力，再加上不久即病逝，而管蔡又與武庚聯合叛變，即使周公東征長達三年，也尚未能完全掌握東土，因而當時周之君臣上下朝夕惕勵、戒慎恐懼之狀態可想而知。杜正勝認為透過金文等史料，都可說明即使在號稱刑措四十餘年的成康盛世，周人仍然還在不斷東進。其東進路線，則倚賴召公奭、伯禽、伯懋父等人繼續遵從周公之策略前進，分別以天下樞紐之成周為東進之大本營，以位居大東、小東尾閭的衛國為補給站，再以殷人舊地的齊魯為前哨站。如此布防，乃分別從鞏固此四個據點的三道戰線，形成進可攻、退可守之局面，不但足以穩固渭水中游的宗周，還可在征服殖民的過程中逐漸完成西周之封建。[27]由此可見周至成康之際，都還屬於周初加強自我實力、不斷向東開拓疆土之時期，因而表現在相關文獻中的，自然是延續自文武以來兢兢業業之態度，絲毫不敢鬆懈怠慢。

《尚書》即有許多篇章明顯流露敬德、明德之精神，舉例如下：

〈康誥〉、〈酒誥〉、〈梓材〉：此三篇乃周公告誡武王的同母幼弟康叔治國之道，最能彰顯周初治國之原則與精神。武王死後，周公平定武庚、管、蔡之亂，遂將武庚治下之殷地分封給康叔，使其成為東進補給站之衛國國君。由於衛國地位重要，而康叔年輕，因而周公代周王之命，對其治國之道諄諄訓勉，三致其意。周公藉此連續三篇殷殷告誡康叔，應積極效法文王明德慎罰，愛民任賢之作為，遵循古訓，發揚先王功德，不可貪圖安逸，而以殷末君臣沉湎酒色、放縱淫樂為戒，庶幾永久保有大業。〈康誥〉即載：

---

27 其詳參見杜正勝：《古代社會與國家》（臺北市：允晨出版社，1992年），頁480-484。

王若曰：「……惟乃丕顯考文王，克明德慎罰，不敢侮鰥寡，庸庸、祗祗、威威、顯民，用肇造我區夏，越我一二邦，以修我西土。惟時怙冒聞于上帝，帝休。天乃大命文王，殪戎殷，誕受厥命。」[28]

提出文王能明德慎罰，是最好的人王典型，期許康叔能不愧先王賢德榜樣，好好發揮仁德愛民以治國安邦的人君本色。〈酒誥〉也載：

王若曰：「……文王誥教小子，有正、有事，無彝酒。越庶國飲，惟祀，德將、無醉。」……王曰：「……在昔殷先哲王，迪畏天顯小民，經德秉哲。自成湯咸至于帝乙，成王畏相惟御事，厥棐有恭，不敢自暇自逸，矧曰其敢崇飲？……在今後嗣王，酖身，厥命罔顯于民，……弗惟德馨香祀，登聞于天；誕惟民怨，庶群自酒，腥聞在上。故天降喪于殷，罔愛于殷，惟逸。……古人有言曰：『人無於水監，當於民監。』今惟殷墜厥命，我其可不大監撫于時？」[29]

此處提出殷之興起，乃因歷任王者「經德秉哲」之故，然而殷末紂王，則敗德逸樂，沉湎於酒而無法自拔，以至於走向覆亡，可見從殷之興亡，可為施政者最好的戒鑑，因此再強調千萬不可酖酒縱慾，不可好逸樂淫，而應恭謹行德。再如〈梓材〉也載：

今王惟曰：「先王既勤用明德，懷為夾，庶邦享作，兄弟方來；亦既用明德，后式典集，庶邦丕享。皇天既付中國民越厥疆土于先王；肆王惟德用，和懌先後迷民，用懌先王受命。已！若茲監。惟曰：欲至于萬年，惟王子子孫孫永保民。」[30]

---

28 〔漢〕孔安國傳，〔唐〕孔穎達等正義：〈康誥〉，《尚書正義》，收入《十三經注疏（附〔清〕阮元《校勘記》）》（臺北市：藝文印書館，1985年），頁201。

29 〔漢〕孔安國傳，〔唐〕孔穎達等正義：〈酒誥〉，《尚書正義》，收入《十三經注疏（附〔清〕阮元《校勘記》）》（臺北市：藝文印書館，1985年），頁207-210。

30 〔漢〕孔安國傳，〔唐〕孔穎達等正義：〈梓材〉，《尚書正義》，收入《十三經注疏（附〔清〕阮元《校勘記》）》（臺北市：藝文印書館，1985年），頁213。

此段記載，朱熹等學者感覺此篇前後不統一，或有錯簡與他篇混入之部分，[31]
懷疑可能是周公、召公進諫成王之語。然古史湮遠，其本來面目已無從確
考。幸好，無論此部分為周公告誡康叔，抑或周公、召公進諫成王，都不外
乎規勸人王應勤行明德愛民之初衷。

　　〈無逸〉、〈立政〉、〈召誥〉：周公在即將還政成王之前，以〈無逸〉殷
殷告誡成王應知稼穡之艱難與民生之困苦，並以殷商興亡以及文王治國之
道，從正反兩面闡述君主無逸之重要，應勤勞政事，力戒好逸惡勞，並虛心
聽取臣民意見。周公又以〈立政〉告誡成王任官用人之道，從總結夏商設官
用人之經驗與教訓，再闡述文武的命官任賢制度，進而對成王提出忠告與期
許，歸結於應力行〈皋陶謨〉「寬而栗，柔而立，愿而恭，亂而敬，擾而
毅，直而溫，簡而廉，剛而塞，強而義」[32]的九德之行。〈召誥〉則為成王
親臨洛邑視察施工情形，召公藉機規勸成王應以夏商「惟不敬厥德，乃早墜
厥命」為戒，呼籲成王「今我初服，宅新邑，肆惟王其疾敬德。王其德之
用，祈天永命。」[33]積極做到敬德保民以常保天命。

　　〈多士〉、〈多方〉：周公平定三監以及武庚之亂後，營建新都洛邑以為
東進之大本營。洛邑建成，周公遷殷之遺民至此，防止殷人再叛，並殷殷告
誡殷之遺臣，無論殷之代夏或周之代殷，都是敬順天命流轉，例如「自成湯
至于帝乙，罔不明德恤祀」，然而後嗣商紂「誕淫厥泆，罔顧于天顯民祗」，
導致天降大喪，因為「惟天不畀不明厥德」，所以呼籲殷人「爾克敬，天惟
畀矜爾；爾不克敬，爾不啻不有爾土，予亦致天之罰于爾躬。」[34]〈多方〉

---

31 其詳參見〔宋〕黎靖德編，王星賢點校：《朱子語類》（北京市：中華書局，1994年），
　　冊5，卷79，頁2054-2057。

32 〔漢〕孔安國傳，〔唐〕孔穎達等正義：〈皋陶謨〉，《尚書正義》，收入《十三經注疏
　　（附〔清〕阮元《校勘記》）》（臺北市：藝文印書館，1985年），頁61，記錄皋陶與禹
　　談論如何以德治國之道，皋陶認為應力行九德，並使其行之有常。

33 其詳參見〔漢〕孔安國傳，〔唐〕孔穎達等正義：〈召誥〉，《尚書正義》，收入《十三經
　　注疏（附〔清〕阮元《校勘記》）》（臺北市：藝文印書館，1985年），頁222-223。

34 其詳參見〔漢〕孔安國傳，〔唐〕孔穎達等正義：〈多士〉，《尚書正義》，收入《十三經
　　注疏（附〔清〕阮元《校勘記》）》（臺北市：藝文印書館，1985年）頁237-239。

則為周公還政成王後，又發生淮夷與奄叛亂事件。成王親征奄獲勝，返回鎬京後，諸侯來潮，周公代成王發表誥命，藉機告誡殷人以及對周懷有二心的諸侯君臣。全篇宣示朝代更迭乃天命不可違拗之道理，若不敬受天命，則將有天罰，於是再度呼籲「天惟求爾多方，大動以威，開厥顧天。惟爾多士，罔堪顧之。惟我周王，靈承于旅，克堪用德，惟典神天。天惟式教我用休，簡畀殷命，尹爾多方。」[35]希望各方諸侯以及廣大殷民都能敬順天命安排，服從周之治理。

（二）《逸周書》中所表現的周初精神

《逸周書》的成書以及各篇所涉及的時代問題極為複雜，因長期被貼上「偽書」之標籤，而鮮少學者問津，直到近二十年來陸續出土一些戰國簡文資料，此書始成為史學研究的新焦點，其價值也逐漸凸顯。[36]然而從《漢書》〈藝文志〉著錄《尚書》類九家四百一十二篇，其實已包括代表周史記之「《周書》七十一篇」，[37]說明該書與《周書》、《尚書》之內容具有一定的關聯。根據王連龍研究，春秋時期的《逸周書》以「志」或「書」之初始型態存在，與《尚書》無別。進入戰國時期，《周書》之名逐漸專屬於《逸周書》，且已獨立結集，而與《尚書》別異，編撰之時間約在西元前四百五十三年~兩百七十九年，其內容保留較多西周、春秋時期的篇章，也包含根據西周史料而成於戰國時期的作品。[38]劉起釪認為《逸周書》中有兩類可認定

---

35 其詳參見〔漢〕孔安國傳，〔唐〕孔穎達等正義：〈多方〉，《尚書正義》，收入《十三經注疏（附〔清〕阮元《校勘記》）》（臺北市：藝文印書館，1985年）頁255-257。

36 其詳參見王連龍：〈近二十年來《逸周書》研究綜述〉，《吉林師範大學學報》，2008年第2期。

37 〔漢〕班固，〔唐〕顏師古注：〈藝文志〉，《漢書》（北京市：中華書局，1962年），頁1705-1706，顏師古曰：「劉向云『周時誥誓號令也，蓋孔子所論百篇之餘也。』今之存者四十五篇矣」。

38 其詳參見王連龍：《《逸周書》研究》（北京市：社會科學文獻出版社，2010年），頁121。

為《尚書》「誥誓號令」類之逸篇或再行加工者：其一，可肯定為周代《書》篇的有〈克殷〉、〈世俘〉、〈商誓〉、〈度邑〉、〈作雒〉、〈皇門〉、〈祭公〉等西周文獻。其二，保存西周原有史料，而寫定於春秋時期的有〈程典〉、〈酆保〉、〈文儆〉、〈文傳〉、〈寶典〉、〈寤敬〉、〈和寤〉、〈大匡三十七〉、〈武儆〉、〈大戒〉、〈嘗麥〉以及〈常訓〉。[39]其中〈文儆〉、〈文傳〉兩篇，涉及文王臨終前訓誡武王之重要內容，與《逸周書》〈周書序〉所載「文王有疾，告武王以民之多變，作〈文儆〉。文王告武王以序德之行，作〈文傳〉。」[40]相符，其內容也成為武王即位後治政處世之重要依據，彼此可以相互參照。王連龍還認為〈文儆〉、〈文傳〉與清華簡的〈保訓〉，都是文王的遺訓，〈文儆〉、〈文傳〉雖然未出現「中」字，然其告誡姬發應遵守「時宜」和「土宜」的「和」德，實與「中」有密切關係。[41]

以下即挑選上述足以代表西周原有史料，且與文武二王關係最密切之篇章，就〈文儆〉、〈文傳〉與〈保訓〉之內容作進一步討論，則可發現以下重點：

〈文儆〉之核心思想，在於戒太子發應當保本行善，以為民則。全篇透過四段以「嗚呼，汝敬之哉！」為開頭的呼告語，警戒太子務必切實遵行。由於態度決定行為，因而文王特別以「敬」示警，提醒太子施政的最高原則，首先在於依循「利維生痛，痛維生樂，樂維生禮，禮維生義，義維生仁。」[42]之原理，引導人民由利而趨向仁。[43]其次，若欲引導人民利於仁，

---

39 劉起釪：《尚書學史》（北京市：中華書局，1989年），頁94-97。

40 〈周書序〉《逸周書》，卷10，《四部備要》（臺北市：中華書局，1970年），葉2。

41 其詳參見王連龍：《《逸周書》研究》（北京市：社會科學文獻出版社，2010年），頁120-129。王氏並認為與文王有關的〈度訓〉、〈命訓〉、〈常訓〉等三〈訓〉，皆文王對為政牧民的訓詞，不過因為劉起釪認為〈度訓〉、〈命訓〉已經與戰國諸子百家馳騁論說之文字相同，而與史臣的記言記事之言完全不同，所以本文不加論列。

42 〈文儆〉，《逸周書》，卷3，《四部備要》（臺北市：中華書局，1970年），葉4-5。黃懷信：《逸周書校補注譯》（西安市：三秦出版社，2006年），頁109，「痛」當作「同」，以音誤。

43 《禮記》〈表記〉，見於〔漢〕鄭玄注，〔唐〕孔穎達等正義：《禮記正義》，收入《十三

則應去私，因為「私維生抗，抗維生奪，奪維生亂，亂維生亡，亡維生死。」一旦淪於死，則不可復生。其三，在利於仁與淪於死之強烈對比下，則應詔於有司，夙夜勿忘，從慎守弗失，鞏固根本開始，以為民導引。最後，再慎重提醒「倍本者槁」，並不斷叮嚀、警戒應務本行善。全篇篇幅雖然相當短，然而言簡意賅，非僅明言「敬」之特尊處，而且從「民物多變，民何嚮非利？」之發問，已隱約提出為政者應有「知者之明」，唯其能知民性之固然，始能因勢而利導之，以至於有合乎禮義之行，而為仁德之表現，故而不但是敬慎其德，且是能深明其德的「明明德」之狀態，成為周初為政者之最高精神總指標。

〈文傳〉全篇之主旨，乃文王告誡太子發「所保所守」的治國要道，並希望能傳之子孫，[44]〈周書序〉以此為「序德之行」。[45]所謂「序德之行」，乃指治國要道，必須崇本務實，先以「厚德廣惠，忠信愛人」為人君應有的愛民敬事之操持，然後再輔以對具體事務之妥當安排，先明萬物成長、萬事生發之理序，使山林水土各得其時、各適其宜而長，則可得「山以遂其材，工匠以為其器；百物以平其利，商賈以通其貨；工不失其務，農不失其時，是謂和德。」之境地。苟不如此，則「天有四殃：水、旱、飢、荒，其至無時。」凡此具體行道之方，都必須先「明」其所以，尋源溯本，以成其末，斯可以本末兼顧，循序以行，亂象不生，達到〈中庸〉所謂「天地位焉，萬物育焉」的「中和」狀態，[46]而成就最後之「德」，因此再深深戒儆之！

由於〈保訓〉之內容與〈文儆〉、〈文傳〉都記載文王臨終前對太子發告誡治國之要道所在，並希望能傳諸子孫，因而可以相互對照參考。文王在

經注疏（附〔清〕阮元《校勘記》）》（臺北市：藝文印書館，1985年），頁909，記載孔子以為行仁者有「仁者安仁，知者利仁，畏罪者強仁」三種類型。

44 其詳參見〈文儆〉，《逸周書》，卷3，《四部備要》（臺北市：中華書局，1970年），葉5-6。

45 其詳參見〈周書序〉，《逸周書》，卷10，《四部備要》（臺北市：中華書局，1970年），葉2。

46 其詳參見〔漢〕鄭玄注，〔唐〕孔穎達等正義：〈中庸〉，《禮記正義》，收入《十三經注疏（附〔清〕阮元《校勘記》）》（臺北市：藝文印書館，1985年），頁879。

〈保訓〉中,以兩位明王以「中」治國之故事垂訓太子發:其一,舜求
「中」以治國;其次,則上甲微假「中」於河伯,且把「中」的內容傳之子
孫,至於成湯而有天下。[47]〈保訓〉雖為戰國簡,然而其文句古樸,極有可
能是春秋時期的學者,根據文武之際史料而寫成的佚《書》類資料,再流傳
到戰國時期。由於〈保訓〉以明王的故事示訓,遂與〈武王踐阼〉武王詢問
師尚父黃帝、顓頊等古聖明王治國之道,可以相互連結,雖然二者所載之明
王不同,卻皆可彰顯武王欲法古聖明王治國以常之決心。因為能永遠流傳於
子孫者,唯有保持中道而行的治國常道。若要使所謂「中道」更為具體,則
有必要再延伸為〈度訓〉、〈命訓〉、〈常訓〉三「訓」之發展,而與〈周書
序〉所載三「訓」敘作之緣由比併以觀,而見其相通處:

> 昔在文王,商紂並立,困於虐政,將弘道以弼無道,作〈度訓〉。殷
> 人作教,民不知極,將明道極以移其俗,作〈命訓〉。紂作淫亂,民
> 散無性習常,文王惠和化服之虞,作〈常訓〉。[48]

至於文王所謂應傳於子孫的「中」道,也由具有指揮作用的旌旗,轉而具備
「以為民則」,足以領導臣民百姓的治國常道。若再追溯如何實踐此治國常
道,則又須以為政者內存敬慎守中之誠為始,發揮「誠則明」之作用,遂能
知何謂「明德」所在。在指標明確下,也才能動而皆合乎義。

經電腦檢索,《逸周書》中「敬」字出現九十七次,分散在四十段落
中;「德」字出現一百四十九次,分散在四十二段落中;「明德」出現八次,
分散在七段落中。在全書多有亡佚的情況下,此比例已可謂相當高。此一現
象或可說明,周代特別提出「敬」、「德」之意義,且更指出有許多「德」之
成就,必須倚賴先行「明知」的「明德」之過程,而與上述《尚書》之周初
文獻所載相合。

---

47 其詳參見李學勤主編:《清華大學藏戰國竹簡(壹)》(上海市:中西書局,2010年),
   頁142-143。
48 其詳參見〈周書序〉,《逸周書》,卷10,《四部備要》(臺北市:中華書局,1970年),
   葉。

（三）《詩》中所表現的周初精神

　　經由上述《尚書》、《逸周書》中對於周初敬德明德精神與態度的論述，可見關鍵點在於對文王之德以及文王之教的承繼與實踐。這種現象在《詩》中，也有類似的情況。

　　就周族之發展史而言，文王上承古公亶父、季歷以來積極拓展周族的成果，[49]再歷經約四十年之努力，始獲得上帝之命，其中還包含被紂王囚於羑里七年而演《易》的時期。追溯當初季歷屢建大功，而獻捷於於商王文丁，文丁雖賞賜有加，且九命季歷為方伯，終因「尾大不掉」之顧慮，文丁執季歷於塞庫，致使季歷困而死。[50]姬昌有懲於季歷受困以死，因此當其被拘於羑里，則轉而思索如何在顛簸困頓之餘，尋求變通可久之道，[51]忌諱輕舉妄動，以免重蹈季歷困而死之覆轍。所謂憂患意識，如徐復觀所言，乃是當事者對於吉凶成敗深思熟考，發現吉凶成敗與當事者所採取行為的密切關係，更重要的是當事者對於行為所應負的責任。故而所謂憂患意識，乃是自我直接對於所有的行為產生負責的態度，在精神上有自覺應該負責的表現。[52]姬

---

49 其詳參見收在「大雅」之相關詩篇，〔漢〕毛亨傳，鄭玄箋，〔唐〕孔穎達等正義：〈緜〉，《毛詩注疏》，收入《十三經注疏（附〔清〕阮元《校勘記》）》（臺北市：藝文印書館，1985年），頁547：「古公亶父，來朝走馬，率西水滸，至于岐下。……乃召司空，乃召司徒，俾立室家。」〈皇矣〉，頁569-570：「帝作邦作對，自大伯王季。維此王季，因心則友。則友其兄，則篤其慶，載錫之光。受祿無喪，奄有四方。」〈文王〉，頁535：「亹亹文王，令聞不已。……穆穆文王，於緝熙敬止。假哉天命，有商孫子。商之孫子，其麗不億。上帝既命，侯于周服。」〈大明〉，頁542：「有命自天，命此文王。」〈文王有聲〉，頁583：「文王受命，有此武功；既伐于崇，作邑于豐。文王烝哉！」

50 其詳參見〔清〕林春溥：《竹書紀年補證》，卷2，收入《竹書紀年八種》（臺北市：世界書局，1989年），頁67-69。

51 其詳參見《周易》〈繫辭下〉，見於〔魏〕王弼、韓康伯注，〔唐〕孔穎達等正義：《周易正義》，收入《十三經注疏（附〔清〕阮元《校勘記》）》（臺北市：藝文印書館，1985年），頁167，記錄自包犧氏起，以至於黃帝、堯、舜之作，都依循「窮則變，變則通，通則久」之變異原則，而得到「神而化之，使民宜之」之境地。

52 其詳參見徐復觀：《中國人性論史・周初宗教中人文精神的躍動》（臺北市：台灣商務印書館，1969年），頁20-24。

昌如臨深淵、如履薄冰，兢兢業業、戒慎恐懼之憂患意識，當在此期間醞釀成熟，而這種精神也成為他日後積極發展西土勢力之重要憑藉。參照《竹書紀年》之載，文王受命之年，應自其獲釋，且承受紂王賜予弓矢斧鉞，錫命得行專征伐之權始。[53]此一現象，正好可與《老子》第五十八章「禍兮，福兮之所倚；福兮，禍兮之所伏；孰知其極？其無正。」之道理相呼應，其最後的結果，則視當事者採取的態度與反應而可能有天壤之別。

文王受命後，〈皇矣〉記錄「維此王季，[54]帝度其心，貊其德音。其德克明，克明克類，克長克君。王此大邦，克順克比。比于文王，其德靡悔。既受帝祉，施于孫子。」因而當密人侵略阮、共二國，於是「王赫斯怒，爰整其旅，以按徂旅，以篤周祜，以對于天下」，甚且上帝還叮嚀文王，「予懷明德，不大聲以色，不長夏以革，不識不知，順帝之則」，並提醒文王，「詢爾仇方，同爾兄弟。以爾鉤援，與爾臨衝，以伐崇墉」，雖然戰況激烈，但因上帝護持，終能掃除小邦周東進之重要障礙。[55]〈文王有聲〉即歌頌文王伐崇遷豐之武功，「遹求厥寧，遹觀厥成」，於是四方來朝，乃立武王為嗣君。武王乃於鎬京建立辟廱學宮，於是「自西自東，自南自北，無思不服」，進而定都鎬京，「詒厥孫謀，以燕翼子」，都顯現武王踵繼文王所開展之宏圖。[56]由於「天命靡常」，因此〈文王〉乃言若欲「永言配命，自求多福」，則應「無念爾祖，聿修厥德」，效法文王之德。至於文王之德，其大要所在，實為「敬」之一字，即所謂「穆穆文王，於緝熙敬止」，始可順帝之

---

53 其詳參見〔清〕林春溥：《竹書紀年補證》，卷2，收入《竹書紀年八種》（臺北市：世界書局，1989年），頁73-74。

54 其詳參見《左傳》〈昭公二十八年〉，見於〔晉〕杜預注，〔唐〕孔穎達等正義：《春秋左傳正義》，收入《十三經注疏（附〔清〕阮元《校勘記》）》（臺北市：藝文印書館，1985年），頁913，引此作「唯此文王」。

55 其詳參見《詩》〈大雅〉〈皇矣〉，見於〔漢〕毛亨傳，鄭玄箋，〔唐〕孔穎達等正義：《毛詩注疏》，收入《十三經注疏（附〔清〕阮元《校勘記》）》（臺北市：藝文印書館，1985年），頁567-574。

56 其詳參見《詩》〈大雅〉〈文王有聲〉，見於〔漢〕毛亨傳，鄭玄箋，〔唐〕孔穎達等正義：《毛詩注疏》，收入《十三經注疏（附〔清〕阮元《校勘記》）》（臺北市：藝文印書館，1985年），頁582-584。

則，詩中不忘以「殷之未喪師，克配上帝」，無奈後嗣失德，商紂身死朝亡之事實垂訓後世，而呼籲「宜鑒于殷，駿命不易」，且應時時牢記「上天之載，無聲無臭。儀刑文王，萬邦作孚。」積極以文王為學習榜樣。[57] 這種對於「儀刑文王」之重要，即使在郭店出土之簡文，如〈緇衣〉、〈五行〉以及〈成之聞之〉中，也多處引用《詩》、《書》之言以論述，甚至在〈五行〉之中，還以仁、義、禮、智、聖之五德比況文王之德，[58] 則不獨周代子孫應該效法之，如此以聖德統領仁、義、禮、智四德之情形，已是普天下之人都應努力學習者。

由於文王之德以「敬」為本，因而在莊嚴肅穆祭祀文王的〈清廟〉樂歌中，不但傳達執事者「濟濟多士，秉文之德」的精神，也說明只要順承文王之德，將可「不顯不承，無射於人斯」，以常保天命。[59]〈維天之命〉也因「文王之德之純」，而高唱「假以溢我，我其收之。駿惠我文王，曾孫篤之」，誓言子孫敬守以至永恆之決心。[60]〈我將〉更明言「儀式刑文王之典，日靖四方」，且自述「我其夙夜，畏天之威，于時保之」之誠意。[61] 凡此種種宗廟頌辭，都顯現周代子孫謹遵文王德教之情形。

周初表達敬德之精神，不僅出現在祭祀文王的詩中，也同樣流露在祭祀

---

57 其詳參見《詩》〈大雅〉〈文王〉，見於〔漢〕毛亨傳，鄭玄箋，〔唐〕孔穎達等正義：《毛詩注疏》，收入《十三經注疏（附〔清〕阮元《校勘記》）》（臺北市：藝文印書館，1985年），頁531-537。

58 其詳參見林素英：〈從郭店儒簡檢視文王之人君典型〉，國立中山大學中國文學系《文與哲》，第7期（2005年12月），頁125-158。

59 其詳參見《詩》〈周頌〉〈清廟〉，見於〔漢〕毛亨傳，鄭玄箋，〔唐〕孔穎達等正義：《毛詩注疏》，收入《十三經注疏（附〔清〕阮元《校勘記》）》（臺北市：藝文印書館，1985年），頁706-707。

60 其詳參見《詩》〈周頌〉〈維天之命〉，見於〔漢〕毛亨傳，鄭玄箋，〔唐〕孔穎達等正義：《毛詩注疏》，收入《十三經注疏（附〔清〕阮元《校勘記》）》（臺北市：藝文印書館，1985年），頁708-709。

61 其詳參見《詩》〈周頌〉〈我將〉，見於〔漢〕毛亨傳，鄭玄箋，〔唐〕孔穎達等正義：《毛詩注疏》，收入《十三經注疏（附〔清〕阮元《校勘記》）》（臺北市：藝文印書館，1985年），頁717-718。

武王、成王的詩篇當中。例如〈武〉,「於皇武王,無競維烈。允文文王,克
開厥後。嗣武受之,勝殷遏劉,耆定爾功」[62],更可謂同時讚美文王之德與
武王之武功,將「德」之內容加以落實,而非僅只於抽象觀念之論說,成為
對天下臣民具有實際影響的作為。當武王崩,成王繼立,姬誦即在〈閔予小
子〉明白表示「維予小子,夙夜敬止。於乎皇王!繼序思不忘。」[63]更因誤
聽管、蔡將不利於己之流言,而懷疑周公之忠心,終釀成管、蔡結合武庚叛
亂之大禍,遂在〈小毖〉歌「予其懲,而毖後患。莫予荓蜂,自求辛螫。肇
允彼桃蟲,拚飛維鳥。未堪家多難,予又集于蓼。」之詩以自儆。而從〈小
毖〉之中,也隱約流露必須實踐由敬而明的「明德」之重要,因此〈敬之〉
一詩中,成王不但諮詢群臣以求取規戒之言,並且自陳自我惕勵之答詞,藉
以告祭於廟以示慎重,更有垂訓子孫之作用,其文云:

> 敬之敬之,天維顯思。命不易哉!無曰:高高在上。陟降厥士,日監
> 在茲。維予小子,不聰敬止。日就月將,學有緝熙于光明。佛時仔
> 肩,示我顯德行。[64]

這首詩最能代表周初君臣上下要求以「敬」為本,期許實踐顯德、明德之行
為。這種要求踐履明德之指標,主要來自〈皇矣〉「帝遷明德,串夷載路。
天立厥配,受命既固」之概念,因此文王即能以其「其德克明,克明克類,
克長克君」之德行,而興旺周邦,且上帝在三次明謂文王的內容中,其明白
表示的「予懷『明德』」,已充分說明上帝決定天命歸屬之關鍵所在,實在於

---

62 《詩》〈周頌〉〈武〉,見於〔漢〕毛亨傳,鄭玄箋,〔唐〕孔穎達等正義:《毛詩注
   疏》,收入《十三經注疏(附〔清〕阮元《校勘記》)》(臺北市:藝文印書館,1985
   年),頁737-738。

63 其詳參見《詩》〈周頌〉〈閔予小子〉,見於〔漢〕毛亨傳,鄭玄箋,〔唐〕孔穎達等正
   義:《毛詩注疏》,收入《十三經注疏(附〔清〕阮元《校勘記》)》(臺北市:藝文印書
   館,1985年),頁738。

64 《詩》〈周頌〉〈敬之〉,見於〔漢〕毛亨傳,鄭玄箋,〔唐〕孔穎達等正義:《毛詩注
   疏》,收入《十三經注疏(附〔清〕阮元《校勘記》)》(臺北市:藝文印書館,1985
   年),頁740。

能切實踐履「明德」者，即可獲得天命眷顧。[65]

四 結論

　　綜合上述周初文獻所載，都可見周受限於雖已克商，卻又未能掌控大邑商廣大東土的事實，因此終周公、召公輔政的成王之世，乃至於召公、畢公輔政的康王時期，無不念茲在茲，以繼承文王之德、文王之教為精神總指標。至於文王德教之內容，借用北宮文子舉文王之例以釋人君之「威儀」，將可理解何以文王之德教乃是周初敬德明德之根本道理，其文云：

> 有威而可畏謂之威，有儀而可象謂之儀。君有君之威儀，其臣畏而愛之，則而象之，故能有其國家，令聞長世。臣有臣之威儀，其下畏而愛之，故能守其官職，保族宜家。順是以下皆如是，是以上下能相固也。〈衛詩〉曰：「威儀棣棣，不可選也」，言君臣、上下、父子、兄弟、內外、大小皆有威儀也。〈周詩〉曰：「朋友攸攝，攝以威儀」，言朋友之道必相教訓以威儀也。《周書》數文王之德曰：「大國畏其力，小國懷其德」，言畏而愛之也。《詩》云：「不識不知，順帝之則」，言則而象之也。紂囚文王七年，諸侯皆從之囚，紂於是乎懼而歸之，可謂愛之。文王伐崇，再駕而降為臣，蠻夷帥服，可謂畏之。文王之功，天下誦而歌舞之，可謂則之。文王之行，至今為法，可謂象之，有威儀也。故君子在位可畏，施舍可愛，進退可度，周旋可則，容止可觀，作事可法，德行可象，聲氣可樂；動作有文，言語有章，以臨其下，謂之有威儀也。[66]

---

65 其詳參見《詩》〈大雅〉〈皇矣〉，見於〔漢〕毛亨傳，鄭玄箋，〔唐〕孔穎達等正義：《毛詩注疏》，收入《十三經注疏（附〔清〕阮元《校勘記》）》（臺北市：藝文印書館，1985年），頁567-574。

66 《左傳》〈襄公三十一年〉，見於〔晉〕杜預注，〔唐〕孔穎達等正義：《春秋左傳正義》，收入《十三經注疏（附〔清〕阮元《校勘記》）》（臺北市：藝文印書館，1985年），頁690。

文王足以為後世取法者已如北宮文子所言。由於文王在臨終之前親自訓勉叮嚀武王以「敬」為本，必須以極堅強之意志與愈挫愈奮之精神，努力行使明德之行為，因此武王遂在踐阼三日，即召見士大夫以及師尚父而問治國大道，希望能獲得萬世可傳子孫之寶貴意見，可見其盼望國治天下平之殷切，因而當師尚父告之以「敬勝怠者吉，怠勝敬者滅，義勝欲者昌，欲勝義者亡。凡事不彊則枉，弗敬則不正，枉者滅廢，敬者萬世。」之道理，且極力勸勉其存敬、行仁，方可使其所行皆能合乎義，故退而刻銘以為自戒自儆之用。

清華簡「傅說之命」上篇釋讀

吉田 篤志

日本・大東文化大學

提要

　　傳世文獻『尚書』説命篇は淸代に東晉時代の僞古文と斷定され、以降、僞古文の資料的價值は劣るとして輕視され、『尚書』の研究者も眞劍に取り扱わなくなった。このような狀況下、戰國時代晚期の出土資料としての説命篇が現れ（『淸華大学藏戰國竹簡(参)』所收）、研究者の注目を集めた。「傅説之命」と命名され上中下三篇から構成されており、傳世文獻の説命篇に相當するものである。しかし内容的には傳世文獻に未見の新たな内容が多く、特に上篇には傳世文獻に現れない「失仲」と言う人物が記錄され、傅説が使用人として仕えた人物として述べられている。僞古文が作られたと當時、既に失われていた眞古文『尚書』と言っても過言でなない。そこで上篇に對する整理者やその他の注釋を參照批判しながら、新たな釋讀を試みた。

關鍵詞：説命　武丁　傅説　失仲　赤敦之戎

前　言

　　2012年12月に清華大學出土文獻研究與保護中心編の『清華大學藏戰國竹簡（參）』〔一套上下二冊　以下、清華簡と稱する〕が上海の中西書局から出版され、その中に「傅説之命」上中下三篇を收錄し、整理者〔注釋者〕は清華簡主編者の李學勤氏が擔當し、最終的に定稿している。傳世の『尚書』説命〔以下、「説命」と稱する〕上篇は、殷の武丁〔高宗〕が傅説を得て宰相に任じ、その果たすべき勉めを命じる辭、中篇は、傅説が武丁に爲政者としての戒を進言する辭、下篇は、武丁が傅説に諫言を求め、傅説が武丁に先王の政治から學ぶべきことを進言する辭から構成されており、「傅説之命」の内容〔語句〕と同様の箇所が散見する。

　　しかし、「傅説之命」と「説命」を總體的に比較すると、内容はかなり異なり、寧ろ同じ内容の箇所は少なく、傳世文獻に未見の新たな内容が含まれている。[1]「傅説之命」上篇は、武丁が失仲を傅説に伐たせて高官に任じた辭、中篇は、武丁が帝〔天〕から傅説を賜った理由や武丁を補佐する心得等を、武丁自身が比喩を交えながら傅説に述べた訓戒の辭、下篇も中篇同様、傅説に對する心得等を、武丁自身が比喩や殷の先王大戊の故事を交えながら述べた訓戒の辭から構成されている。特に「傅説之命」上篇には、傳世文獻に現れない「失仲」と言う人物が記録されており、傅説が使用人として仕えた人物として述べられている。この「失仲」と言う人物について、『史記』殷本紀や『竹書紀年』、或いは『漢書』古今人表等には記録されていない。[2]

1　「傅説之命」と「説命」の一致する文言は、『國語』楚語上・『孟子』滕文公上・『禮記』緇衣・『墨子』尚同中等所引の『尚書』に限られる。金城未來「〔表１〕僞古文『尚書』説命と清華簡『尚書』説命との對照表」（大阪大學中國學會編『中國研究集刊』第56號、2013年6月）

2　整理者は、「失」を「[辶口]」、「仲」を「[宀中]」と隷定し、これを「失仲」に讀んでいる。疑義が殘るところであるが、暫く從っておく。子居「清華簡〈説命〉上篇解析」（孔子2000網、2013年1月6日）、侯乃峰「讀清華簡（三）《説命》脞錄」（武漢大

　　「傅説之命」上中下三篇とも武丁自身が傅説に述べる訓戒の辭であり、「説命」の中下二篇が傅説の武丁に進言する辭とは内容を異にする。「傅説之命」と言う篇名は、武丁が傅説に命令することから名づけられた篇名であることが分かり、「説命」のように、傅説が武丁に訓戒や教訓を進言することから名づけられたものではない。[3] ただ「傅説之命」中篇の第二號簡に「武丁は言った、（帝が）そなた説をやって來させたのは、朕を戒める言辭を（朕に）聽かせるためである。……〔武丁曰、來格汝説、聽戒朕言。……〕」とあり、この「戒朕言」の語句を「説命」の作篇者が目睹したか否かは分からないが、「説命」作篇の當時、臣下の「箴言」「諫言」を受入れることが明君の理想的な政治の一形態と考えられていたことは確かであり、作篇者が武丁と傅説の關係を理想的に作り變えたことは、大いに考えられることである。

　　以下の釋讀は以前報告した「竹簡「説命」譯注稿」（大東文化大學大

學簡帛研究中心網站、2013年1月16日）には、「佚仲」と釋文している。子居氏は『逸周書』世俘の「佚侯」を根據に、「佚仲」を「佚地的諸侯」と推論している。『逸周書』世俘の「俘艾佚侯小臣四十有六」につい章太炎は「「佚」と「侯」は形が近似しているために誤まって謄寫された〔佚與侯形近誤謄〕」（「逸周書世俘篇校正」『制言』半月刊第32期）と述べ（黃懷信・張懋鎔・田旭東『逸周書彙校集注』〔上海古籍出版社、1995年12月〕所引）、黃懷信氏は「佚」を「逃逸」と解釋し、「久しく逃亡していた殷王朝の諸侯の臣下四十六人を捕虜にした〔俘獲了久已逃逸的商朝諸侯的屬臣四十六人〕」と述べる（『逸周書校補注譯』西北大學出版社、1996年3月）。

3　青山大介「清華簡「説命（傅説之命）」の主題について――その「天」觀念および傅説説話を通して――」（『日本中國學會報』第66集、2014年10月）には「僞古文「微子之命」「蔡仲之命」「畢命」も今文「文侯之命」も、いずれも微子・蔡仲・畢公・文侯がそれぞれ耳にした王の發言を記録する體裁となっており、篇題に掲げられた人物からの建言は見えず、むしろ「説命（傅説之命）」の體裁に合致している。やはり『尚書』六體の一つとしての「命」は「篇題者が受けた命令」を指すのであろう。……「説命（傅説之命）」の作篇者には武丁を尚賢君主として稱揚する意圖が無かった可能性も考えられる。……僞作者が武丁と傅説の關係を尚賢論の文脈で理解していたからにほかなるまい」と述べ、「傅説之命」の作篇者には「尚賢」の意圖は無く、「説命」の作篇者が「尚賢」にすり替える意圖があったことを指摘している。

學院文學研究科中國學專攻2013年度研究報告書、2014年3月）を訂正した
ものである。清華簡「傅説之命」上篇は第一號簡から第七號簡まであり、
便宜上、四段に分けて釋文と譯文を掲げ、整理者の注釋や關係論文を檢討
する。釋文は主に整理者に從ったが、解釋の相違で變えた箇所もある。

釋讀及び檢討

【釋文1】

惟殷王賜説于天、用爲失仲使人。王命厥百工向、以貨徇求説于邑人。
惟弼人〔以上第一號簡〕得説于傅巖。厥俾繈弓伸關辟矢。説方築城、滕躬
用力。厥説之狀、腕〔以上第二號簡〕肩如椎。

〖譯文1〗

殷王〔武丁〕は傅説を天から賜り、失仲の使用人とした。（しかし武
丁は自分を補佐する賢人が天から賜った傅説であることを夢に見て）多く
の職人に人相書〔畫〕を作らせ、大金を與えて天下の隅々まで村人たちに
傅説を探させた。弼人[4]は傅説を傅巖という場所で探し出した。（武丁は傅
説を迎える際、弼人の）弓を束ね（弦を）緩めて（紐を）通し（て結
び）、矢を（矢入れ道具〔箙・胡錄・靫など〕に）納めさせた。（探し出し
た時に）傅説はちょうど城を築いている最中で、繩索を身に纏って力を振

---

4 整理者は「弼人」を『荀子』臣道の「有能抗君之命、……謂之拂」の楊注に「拂、
讀爲弼。弼、所以輔助弓弩者也」とあるのを根據に、「弼人は弓の製造に關わる職官
であろう〔弼人當爲與製弓有關的職官〕」と述べ、これを敷衍して「射人」と解する
者も多い。「射人」については、『周禮』夏官射人に「若有國事、則掌其戒令、詔相
其事。掌其治達。以射法治射儀」、『儀禮』大射禮に「射人戒諸公卿大夫射」とあ
る。谷中信一「清華簡『傅説之命』（上）譯注」（『出土文獻と秦楚文化』第7號、
2014年3月）には「側近の者」と譯出する。まだ根據は無いが、「虞人」の可能性
もあると考える。『孟子』滕文公下の「昔齊景公由、招虞人以旌。不至。將殺之」の趙
注に「虞人、守苑囿之吏也」とあり、山澤や苑囿・田獵を掌った役人であるから、
傅説を探し出すのに適していたと思われる。

りしぼっているところであった。その傅説の姿たるや、腕と肩は椎の木の
よう（に堅強）であった。

＊

　整理者は、「書序」の「高宗夢得説、使百工營求諸野」及び『國語』
楚語上の「如是而又使以象夢旁求四方之賢」と清華簡「説命」とに、異同
のあることを指摘する。また子居氏も「此句可見清華簡《説命》與各傅世
文獻所引《説命》版本大有差別、文字上亦頗有不同」と述べ、[5]「傅説之
命」と傅世文獻所引「説命」との版本の相違を指摘する。ただ「書序」
『國語』楚語上や「説命」の「……夢帝賚予良弼、其代予言。乃審厥象、
殺以刑旁求于天下、説築傅巖之野」等、武丁〔高宗〕が帝より良き輔けの
臣下〔良弼〕たる傅説を賜る夢を見て、これを傅巖の野に探し出す、とい
う傅説は、多少の異同はあるが、「傅説之命」上篇に記録された内容と同
様である。[6]夢の中の帝〔天〕のお告げによって賢人傅説を登用する話
が、當時、既に傅説化されていたことは、容易に理解できる。上述の『國
語』楚語上の「使以象夢旁求四方之賢、得傅説以來、升以爲公、而使朝夕
規諫」や『墨子』尚賢中の「傅説被褐帶索、庸築乎傅巖、武丁得之、舉以
爲三公、與接天下之政、治天下之民」、尚賢下の「昔者傅説居北海之洲、
圜土之上、衣褐帶索、庸築於傅巖之城、武丁得而舉之、立爲三公、使之接
天下之政、而治天下之民」等に散見する武丁や傅説は、まさに傅説化の證
據と言えよう。

　「傅説之命」上篇と『墨子』尚賢下との關係について、谷中信一氏は
「《墨子》是將武丁從民間發現傅説的傅説中、“夢＝神意”這一實乃最重要
的要素剔出後、爲展開自家學説加以了利用。因而也可以説、《傅説之命》
上篇、雖然是在缺失了將“夢”當作神意的認識之後被著述的、但卻反映出其

5　子居氏前揭論文

6　「傅説之命」上篇に「賜説于天、……得説于傅巖」、中篇に「説來自傅巖、……王原
　　比厥夢曰、汝來惟帝命」とあり、夢の中の帝〔天〕のお告げ〔佔夢〕による傅説登
　　用傅説を記録し、字句の異同はあるが、大意は傅世文獻と同様である。

著述的時期、較之《墨子・尚賢下》、仍爲更早」と述べる。[7]「傅説之命」
上篇と『墨子』尚賢下との先後關係について、ここでは觸れないが、谷中
氏も「兩者の間には極めて高い親緣性があると言えよう〔可謂兩者間有著
極高的親緣性〕」と指摘するように、[8]『墨子』尚賢との影響關係があるこ
とは確かであろう。

　　傅説を傅巖という場所で探し出したことについては、諸書に散見す
る。しかし、その下文の「厥俾繡弓伸關辟矢」については、「傅説之命」
上篇に始めて記載され、文字の解釋によって意味が多少違ってくる。「辟
矢」について、整理者は『周禮』司弓矢の「庫矢」と推論し、「辟」「庫」
が音通することを指摘する。楊蒙生氏は「（武丁）自身が（或いは人を派
遣して）身體を動かして接待するときの裝束である。束弓・庫矢して傅説
を迎え、儀式は莊重である〔親自（或派人）動身前去迎接時的裝束。束
弓・庫矢、以迎傅説、儀式莊重〕」と述べる。[9]谷中氏は「弓を括り付け、
矢を束ね（敵意のないことを表し）た」と述べる。[10]迎える相手に敵意を
示さないと見る谷中氏の解釋が妥當であろう。ここは、天から賜った賢人
傅説を丁重に迎えるための配慮として、武器（弓矢）を傅説に向けないよ
うにした動作として譯出した。

＊

【釋文２】

　　王廼訊説曰「帝抑尔以畀余、抑非」。説廼曰「惟帝以余畀尔。尔左執
朕袂、尔右〔以上第三號簡〕稽首」。王曰「亶然」。天廼命説伐失仲。

7　谷中信一「清華簡《傅説之命》探析」（孫佩霞 譯 2013年7月23日、『第四屆新出簡帛
　　國際學術研討會論文集』、2013年8月29日）

8　谷中氏前揭論文

9　楊蒙生「清華簡《説命上》校補」（清華大學出土文獻研究與保護中心網站　2013年1
　　月7日）

10　谷中氏前揭譯注

『譯文２』

　　武丁はそこで傅説に尋ねた、「帝はそちを我に賜うたのか。それとも
そうでないのか」と。傅説はそこで對えた、「帝は私奴を貴殿に賜りまし
た。（そこで）貴殿は（私奴の）左脇で私奴の袂にすがり、貴殿は（私奴
の）右脇で（私奴に）額ずきました」と。武丁は言った、「まことにさよ
う」と。天は傅説に失仲を伐たせた。

*

　　武丁と傅説の會話の臺詞中の兩箇の「帝」と地の文の「天」につい
て、子居氏は「傅説之命」冒頭の「惟殷王賜説于天」に「天」とあること
に據って、「ここに "天" と 稱して "帝" と 稱さないのは、當に殷の遺民
が周文化の影響を受けたことに因る〔這里稱"天"而不稱"帝"、當是殷遺民
受周文化影響的緣故〕」と述べ、[11]「傅説之命」を殷の遺民の作と見る。
確かに、「傅説之命」に記す「帝」は、中篇の武丁の臺詞中の「汝來惟帝
命」と併せて、三箇所全ての「帝」は武丁と傅説の臺詞中にあり、「神
〔帝〕を尊んだ」（『禮記』表記）殷代の傳承と取れなくもない。しかし、
同じ武丁の臺詞中に「且天出不祥」（「傅説之命」中篇）、「經德配天」「汝
亦惟克顯天」（「傅説之命」下篇）とあり、「帝」と言い、或いは「天」と
言い、一定しない。[12]これは周代に入って、「帝」と「天」とを同一觀念
として捉えていた證據であり、假に、「傅説之命」が殷代の傳承であった
としても、必ずしも殷の遺民の作と見る必要は無い。

　　武丁の訊問に對えた傅説の言辭は、「惟帝以余畀尔、尔左執朕袂、尔
右稽首」であり、夢の中の帝〔天〕のお告げは、武丁だけではなく傅説も
見いていたことになる。この中で傅説は自らを「余」や「朕」と稱し、武

11　子居氏前揭論文
12　青山氏前揭論文に「作篇者が地の部分と會話部分で「天」と「帝」を完全に使い分
　　けているかといえば、そうでもない。中篇以降の武丁の臺詞を見れば、再び夢の話
　　に言及した際に「汝の來れるは、惟れ帝の命なり」（汝來、惟帝命）とある以外は、
　　すべて「天」としている」と述べ、「天」「帝」の混用を指摘している。

丁に對して「尒〔爾〕」と稱する。[13]この一文を、谷中氏は「天帝はこの私をあなたに下し與えたのですから、王よあなたは左に侍ってわが袂を取り、右に侍って拜禮しなさい」と譯出する。[14]ただ「拜禮」の對象を述べない。青山氏は「上帝が私をあなたにお與えになり、あなたは左手で私のたもとを攝んで、右を向いて上帝に稽首なさいました」と譯出し、[15]「稽首」の對象を「上帝」と見なしている。ただ、「左」を「左手で」と、「右」を「右を向いて」と解釋するが、左右對稱の整合性を缺き、天空の「上帝」に「稽首」することは考え難い。武丁にとって傳説は帝から賜った賢人であり、傳説に對して禮を盡くすことは、帝に敬意を示すことにもなる。從って、武丁が傳説の傍らで傳説に對して「稽首」している情景として譯出した。

　子居氏は「武丁の夢の中で見た、天帝が傳説を賜う時の情景を、傳説が誤り無く語ったので、武丁に天から賜った賢人が傳説であることを確信させた〔武丁夢中所見天帝賜其傳説時的情景、傳説能説出這个情景、使得武丁確信天帝所賜卽是此人〕」と述べる。[16]この解釋は當を得ており、この解釋に從って譯出した。整理者は「亶然」の下文「天廼命説伐失仲」も武丁の臺詞とするが、上文の武丁の臺詞「帝抑尒以畀余」では「帝」と、また傳説を「尒」と二人稱で稱し、「天廼命説伐失仲」では「天」と、また傳説を「説」と固有名詞で稱し、同じ武丁の臺詞としては整合性を缺く。從って、「亶然」以下は武丁の臺詞とは見なさない。また、失仲を伐つことを天が傳説に命じた記述になっているが、實は武丁は天から賜るべき傳説を得ることにより、傳説を失い且つ卜占に反して「一豕」を殺した

---

13 「朕」は通常皇帝の自稱に使用されるが、これは秦の始皇帝以後のことで、先秦時代には皇帝以外の一人稱に使用されていた。ただ、傳説の臺詞の中で、自稱として「余」と「朕」とを使い分けることには、些か疑問が殘る。

14 谷中氏前揭譯注

15 青山氏前揭論文

16 子居氏前揭論文

失仲に天罰を下すものとして、天に代わって傅説に征伐を命令したのである。

＊

【釋文３】
　　失仲是生子、生二牡豕。失仲卜曰「我其殺之、我其〔以上第四號簡〕已」。「勿殺」。勿殺是吉。失仲違卜、乃殺一豕。

『譯文３』
　　失仲は子を生んだが、二匹の雄豚を生んだ。失仲は卜った、「わしはこれを殺すべきか、わしは（殺して）祀るべきか」と。（卜った結果）「殺すなかれ」と。殺すなかれ（という結果）は吉である。失仲は卜に反して一匹の豚を殺した。

＊

　　整理者は「牡豕」について、『左傳』昭公二十八年の「生伯封、實有豕心、貪惏無饜、忿纇無期、謂之封豕」を根據に、「生まれつき性質の劣った子を表している〔形容其子生性頑劣〕」と見る。この解釋に從った谷中氏は、「失仲は子をなしたが、二人であった。二人とも豚のように貪欲で恥知らずな男子であった」と譯出する。[17]これに對して、子居氏は「きっと佚仲はこれを災異とし、殺すべきか否かを卜っている。……『説命』のこの段は『書』系作篇時に怪異を記録した特徴を有することを體現している。この"豕"は豚〔猪〕と解釋するべきである〔必是佚仲以此爲災異、才會卜問是否當殺之。……《説命》此段當是體現了《書》系篇章時或有記異言怪的特徴。這里的"豕"、卽當解爲豬〕」と述べ、[18]「牡豕」を動物の雄豚〔牡豬〕とみ見なし、人間が動物〔家畜〕を生む災異・怪異現象とする。廖名春氏は「"生二戌豕"の"生"は"長"と讀むべきである。"失仲氏"の二人の子は成長して豚〔豬〕のような風貌になったことを言う〔"生

17　谷中氏前揭譯注
18　子居氏前揭論文

二戎豕"之"生"當訓爲"長"。謂"失仲氏"二子相貌長得象公豬一樣〕と述べる。[19]侯乃峰氏は「先秦時期には戎狄蠻夷を犬豕の後裔に擬えることが多く、典籍の記載にも犬戎族の祖先を二白犬とするものがあるから、簡文に編排"一豕"を"赤孚の戎"の始祖に擬える、このような傳説も人としての自然の思いや考えの中に含まれる〔先秦時期多將戎狄蠻夷視作犬豕之後、典籍記載中或以爲犬戎族的祖先是二白犬、故簡文編排"一豕"是"赤孚之戎"的始祖這種傳説亦在情理之中〕」と述べ、[20]侁仲を豚〔豕〕を祖先とする異民族と見なし、『史記』匈奴列傳『索隱』引韋昭注の「海山經〔大荒東經〕云、黃帝生苗龍、苗龍生融吾、融吾生弄明、弄明生白犬。白犬有二牡〔牝牡〕、是爲犬戎」を引用して、犬戎族の祖先の「二牡〔牝牡〕白犬」を「赤孚之戎」の祖先の「二牡豕」に擬え、子居氏と同樣に、「牡豕」を動物の雄豚とする。

　　子居氏の災異・怪異現象説に同調する靑山氏は、「侁仲の家に「二牡豕」が生まれるという災異が生じる。侁仲がこれを殺すべきか否かを卜すと、「殺すな」という結果が出る。ところが侁仲は卜に從わず、「二豕」のうちの「一豕」を殺してしまう。夢を信じた武丁と對照的に、侁仲は卜占の結果を信じきれなかったのである。……恐らくここで語られているのは、「二牡豕を生む」という異常事態を軸にした災異思想の一種と思われるが、……侁仲を武丁の鏡像と見た場合、作篇者が稱揚せんとするのは、夢を介して下された「天」の意思に從う武丁の姿勢そのものであることは明らかであろう。……「生二牡豕」という異常事態が妖怪の惡戲などではなく、「天」の警告であることを侁仲に對して示したのである」と述べ、[21]「生二牡豕」を災異思想と見なし、「天」の意思に從って傳説を得た武丁に對して、「天」の警告に逆らって一豕を殺して身を滅ぼした侁仲

---

19 廖名春「清華簡〈傳説之命中〉新讀」（孔子2000網、2013年1月5日）

20 侯乃峰「讀清華簡（三）《説命》脞錄」（武漢大學簡帛研究中心網站、2013年1月16日・『中國文字』新40期、2014年7月）

21 靑山氏前揭論文。

を、對比的に捉えている。

　　上述の諸説中で、靑山氏の佚仲を武丁の鏡像と見て、佚仲に對する天の警告とする災異思想説は卓見であり、「天」が惡政を行う「失仲」に對して「生二牡豕」の災異を與えて警告を發し、警告を無視した「失仲」を滅ぼす。これに對して、善政を行う「武丁」に對して傅説を與えて稱揚する。失仲を武丁の鏡像と見て對比的に捉える斬新な解釋である。子居氏や靑山氏の災異思想説を裏づけるものとして、「傅説之命」中篇に「且天出不祥、……」とあり、「天」が「不祥」を發す、という記述がある。これは明らかに、人格神的「天」が「不祥」すなわち「災異」を與えて警告を發する意味であり、災異思想に基づく記述である。ここは「生二牡豕」を災異現象と見なし、子居氏や靑山氏の解釋に從って「二匹の雄豚を生んだ」と譯出した。[22]

　　整理者は「我其殺之」と「我其已、勿殺」とを正反の相對卜辭と見なし、これに從う付強氏は、賓組卜辭の「貞：勿已、臣□」（《合集》4091）「癸酉卜王貞：余勿已、我□□、用」（《合集》15496）「協、母已、于豕。一月」（《合集》7002）「貞：已、亦不以艱」（《合集》12898）等を引用し、「『説命』の文句と卜辭は全く同樣と見なされ、武丁期の實錄と言える〔可以看到《説命》這句話和卜辭完全一樣、可以説是武丁時期的實錄〕」と述べている。[23]ここは「我其殺之、我其已、勿殺」を相對卜辭とせず、「我其殺之、我其已」を命辭（問辭）、「勿殺」を占辭（繇辭）とし、占辭を實行した場合の結果〔評價〕として「吉」を驗辭、或いは卜兆の狀況を刻した兆辭として譯出した。

＊

22　前稿の「竹簡「説命」譯注稿」及び「清華簡「説命」上篇釋讀」に於いて、失仲を卑しめるための記述で、災異では無いと考え、「失仲は子を生んだが、二人の雄豚に似た子を生んだ」と譯出したが、ここで訂正した。

23　付強「從賓組卜辭看清華簡《説命》的用詞續考」（孔子2000網、2013年1月7日）

【釋文4】

　　説于圍伐失仲。一豕乃旋保以逝、廼踐。邑〔以上第五號簡〕人皆從一豕、脱仲之自行。是爲赤敓之戎。其惟説邑、在北**海**之州、是惟圍土。説〔以上第六號簡〕來、自從事于殷。王用命説爲公。〔以上第七號簡〕

『譯文4』

　　傳説は（失仲の居城に）往って取り圍んで失仲を伐った。もう一匹の豚は命からがら逃亡し、そこで（失仲の）跡を繼いだ。（失仲に從っていた）村人は皆もう一匹の豚に從い、失仲の逃亡を見捨てて離れていった。これが「赤敓の戎」である。さて傳説の（住んでいた）村は、北**海**の州にあり、ここは監獄であった。傳説は（そこから）やって來て、自ら進んで殷に仕えた。王〔武丁〕はそこで傳説を高官〔三公〕に任命した。

＊

　　「説于圍伐失仲」の「于」について、整理者は『詩經』周南・桃夭の「之子于歸」の毛傳「于、往也」と『塱方鼎』の「周公于伐東夷豐伯薄姑」の「于伐」とを根據に、「往」に讀む。王寧氏は「"説于圍伐"的句式與『詩』"君子于役""之子于征""王于出征"略同、"于"訓"往"」と述べ、[24]整理者と同樣に「于」を「往」に解釋する。「圍」について、子居氏は『呂氏春秋』愼大の「湯爲天子、夏民親郼如夏」の高誘注「郼、讀如衣。今兖州人謂殷氏皆曰衣」と、『呂氏春秋』愼勢の「湯其無郼、武其無岐、不能成功」の高誘注「郼、湯之本國」とを根據に、「圍」を「郼」に解釋し、「傳説は郼地から出發して佚仲を征伐した〔傳説自郼地出發征伐佚仲〕」と述べるが、[25]今は保留して、整理者の解釋に從った。

　　「一豕乃旋保以逝」について、整理者は「旋」を「還」に、「逝」を「行」に解釋し、「失仲の（もう一人の）子は傳説と戰わず、逃亡して身を守った〔失仲之子不戰而退守〕」と述べる。これに對して、子居氏は

24　王寧「讀清華參《説命》散劄」（武漢大學簡帛研究中心網站、2013年1月8日）
25　子居氏前揭論文

「旋」の原字「觀」を「睿」の繁形と見なし、「先見の明を有する〔有先見之明〕」意味に捉え、「殺されなかったもう一頭の豚が傅説が攻めて來ることを豫見し、これに因って佚仲が逃走できるようにした〔沒被殺掉的那只豬先豫見到了傅説來伐、因此保着佚仲逃走了〕」と述べる。[26]面白い解釋ではあるが、穿った解釋であろう。廖名春氏は「保」を「俘」に讀んで「俘虜」の意味に解釋し、「逝」を「折」に讀んで「折服」「屈服」の意味に解釋し、「傅説の失仲征伐より先に、失仲のもう一人の子は布陣から脱走し、傅説の捕虜となって投降した〔傅説前往討伐失仲、失仲的一個兒子臨陣脱逃、被傅説俘虜因而投降了〕」と述べる（注27）。[27]侯乃峰氏は「旋」の原字「觀」を音通に據り「穿」に、「保」を「堡」に解釋し、「佚仲の生んだ殺されなかったもう一頭の豚が城壁を破って逃亡した〔佚仲所生下的沒被殺掉的"一豕"穿透城堡逃逝了〕」と述べる。[28]谷中氏も「保」を「堡」に解釋し、「（失仲の）一人の息子は小城の周りを繞って逃げのびて」と述べる。[29]上述のように諸説あるが、ここは整理者の解釋を妥當と見て、これに從って譯出した。

　「廼踐」について、整理者は「踐」を「翦」に解釋し〔假借音通〕、「伐滅」の意味とする。子居氏もこの解釋に贊同として、『説文』彳部の「後、迹也。从彳戔聲」を引用して、「邦を滅ぼして奪い取ることこそ"踐"と言える〔滅其邦、有其地、即可謂之"踐"〕」と述べる。[30]廖名春氏は「踐」を「餞」に讀んで「設酒食送行」に解釋し、「傅説は彼〔失仲の子〕を釋放し、酒食を設けて送り出した〔傅説釋放了他、設酒食爲他送行〕」と述べるが、[31]捕虜となった者を釋放して酒食を設けるという解釋

26　子居氏前揭論文
27　廖名春氏前揭論文
28　侯乃峰氏前揭論文
29　谷中氏前揭譯注
30　子居氏前揭論文
31　廖名春氏前揭論文

には、些か無理がある。侯乃峰氏は「**既**に城を守る者が皆逃走してしまえ
ば、傳説の征伐も戰わずして勝ち、容易に城を陷落することができる。そこ
で簡文には "すぐさま滅ぼした" と言う〔**既**然守城者都逃走了、傳説的征伐
也就不戰而勝、輕而易舉地攻進了城堡、故簡文云 "廼踐"〕」と述べ、[32]
「廼踐」の意味を整理者や子居氏と同樣に解釋している。これに對して、
谷中氏は「父親の跡を繼いだ」と述べ、[33]「踐」を「踐阼」「踐位」の意
味に解釋している。ここは谷中氏の解釋に從い、失仲の跡〔位〕を繼ぐ意
味に譯出した。[34]

　　「邑人皆從一豕、脫仲之自行」の「從」について、整理者は『左傳』
襄公十年の「從之將退、不從亦退」の杜注「從、猶服也」を根據に、服從
の意味に解釋し、「從」で句讀して「一豕」を下句に繫ぎ、「脫」の原字
「坓」を「隨」に解釋し、「失仲は逃走し、その子は（失仲に）隨った
〔失仲逃走而其子隨之〕」と述べる。廖名春氏は原字「坓」を「墮」に讀
んで「損毀」「敗壞」に解釋し、「配下の者は全て失仲の一人の子に從って
投降し、失仲自身の（傳説に對する）抵抗を殺いだ〔手下人都跟著失仲的
這一個兒子投降了、毀掉了失仲自己的反抗〕」と述べるが、[35]「自行」を
「自己的反抗」と解釋することには、些か疑問が殘る。子居氏は「從」に
ついて、「傳説が佚邑を攻め滅ぼしたので、佚邑の人は皆傳説に從った
〔傳説攻下了佚邑、佚邑之人皆從傳説〕」と述べ、[36]整理者の解釋に贊同
し、傳説に服從する意味に解釋する。これに對し、侯乃峰氏は「坓」を
「脫」に讀んで「脫離」に解釋し、「城から脫出した村人が生き延びるこ

32　侯乃峰氏前揭論文

33　谷中氏前揭譯注

34　『左傳』僖公十二年に「往踐乃職」、『禮記』中庸に「踐其位」、『大戴禮記』武王踐
　　阼に「武王踐阼三日」とあり、「踐」は「卽く」「昇る」「繼ぐ」等の意味に解せられ
　　る。

35　廖名春氏前揭論文

36　子居氏前揭論文

とができたのは、全て一頭の豚が城壁を破ったことによる。（村人は豚の）恩義に感じ、皆が一頭の豚に從い、佚仲から離れて去って行った〔從城堡中逃脱出來的邑人、他們之所以能夠得以活命、全都依仗"一豕"穿透城堡。也許是感念其恩德、故邑人全部都跟從"一豕"、而脱離佚仲而去〕」と述べるが、[37]村人が豚の恩義に感じるという道德的解釋は、些か穿った解釋であろう。王寧氏は「坒」を「地」に讀んで「脱」に解釋し、「一豕地仲之自行」の「之」を接續詞「而」に相當するとし、「もう一人の豚に似た子は逃亡の途中で父親失仲から離れて、自分で逃走した〔一豕在逃亡途中離開了他父親失仲、自己走了〕」と述べる。[38]谷中氏は「その國人たちは皆彼に付き從い、失仲の元を去って自發的に（國外に）行き（城を明け渡した）」と述べる。[39]「坒」について、王寧氏や侯乃峰氏に從って「脱」に解釋したが、「仲之自行」を「失仲自らの逃亡」と解釋し、失仲の逃亡を見捨てて（手助けせずに）離れる意味に譯出した。

　　「是爲赤敫之戎」について、整理者は「赤」を「赦」に、「敫」を「俘」に、「戎」を「兵事」すなわち戰役の意味に解釋する。谷中氏は整理者の解釋に從い、「これが「赦俘の戰い」である」と譯出する。[40]これに對し、子居氏は、網友暮四郎「初讀清華簡參筆記（草稿）」の「赤敫之戎」を「戎狄之名」とすることに贊同し、「赤敫の戎"は當然、赤敫の地にいる戎人〔異民族〕である。この句は、佚仲の一頭の豚と佚仲が一緒に逃走し、後來、增えて "赤敫の戎"となったことを言っている〔"赤敫之戎"當即是赤敫之地的戎人。此句是説保着佚仲的那只豬和佚仲一起逃走、後來就繁衍爲"赤敫之戎"〕」と述べる。[41]侯乃峰氏は「赤敫」の「敫」を「[月孚]」と讀み、「卵[月孚]」と解釋し、「赤[月孚]」は「紅色的卵[月孚]」

37　侯乃峰氏前揭論文
38　王寧氏前揭論文
39　谷中氏前揭譯注
40　谷中氏前揭譯注
41　子居氏前揭論文

で、豚の特徴から付けられた名稱とし、「"赤[月孚]の戎"が"一豕"の後裔
であれば、"豕"にはこの顯著な特徴があるから、その後裔の戎族〔異民
族〕もまた"赤[月孚]の戎"と稱した〔"赤[月孚]之戎"**既**爲"一豕"之後、
"豕"有此顯著特徴、故其後代的戎族亦用"赤[月孚]之戎"稱之〕」と述
べるが、[42]些か穿った解釋であろう。ここは子居氏〔網友氏〕の解釋に從
って「赤[孚攵]の戎」と譯出した。

　　「圜土」について、整理者は「員」を「圜」と讀み、『墨子』尚賢下
の「昔者傳説居北海之洲、圜土之上、衣**褐**帶索、傭築於傳巖之城」と、
『周禮』地官比長の「以圜土納之」の鄭注「圜土、獄城也」とを根據に、
「圜土」を「監獄」の意味に解釋する。『今本竹書紀年』夏の帝芬三十六
年「作圜土」も、監獄の意味に捉えている。王寧氏は「圜土は古代の監獄
の稱謂で、傳説が建築した城邑は、殷代に囚人を幽閉することに使用した
場所の可能性があるから、後來、傳説は胥靡（囚人）であったとする言辭
あるが、これによって誤解したのであろう。監獄は高峻牢固を要求される
から、その邑には"傳巖"或いは"傳險"の呼び方があった〔圜土是古代
監獄的稱謂、傳説建立的這個城邑可能是殷代用來關押犯人的地方、所以後
來有傳説爲胥靡（囚犯）之言、蓋由此誤解。監獄務求高峻牢固、固其邑有
"傳巖"或"傳險"之稱〕」と述べる[43]。王寧氏の解釋は、傳説の邑であ
る「北海之州」と「傳巖」とを同一地とする。子居氏は、傳説は「傳巖」
の人では無く、「説命」孔傳の「傳氏之巖」と『墨子』尚賢下の「北海之
州、圜土之上」とは同一地では無く、「説命」正義に引く『尸子』の「傳
巖在北海之洲」に因って誤ったものとする。[44]「北海之州」と「傳巖」が
同一地か否かは、ここでは論じない。ここは諸説を勘案して、「圜土」を
「監獄」の意味に解釋した。

42　侯乃峰氏前揭論文

43　王寧氏前揭論文

44　子居氏前揭論文

　「王用命説爲公」について、侯乃峰氏は「王用」を「王庸」と讀み、「庸」を「酬勞」「嘉美」の意味とし、『左傳』僖公二十四年の「庸勳・親親・暱近・尊賢、德之大者也」、『左傳』昭公三十二年の「先王庸之」（杜注「庸、功也」）の「庸」が「王用」の「用」の意味と同樣であるとし、「傅説の侁仲征伐の功績に因って、殷王武丁が褒め勞い、且つ高官に任命した〔因傅説有征伐侁仲之功、故殷王武丁嘉勞之、並且任命傅説爲公〕」と述べるが、[45]些か穿った解釋であろう。

結　語

　以上、「傅説之命」上篇に釋讀及び檢討を加えた。それでも依然として疑問の殘る箇所は多い。このことは、上述の檢討に於いて諸説紛糾して定説を見ない部分が多いことからも理解できよう。【釋文2】の傅説の臺詞「尔右稽首」の「稽首」の對象について、谷中氏は「右に侍って拜禮しなさい」と譯出し、「稽首」の對象を記しておらず、青山氏は「右を向いて上帝に稽首なさいました」と譯出し、「稽首」の對象を「上帝」と記す。青山氏は武丁の「敬天」を強調するので、「上帝」を「稽首」の對象と見たのであろう。譯文では、武丁が天から賜った傅説に對して禮を盡している情景と見て、「稽首」の對象を「傅説」とした。

　【釋文3】の「失仲是生子、生二牡豕」について、「天」が惡政を行う「失仲」に對して二頭の雄豚を生ませて警告を發し、警告を無視した「失仲」を滅ぼし、善政を行う「武丁」に對して傅説を與えて稱揚し、失仲を武丁の鏡像として對比的に捉える青山氏の災異思想説に從って「失仲は子を生んだが、二匹の雄豚を生んだ」と譯出した。人格神的「天」が災異を與えて警告を發すると言う災異思想は、『詩經』『尚書』や『左傳』等の先秦文獻に散見し、西周以來の思想と言えよう。「傅説之命」中篇に

45　侯乃峰氏前揭論文

「天」が「不祥」を發する記述は、災異を踏まえたものである。

　また【釋文3】の「我其殺之、我其已。勿殺。勿殺是吉」について、「我其殺之、我其已」を命辭（問辭）として、「わしはこれを殺すべきか、わしは（殺して）祀るべきか」と譯出し、「勿殺」を占辭（繇辭）として、「殺すなかれ」と譯出し、占辭を實行した場合の結果〔評價〕として「吉」を驗辭、或いは卜兆の狀況を刻した兆辭として、「「殺すなかれ」（という結果）は「吉」である」と譯出した。ただ、筆者は卜辭に關する知識に乏しく、誤解している可能性もあり、大方の批正を請う次第である。

　また【釋文3】の「失仲違卜、乃殺一豕」について、子居氏は「もし劣惡な子を理由にして佚仲がその子を殺すことは、人情として考え難い。古來より劣惡な子は多いが、そのことに因って父が子を殺すことは、聞いたことがない〔若僅因其子頑劣貪婪、佚仲卽動殺心的話、未免過于不似人情。古往今來、子輩秉性頑劣貪婪者多有、但其父因此緣故就行殺子之事的、則鮮有聞〕」と述べ、[46]「一豕」を「一頭の豚」と解釋する根據の一にしている。ただ、子を殺すことに因って、却って失仲の人情の無さを浮彫りにし、殘虐な性格を強調できることにもなるから、「人情」を理由に「子殺し」を否定することはできない。

　【釋文1】及び【釋文4】は、文字の解釋によって意味に多少の相違は出るが、總體的には、武丁が天から賜った傳説を一旦は失仲の使用人とするが、夢に見た天のお告げによって武丁自身を補佐する賢人と分かり、傅巖で勞役に從事していた傳説を探し出して迎え、傳説に勞役を課した失仲が天〔武丁〕の命を受けた傳説に征伐され、失仲とその子〔豚〕や邑人等が逃亡し、傳説は武丁に仕えて高官〔三公〕に任命された、という經緯を記述する。この文脈から分かることは、天〔帝〕から傳説を賜った武丁は善人で、傳説に過酷な勞役を課した失仲は惡人であり、善人武丁と惡人

---

46 子居氏前揭論文

失仲を峻別するために傅説は介在された。從って、武丁を尚賢君主として
強調する「説命」の作篇者は、失仲の傳承は必要ないから削除し、傅説か
ら武丁への進言を付け加え、賢人傳説の言辭に耳を傾ける新たな武丁像を
創り出したのではないか。

＊

　失仲について、注2に示したように、子居氏は「佚仲」と解釋し、『逸
周書』世俘の「佚侯」を根據に「佚地の諸侯」と推論するが、「佚侯」が
「佚地の諸侯」である可能性は低い。また上述のように、【釋文４】の
「説于圍伐失仲」の「圍」について、『呂氏春秋』（愼大・愼勢）記載の
「郼」を殷の領土内の地名〔國名〕と解釋する高誘注を根據に、子居氏は
「圍」を「郼」に解釋し、傅説が「佚仲」征伐に向かう時の出發地と見て
いる。もし「郼」を失仲と關わる地名〔國名〕と考えた場合、「郼」或い
は「韋」は、『今本竹書紀年』夏の帝昊元年の「使豕韋氏服國」、帝昊二十
八年の「遂征韋、商師取韋」、武丁五十年の「征豕韋、克之」、『國語』鄭
語の「彭祖・豕韋・諸稽、則商滅之矣」、『漢書』古今人表の「劉姓豕韋」
等の「豕韋」と何らかの關係があるかもしれない。それは「二牡豕」の
「豕」と「豕韋」の「豕」との關聯性からも考えられるが、推測の域を出
ない。

　上述のように、「傅説之命」上中下三篇とも武丁が傅説に述べる訓戒
の辭であり、「説命」の中下二篇が傅説の武丁に進言する辭とは、内容を
異にする。これは「説命」作篇の當時、臣下の「箴言」「諫言」を受入れ
ることが明君の理想的な政治の一形態と考えられていたことから、作篇者
が武丁と傅説の關係を理想的に作り變えた可能性が考えられる。しかし、
これに因って「傅説之命」に「尚賢」の意圖は無いと見るのは、早計であ
ろう。「傅説之命」中下篇に傅説から武丁への進言〔箴言・諫言〕の辭が
無くても、上篇に武丁が傅説に對して武器を納めて丁重に迎える配慮や、
夢の中で傅説に「稽首」して禮を盡くす態度や、傅説に失仲を征伐させて
高官〔三公〕に任命した行爲等を記述していることから、「説命」のよう

な「尚賢」の主張・強調とまでは言えないが、「傅説之命」にも「尚賢」の意識を認めることは可能であろう。

　また「傅説之命」の成立問題について、上述のように、殷の遺民が周文化の影響を受けて作ったとする子居氏の説は、【釋文２】の武丁と傅説の問答の臺詞から、その可能性も否定できないが、殷代の傳承が記載されているからといって、殷の遺民の作と見る必要は無い。張連航氏は「『傅説之命』三篇は古來からの蓄積された資料を基に撰寫修訂して成立した。故に資料の重出や新舊の詞語が共存している状況にある。（從って、成立した）年代は春秋晚期から戰國初期の閒とすべきであろう〔《傅説之命》三篇是在過去存留下來資料的基礎上撰寫修訂而成。所以才會有資料重出・新舊詞語共存的狀況。年代當春秋晚期至戰國初期〕」と述べる。[47]『墨子』尚賢や『國語』楚語、或いは『孟子』や『禮記』の諸篇等との影響關係を考慮すれば、「傅説之命」の成立年代は、春秋後期から戰國後期まで幅を持たせておき、今後の更なる研究を待つのが妥當ではないか。

---

47 張連航「清華簡《傅説之命》的撰述年代」（『古文字研究』第30輯、2014年9月）

附錄

清華簡「傅說之命」上篇釋讀　簡文對應釋文

【釋文1】

惟殷王賜說于天、用爲失仲使人。王命

厥百工向、以貨徇求說于邑人。惟弼人

得說于傅巖。厥俾繢弓伸關辟矢。

說方築城、滕躬用力。厥說之狀、腕

［以上「傅說之命」上篇 第一號簡・第二號簡］

【釋文2】

非」。

〔肩如椎。〕王廼訊說曰「帝抑尔以畀余，抑

說廼曰「惟帝以余畀尔、尔左執朕袂、尔右

稽首」。王曰「𧮫然」。天廼命說伐失仲。〔失仲　是〕

[以上「傅說之命」上篇　第三號簡・第四號簡上支]

【釋文3】

生子、生二牡豕。失仲卜曰「我其殺之、我其

已」。「勿殺」。勿殺是吉。失仲違卜、乃殺一豕。〔說于〕

[以上「傅說之命」上篇　第四號簡下支・第五號簡上支]

【釋文 4】

圍伐失仲。一豕乃旋保以逝、廼踐。邑

人皆從一豕、脫仲之自行。是爲赤〔孚攵〕之

戎。其惟說邑、在北海之州、是惟圜土。說

來、自從事于殷。王用命說爲公。

〔以上「傅說之命」上篇 第五號簡下支・第六號簡・第七號簡〕

二程天理思想與禮學詮釋之探討

齊婉先

副教授
國立暨南國際大學
華語文教學碩士學位學程

提要

　　二程理學思想中一個核心觀念即是「天理」，二程不僅將「天理」與「人欲」對舉，並且將「天理」理解為儒家本體宇宙論之實體的總括。本此，二程對於儒家經典之文本理解與義理詮釋，乃開出一富有理學特色之儒家思想，二程關於先秦儒家經典文本中禮之詮釋即是其中一重要代表。程顥解釋《論語》中孔子「禮，與其奢也寧儉」之言，即以文、理並說，強調禮包含本末、實華關係；程頤亦明謂「禮亦理也，有諸己則無不中於理」，以天理、人欲之對立解釋「克己復禮」之意，強調禮之本即是理之當，亦即是人平常所履行之道，而「非禮處便是私意」，「不是天理，便是私欲」。由是，二程建構出具有理學意涵之禮學詮釋，並深刻影響之後宋明儒者之禮學思想與詮釋。本文以二程理解先秦儒家論禮之內容為研究課題，探討二程理學思想與其禮學詮釋之關係，並說明二程對於先秦儒家仁禮關係之關注，二程固然十分重視禮儀之實踐，但更著意於強調在禮儀實踐之同時，儒家仁學思想仍然具有優先地位。此外，透過對二程以「天理」概念詮釋禮學思想之分析，說明二程禮學詮釋之理學特色及在儒學發展過程上之代表意義。

關鍵詞：程顥　程頤　天理　禮隨時之義

一　前言

　　「天理」二字是程顥（1032-1085）「自家體貼出來」,[1]「天理」概念作為宇宙原則、人生至善的形上哲學意涵,經由程顥、程頤（1033-1107）的發明與闡述,成為二人思想中最高哲學範疇,陳榮捷先生即認為二程最大貢獻在於對天理的說明上。[2] 英國漢學家 A.C. Graham 亦以二程上提「理」之地位至「天」之位置,使「理」成為儒家世界圖像之中心所在,而視此為二程最大創見。[3] 蔡方鹿先生則以「天理論哲學」概括二程學說內容,並強調天理論是「宋明理學最重要的理論」,天理論的提出,既「標誌著宋代理學的定型」,同時也代表儒學在中國哲學發展史上由倫理型走向哲理型的轉化於焉完成,因此具有劃時代意義。[4] 程顥因為早逝,故「理」概念之理論建構與充分發展實有賴於程頤之功,唐君毅先生指出程頤提出「己與理為

1　程顥嘗自言:「吾學雖有所受,天理二字却是自家體貼出來。」語見《河南程氏外書》卷12,收入〔宋〕程顥、程頤:《二程集》(臺北市:漢京文化事業,1983年,四部刊要本)第1冊,頁424。牟宗三先生嘗解釋程顥體貼天理二字的根據,臚列出包含帝、天、天命、天道、太極、誠體、秉彝、敬以直內,義以方外……等二十種名,並以此說明程顥此言:「其實意只是他真理會得這道理,他真實理會得那種種名之實義而拈出這兩個字以代表之。並非說此概念或此二字是他所獨創或所新造。說此兩字,是表示儒家言性命天道是澈底而嚴整的道德意識之充其極。」相關此段的詳細闡述,參見牟宗三:《心體與性體》第二冊(臺北市:正中書局,1968年),頁54。

2　陳榮捷先生直言:「二程之大貢獻,則在其對于天理之說明也。」依據二程言論,陳先生認為二程「皆主存天理,而存之之道在誠敬」,因此,二程所言天理與所論理氣之理其實差異不大,「理即天理」。有關陳先生詳細論述,參見陳榮捷:《宋明理學之概念與歷史》(臺北市:中央研究院中國文哲研究所印行,1996年),頁34。

3　A.C. Graham 則指出二程兄弟的偉大創見,即在於將「理」上提至原先處於儒家世界圖像中心地位之「天」的位置。而就在「理」之地位上提的同時,天、天命及道也連帶被當作僅是理之不同面向的描述名稱。Graham 見解的相關論述,參見〔英〕A.C. Graham, *Two Chinese Philosophers: The Metaphysics of the Brothers Ch'êng* (La Salle, IL: Open Court, 1992), p. 23.

4　依蔡方鹿先生之見,二程創立的天理論哲學,「把哲學本體論與儒家倫理學直接統一于天理,在理學各派中,最能體現理學的基本特徵」。關於蔡先生的論點,參見蔡方鹿:《中國經學與宋明理學研究(上)》(北京市:人民出版社,2011年),頁460,481。

一」，並說「性即理」，此即是「將明道之言，凝聚於一語之中」，「性即理」實為「一劃時代之語」。[5]勞思光先生也認為程頤指出「性即理」一命題，並據此奠定一套價值理論系統，逐步發展為以「本性論」為中心的形上學，有別於宇宙論說法，因此乃稱「性即理」為「程門之學精要所在」。[6]

二程之天理概念可謂是二人理解儒家經典文本之視域，二程對於天理意涵的闡述與理論建構，應用在儒家經典文本之義理詮釋上，開出一富有理學特色之儒家思想，其中，二程關於先秦儒家經典文本中禮之詮釋即是一重要代表。程顥解釋《論語》中孔子「禮，與其奢也寧儉」之言，即以文、理並說，強調禮包含本末、實華關係；程頤亦明謂「禮亦理也，有諸己則無不中於理」，以天理、人欲之對立解釋「克己復禮」之意，強調禮之本即是理之當，亦即是人平常所履行之道，而「非禮處便是私意」，「不是天理，便是私欲」。由是，二程建構出具有理學意涵之禮學詮釋，並深刻影響之後宋明儒者之禮學思想與詮釋。本文以二程理解先秦儒家論禮之內容為研究課題，探討二程理學思想與其禮學詮釋之關係，並嘗試說明二程對於先秦儒家仁禮關係之關注，投射出理學發展在儒學傳統的內在理路上與先秦儒家的關聯意義，即二程固然十分重視禮儀之實踐，但更著意於強調在禮儀實踐之同時，儒家仁學思想仍然具有優先地位。此外，透過對二程以「天理」概念詮釋禮學思想之分析，說明二程禮學詮釋之理學特色及在儒學發展過程上之代表意義。

---

5 唐君毅先生解釋宋明理學所言之理，「多是就人對其他人物之活動雖各不同，然皆原本於一心性，以言具總持義之性理；並由吾人與萬物性理之同原處，以言總持義之天理」，是以宋明儒之言理，「主要者是言性理，由此以及於天理」。唐先生論述的詳細內容，參見唐君毅：《中國哲學原論・導論篇》（臺北市：臺灣學生書局，全集校訂版，1986年），頁45, 69。

6 勞思光先生認為雖然二程在哲學理論上觸及的問題不盡相同，以「性」而言，程顥之論偏「天道觀」，但已涉及共同義及殊別義之性；程頤則雖兼說兩層意義之性，但較重視殊別義之性，故程頤所建立之理論系統含有「本性論」，該論樞紐即在「性即理」之說。勞先生的詳細論證，參見勞思光：《新編中國哲學史（三上）》（臺北市：三民書局，2004年），頁194-201, 220-229。

二 天理即義理

　　二程之中，程顥常言「天理」，惟在意涵指涉上「天理」與「理」並未見明顯區別。[7]程顥曾說：「天者，理也。」[8]以理概念描述天，解釋天之意涵。程顥又說：「得天理之正，極人倫之至者，堯、舜之道也。」[9]此處程顥明白以天理、人倫詮釋堯、舜之道，將天理概念與堯、舜聖人之道相互關聯。而建立關聯的基礎即在程顥以「生生之謂易」為「天之所以為道」的義理詮釋，並且強調「即事盡天理，便是易也」。[10]程顥說：

> 「生生之謂易」，是天之所以為道也。天只是以生為道，繼此生理者，即是善也。善便有一箇元底意思。「元者善之長」，萬物皆有春意，便是「繼之者善也」。「誠之者性也」，成卻待佗萬物自成其性須得。[11]

程顥所說之天道，即「天之自然者」。[12]牟宗三先生嘗指出，程顥以生生之易說天道自體，就指示本源言，「則生生之易是偏重在生道、生生之源說，不是著跡于生生之氣說」。[13]此生生之源是理，是創生萬物的生化之理，亦

7　勞思光、陳榮捷、A.C. Graham 諸位先生頗有相近見解，參見勞思光：《新編中國哲學史（三上）》，頁199。陳榮捷：《宋明理學之概念與歷史》，頁34。A.C. Graham, *Two Chinese Philosophers: The Metaphysics of the Brothers Ch'êng*, p. 23-24.

8　語見程顥、程頤撰：《河南程氏遺書》卷11，《二程集》第1冊，頁132。

9　語見程顥、程頤撰：《河南程氏文集》卷1，《二程集》第1冊，頁450。

10　參見程顥、程頤撰：《河南程氏遺書》卷2上，《二程集》第1冊，頁31。此則出於「二先生語一」，惟據《明道學案》上，將此則收錄，故斷定為程顥之言。參見〔清〕黃宗羲原著、全祖望補修：《宋元學案》（臺北市：華世書局，1987年）卷13，第2冊，頁567。

11　參見程顥、程頤撰：《河南程氏遺書》卷2上，《二程集》第1冊，頁29。此則亦出於「二先生語一」，惟據《明道學案》上，將此則收錄，故斷定為程顥之言。參見〔清〕黃宗羲原著、全祖望補修：《宋元學案》卷13，第2冊，頁564。

12　語見程顥、程頤撰：《河南程氏遺書》卷11，《二程集》第1冊，頁125。

13　參見牟宗三：《心體與性體》第二冊，頁56。

是聖人所由之一理。[14]堯、舜聖人處事待物，平直易行，推緣其故，只是「致公」；聖人「心盡天地萬物之理，各當其分」，循順天理而不逆行。[15]是以程顥說：

> 以物待物，不以己待物，則無我也。聖人制行不以己，言則是矣，而理似未盡於此言。夫天之生物也，有長有短，有大有小。君子得其大矣，安可使小者亦大乎？天理如此，豈可逆哉？以天下之大，萬物之多，用一心而處之，必得其要，斯可矣。然則古人處事，豈不優乎！[16]

對照兩漢以降歷代君王皆是把持天下的作風，程顥特別標舉三代聖王平治天下就在於「順理」。[17]雖然天之生物，有長有短，有大有小，但是萬物之不齊，合當如是，然而己物之間關係，究竟如何對待方能不逆行天理？此由程顥一則文字，可以略見一斑，程顥有言：

> 以己及物，仁也。推己及物，恕也。忠恕一以貫之。忠者天理，恕者人道。忠者無妄，恕者所以行乎忠也。忠者體，恕者用，大本達道也。[18]

依程顥之見，忠恕之道，即是自人道上通天理一以貫之之道，亦即是體用一源、大本達道之道。程顥嘗對《中庸》文本所述聖人之道「洋洋乎，發育萬物，峻極于天。優優大哉！禮儀三百，威儀三千，待其人而後行」，註解道

---

14 程顥言：「二氣五行剛柔萬殊，聖人所由惟一理，人須要復其初。」參見程顥、程頤撰：《河南程氏遺書》卷6，《二程集》第1冊，頁83。此則出於「二先生語六」，惟據《明道學案》上，將此則收錄，故斷定為程顥之言。參見〔清〕黃宗羲原著、全祖望補修：《宋元學案》卷13，第2冊，頁568。

15 程顥言：「聖人致公，心盡天地萬物之理，各當其分。……聖人循理，故平直而易行。」參見程顥、程頤撰：《河南程氏遺書》卷14，《二程集》第1冊，頁142。

16 參見程顥、程頤撰：《河南程氏遺書》卷11，同前註，頁125。

17 同前註，頁127。

18 同前註，頁124。

「皆是一貫」。[19]則程顥對於三代聖人之道的詮釋,即是在天理概念的詮釋視域下,以天理為萬物創生本源,下貫至天地萬物及人身上,而三代聖人在君臣、父子、兄弟、朋友、夫婦之事上,推己及物,推擴人道;[20]亦即大本達道,上下一貫,天理乃在此中全然彰顯,燦然明著。

人道的實踐必須在人事上,然而事有善惡之別,對於有善惡分別的人是,人道又該如何實踐?程顥解釋:

> 事有善有惡,皆天理也。天理中物,須有美惡,蓋物之不齊,物之情也。但當察之,不可自入于惡,流於一物。[21]

物因不齊,有美惡之分,此乃物之本然。至於人,則生而有氣稟,人因氣稟之故,有善惡之別,但程顥強調此善惡之別絕非在性中初始即有且兩物相對而生,而是在「生之謂性」、「人生而靜」以下,因氣稟之故而產生。理固然有善惡,而「惡亦不可不謂之性」,但程顥顯然認為世間多凡人,而絕少「生之謂性」、「人生而靜」以上者,故只需說「繼之者善」,講孟子性善之教即可。程顥說:

> 「生之謂性」,性即氣,氣即性,生之謂也。人生氣稟,理有善惡,然不是性中元有此兩物相對而生也。有自幼而善,有自幼而惡,是氣稟有然也。善固性也,然惡亦不可不謂之性也。蓋「生之謂性」、「人生而靜」以上不容說,才說性時,便已不是性也。凡人說性,只是說「繼之者善」也,孟子言人性善是也。……故不是善與惡在性中為兩物相對,各自出來。此理,天命也。順而循之,則道也。循此而修之,各得其分,則教也。自天命以至於教,我無加損焉,此舜有天下而不與焉者也。[22]

---

19 參見程顥、程頤撰:《河南程氏遺書》卷14,《二程集》第1冊,頁140。

20 曾有人詢問程顥:「如何是道?」程顥回答:「於君臣父子兄弟朋友夫婦上求。」參見程顥、程頤撰:《河南程氏外書》卷12,《二程集》第1冊,頁432。

21 參見程顥、程頤撰:《河南程氏遺書》卷2上,同前註,頁17。

22 參見程顥、程頤撰:《河南程氏遺書》卷1,同前註,頁10-11。

程顥在上述文字的末段處，以「此理」作為詮釋《中庸》首三句「自天命以至於教」的義理間架，此處的「此理」頗具有唐君毅先生所說由性理以及於天理的意涵。對於程顥自家體貼之天理，唐先生認為「能通天下之志，以開物成務者也」。[23]唐先生分析道：

> 唯明道之體貼此天理，又是自始是體貼其為由上徹下，以運于一浩然之氣中之陰陽之化、與形物之氣之清濁、人事之善惡中之天理；故恆即氣與形物形器言道言性。故其言天理與氣化之別，人心人欲與道心天理之別，其義不甚顯；而其言一內外、心即天，不離心言天理之旨，則甚顯。[24]

唐先生這段評述十分中肯，程顥雖亦言天理、人欲，[25]但並未用力於嚴格區分二者，一如程頤、朱熹（1130-1200）理氣說，以天理為形而上之道，氣為形而下，天理、人欲兩相對立。

程頤言天理，則側重「自然之理」之意，曾言：「莫之為而為，莫之致而致，便是天理。」[26]程頤即以自然而為、自然而致之天理概念分辨「生之謂性」與「天命之謂性」所指涉性字意涵之差異，程頤解釋：

> 「生之謂性」，與「天命之謂性」，同乎？性字不可一概論。「生之謂性」，止訓所稟受也。「天命之謂性」，此言性之理也。今人言天性柔緩，天性剛急，俗言天成，皆生來如此，此訓所稟受也。若性之理也，則無不善，曰天者，自然之理也。[27]

---

23 唐君毅：《中國哲學原論‧原教篇：宋明儒學思想之發展》（臺北市：臺灣學生書局，全集校訂版，1990年），頁161。

24 同前註，頁160。

25 程顥有言：「『人心惟危』，人欲也。『道心惟微』，天理也。『惟精惟一』，所以至之。『允執厥中』，所以行之。」參見《河南程氏遺書》卷11，《二程集》第1冊，頁126。

26 參見程顥、程頤撰：《河南程氏遺書》卷18，同前註，頁215。

27 參見程顥、程頤撰：《河南程氏遺書》卷24，同前註，頁313。

依據上段文字，程頤所謂「性之理，無不善」，當是以性之理為天理的內容，而無不善即是天理自然而無不善。程頤肯定孟子性善之說，認為人性皆善，於四端之情可見，惟世人有不能順其情而悖天理，終致流而至於惡者。然而，之所以有不善者，則因「才」之故，「才稟於氣，氣有清濁。稟其清者為賢，稟其濁者為愚」。[28]程頤雖然同意氣稟之清濁影響「才」，但強調此當就生知之聖人而論；對於「學而知之」者，則無關乎氣之清濁，「皆可至於善而復性之本」。因此，程頤言：「今人說有才，乃是言才之美者也。才乃人之資質，循性修之，雖至惡可勝而為善」。至於「性之理，無不善」，程頤則解釋：

> 性即理也，所謂理，性是也。天下之理，原其所自，未有不善。喜怒哀樂未發，何嘗不善？發而中節，則無往而不善。[29]

在上述文字的思維脈絡下，不僅理、性並無不同，而且理、性、命三者，也未有不同，故程頤言：「窮理則盡性，盡性則知天命矣。天命猶天道也，以其用而言之則謂之命，命者造化之謂也。」[30]程頤所謂天道，即是理，[31]乃聖人循天理而行之，故言「聖人本天」。[32]程頤心中的聖人是「人倫之至」，倫即理，人倫即是人理，[33]是能夠切實具體實踐人倫的極致典範，程頤因此以「中」描述聖人盡得人理。程頤說：

> 聖人與理為一，故無過，無不及，中而已矣。其他皆以心處這簡道

---

28 程頤謂：「孟子言人性善是也。雖荀、楊亦不知性。孟子所以獨出諸儒者，以能明性也。性無不善，而有不善者才也。性即是理，理則自堯、舜至於塗人，一也。」參見《河南程氏遺書》卷18，同前註，頁204。

29 參見程顥、程頤撰：《河南程氏遺書》卷22上，同前註，頁292。

30 參見程顥、程頤撰：《河南程氏遺書》卷21下，同前註，頁274。

31 程頤言：「理便是天道也。且如說皇天震怒，終不是有人在上震怒？只是理如此。」參見《河南程氏遺書》卷22上，同前註，頁290。

32 程頤說：「《書》言天敘、天秩。天有是理，聖人循而行之，所謂道也。聖人本天，釋氏本心。」參見《河南程氏遺書》卷21下，同前註，頁274。

33 參見程顥、程頤撰：《河南程氏遺書》卷18，同前註，頁182。

理，故賢者常失之過，不肖者常失之不及。[34]

聖人與理為一而中的理，即是仁，程頤嘗言：「仁，理也。人，物也。以仁合在人身言之，乃是人之道也。」[35]是以能盡人之道者，即可稱之為聖人，而「聖人必欲使天下無一人之惡，無一物不得其所」，[36]因為「萬物無一物失所，便是天理謂中也」。[37]然而這在聖人，也只是不勉而中，不思而得。若為常人，則須用勉強之功，但這也只是知循理，而非樂循理，「纔到樂時，便是循理為樂，不循理為不樂，何苦而不循理，自不須勉強也」。[38]

綜言之，二程所說天理，就是一個圓滿自足、原無少欠、百理具備的自然之理。此天理超越時空及一切人事，為一具有形上意義的實理。人既得天地之正氣而生，而異於禽獸，程頤乃堅持「人只有箇天理，卻不能存得，更做甚人也」？[39]二程說：

> 天理云者，這一箇道理，更有甚窮已？不為堯存，不為桀亡。人得之者，故大行不加，窮居不損。這上頭來，更怎生說得存亡加減？是佗元無少欠，百理具備。[40]

依據上段文字，天地萬物間就只是這一個天理，大抵人就只是要存一個天理。惟有天理是超越人事更迭，不為時空所侷限，恆常而貞定存在，且百理具備，而人的意志則不能對天理有所干涉，故程頤言：「人纔有意於為公，便是私心。」[41]程頤之意，公是「仁之理」，「公而以人體之故為仁」，但程頤反對遽將公等同於仁。在程頤看來，有意於為公者，是不明仁之理原乃自

---

34 參見程顥、程頤撰：《河南程氏遺書》卷23，同前註，頁307。

35 參見程顥、程頤撰：《河南程氏外書》卷6，同前註，頁391。

36 同前註，頁382。

37 參見《伊川學案》上，《宋元學案》卷15，第2冊，頁634。

38 參見程顥、程頤撰：《河南程氏遺書》卷18，《二程集》，第1冊，頁186。

39 同前註，頁214。

40 參見程顥、程頤撰：《河南程氏遺書》卷2上，同前註，頁31。

41 參見程顥、程頤撰：《河南程氏遺書》卷18，同前註，頁192。

然而然，須就人身的內在體察天生本具的仁之理；果真無絲毫私意間隔於人身內在，則「人身上全體皆是仁」。[42]因此，當人才有意念用力於為公，即是安排布置，迫切而不中理，已是私心。故程頤說：

> 萬物皆只是一箇天理，己何與焉？至如言「天討有罪，五刑五用哉！天命有德，五服五章哉！」此都只是天理自然當如此。人幾時與，與則便是私意。有善有惡，善則理當喜，如五服自有一箇次第以彰顯之。惡則理當惡，彼自絕於理，故五刑五用，曷嘗容心喜怒於其間哉。⋯只有一箇義理，義之與比。[43]

二程主張天理即義理，一切善惡喜厭，「義之與比」，則自然當理，無有私意夾雜其中。程頤在解釋《易·艮卦·五二》〈象傳〉時說：「不失其時，則順理而合義。在物為理，處物為義。動靜合理義，不失其時也，乃其道之光明也。」[44]二程對於先秦儒家講禮、重禮、行禮的命題討論，以及對二人所處北宋時期禮學思想的建構，反映出二人的理解與詮釋是在天理自然，「順理合義」的義理間架中進行，下文嘗試就二程對禮之理解與詮釋進行分析與討論。

三　文、理並說的禮與天理、人欲對立的詮釋

宋代理學思想的發展不僅在整個儒學傳統中開出一新局面，並且促成儒家經典典範的轉移。然而，對於先秦儒家注重禮教與禮制的傳統，陳榮捷先生認為宋儒之說仍多承繼，而少見對禮之觀念的哲學意涵進行討論。陳先生說：

---

42 此為朱熹的解釋，參見〔宋〕朱熹：《朱子語類》（四）卷95，收入朱傑人、嚴佐之、劉永翔主編，《朱子全書》第拾柒冊（上海：上海古籍出版社；合肥：安徽教育出版社，2002年），頁3225。

43 參見程顥、程頤撰：《河南程氏遺書》卷2上，《二程集》第1冊，頁30。

44 參見程頤撰：《周易程氏傳》卷4，《二程集》第2冊，頁968。

儒家傳統重禮教與禮制，故于禮之哲學觀念，甚少討論。理學家亦如是。張子（張載，1020-1077）使學者先學禮（張子語錄，下）。程伊川（程頤，1033-1107）定六禮（遺書，十五）。明道（程顥，1032-1085）嘗至禪寺，方飯，見趨進揖遜之盛，嘆曰：「三代威儀，盡在是矣。」（外書，十二）朱子終身修禮書，文集書札討論禮制，出乎討論理氣太極之上，然議論禮之觀念並不多。有之，亦據古說而略加精析而已。[45]

參照宋代禮制不振、禮學研究不興的事實，陳先生之論，洵有所見。惟觀二程以天理概念為義理間架，詮釋儒家經典文本關於古代禮儀典章制度及禮樂教化功效的討論，二程在禮學思想建構上亦非僅踵前人之跡，而未有開展。鄧克銘先生指出宋儒在禮學上獨具一格的貢獻就是對於禮之本質的討論，同時，對於有論者以為宋代禮學研究不興與理學思想蓬勃發展具有絕對關連性，鄧先生則持保留態度。[46]鄧先生以程頤與朱熹為例，解釋道：

> 程頤及朱子均認為禮與理之內涵是一致的。禮不只是經學上的禮書，或只是研究古代之禮儀典章，而是包含在超越的「理」之概念中，而「理」也藉由禮儀規矩表現其規範性。禮除了「因人之情而為之節文」外，也應符合「理」的要求，一種必然、普遍的概念。要之，禮之意義在於與普遍的「理」概念合一之道德實踐活動。[47]

依據鄧先生之言，程頤對於禮的理解，是在一種「必然、普遍的理的概念」中取得詮釋禮的視域，在這個詮釋視域中，禮儀規矩就成為「必然、普遍的理」的規範性的具體表現，禮的意義同時開展為朗現天理的道德實踐活動。持平而論，禮學研究的傳統在理學思想發展的脈絡下，不可避免逐漸產生變

---

45 陳榮捷：《宋明理學之概念與歷史》，頁85。

46 鄧先生討論宋儒禮學與理概念之關係的詳細內容，主要見於其書第三章，參見鄧克銘：《宋代理概念之開展》（臺北市：文津出版社，1993年），頁99-166。

47 參見鄧克銘：《宋代理概念之開展》，頁114。

化，這樣的變化對於禮學研究出現典範轉移的過程應具有重要意義。

要言之，二程對於禮的基本看法，即是「禮者，人之規範，守禮所以立身也。安禮而和樂，斯為盛德矣」。[48]「因人情而節文之者，禮也；行之而人情宜之者，義也」。[49]程頤並說：「物有自得天理者，...禮亦出於人情而已。」[50]禮之意涵，本指祭祀儀節，春秋時期，禮之意義範疇擴大，成為政治制度及人類行為的普遍規範。至二程詮釋禮，則融合二程在所處歷史時代取得對於性理解釋的視域，以及取得對於儒家經典文本理解的視域，建構出具有道德形上學意涵的禮學思想。程顥有言：

> 禮者，理也，文也。理者，實也，本也。文者，華也，末也。理是一物，文是一物。文過則奢，實過則儉。奢自文所生，儉自實所出。故林放問禮之本，子曰：「禮，與其奢也寧儉。」言儉近本也。[51]

在這段文字中，程顥乃就《論語・八佾》〈林放問禮〉章中孔子主張「禮寧儉」，提出解釋，其重點有二：一，程顥以文、理並說，強調禮包含本末、實華關係，「理文若二，而一道也」，一道即是本末之道。二，禮之奢與儉，雖有所出，但皆因「過」而有，既過，即不中。對於孔子寧儉的主張，程顥認為只是「儉近本」。程頤亦有類似看法，他說：

> 奢自文生，文過則為奢。文者稱實而為飾，文對實已為兩物，奢又文之過，則去本遠矣。儉乃文不足，此所以為禮之本。[52]

程頤在上述文字中進一步說明「儉近本」之「儉」，即是「文不足」。「文不足」之所以可為禮之本，就在於禮之文飾須稱實為之，文飾過實則已是奢華，去禮之本甚遠。程頤在《損》卦的註解中，詳細解釋孔子以寧儉為禮之

---

48 參見程顥、程頤撰：《河南程氏粹言》卷1，《二程集》第2冊，頁1174。

49 同前註，頁1177。

50 參見程顥、程頤撰：《河南程氏遺書》卷17，《二程集》，第1冊，頁180。

51 參見程顥、程頤撰：《河南程氏遺書》卷11，同前註，頁125。

52 參見程顥、程頤撰：《河南程氏外書》卷6，同前註，頁380。

本的意義。他說：

> 聖人以寧儉為禮之本，故為損發明其義，以享祀言之。享祀之禮，其
> 文最繁，然以誠敬為本，多儀備物，所以將飾其誠敬之心，飾過其
> 誠，則為偽矣。損飾所以存誠也，故云「曷之用，二簋可用享」。二
> 簋之約，可用享祭，言在乎誠而已，誠為本也。天下之害，无不由末
> 之勝也。峻宇雕牆，本於宮室；酒池肉林，本於飲食；淫酷殘忍，本
> 於刑罰；窮兵黷武，本於征討。凡人欲之過者，皆本於奉養，其流之
> 遠，則為害矣。先王制其本者，天理也；後人流於末者，人欲也。損
> 之義，損人欲以復天理而已。[53]

依據上述文字，程頤解釋孔子以寧儉為禮之本的重點有三：一，禮之本即是
誠敬之心，以享祀為例，禮儀上的繁文縟節及禮器度數的準備布置，即是禮
之文飾。一旦禮之文飾超過誠敬之心，心中之誠敬即成虛偽。二，保存誠敬
之心的作法即是減損過多的文飾，以二簋享祭，數量雖少，但只要以誠敬之
心為本，簡約的二簋亦可成禮。三，人欲之過在流於末者，流之愈遠，為害
愈大。綜合程頤的論點，以儉為禮之本的禮意就在於禮之制定是以誠敬為
本，以誠敬為本之禮就是天理，天理朗現於人的行禮活動之中，人藉由行禮
的身心活動體會天理，但文飾過多的禮儀制度已失誠敬為本之禮意，已非出
乎天理，而是人欲發展逾度的表現；後人行禮不見誠敬之本，而是依照已經
逾度的禮之文飾，則後人的行禮活動，就是人欲發展的逾度表現，無法朗現
天理於其中。要言之，程頤以「損人欲以復天理」解釋《損》卦之義，即是
在文與理、天理與人欲的義理脈絡下進行詮釋。在另一處類似上述文字中，
程頤對於本末一道，特別強調文之與質，關聯密切，「相須而不可缺」。程
頤說：

> 子曰：天下之害，皆以遠本而末勝也。峻宇雕牆，本於宮室；酒池肉
> 林，本於飲食；淫酷殘忍，本於刑罰；窮兵黷武，本於征討。先王制

---

53 參見程頤撰：《周易程氏傳》卷3，《二程集》第2冊，頁907。

其本者，天理也；後王流於末者，人欲也。損人欲以復天理，聖人之
教也。或曰：「然則未可盡去乎？」曰：「本末，一道也。父子主恩，
必有嚴順之禮；君臣主敬，必有承接之儀；禮遜有節，非威儀則不
行；尊卑有序，非物采則無別。文之與質，相須而不可缺也。及夫末
勝而本喪，則寧遠浮華，而質樸之為貴爾。」[54]

程頤解《損》卦以天理、人欲概念詮釋聖人之教，即「損人欲以復天理」，
其功夫在損，亦即遠離浮華，以質樸為貴。在另一處解釋《論語》「非禮勿
視、勿聽、勿言、勿動」，亦是以天理、人欲對舉解釋「克己復禮」之意，
並且明言「禮即是理也」。程頤說：

視聽言動，非理不為，即是禮，禮即是理也。不是天理，便是私欲。
人雖有意於為善，亦是非禮。無人欲即皆天理。[55]

在上段文字中，程頤乃以非禮勿視、勿聽、勿言、勿動之說為命題，在性即
理的義理脈絡下給出人之視聽言動的道德根源與行為依據，即是天理。但凡
人順循自然天理而視、而聽、而言、而動，即是禮，而無人欲之私。程頤亦
明謂「禮亦理也，有諸己則無不中於理」[56]，強調禮之本即是理之當，亦即
是人平常所履行之道，而「非禮處便是私意」，「不是天理，便是私欲」。

　　二程禮學思想中，尚有一個重要觀念，即「隨時之義」。二程有言：「理
有盛衰，有消長，有盈益，有虛損。順之則吉，逆之則凶。君子隨時所尚，
所以事天也。」[57]天理盛衰、消長、盈益、虛損，亦是自然當如此。而禮即
是理，故程頤說：

禮之本，出於民之情，聖人因而道之耳。禮之器，出於民之俗，聖人
因而節文之耳。聖人復出，必因今之衣服器用而為之節文。其所謂貴

54　參見程顥、程頤撰：《河南程氏粹言》卷1，同前註，頁1170-1171。

55　參見程顥、程頤撰：《河南程氏遺書》卷15，《二程集》第1冊，頁144。

56　參見程顥、程頤撰：《河南程氏外書》卷3，同前註，頁367。

57　參見程顥、程頤撰：《河南程氏粹言》卷1，《二程集》第2冊，頁1175。

本而親用者，亦在時王斟酌損益之耳。[58]

程頤在這段文字中指出禮既是因人情節文而成，古今異時，民情、民俗自亦不同，故斟酌損益亦是理之當然。依程頤之見，禮之本，固然出乎民情表達，禮之器，也是出自民俗所需，但是時空條件不同，因時、因地制宜，卻是必要。然而這「節文」工作則須由聖人擔任，聖人的做法即是「因而道之」、「因而節文」。換言之，聖人亦不造作，一切衣服器用、禮儀典章，聖人皆是依循天理，尊重當時當地民情、民俗而引導、調節，其目的就在於所制訂的禮儀典章，既要朗現天理，同時也要是合乎當時當地人民實際使用，亦即親切可行。程頤顯然對於當時禮儀典章規定並不贊同，故直言聖人若是重出於當世，將對當時禮儀規範進行「節文」工作。「貴本而親用」見於《荀子・禮論》，荀子說：

> 饗，尚玄尊而用酒醴，先黍稷而飯稻粱。祭，齊大羹而飽庶羞，貴本而親用也。貴本之謂文，親用之謂理，兩者合而成文，以歸大一，夫是之謂大隆。[59]

參照程頤關於荀子主張行饗、祭之禮宜「貴本而親用」之評論，程頤應是贊同荀子「文理合而成文，以歸大一」的觀點。值得注意的是，程頤特別強調「貴本而親用」與「時王斟酌損益」的關聯，依程頤之言，「貴本而親用」的提出，也就是聖人依據其所處時空條件斟酌損益禮儀典章制度的一個明證。

關於「時」作為禮儀制訂過程中的一個重要因素，二程語錄中有一段記載，提供較多細節的說明。

> 或問：「子所定昏禮，有壻往謝之儀，何謂也？」子曰：「是時也。以今視古，氣之淳漓不同矣。今人之壽夭貌象，與古亦異，而冕服俎豆，未必可稱也。聖人之主化，猶禹之治水耳，宜順之而不逆，宜遵

---

58 參見程顥、程頤撰：《河南程氏遺書》卷25，《二程集》第1冊，頁327。
59 引文參見李滌生：《荀子集釋》（臺北市：臺灣學生書局，1986年），頁424。

之而不違。隨時之義，亦因於此焉。」⁶⁰

上述這段文字顯示出程頤對於時空變異與民情習俗變化之間相互關聯的觀察，程頤指出對照古今時代，不僅氛圍有所不同，生活於今時的人，其壽命長短、相貌衣著，也與古代的人存在差異，因此，在今時婚禮上直接採行古禮儀制，未必可以完全相稱、適合。據此，程頤強調婚禮儀典之訂定必須重視「時」的因素，這是上面這段文字關於「時」與禮儀制訂的第一個重點。另外一個重點就是聖人治理的「隨時之義」，程頤有言：「禮之隨時處宜，只是正得當時事。所謂時者，必明道以貽後人。」⁶¹又言：「當隨則隨，當治則治。當其時作其事，便是能隨時。」⁶²在上述引文中，程頤以大禹治水為譬喻，說明聖人隨時之義，就在於面對時移事變物換境遷的自然發展，聖人掌握變化，在禮儀典章制度的制訂上，隨時處宜，正所謂宜順之宜遵之，而不逆之不違之，然後「當時事」可得端正，天理由是得以朗現，教化因此而興。

四　結論

所謂禮即是理，二程言禮不離天理概念。對於傳世之禮書，二程認為「皆掇拾秦火之餘，漢儒所傳會者多矣」，若欲就禮書文本，句句詳解，字字訓詁，已是不可得，更遑論一一追故跡而行諸於世。因此，對於當世學者，或能文，或談經，二程頗有不滿。二程曾評論道：

> 今之學者，歧而為三：能文者謂之文士，談經者泥為講師，惟知道者乃儒學也。⁶³

「惟知道者乃儒學」，儒學所論之道，在二程而言，即是天道，即是天理。

---

60 參見程顥、程頤撰：《河南程氏粹言》卷1，《二程集》第2冊，頁1170。

61 參見程顥、程頤撰：《河南程氏遺書》卷15，《二程集》第1冊，頁156。

62 同前註，頁171。

63 參見程顥、程頤撰：《河南程氏遺書》卷6，同前註，頁95。

程頤對於當世學者有兩則評述，這兩則評述可以為我們理解程頤詮釋當世儒學內涵，提供值得參考的重要訊息。第一則評述討論為學弊端，程頤說：

> 今之學者有三弊：一溺於文章，二牽於訓詁，三惑於異端。苟無此三者，則將何歸？必趨於道矣。[64]

在上述這段文字中，程頤批評當時學者的為學弊端表現在創作文章、講求訓詁、喜好異端這三個方面上。程頤認為這三者對當時學者產生巨大影響，亦即使學者偏離儒學之道的學習，依程頤之見，倘若可以除卻這三個弊病，學者的學習就一定可以回歸至儒學之道上。

在當時學者為學的三個取徑中，程頤尚且認可當時學者從事文章之學與訓詁之學，但對於追隨異端之說，程頤則非常不以為然。程頤的第二則評述清楚表達出他的這個立場，程頤說：

> 古之學者一，今之學者三，異端不與焉。一曰文章之學，二曰訓詁之學，三曰儒者之學。欲趨道，舍儒者之學不可。[65]

依據上面這段文字，程頤顯然指出當時學者的為學路徑有三個，亦即學為文章、學為訓詁、學為儒道這三者。程頤抱持的這個立場，包含兩個重要訊息，一是程頤認同文章之學與訓詁之學確實是學者可以從事的兩個學問，雖然當時學者在學為文章與學為訓詁之時，容易出現耽溺與牽合的弊端。另一是程頤肯定且直接表示學者既然以求道為學，則趨道之學，非由儒者之學不可。究竟二程所謂「惟知道者乃儒學」及鼓勵學者「趨道」之「道」所指為何？程頤有言：「聖人之心，未嘗有在，亦無不在，蓋其道合內外，體萬物。」[66]則程頤所謂儒學聖人之道，即是合內外之道而與萬物同體之義。筆者淺見，二程以天理概念詮釋儒家經典文本中之禮儀典章制度及禮樂教化意義，應有助於我們把握二程思想中對於儒家聖人之學的當世理解與詮釋。

---

64 參見程顥、程頤撰：《河南程氏遺書》卷18，同前註，頁187。

65 同前註。

66 參見程顥、程頤撰：《河南程氏遺書》卷3，同前註，頁66。

《史記》引《論語》之方法

——兼論《論語》成書問題

余其濬

〔美國〕楊百翰大學愛達荷分校助理教授

提要

　　司馬遷在編纂《史記》時，主要的史料來源是當時的傳世文獻，而所參考的文獻總額共有一百五十餘種。曾經進行《史記》所見書考的學者，無不將《論語》列於書目中。然而，隨著古代文獻的出土，以西方為主的中、日、西三地均有學者對《論語》成書於戰國時期的傳統看法提出懷疑，而認為《論語》應是西漢產物。這種說法也就牽涉到司馬遷是否見過或徵引過《論語》一事。

　　《史記》所載與《論語》相同的內容主要見於〈孔子世家〉、〈仲尼弟子列傳〉及部分篇章的正文和「太史公曰」的贊文中。本文就《史記》所引述《論語》內容進行探討，得知〈孔子世家〉所徵引的《論語》偏向古文《論語》，〈仲尼弟子列傳〉徵引《論語》的方式，則顯示司馬遷非常重視《論語》，且予之一種權威性的地位，認為可以推翻當時流行對孔子弟子兩極化的看法，而一一檢視散見於《史記》的其他引文，可知《史記》為何徵引《論語》時沒有使用書名。

關鍵詞：史記　司馬遷　論語　成書　出土文獻

一　前言

《論語》是儒家學說的寶典，自宋以來，已成為瞭解孔子思想的主要途徑。然而自清以降，《論語》受到疑古學風的影響，如今在中、日、西三地，有許多學者認為《論語》應當是很晚的產物，其內容也未必可靠，以致於其原有的地位與價值受到衝擊。自崔述（1740-1816）、顧頡剛（1893-1980）、趙貞信（1902-1989）、朱維錚（1936-2012），到日本的武內義雄（1886-1966）與木村英一（1906-1981），又到西方的偉利（Arthur Waley，1889-1966）、顧立雅（H.G. Creel, 1905-1994）、白牧之（Bruce Brooks）與白妙子（Takeo Brooks）等人，《論語》的可信範圍從前十五卷縮小到只有第三至第九卷被認為是可信的（有的學者甚至主張更小的範圍），其餘的則被視為是後人竄入。

這個問題的癥結在於《論語》究竟成書於何時。傳統的看法是《論語》為孔子弟子與再傳弟子所編。由於《論語》記載曾參臨終之事，其最早結集完畢應是曾參逝世（前435年）之後。在孔子死後與曾參死前期間，或許已開始初步匯集、編纂的工作（尤其是眾弟子守喪三年之際），但如今難以考察。若說《論語》最晚可能成書的時間，則是西漢宣帝年間。一九七三年，定州漢墓出土了竹簡《論語》，而此墓封於漢宣帝五鳳三年（前55年）左右。另外還有朝鮮平壤古墓發現的本子，封於漢元帝初元四年（前45年）。[1]可知當時其流傳範圍甚廣。而從前四三五年至前五五年，前後有近四百年的時間，實屬灰色地帶；有許多戰國出土的文獻與《論語》相近，又有許多傳世文獻的內容與《論語》頗似，然而沒有一個確鑿的證據可證明《論語》業已集結成書。

在此問題上，《史記》成書時間只比《論語》成書的下限早三四十年，

---

[1] 斷定年代的主要依據是同時出土的《樂浪郡初元四年縣別戶口簿》，初元四年為西元前四十五年。詳見李成市、尹龍九、金慶浩：〈平壤貞柏洞364號墓出土竹簡《論語》〉，收錄中國文化遺產研究院編：《出土文獻研究》第10輯（北京市：中華書局，2011年），頁178-179。

所以其中對《論語》的引用常被忽視。然而因為司馬遷的特殊身分以及其所能閱覽的材料眾多，可從中進一步瞭解《論語》當時流傳的情況，進而在學界未能定奪的議題上提出更多的參考點。《史記》引《論語》主要見於〈孔子世家〉、〈仲尼弟子列傳〉及部分篇章的正文和「太史公曰」的贊文中。故此，本文擬先就《史記》所引述《論語》內容進行探討，再說明從中所獲得的資訊如何為《論語》成書的問題上提供不容忽視的重要信息。

二　〈孔子世家〉引《論語》考

　　〈孔子世家〉是現存文獻中，第一篇有關孔子生平事蹟的長篇記傳。司馬遷對孔子的寫照，反應出孔子在世時落魄、無法行道的情況，同時也包括西漢人對孔子的高度推崇。其史料的來源非常廣泛且複雜，細查其內容，可知多半與《論語》、《孔子家語》、《春秋》三傳、《國語》、〈檀弓〉等著作有相同的內容。此外，亦有小部分與《墨子》、《孟子》、《韓非子》、《晏子春秋》、《春秋事語》等相近。整體而言，仍有許多內容與現存的傳世文獻和出土文獻相異，因此司馬遷所參考的文獻，實遠不僅於上述所列。

　　就比例而言，〈孔子世家〉的內容與《孔子家語》諸篇有最多相合之處，其次乃是《論語》，因此可知今傳《論語》所收錄的記載，許多是司馬遷編纂此篇的重要材料。[2]所引諸條，大致可分六類：（一）孔子在齊、魯仕官；（二）孔子周遊列國之事；（三）孔子返魯後逝世前之事；（四）孔子性格寫照；（五）他人對孔子之評語；（六）孔子對其使命之描述。茲將今傳《論語》各條見於〈孔子世家〉的章句序列於下：[3]

　　孔子在齊、魯仕官：7.13、12.11、17.5、18.3凡四處。

2　今本共二十篇，五百餘條。其中〈孔子世家〉引用了五十八條，不及八分之一。

3　由於今日流傳的《論語》版本汗牛充棟，而各本的章句有所不同，本文為了方便查考，所用的代號以大安出版社一九九九年出版之《四書章句集注》（臺北市：大安出版社，1999年）本為準。

孔子周遊列國之事：5.21、6.26、7.2、7.18、7.22、9.5、9.17、[4]11.22、13.3、13.7、13.10、13.16、14.42、15.1前半、15.1後半、15.2、17.7、18.5、18.6、18.7凡廿處。

孔子返魯後逝世前之事：2.19、[5]2.23、3.14、3.23、3.19、7.16、9.14、12.18凡八處。

孔子性格寫照：7.3、7.8、7.9、7.12、7.20、7.21、7.24、7.31、9.1、9.4、10.1、10.2、10.4、10.8、10.9、10.12、10.15凡十七處。

他人對孔子之評語：5.12、9.2、9.6、9.10凡四處。

孔子對其使命之描述：9.8、11.8、14.37、15.19、18.8凡五處。

其中以孔子周遊列國及其性格寫照的部分最多，二者總共佔了將近三分之二的比例。以下針對四條加以解釋，說明司馬遷如何用《論語》與其他文獻塑造孔子的形象，且司馬遷徵引《論語》所用的版本。

（一）衛靈公問兵陳

〈孔子世家〉云：

> 他日，靈公問兵陳。孔子曰：「俎豆之事則嘗聞之，軍旅之事未之學也。」明日，與孔子語，見蜚鴈，仰視之，色不在孔子。孔子遂行，復如陳。[6]

此段與《論語》〈衛靈公〉同：

> 衛靈公問陳於孔子。孔子對曰：「俎豆之事，則嘗聞之矣；軍旅之

4　此條與15.12的內容相同，均載「吾未見好德如好色者也」，唯有15.12的前頭多「已矣乎」三字，而〈孔子世家〉無，故列9.17，而不列15.12。

5　〈孔子世家〉所引的內容，亦見於12.22。

6　〔漢〕司馬遷著：《史記》，見〔劉宋〕裴駰等注：《新校史記三家注》（臺北市：洪氏出版社，1974年），卷47，頁1926。

事，未之學也。」明日遂行。[7]

〈世家〉卻在孔子遂行前穿插了與《孔子家語》〈困誓〉的記述相同的文字。其原文為：「他日，靈公又與夫子語，見飛鴈過，而仰視之，色不悅。孔子乃逝。」[8]這段話是衛靈公問伐蒲一事後的另一記載。可能是因為與孔子的離開有因果關係，所以司馬遷將此段挪用過來。《論語》「明日遂行」四字背後的含意相當模糊：是孔子不悅而走呢？抑是遭衛靈公冷漠後被迫離開？司馬遷加入與〈困誓〉相同的這段記載，將事情的經過描述得更為清楚，說明是衛靈公不再理睬孔子，因此孔子只好另找出路。此使司馬遷對孔子到處碰壁的情境，有了更一致的敘述脈絡。

（二）魯公問政

〈孔子世家〉云：

魯哀公問政，對曰：「政在選臣。」季康子問政，曰：「舉直錯諸枉，則枉者直。」康子患盜，孔子曰：「苟子之不欲，雖賞之不竊。」然魯終不能用孔子，孔子亦不求仕。[9]

此段所言「舉直錯諸枉，則枉者直」，與《論語》〈為政〉、〈顏淵〉二篇同，但未見於先秦其他記載。〈為政〉云：

哀公問曰：「何為則民服？」孔子對曰：「舉直錯諸枉，則民服；舉枉錯諸直，則民不服。」季康子問：「使民敬、忠以勸，如之何？」子

7　〔魏〕何晏注、〔宋〕邢昺疏：《論語注疏》（臺北市：藝文印書館，1982年），卷15，頁1上-1下。

8　〔魏〕王肅注：《孔子家語》（《四部叢刊初編》景江南圖書館藏明覆宋刊本），卷22，頁14下。

9　〔漢〕司馬遷著：《史記》，見〔劉宋〕裴駰等注：《新校史記三家注》（臺北市：洪氏出版社，1974年），卷47，頁1935。

曰：「臨之以莊則敬，孝慈則忠，舉善而教不能則勸。」[10]

司馬遷將原先孔子對魯哀公（494-468 B.C.）所言，改置為對季康子（?-468 B.C.）的答覆，引起許多學者的批判。略舉三例：《史記索隱》言：「今此初論康子問政，未合以孔子答哀公使人服，蓋太史公撮略《論語》為文，而失事實。」[11]清人汪繩祖云：「《史》蓋以對哀公之言為告康子，而謬以告樊遲之語為答問政。」[12]李人鑒甚至認為「此因後人妄據《論語》增入，失於檢點，遂致此誤也。」[13]

就《論語》原文而言，魯哀公與季康子一樣，都將問題放在「民」的身上。哀公問「何為則民服？」意味著民不服。季康子問「使民敬、忠以勸，如之何？」與如何使民服的問題一樣。司馬遷卻將問題核心放在「選臣」上，所謂「舉直錯諸枉」也就是選臣的意思，與「舉善而教不能則勸」並無二致。因此，司馬遷先藉著魯哀公說「選臣」，再透過季康子進一步說明「舉直錯諸枉」，與原文未必相牴牾。更何況《論語》另有二處記載魯哀公與季康子問了同一個問題：〈雍也〉云：「哀公問：『弟子孰為好學？』孔子

10　〔魏〕何晏注、〔宋〕邢昺疏：《論語注疏》（臺北市：藝文印書館，1982年），卷2，頁6下-7上。

11　〔漢〕司馬遷著：《史記》，見〔劉宋〕裴駰等注：《新校史記三家注》（臺北市：洪氏出版社，1974年），卷47，頁1935。

12　引自〔日〕瀧川龜太郎：《史記會注考證》（臺北市：萬卷樓圖書有限公司，2004年），卷47，頁67。汪氏所言樊遲事，語出〈顏淵〉：「樊遲問仁。子曰：『愛人。』問知。子曰：『知人。』樊遲未達。子曰：『舉直錯諸枉，能使枉者直。』樊遲退，見子夏。曰：「鄉也吾見於夫子而問知，子曰，『舉直錯諸枉，能使枉者直』，何謂也？」子夏曰：「富哉言乎！舜有天下，選於眾，舉皋陶，不仁者遠矣。湯有天下，選於眾，舉伊尹，不仁者遠矣。」從子夏之答可知確實與為政有關。

13　李人鑒：《太史公書校讀記》（蘭州市：甘肅人民出版社，1998年），頁839。按：學者對「此誤」的主要反彈在於司馬遷如此地引用《論語》，不僅亂其文，更昧於事實。就這一點而言，美籍學者侯格睿（Grant Hardy）的看法很有見地：「司馬氏謹慎地選錄此篇中的軼事（但其主要的篩選標準不一定是史料的可靠性），目的是要塑造出孔子的特定形象，即在世不得志而死後卻被視為有智有德的人。」Grant Hardy, *Worlds of Bronze and Bamboo*(New York: Columbia UP, 1999), p. 115.

對曰：『有顏回者好學，不遷怒，不貳過。不幸短命死矣！今也則亡，未聞好學者也。』」[14]〈先進〉則載：「季康子問：『弟子孰為好學？』孔子對曰：『有顏回者好學，不幸短命死矣！今也則亡。』」[15]二者間大同小異。

就文脈而言，這段敘述完全符合此篇的宗旨之一，因此不似是後人所妄加。誠如吳福助所言：「此篇以魯紀年，⋯⋯其間又以『不用』二字為關鍵，曰『弗能用』、『莫能己用』、『不用孔子』、『既不得用於衛』、『魯終不能用孔子』，皆歎夫子道之不行也。」[16]〈孔子世家〉此段的前後文乃是「孔子之去魯凡十四歲而反乎魯」與「然魯終不能用孔子，孔子亦不求仕。」魯哀公與季康子，一個名義上為君王，一個實際上掌權。在司馬遷的心目中最具備條件，最有資格為臣的，莫過於站在他們面前作答的孔子了。然而二者均不用孔子，意在言外。緊接著就是司馬遷對孔子整理文獻的論述。因此，就文脈而言，司馬遷此段說明孔子在齊、魯不得重用後，便周遊列國，但終不得志。返魯後其治民之道仍被哀公與季康子輕視，因此只好投身於文字世界裡，將其道傳於後世。司馬遷的匠心即在於此。

（三）孔子之為人

〈孔子世家〉云：

明年，孔子自蔡如葉。⋯⋯葉公問孔子於子路，子路不對。孔子聞之，曰：「由，爾何不對曰『其為人也，學道不倦，誨人不厭，發憤忘食，樂以忘憂，不知老之將至』云爾。」[17]

---

14 〔魏〕何晏注、〔宋〕邢昺疏：《論語注疏》（臺北市：藝文印書館，1982年），卷6，頁1下。

15 〔魏〕何晏注、〔宋〕邢昺疏：《論語注疏》（臺北市：藝文印書館，1982年），卷11，頁2下。

16 吳福助：《史記解題》增訂本（臺北市：國家出版社，2012年），頁112。

17 〔漢〕司馬遷著：《史記》，見〔劉宋〕裴駰等注：《新校史記三家注》（臺北市：洪氏出版社，1974年），卷47，頁1928。

此段後半出自《論語‧述而》：

> 葉公問孔子於子路，子路不對。子曰：「女奚不曰，其為人也，發憤
> 忘食，樂以忘憂，不知老之將至云爾。」[18]

今傳《論語》此段沒有「學道不倦，誨人不厭」八字。這八字是從同篇
的另一條插入的，即「子曰：『默而識之，學而不厭，誨人不倦，何有於我
哉？』」[19]所謂「何有」即不難之意，字裡行間的含意就是他人不常這樣。
既然孔子將此態度視為其特點之一，司馬遷就用此八字使孔子的自我評價有
了明確的方向。不然，只說「發憤忘食，樂以忘憂，不知老之將至」，只是
描述其熱誠，而未說明其熱誠的焦點所在。司馬遷將兩條不同的記載併為一
條，反映出他認為史料是具有彈性的。換言之，一般人的思想架構是受史料
的限制，而司馬遷認為史料在一定的範圍內可以有所調整，以符合他的構思
與此篇的宗旨，有關孔子的記載也不例外。

（四）孔子學《易》

〈孔子世家〉云：

> 孔子晚而喜《易》，序〈彖〉、〈繫〉、〈象〉、〈說卦〉、〈文言〉。讀《易》，
> 韋編三絕。曰：「假我數年，若是，我於《易》則彬彬矣。」[20]

後半引孔子語，應出自《論語》〈述而〉：「子曰：『加我數年，五十以學

---

18 〔魏〕何晏注、〔宋〕邢昺疏：《論語注疏》（臺北市：藝文印書館，1982年），卷7，頁
　　6下。

19 〔魏〕何晏注、〔宋〕邢昺疏：《論語注疏》（臺北市：藝文印書館，1982年），卷7，頁
　　1下。

20 〔漢〕司馬遷著：《史記》，見〔劉宋〕裴駰等注：《新校史記三家注》（臺北市：洪氏
　　出版社，1974年），卷47，頁1937。

《易》，可以無大過矣。」」[21]《論語》此段，歷來爭論紛紛，尤其具爭議性的有「加」、「五十」、「易」等字詞。[22]西漢流傳的《魯論》裡，「易」寫成「亦」，[23]學者則讀為「加我數年，五十以學，亦可以無大過矣。」如此一來，則與《易經》無關。陸德明（550-630）引鄭玄（127-200）注云：「《魯》讀『易』為『亦』，今從《古》。」[24]可知司馬遷所據本應是古《論》。[25]

　　既然如此，又何以更動「五十以學《易》，可以無大過矣」，改為「晚而喜《易》……假我數年，若是，我於《易》則彬彬矣。」？主要原因應與〈孔子世家〉的布局有關。司馬遷此句是放在「孔子之去魯凡十四歲而反乎魯」（魯哀公十一年）與「魯哀公十四年春，狩大野」之間，即孔子年六十八至七十一歲之際。孔子返魯後，則致力於文獻整理，故在此條之前，司馬遷先言「孔子之時，周室微而禮樂廢，《詩》、《書》缺」，再論起孔子序《書傳》、教禮、正樂、刪《詩》、贊《易》諸事。劉氏《正義》言：「及晚年贊《易》既竟，復述從前假我數年之言，故曰：『若是，我於《易》則彬彬矣。』若是者，竟事之辭，言惟假年乃彬彬也。〈世家〉與《論語》所述，不在一時，解者多失之。」[26]換言之，司馬遷似乎是為了符合整篇的文脈，才將「五十」改掉。此外，因為出土文獻的關係，可知當時亦有文本的依據：馬王堆出土的帛書中有《周易》，而其中一篇〈要〉的內容寫道：「夫子

21 〔魏〕何晏注、〔宋〕邢昺疏：《論語注疏》（臺北市：藝文印書館，1982年），卷7，頁6下。

22 歷代學者對此條的解讀與詮釋，詳見程樹德：《論語集釋》（北京市：中華書局，1997年），頁469-475。

23 定州漢墓所出竹簡《論語》有一簡載「以學亦可以毋大過矣」。見河北省文物研究所定州漢墓竹簡整理小組：《定州漢墓竹簡：論語》（北京市：文物出版社，1997年），頁33。

24 〔唐〕陸德明：《經典釋文》，見黃焯：《經典釋文彙校》（北京市：中華書局，2006年），卷24，頁8上。

25 此外，比較今傳《論語》與〈孔子世家〉相疊之處，可發現〈孔子世家〉常用古字，例如《論語》作「不」、「女」、「期」等，〈孔子世家〉卻作「弗」、「爾」、「朞」。

26 〔清〕劉寶楠：《論語正義》（北京市：中華書局，1990年），頁268。

老而好《易》，居則在席，行則在橐。」[27]孔子逝世時年七十二，故五十應稱不上「晚年」，但六十八至七十一則合乎情理。由此可知，司馬遷對孔子學《易》一事，將時間點從「五十」改置為孔子晚年，而在司馬遷稍前亦有其他文本持此說。

從前述三條可知司馬遷引述《論語》的內容，與引述其他文獻同，常有所更動，或與其他文獻合併，使傳文脈絡更為清楚，亦使傳主的形象更加鮮明。學者多失之，以為有「甚多疏略，不如其本」，或後人竄入。[28]後一條說明司馬遷應據古文《論語》，而非《魯論》。

三　〈仲尼弟子列傳〉引《論語》考

除了〈孔子世家〉外，〈仲尼弟子列傳〉亦與《論語》有密切的關係。先從此篇的論贊說起：

> 太史公曰：學者多稱七十子之徒，譽者或過其實，毀者或損其真，鈞之未覩厥容貌，則論言弟子籍，出孔氏古文近是。余以弟子名姓文字，悉取論語弟子問，並次為篇，疑者闕焉。[29]

---

27 李學勤：《簡帛佚籍與學術史》（南昌市：江西教育出版社，2001年），頁259-260。

28 〔宋〕范曄、〔唐〕李賢等注：《後漢書》（北京市：中華書局，1965年），卷40上，頁1325。

29 〔漢〕司馬遷著：《史記》，見〔劉宋〕裴駰等注：《新校史記三家注》（臺北市：洪氏出版社，1974年），卷67，頁2226。有關「疑者闕焉」一語，〈七十二弟子解〉將顏刻列入有傳的三十四弟子中。其傳文云：「顏刻，魯人，字子驕。少孔子五十歲，孔子適衛，子驕為僕。衛靈公與夫人南子同車出，而令宦者雍渠參乘，使孔子為次乘，遊過市，孔子恥之。顏刻曰：『夫子何恥之？』孔子曰：『《詩》云：「覯爾新婚，以慰我心。」』乃歎曰：『吾未見好德如好色者也。』」（〔魏〕王肅注：《孔子家語》〔《四部叢刊初編》景江南圖書館藏明覆宋刊本，卷9，頁5〕〈仲尼弟子列傳〉「無年及不見書傳者」的部分中有「顏高字子驕」一條，應是同一人，而〈孔子世家〉記載衛靈公與夫人和宦者雍渠同車之事，卻沒有一句涉及顏刻（高）：「靈公與夫人同車，宦者雍渠參乘，出，使孔子為次乘，招搖市過之。孔子曰：『吾未見好德如好色者也。』」（〔漢〕司馬遷著：《史記》，見〔劉宋〕裴駰等注：《新校史記三家注》〔臺北市：洪氏出版

　　此段文義，歷代各種解釋都有，最難解即在「論言弟子籍，出孔氏古文近是。余以弟子名姓文字，悉取論語弟子問，並次為篇，疑者闕焉」數句。由於「論言」與「論語」看似是同一種詞類，弟子籍又是一種文獻，與《論語》同，所以有許多學者認為「論言弟子籍」與「論語弟子問」均為文獻名稱。如金德建（1909-1996）所言：「我們有理由認為《史記》所稱呼的《論言弟子籍》和《論語弟子問》，事實上就是指《論語》而說。」[30]然而，從句子的結構來看，這種解讀頗為牽強。「論言弟子籍，出孔氏古文近是」的「論言」應當動詞使用，而「悉取論語弟子問」的「論語」顯然是名詞，是「取」的受詞。因此，這樣的標點法有商榷的餘地。

　　張大可對此段有不同的標點：「論言《弟子籍》……悉取《論語》弟子問。」[31]但他的看法與金德建一致，以為「弟子名姓文字」都從《論語》而來。問題是，若比較〈仲尼弟子列傳〉中的弟子名錄與《論語》所載，不難發現司馬遷所列的弟子姓名，一半以上未出現於《論語》中。司馬遷將〈仲尼弟子列傳〉中所列的七十七弟子分為「顯有年名及受業見于書傳」者與「無年及不見書傳者」者二類，前者共列三十五名弟子，後者則四十二名。凡見於《論語》者，前者有廿七名，後者僅一名，共廿八名耳。[32]更重要的是，《論語》沒有列弟子的年紀，故所謂「書傳」者非指涉《論語》。

　　再者，有關「論言」一詞，《論衡》〈書解篇〉有「周公、孔子，難以論言」一語，馬宗霍注：「本文『論言』之『論』當通做『倫』……蓋謂周

社，1974年〕，卷47，頁1921。）或許司馬遷所謂「疑者闕焉」即此意。

30　詳見金德建：《司馬遷所見書考》（上海市：上海人民出版社，1963年），頁206。

31　張大可、趙生群：《史記文獻與編纂學研究》，收入《史記研究集成》（北京市：華文出版社，2005年），冊11，頁422。

32　屬於「顯有年名及受業見于書傳」者有公晳哀、商瞿、梁鱣、顏幸、冉孺、曹恤、伯虔、公孫龍；屬於「無年及不見書傳者」有申黨（字周）見於《論語》。〈公冶長〉云：「子曰：『吾未見剛者。』或對曰：『申棖。』子曰：『棖也慾！焉得剛？』」（〔魏〕何晏注、〔宋〕邢昺疏：《論語注疏》〔臺北市：藝文印書館，1982年〕，卷5，頁43-1至43-2。）申黨乃申棖。

公、孔子皆聖人，難與眾人為輩類而相提並言也。」[33]因此，司馬遷所謂「論言」乃是「倫比」的意思，司馬遷比較諸多弟子籍，認為古文版為是。有關「弟子問」一語，不必認為是文獻的名稱。孔門弟子在《論語》中出現最多次的是與孔子的問答；弟子向他請教，故曰弟子問。因此，此數句宜應解釋為：若比較各篇《弟子籍》，可知從孔家舊府發現的古文版比較正確，我為孔子弟子立傳時，則用此篇中的弟子姓名文字，再從《論語》中擷取弟子與孔子的問答資料，並編次為篇。

對此論贊有了正確的解讀後，尚有三個重點需加以論析：

首先，司馬遷所列孔子弟子的名錄，是針對當時學者對孔子弟子持兩極化的看法一事做回應。有的過度稱讚他們，有的卻給予不符合事實的負面描述。這些「譽者」與「毀者」屬儒家學派抑是其他學派難以考察。司馬遷希望藉由對孔子弟子的公正對待，讓他們對社會的貢獻（尤其是仁政的推行）能有一個正確的論述，正如〈自序〉所言「孔氏述文，弟子興業，咸為師傅，崇仁厲義。作〈仲尼弟子列傳〉第七。」[34]

其次，上文所述的若干篇弟子籍，應多為今文文獻，司馬遷方能說出「出孔氏古文近是」這種比較性的結論。其他版弟子籍由誰寫成、其內容如何，如今不得而知。今只存一篇《孔子家語》〈七十二弟子解〉能與〈仲尼弟子列傳〉進行對照。二者的弟子名單大同小異；〈仲尼弟子列傳〉共錄七十七名弟子的姓名，且為前三十五名立小傳。〈七十二弟子解〉共錄七十六名弟子，且為前四十名弟子的生平事蹟加以簡述。〈仲尼弟子列傳〉所載的公伯繚、秦冉、顏何、鄡單四人，《家語》未錄；而〈七十二弟子解〉載琴牢、陳亢、懸亶三人，未見於〈仲尼弟子列傳〉。二者間顯然有所出入，但名單大致上相同。主要的差別在於記述弟子的傳文，〈仲尼弟子列傳〉多載《論語》正文，而〈七十二弟子解〉常只述其事而不引他書為證。茲舉顏回

33　馬宗霍：《論衡校讀箋識》（北京市：中華書局，2010年），頁362-363。

34　〔漢〕司馬遷著：《史記》，見〔劉宋〕裴駰等注：《新校史記三家注》（臺北市：洪氏出版社，1974年），卷130，頁3313。

（521-481 B.C.）傳為例。《史記》載：

> 顏回者，魯人也，字子淵。少孔子三十歲。顏淵問仁，孔子曰：「克
> 己復禮，天下歸仁焉。」孔子曰：「賢哉回也！一簞食，一瓢飲，在
> 陋巷，人不堪其憂，回也不改其樂。」「回也如愚；退而省其私，亦
> 足以發，回也不愚。」「用之則行，捨之則藏，唯我與爾有是夫！」
> 回年二十九，髮盡白，蚤死。孔子哭之慟，曰：「自吾有回，門人益
> 親。」魯哀公問：「弟子孰為好學？」孔子對曰：「有顏回者好學，不
> 遷怒，不貳過。不幸短命死矣，今也則亡。」

《家語》載：

> 顏回，魯人，字子淵，少孔子三十歲。年二十九，髮盡白，三十一早
> 死。孔子曰：「自吾有回，門人益親。」回以德行著名，孔子稱其仁
> 焉。

　　在相同的布局上，司馬遷引了五次《論語》來說明顏回克己、好仁、好
學的特性。而《家語》卻只言「回以德行著名，孔子稱其仁焉」。[35] 絕大部
分的弟子傳也都如此：其中十九人小傳的大多內容出自《論語》，另外仲
由、端木賜、澹臺滅明、宓不齊、原憲、有若六人的小傳有部分內容與《論
語》有關，只有曾參、南宮括、公皙哀、商瞿四人之傳與今傳《論語》完全
無關聯。換言之，除了姓名、年齡等資料外，〈仲尼弟子列傳〉的內容，十
有八九是直接引自《論語》。

　　第三，司馬遷認為在當時所傳有關孔門弟子的文獻中，最可靠的乃是古
文《弟子籍》。司馬遷自小受父親的特殊栽培，「年十歲則誦古文。」[36] 這是
司馬遷在極短的自傳裡的其中一句，張大可點出：「『年十歲則誦古文』，這

35　此句或出於《論語》〈雍也〉：「子曰：『回也，其心三月不違仁，其餘，則日月至焉而
　　已矣。』」

36　〔漢〕司馬遷著：《史記》，見〔劉宋〕裴駰等注：《新校史記三家注》（臺北市：洪氏
　　出版社，1974年），卷130，頁3294。

裡的『則』字透出了司馬遷得意的神色。」[37]若比較《說文解字》、《漢書》
與《二年律令》〈史律〉，可知古文的識、寫能力一般是十七歲才開始受業，
二十歲乃告成。從十歲起深入古文的他，在撰寫上古時代的歷史發展時，便
須仰賴許多古文書，尤其是《左氏春秋》、《世本》、古文《尚書》等。《史
記》當中即有多處反映出這樣的參考與徵引。就《弟子籍》而言，司馬遷
用其能找到的最早版本，再加上了《論語》的內容，以復原孔子弟子的原始
面貌。

四 《史記》其他篇章引《論語》考

除了〈孔子世家〉與〈仲尼弟子列傳〉二篇與《論語》有著密切關係
外，另偶有《論語》的引文散見於《史記》其他篇章，以下試析數例：

（一）〈吳太伯世家贊〉與〈伯夷列傳〉

〈吳太伯世家贊〉云：

> 太史公曰：孔子言「太伯可謂至德矣，三以天下讓，民無得而稱焉」。
> 余讀《春秋》古文，乃知中國之虞與荊蠻句吳兄弟也。延陵季子之仁
> 心，慕義無窮，見微而知清濁。嗚呼，又何其閎覽博物君子也！

〈吳太伯世家〉是三十篇世家之首，與《史記》其他部分的排列順序有
所不同。若要符合所封諸侯的順序，則宜先列齊、魯。〈自序〉說明這種特
殊安排的理由：「嘉伯之讓，作〈吳世家〉第一。」[38]阮芝生進一步說明
道：「吳於春秋之季始通上國。〈十二諸侯年表〉列吳於末格，而史公於三十

---

37 張大可：《司馬遷評傳》，收入《史記研究集成》（北京市：華文出版社，2005年），冊
    1，頁24。
38 〔漢〕司馬遷著：《史記》，見〔劉宋〕裴駰等注：《新校史記三家注》（臺北市：洪氏
    出版社，1974年），卷130，頁3307。

世家中則置吳於第一，這是史公因推崇吳太伯讓國而特為序列的。」[39]正因如此，贊文先引《論語》〈泰伯〉「子曰：泰伯，其可謂至德也已矣！三以天下讓，民無得而稱焉」以為依據。[40]

〈伯夷列傳〉為七十列傳之首，而其中有數句，用意與此同。其文云：

> 孔子曰：「伯夷、叔齊，不念舊惡，怨是用希。」「求仁得仁，又何怨乎？」余悲伯夷之意，睹軼詩可異焉。

在此傳裡，司馬遷沒有置「太史公曰」的贊文，卻在序言中引了《論語》二條，即〈公冶長〉「子曰：『伯夷、叔齊不念舊惡，怨是用希。』」[41]和〈述而〉「冉有曰：『夫子為衛君乎？』子貢曰：『諾，吾將問之。』入曰：『伯夷叔齊何人也？』曰：『古之賢人也。』曰：『怨乎？』曰：『求仁而得仁，又何怨？』」[42]二條論述伯夷、叔齊對政變不怨的情形。

〈伯夷列傳〉又有：「孔子序列古之仁聖賢人，如吳太伯、伯夷之倫詳矣。余以所聞由、光義至高，其文辭不少概見，何哉？」[43]由此可知司馬遷欲為古代禪讓之人立傳，但由於各個歷史人物說法紛紛，難以知情，故只能考信於六藝，論述孔子表彰過的吳太伯與伯夷、叔齊。有鑑於此，有學者認為《史記》五體的首篇都是提倡禪讓之德。陳直云：「此段以孔子嘗稱之吳太伯和伯夷並論，蓋表其有讓德。丹陽吉鳳池先生語余云：『《史記》年表首共和，本紀首黃帝，世家首吳太伯，列傳首伯夷，皆表揚讓位，反抗君主

---

39 阮芝生：〈論《史記》五體的體系關聯〉，《臺灣大學歷史學系學報》第7期（1980 年12月），頁5。

40 〔魏〕何晏注、〔宋〕邢昺疏：《論語注疏》（臺北市：藝文印書館，1982年），卷8，頁1上。

41 〔魏〕何晏注、〔宋〕邢昺疏：《論語注疏》（臺北市：藝文印書館，1982年），卷5，頁10-2。

42 〔魏〕何晏注、〔宋〕邢昺疏：《論語注疏》（臺北市：藝文印書館，1982年），卷7，頁5-2。

43 〔漢〕司馬遷著：《史記》，見〔劉宋〕裴駰等注：《新校史記三家注》（臺北市：洪氏出版社，1974年），卷47，頁2121。

者。』」[44]無論如何，可以確定的是司馬遷對禪讓之德的重視來自孔子，而司馬遷未引六藝之文而引《論語》的記載，便可知《論語》在其心目中的地位，如陳桐生所言：「除了從《論語》取材外，司馬遷在《史記》本紀、世家、列傳幾種體例的構思上深受《論語》的啟示。《史記》所寫的是從上古到當代的中國通史，每一種體例究竟從哪一個朝代、哪一個歷史人物寫起，這就要取決於史家的選擇，而史家的選擇又取決於他的歷史價值觀。司馬遷的歷史價值觀來自《論語》。」[45]如此則司馬遷引《論語》不僅要表彰吳太伯、伯夷、叔齊三人，而是其排序各篇的主導思想之根源。

（二）〈宋微子世家贊〉

〈宋微子世家贊〉云：

太史公曰：孔子稱「微子去之，箕子為之奴，比干諫而死，殷有三仁焉」。《春秋》譏宋之亂自宣公廢太子而立弟，國以不寧者十世。襄公之時，修行仁義，欲為盟主。其大夫正考父美之，故追道契、湯、高宗，殷所以興，作《商頌》。襄公既敗於泓，而君子或以為多，傷中國闕禮義，褒之也，宋襄之有禮讓也。

〈宋微子世家〉是世家第八篇，記載商朝後裔諸事。本篇的論贊仿〈吳太伯世家贊〉的基本結構，先引孔子語，次徵《春秋》為佐證，最後說明讓國之重要。所引孔子語出自《論語》〈微子〉：「微子去之，箕子為之奴，比干諫而死。孔子曰：『殷有三仁焉。』」所謂「之」，乃指商紂。邢昺解釋此段說：「微子，紂之庶兄；箕子、比干，紂之諸父。見紂無道，微子去之，箕子佯狂為奴，比干以諫見殺。孔子曰『殷有三仁焉』者，愛人謂之仁。三

---

44 陳直：《史記新證》（天津市：天津人民出版社，1979年），頁119。

45 陳桐生：《史記與諸子百家之學》（合肥市：安徽大學出版社，2006年），頁23。

人所行異,而同稱仁,以其俱在憂亂寧民也。」[46]因此司馬遷用孔子之說當作反襯,凸顯宣公之誤,又強調廢太子一舉導致宋國處於混亂有十代之久!再以襄公修行仁義,說明司馬遷經國治道之最。

(三)〈封禪書〉

〈封禪書〉云:

> 其後百有餘年,而孔子論述六藝,傳略言易姓而王,封泰山禪乎梁父者七十餘王矣,其俎豆之禮不章,蓋難言之。或問禘之說,孔子曰:「不知。知禘之說,其於天下也」視其掌。《詩》云紂在位,文王受命,政不及泰山。武王克殷二年,天下未寧而崩。爰周德之洽維成王,成王之封禪則近之矣。及後陪臣執政,季氏旅於泰山,仲尼譏之。

此段孔子語出自《論語》〈八佾〉二條:「或問『禘』之說。子曰:『不知也。知其說者之於天下也,其如示諸斯乎!』指其掌。」[47]與「季氏旅於泰山。子謂冉有曰:『女弗能救與?』對曰:『不能。』子曰:『嗚呼!曾謂泰山,不如林放乎?』」[48]第一條《史記》所引與今傳《論語》義同而文字稍有異動。第二條司馬遷將孔子與冉有的對話總結為「仲尼譏之」四字。在此段之前,司馬遷先論述秦穆公欲行封禪禮而遭管仲阻止一事。梁玉繩認為這是「託諸孔子,猶之嫁名管仲也。」[49]可備一說。值得一提的是,司馬遷在〈孔子世家〉為孔子塑造的形象是一個禮學家,孔子三歲已「常陳俎豆,

---

46 〔魏〕何晏注、〔宋〕邢昺疏:《論語注疏》(臺北市:藝文印書館,1982年),卷18,頁1上。

47 〔魏〕何晏注、〔宋〕邢昺疏:《論語注疏》(臺北市:藝文印書館,1982年),卷3,頁6上至7下。

48 〔魏〕何晏注、〔宋〕邢昺疏:《論語注疏》(臺北市:藝文印書館,1982年),卷3,頁3下。

49 〔清〕梁玉繩:《史記志疑》(北京市:中華書局,2006年),頁798。

設禮容」；魯大夫孟釐子臨死前對兒子說：「今孔丘年少好禮，其達者歟？」；他曾適周問禮；周遊列國時「與弟子習禮大樹下」；在衛時，靈公問兵陳，孔子曰：「俎豆之事則嘗聞之，軍旅之事未之學也。」；他也「追跡三代之禮」，故夏禮、殷禮均能言之，甚至〈孔子世家〉說「《禮記》自孔氏」。孔子對禮的學問如此淵博，也不願意說明禘祭之法，其字裡行間的意思已經很分明。沒有兼備王位與高度德行則孔子認為無資格行此禮。司馬遷在段末又引孔子批評季桓子（?-492 B.C.）旅於泰山，以魯大夫的身分行諸侯之禮，誠點出前代諸王欲行封禪禮之心態。

（四）〈封禪書〉二

〈封禪書〉又云：

《傳》曰：「三年不為禮，禮必廢；三年不為樂，樂必壞。」

這句出自《論語》〈陽貨〉：「君子三年不為禮，禮必壞；三年不為樂，樂必崩。」[50]〈仲尼弟子列傳〉同樣也有徵引，而此處卻用「廢」、「壞」，不用「壞」、「崩」。《史記會注考證》言：「廢、壞，韻。」[51]然不知此處押韻，目的何在。

此處引《論語》別稱為「傳」，〈李將軍列傳〉、〈滑稽列傳〉二篇同，凡三見。有學者認為《論語》在別文獻中稱「傳」等於其書名未定，如梅約翰（John Makeham）提出：「一種文本基本定型了以前，不太可能有固定的名稱」[52]但這個說法卻忽略了漢代諸書流傳的情況。即使文本定型了，書名也未必固定，以《史記》來說，就算在已定型的情況下，其書名仍從《太史公

---

50 〔魏〕何晏注、〔宋〕邢昺疏：《論語注疏》（臺北市：藝文印書館，1982年），卷17，頁8下。

51 〔日〕瀧川龜太郎：《史記會注考證》（臺北市：萬卷樓圖書有限公司，2004年），卷28，頁4。

52 John Makeham, "The Formation of Lunyu as a Book," *Monumenta Serica* 44 (1996): 10.

書》逐漸演變成《史記》。[53]《論語》也不例外，葉國良等曾提出，在漢武帝《論語》已定書名（王充說）後，直到東漢其稱謂仍甚為多元，有「論」、「語」、「傳」、「記」、「論語說」、「孔子曰」等不同的「書名」。[54]此外，《史記》中同稱「傳」者，另有《道德經》、《荀子》、《韓詩外傳》以及一些已失傳的文獻，而《荀子》、《韓詩外傳》的書名似乎此時已經固定下來。

　　應當注意的是，此處的《論語》引文，並非孔子所言，而是宰我。在〈滑稽列傳〉則是引曾子之言。唯〈李將軍列傳〉引孔子所言卻稱「傳」（詳見下文）。因此，司馬遷引《論語》時，或稱「孔子曰」或稱「傳」應與引文在文脈中所扮演的角色有關，而非意味著《論語》此時尚未定型。

（五）〈李將軍列傳贊〉

　　〈李將軍列傳贊〉云：

> 太史公曰：傳曰「其身正，不令而行；其身不正，雖令不從」。其李將軍之謂也？余睹李將軍悛悛如鄙人，口不能道辭。及死之日，天下知與不知，皆為盡哀。彼其忠實心誠信於士大夫也？諺曰「桃李不言，下自成蹊」。此言雖小，可以論大也。

　　張大可言：「李將軍是司馬遷精心塑造的人物之一。……司馬遷將李廣和衛、霍兩個貴族將軍，從出身、治軍、出征、下場各個方面進行了對比。李廣出身寒微，全靠善射和英勇征戰而升為將軍。他廉愛士卒，英勇無雙，只因廉正不阿，落得個悲劇的下場。衛、霍靠裙帶關係青雲直上，出征匈奴雖打勝仗而得不償失，尤其是霍去病『重車餘弃粱肉，而士有飢者』。李廣體貼士卒，『飲食與士共之』。所以士卒都願跟隨他打仗，樂於為他努力。生

---

53 此變化的過程，詳見張大可：〈太史公釋名考辨──兼論《史記》書名之演變〉，《人文雜誌》（1982年2月），頁99-103。

54 詳見葉國良、夏長樸、李隆獻合著：《經學通論》（臺北市：大安出版社，2006年），頁326-330。

前，李廣深受士卒愛戴；死後，李廣受到全天下人的致哀。李廣的這些品德
及將才，因衛、霍兩個聲勢顯赫的外戚襯映而更覺高大。」[55]可知司馬遷引
《論語》此條的背後用意。

　　除了二篇間的對比外，此段贊文陪襯色彩也很鮮艷。司馬遷引《論語》
〈子路〉：「子曰：『其身正，不令而行；其身不正，雖令不從。』」[56]，說明
李廣之為人，實有孔子所推崇的「無為而治」的精神。雖然其外表、口才都
有所不善，其內心的誠懇卻涵蓋一切，感化天下。《索隱》引姚氏云：「桃李
本不能言，但以華實感物，故人不期而往，其下自成蹊徑也。以喻廣雖不能
出辭，能有所感，而忠心信物故也。」[57]所引《論語》條置於贊文之始，與
段末所引諺語相互輝映，一為書籍所載的睿見，一為口耳相傳的智慧，堪稱
異曲同工之妙。

（六）〈酷吏列傳〉

　　〈酷吏列傳〉云：

> 孔子曰：「導之以政，齊之以刑，民免而無恥。導之以德，齊之以
> 禮，有恥且格。」老氏稱：「上德不德，是以有德；下德不失德，是
> 以無德。」「法令滋章，盜賊多有。」太史公曰：信哉是言也！法令
> 者治之具，而非制治清濁之源也。昔天下之網嘗密矣，然姦偽萌起，
> 其極也，上下相遁，至於不振。當是之時，吏治若救火揚沸，非武健
> 嚴酷，惡能勝其任而愉快乎！言道德者，溺其職矣。故曰「聽訟，吾
> 猶人也，必也使無訟乎」。「下士聞道大笑之」。非虛言也。漢興，破

55　張大可：《史記論贊輯釋》（西安市：陝西人民出版社，1986年），頁313。

56　〔魏〕何晏注、〔宋〕邢昺疏：《論語注疏》（臺北市：藝文印書館，1982年），卷13，
　　頁4上。

57　〔漢〕司馬遷著：《史記》，見〔劉宋〕裴駰等注：《新校史記三家注》（臺北市：洪氏
　　出版社，1974年），卷109，頁2878。

觚而為圜，斲雕而為樸，網漏於吞舟之魚，而吏治烝烝，不至於姦，黎民艾安。由是觀之，在彼不在此。

　　酷吏者，執行法家之最，以「引繩墨，切事情，明是非，其極慘礉少恩」為性格取向。[58]司馬遷以為代表的「郅都、杜周十人者，此皆以酷烈為聲。」此外，他們認為法令是道，也就是司馬遷所謂「制治清濁之源」。從漢高祖入關約法三章後，秦朝原本極密的「天下之網」已能「漏於吞舟之魚」了。然而至漢武帝之際，法網又趨向纖密。故司馬遷苦於非治民之道行於天下，就轉引儒、道二家之說以匡正此病。

　　漢初著重道家（黃老）思想，卻又明顯地繼承秦朝的法制制度。至武帝則使用儒表法裏的統治策略，以儒術緣飾吏事。司馬遷卻重視德治，厭惡峻法與酷吏，故同時引《論語》與《道德經》為立說依據。第一條引文出自《論語》〈為政〉：「道之以政，齊之以刑，民免而無恥；道之以德，齊之以禮，有恥且格。」[59]說明以法為主與以道為主的不同治民方式與結果。司馬遷也合併《道德經》二章，凸顯出德治與法治之不同。段末他再度徵引《論語》與《道德經》，說明「武健嚴酷」與「言道德者」之別。

　　值得注意的是，司馬遷只舉儒、道家的創始者之言為說。引老子之言，必出《道德經》，而引孔子之言，當時材料甚多，而司馬遷只引《論語》。〈為政〉條亦見於《禮記》〈緇衣〉：「子曰：『夫民，教之以德，齊之以禮，則民有格心；教之以政，齊之以刑，則民有遁心。』」[60]郭店楚墓所出文獻中亦有一篇〈緇衣〉，可知其流傳甚久，甚至可能是子思所作，而司馬遷所引與《論語》同，而與〈緇衣〉異，使我們窺見其對《論語》的重視。

---

58 〔漢〕司馬遷著：《史記》，見〔劉宋〕裴駰等注：《新校史記三家注》（臺北市：洪氏出版社，1974年），卷63，頁2156。

59 〔魏〕何晏注、〔宋〕邢昺疏：《論語注疏》（臺北市：藝文印書館，1982年），卷2，頁1下。

60 〔漢〕鄭康成注，〔唐〕孔穎達疏：《禮記注疏》（臺北市：藝文印書館，1982年），卷55，頁2下。

五　結語：《史記》對《論語》成書問題的意義

美籍漢學家戴梅（Michael Nylan）曾寫道：「司馬遷對孔子的敘述，在中國文學史上有著獨特的地位。之所以會如此，不僅因為它是現存最早將孔子生平事蹟的各種記錄，整理成一篇有頭有尾的敘述文而已。身為漢朝的太史令，司馬遷更能閱覽有關孔子的諸多掌故。這些文獻中也許包括《論語》……司馬遷所轉載的掌故或與《論語》相同，或直接引自《論語》，如今難以分辨是哪一個。」[61]這正點出學界中許多學者對《論語》成書問題的看法。然而從上文所述，可以不必懷疑司馬遷的這些引文是否來自於《論語》了。從〈仲尼弟子列傳〉的贊文，能知道司馬遷見過《論語》一書，也稱之為《論語》。因此，《論語》成書的下限至少可以往前挪至司馬遷在世之際，也就是比目前最早發現的定州寫本更早三四十年。

說司馬遷見過《論語》，無須僅仗著〈仲尼弟子列傳贊〉那一點，而能藉由其如何徵引《論語》的方法獲得更確鑿的證據。在〈仲尼弟子列傳〉裡，為了匡正當時學者對孔子弟子的錯誤看法，司馬遷以古文《弟子籍》為基本架構，並大量引述《論語》的內容來為這些弟子立傳，因而賦予這些傳一種權威性的色彩。換言之，《論語》乃是司馬遷用以正謬、定論的媒介。〈孔子世家〉的史料雖然多來自於其他書，但《論語》也扮演了相當重要的角色。除了孔子周遊列國的許多材料引自《論語》外，〈孔子世家〉的後半記載許多有關孔子性格、使命、評語的資料，其中有關性格的部分，全來自於《論語》。再者，《論語》的思想也影響了《史記》世家、列傳，甚至五體各首篇的安排，並且為禪讓、禮、仁、德政等這些司馬遷所重視的觀念提供了文獻依據，甚至與道家的大經《道德經》相提並論。很顯然的，司馬遷賦予《論語》一種極特殊的地位。當時尚未成熟，何以予以如此的對待？

司馬遷徵引《論語》時，從未直接稱其書名。〈仲尼弟子列傳〉提到

---

61 Michael Nylan, Lives of Confucius: Civilization's Greatest Sage through the Ages (New York: Doubleday, 2010), pp. 8-9.

《論語》是因為要與各篇〈弟子籍〉做區別，說明立傳的材料來源。但司馬遷在數篇論贊中引《論語》時，沒有提到「論語」二字，而是說「孔子曰」、「仲尼有言曰」或「傳曰」。三者的差別乃在於其引《論語》的目的。凡有「孔子曰」者，其後另引六藝的其中一部或引他派的經典，因此司馬遷要強調所引的為孔子之言。[62] 稱之仲尼者只出現過一次，即〈萬石張叔列傳〉云「仲尼有言曰『君子欲訥於言而敏於行』，其萬石、建陵、張叔之謂邪？」[63] 這與〈春申君列傳〉、〈田單列傳〉、〈滑稽列傳〉等篇相同，司馬遷先引一句名言，然後以疑問的方式隱射為傳主的寫照。這次引《論語》的內容，與儒家學派無特殊關係，故稱「仲尼」。凡有「傳曰」者，是因為司馬遷引用的不是孔子之言，而是弟子的話。有一處在「傳曰」後卻引孔子的話，但是引文之後所引的並非六藝或其他學派的經典，而是一句俗語，故此稱「傳」即可。其稱謂如此多元，對《論語》成書的問題反而提供了一定程度以上的證據，即所謂「傳」者，意味著已集結成書。

學者多苦於沒有出土文獻可以證明《論語》在戰國的流傳，但司馬遷已經依靠孔子舊府發現的戰國文獻來解決此問題。他非常重視古文之文獻且在《史記》中屢次提及之：「總之不離古文者近是」[64]、「余讀《春秋》古

---

62 除了本文所提到司馬遷引孔子語諸處外，另有二處稱「孔子曰」，但與《論語》無關。〈留侯世家〉有「蓋孔子曰：以貌取人，失之子羽。」（〔魏〕何晏注、〔宋〕邢昺疏：《論語注疏》〔臺北市：藝文印書館，1982年〕，卷55，頁2049）此語未見於《論語》，而見於《韓非子》〈顯學〉：「孔子曰：以容取人乎，失之子羽；以言取人乎，失之宰予。」（陳啟天：《韓非子校釋》（臺北市：臺灣商務印書館，1994年）頁12）及《家語》〈子路初見〉：「以容取人，則失之子羽；以辭取人，則失之宰予」（〔魏〕何晏注、〔宋〕邢昺疏：《論語注疏》〔臺北市：藝文印書館，1982年〕，卷5，頁10）。可知此語漢前已有之，而未收錄於《論語》。另外一處在〈滑稽列傳〉，其開頭稱「孔子曰：六藝於治一也。禮以節人，樂以發和，書以道事，詩以達意，易以神化，春秋以義。」（〔魏〕何晏注、〔宋〕邢昺疏：《論語注疏》〔臺北市：藝文印書館，1982年〕，卷126，頁3197）如今無法考證其出處。

63 〔漢〕司馬遷著：《史記》，見〔劉宋〕裴駰等注：《新校史記三家注》（臺北市：洪氏出版社，1974年），卷103，頁2773。

64 〔漢〕司馬遷著：《史記》，見〔劉宋〕裴駰等注：《新校史記三家注》（臺北市：洪氏

文」[65]、「出孔氏古文近是」[66]、「孔氏有古文尚書」[67]、「秦撥去古文，焚滅詩書」。[68]即使秦朝已經盡量撥去古文，學者還是盡其所能保留這些寶貴文獻，以致於西漢之際能有古文文獻的出土。《漢書》〈藝文志〉記載：「古文《尚書》者，出孔子壁中。武（景）帝末，魯共王壞孔子宅，欲以廣其宮，而得古文《尚書》及《禮記》、《論語》、《孝經》凡數十篇，皆古字也。」[69]司馬遷既說過「出孔氏古文近是」就自然見過古文《論語》，再說也在〈孔子世家〉援引過，說明孔子讀《易》的事情。也許這是考查《史記》引《論語》的最大價值所在，在缺乏其他證據的情況之下，便能瞭解司馬遷──這位已博覽群書且對文獻使用極為謹慎的太史公──對古文《論語》的用法。若這些正確無誤，則意味著《論語》最晚應是在戰國時期結集的。

出版社，1974年），卷1，頁46。

65 〔漢〕司馬遷著：《史記》，見〔劉宋〕裴駰等注：《新校史記三家注》（臺北市：洪氏出版社，1974年），卷31，頁1475。

66 〔漢〕司馬遷著：《史記》，見〔劉宋〕裴駰等注：《新校史記三家注》（臺北市：洪氏出版社，1974年），卷67，頁2226。

67 〔漢〕司馬遷著：《史記》，見〔劉宋〕裴駰等注：《新校史記三家注》（臺北市：洪氏出版社，1974年），卷121，頁3125。

68 〔漢〕司馬遷著：《史記》，見〔劉宋〕裴駰等注：《新校史記三家注》（臺北市：洪氏出版社，1974年），卷130，頁3319。

69 《漢書》，卷30，頁1706。所謂「武帝末」應改為「景帝末」。王充《論衡》〈正說篇〉云：「孝景皇帝時，魯共王壞孔子教授堂以為殿，得百篇《尚書》於墻壁中。」（黃暉：《論衡校釋》〔臺北市：臺灣商務印書館，1978年〕，卷28，頁1121。）清人周壽昌（1814-1884）亦云：「魯恭王以孝景前三年徙王魯，徙二十七年薨，適當武帝朔元年，時武帝方即位時十三年，安得云武帝末年。且〈恭王傳〉云：『王初好治宮室，季年則好音樂。』是其壞孔子宅以廣其宮，當在王魯之初，為景帝時，非武帝時也。」氏著：《漢書注校補》（北京市：中華書局，1985年），卷28，頁4上。

陳肇興與賴和古典詩作引用《詩經》比較研究
——詩經學視野下的考徵

楊晉龍

中研院中國文哲研究所研究員

高雄師大經學研究所合聘教授

國立臺北大學中文系合聘教授

提要

　　本文立基於經學通經致用的本質，借由外部研究的實證方法，探討《詩經》學在彰化地區傳播的狀況。透過探討比較滿清時代「臺灣詩史」陳肇興四七七首詩作；日本時代「臺灣新文學之父」賴和二五二一首古典詩，兩者稱引《詩經》為文的實況，發現兩位詩人除大量徵引源自《詩經》的普通詞彙外，陳肇興有七○首、賴和有七九首詩作，徵引《詩經》篇章文本為說。陳肇興引用《詩經》主要在傳達涉及農事、戰事和友道的內容，賴和則表現在婚姻、懷思和友道等內容上，兩者共同關心的是官吏濫權、百姓貧窮及民眾不守法等問題。接受的《詩經》解說，陳肇興雖引述六首朱熹定為「淫詩」的篇章，但引述《詩經》篇章的詩旨，並沒有明顯反對朱熹解說的證據，且引述〈大雅・抑〉字句的解釋，明顯接受《詩集傳》之說；賴和稱引〈秦風・蒹葭〉，詩旨明顯接受《詩集傳》之論。總體而言，可判定兩位不同世代的詩人，在徵引《詩經》解說的選擇上，既非「漢學」也非「宋學」，而是滿清皇朝功令意義下的「官學」。研究成果對陳肇興與賴和古典詩作內容的瞭解；經學在不同政治環境下的處境與傳播，提供某些有效的答案，對

詩經學研究者、彰化學研究者,提供某些實際有效的參考資料與答案。

關鍵詞:詩經學　陳肇興　賴和　古典詩　外部研究　彰化學

一　前言

　　傳統中國經學源自孔子而成立於漢代，最終消失於清末民初，自始至終均以「學而優則仕」的基本立場，追求知識有效合宜的應用為目的，「致用」即是學習原則，「經世」則是最高理想。根據這個原則性的認知，則考察經學在歷史上發展變化的經學史，最該注意者當是經學實際運作應用的狀況，唯根據筆者的實證性觀察，則二十世紀可見的經學史相關研究成果，自皮錫瑞（1850-1908）《經學歷史》以下，無論是專書或單篇論文，大致多以經學的傳承關係與詮釋表現為研究重心，經學致用方面的探討相當缺乏。[1] 就學術研究追求完善的要求論，此種狀況自是有必要予以改善。是以彌補經學史研究缺乏「致用」探討的缺失，即設計此文進行研究的基本原因，同時也是此文研究的基本立場。

　　中國自漢代以來，雖然經過不少次的改朝換代，但經學的學習與發展，卻一直沒有間斷，即使到清光緒三十一年（1905）廢止科舉考試，經書依然是學子正式課程中必修的科目，必須等到一九一二年蔡元培（1868-1940）擔任教育總長，下令廢除「讀經」之後，[2] 經書的學習纔被排除在中國教育的正式課程之外。臺灣地區的經學發展與廢除則不同於大陸，臺灣直到明鄭時代方有意識的引進中國文化，歷經滿清時代統治者與有心人士的用心經營，再加上科舉制度追求功名的需要，經學典籍於是也成為臺灣士子研習的主要科目。但滿清在一八九五年將臺灣割讓給日本帝國之後，使得臺灣通行二百三十多年（1661-1895）的傳統教育學習方式，被迫讓位給日本帝國的現代教育制度，經書的學習於焉中止，科舉功名的追求目標也跟著消失，這

1　楊晉龍：〈詩經學研究概述〉，林慶彰主編：《五十年來的經學研究》（臺北市：臺灣學生書局，2003年），頁91-159。此文考察了二十世紀臺灣地區685位《詩經》研究者2354篇（部）的論著，未發現有從「外部研究」的實證角度，專門探討經學「致用」實際表現的論著。

2　蔡元培所以廢除讀經的相關問題討論，可參閱蕭敏如：〈文化轉型的焦慮：蔡元培的「廢讀經」與「中西合會」思想〉，《文與哲》第18期（2011年6月），頁617-654。

種不利於經學典籍學習的環境，比大陸終結經學課程提早了將近二十年。[3]
探討臺灣地區滿清時代與日本時代經學被接受運用的狀況，除了可以瞭解臺
灣地區經學的致用在不同環境下生存發展的狀況外，自也可以有助於對民國
政府廢除讀經後經學發展研究的瞭解。是以探討臺灣地區滿清時代與日本時
代《詩經》被接受的狀況，並提供探討民國廢讀經書後經學生存發展研究的
瞭解與對比之用，乃設計此研究的另一個原因。

　　臺灣地區從滿清時代到光復之前的二百六十多年（1683-1945）之間，
本土詩人及留存的詩集至少在五百種以上，[4]自不可能在一篇論文中全面性
探討比較，是以研究之際必須選擇恰當具有代表性的對象。臺灣地區的文學
環境，由於也感染民國以來「反傳統」的精神，因此「新文學」作家們對傳
統詩作大都抱持一種「趕盡殺絕」的負面情緒，這種新文學與舊傳統對立越
是強烈的地區，自然越能觀察到經學在反傳統的新文學環境下被接受的實際
狀況。本文基於臺灣特殊的歷史狀況，選擇研究對象的條件，因此包括：不
同統治時代、不同學術環境、不同創作思想等的對比性。依據這個條件選擇
了被認為在日本時代「無論在時空的特殊意義，新文學作家的密度，以及作
品的整體成績，無疑地，堪稱是哺育生養臺灣新文學發展的原鄉」的彰化地

3　陳建忠說：「在日本殖民帝國主義之下的臺灣知識分子，他們與社會、政權的關連，都
　　面臨了一個與滿清帝國不同的局面。」見陳建忠《書寫臺灣‧臺灣書寫：賴和的文學與
　　思想研究》（高雄市：春暉出版社，2004），頁4。此書渥蒙建忠學長賜贈，謹此致謝。
4　臺灣本地詩人500種左右詩集的統計，係根據以下三種資料而推測。（1）吳福助：〈臺
　　灣漢語傳統文學作品簡目〉，東海大學中國文學系編：《臺灣古典文學與文獻》（臺北
　　市：文津出版社，1999年），頁1-59，收錄臺灣光復前古典文學總集59種；別集282
　　種，總共341種。（2）廖才儀：《《全臺詩》用韻研究：以清領（1683-1985）時期臺灣
　　本土文人為對象》（高雄：國立中山大學中國文學系碩士論文，2000年），頁6謂「康熙
　　至光緒（1683-1895）共計212年臺灣地區詩人267人。」（3）施懿琳主編：《全臺詩‧
　　編者序》（臺南：國立臺灣文學館，2011），第13冊，頁8-9；施懿琳主編：《全臺詩‧
　　編者序》（臺南市：國立臺灣文學館，2012），第22冊，頁8；施懿琳主編：《全臺詩‧
　　編者序》（臺南市：國立臺灣文學館，2013），第27冊，頁6等處統計，《全臺詩》收錄
　　出生於臺灣光復前臺灣本地詩人與流寓詩人古典詩作者733位的詩集與詩作。

區，[5]做為研究討論的區域。並選擇「目前可見，清代彰化地區最早的一部詩人別集」、「現存清代彰化最早，保存最完整的一部詩人別集」、「清代彰化本土詩人的代表」，[6]「『礦溪文學』的開山始祖，[7]並有「清代臺灣詩史」之稱的陳肇興（1831-1866？）《陶村詩稿》的詩作，[8]做為舊傳統詩的代表；同時以「率先顯現彰化文學在地性格，其影響巨大而深遠」，[9]且擁有「臺灣新文學舵手、臺灣新文學之父、臺灣新文學的創造者、臺灣的魯迅、臺灣新文學的奶母」等等尊崇性美稱，[10]被歸類為日本時代臺灣新文學開創期的代表作家賴和（1894-1943），其被定位為「不喜歡用典」的古典詩作，[11]以為

5 呂興忠：〈從賴和到洪醒夫：談臺灣新文學的原鄉〉，賴和紀念館編：《賴和研究資料彙編》（彰化縣：彰化縣立文化中心，1994年），頁528。康原：〈文學帶動彰化：賴和彰化作品之旅〉，陳建忠編選：《賴和》（臺南：國立臺灣文學館，2011），頁257。

6 林翠鳳：《陳肇興及其《陶村詩稿》之研究》（臺中市：弘祥出版社，1999年），〈序言〉頁1。頁228、頁257。施懿琳：《從沈光文到賴和——臺灣古典文學的發展與特色》（高雄市：春暉出版社，2000年）第三篇第三章〈清領中葉在地詩人的本土關懷與現實書寫：以陳肇興《陶村詩稿》為分析對象〉，頁135-167。

7 顧敏耀：《陳肇興及其《陶村詩稿》》（臺中市：晨星出版公司，2010年），頁339。

8 王國璠：《臺灣先賢著作提要·陶村詩集》（新竹市：臺灣省立新竹社會教育館，1974年），頁68。余育婷：《想像的系譜：清代臺灣古典詩歌知識論的建構》（臺北市：稻香出版社，2012年），頁221。陳肇興卒年係顧敏耀推算而得，見顧敏耀選注：《陳肇興集》（臺南市：國立臺灣文學館，2011年），頁30。

9 蕭蕭：《土地哲學與彰化詩學：彰化詩學研究之一》（臺中市：晨星出版社，2007年），頁122。

10 諸家推崇語：守愚著，明潭譯：〈小說與懶雲〉，李南衡主編：《賴和先生全集（明集1）》（臺北市：明潭出版社，1979年），頁427。林瑞明：《臺灣文學與時代精神：賴和研究論集》（臺北市：允晨文化公司，1993年），頁356黃得時先生之發言。林邊：〈忍看蒼生含辱：賴和的文學〉，賴和紀念館編：《賴和研究資料彙編》，頁104、黃得時：〈臺灣新文學播種者—賴和〉，頁238-246、古繼堂：〈臺灣的魯迅：賴和〉，頁400-412、黃重添：〈臺灣新文學的「奶母」：賴和〉，頁502-514等等。巫永福：〈談賴和先生種種〉，李篤恭編：《礦溪一完人：賴和先生百年冥誕紀念文集》（臺北市：前衛出版社，1994年），頁25-27。秋吉收：〈賴和與徐玉諾：「臺灣魯迅」與大陸新文學的關係〉，黃惠娟主編：《彰化文學大論述》（臺北市：五南圖書出版公司，2007年），頁119-142。

11 葉榮鐘：〈詩醫賴懶雲〉，賴和紀念館編：《賴和研究資料彙編》，頁63。

新文學時代古典詩的代表。希望透過這兩位在統治時代、創作思想和學術環境等具有相當明顯對比性作家古典詩作引用《詩經》的實際表現，瞭解並比較《詩經》在滿清的舊傳統時代與日本新文學時代的古典詩作中被接受的狀況。這個研究除了可以協助兩位作家詩作內容比較深入且有效的詮解，以及瞭解兩位作家的經學接受狀況之外，同時也有助於《詩經》學在彰化地區傳播狀況的瞭解。這也就是設計本文研究最主要的原因。

本文以詩作徵引經典做為研究文獻，研討經學傳播的問題，此研究設計所以能成立的理由，主要係基於就經學傳播的整體表現而言，引述經典為說的創作者，就如同推銷產品的仲介者一般，經典即是被推銷的產品，詩作則是行銷的文宣，讀者乃是產品消費者，根據這個行銷仲介的思考，徵引經典進入詩作的作者，自也就和作品共同具有經典行銷的意義與功能的價值了。[12]此文考察臺灣彰化地區兩位分別生存且逝於滿清時代與日本時代，完全沒有跨代心結的臺灣本土作家，在其古典詩作中引用《詩經》的實際表現，研究設計之目的，一則藉以初步瞭解《詩經》在臺灣彰化地區「致用」的表現；再則用以分析科舉時代文士與現代學制下文士，接受《詩經》的狀況；三則提供以「致用」為探討重心的經學史研究者參考之用。此文研究的進行，主要是站在《詩經》學立場，以「外部研究」方式進行探討，除「前言」之外，首先將歸納兩位作者古典詩作引述《詩經》的實況，接著進行詩經學史的比較考察，最後分析所得結果的學術價值以結束本文。研究使用的文獻，陳肇興《陶村詩稿》用目前校訂最佳的《全臺詩》版本。[13]賴和的古典詩作，使用用目前收錄最完整的林瑞明《賴和全集》版《漢詩卷》，[14]文

---

12 關於這個仲介行銷的觀點，李令儀：〈文化中介者的中介與介入：出版產業創意生產的內在矛盾〉，《臺灣社會學》第28期（2014年12月），頁97-147一文，可以提供許多釐清此說基本觀點的討論，有興趣的讀者或者可以參閱。

13 〔清〕陳肇興：《陶村詩稿》，施懿琳主編：《全臺詩》（臺南市：國立臺灣文學館，2008年），第9冊，頁197-310。認為此一版本最佳，係接受顧敏耀的研究分析，顧敏耀選注：《陳肇興集》，頁19。

14 林瑞明編：《賴和全集‧漢詩卷》（臺北市：前衛出版社，2000年），第4、5冊，頁1-604。

本若有缺疑，則參考林瑞明《賴和漢詩初編》，[15]以及《賴和手稿集》的《漢詩卷》，[16]予以必要的訂正。[17]前賢相關的二手研究文獻，陳肇興固已有不少相關的研究成果，[18]但除某些選本或讀本收錄少數幾首詩外，[19]比較專門的研究，則僅有林翠鳳和顧敏耀，兩位學者均以文學角度進行研究探討，文中頗有考察陳肇興詩作使用《詩經》典故之處，[20]提供了本文部分的基本資料，對本文頗有幫助。賴和古典詩作的研究，雖有諸多從文學角度進行的優異研究成果，[21]但因研究意圖的關係，缺乏討詩作使用《詩經》典故的研

---

15 林瑞明編：《賴和漢詩初編》（彰化縣：彰化縣立文化中心，1994年）共收錄509題詩作。

16 林瑞明編：《賴和手稿集·漢詩卷》（彰化縣：財團法人賴和文教基金會，2000年），上、下冊，頁1-457。

17 如《賴和全集·漢詩卷》，下冊，頁448之〈會飲於文苑世兄宅〉「莫把劍鋏負心來，徒令快意羨□鬚」；頁449之〈閒齋偶成〉「交遊與世終須絕，名號猶宜署懶□」。《賴和手稿集·漢詩卷》，下冊，頁114、頁116，頁118。「□鬚」作「虬鬚」；「懶□」作「懶秸」。再如《賴和全集》，頁419「詩葛藟藟」之標題，《賴和漢詩初編》，頁263則作「讀詩葛藟」等等之類。

18 例如：施懿琳、楊翠：《彰化縣文學發展史》（彰化縣：彰化縣立文化中心，1997年）第二章第三節〈陳肇興〉，頁75-80。施懿琳：《從沈光文到賴和——臺灣古典文學的發展與特色》第三篇第三章〈清領中葉在地詩人的本土關懷與現實書寫：以陳肇興《陶村詩稿》為分析對象〉，頁135-167。李瑞騰等：《南投縣文學發展史》（南投縣：南投縣政府文化局，2009年）第二章第三、四節〈南投詩人陳肇興〉，頁78-97。余育婷：《想像的系譜：清代臺灣古典詩歌知識論的建構》第四章第二節〈（二）陳肇興師法杜甫〉，頁179-182；以及頁171、頁185、頁189、頁221、頁248、頁254、頁261-263、頁266-271等處。徐慧鈺：《鯤島逐華波：清領時期的本土文人與作品》（臺南：國立臺灣文學館，2013）第四章〈九、敘事紀實的陳肇興〉，頁144-154等。曾筱潔：〈論陳肇興《陶村詩稿》中的陶潛情結〉，《問學》第17期（2013年6月），頁157-170。

19 顧敏耀選注：《陳肇興集》，頁20提及與文中引述共有18種之多。

20 林翠鳳：《陳肇興及其《陶村詩稿》之研究》，頁144、頁150、頁158、頁180等處。顧敏耀：《陳肇興及其《陶村詩稿》》，頁259腳註5、頁267、頁275、頁276。顧敏耀選注：《陳肇興集》，頁86、頁92、頁137、頁227、頁229等處，均曾指明陳肇興詩作的《詩經》文本來源。

21 探討或述及賴和古典詩作的研究者，如：林瑞明、陳萬益、施懿琳、廖振富、陳淑娟、簡志龍、薛順雄、廖振富、陳建忠、余育婷、顧敏耀、薛建蓉、許惠玟、徐慧鈺、許俊雅、楊翠等等，當是與設定的研究意圖無關，是以均未見探討賴和詩作源自

究，故猶未見有對本文較具協助功能的成果。

二　陳肇興詩作引述《詩經》文本考實

　　陳肇興所處的時代，科舉考試的規定已是屬鄉會試《五經》輪考的年代。蓋因乾隆帝（1711-1799，1735-1795在位）接受大臣建議，鄉會試考題從乾隆五十三年戊申科（1788）開始，每次考題依照《詩經》、《書經》、《易經》、《禮記》、《春秋》等前後次序出題，周而復始。[22]陳肇興既以獲取功名為學習之主要目標，則《四書》外《五經》自也是必讀之經典，創作之際引入平時熟悉的文本，本屬理所當然之舉，但雖是如此卻也有差別。主要是詩作有句式、字數與押韻的限制，相對於一般散文或駢文創作，自由度大大受限，因此可以合理推測，若非對經典的熟悉度與詩作創作需求的必要性特別強烈，則詩作引用經典的可能性，相對於散文在機率上應該較低。反過來說，既然在諸多引用限制的狀況下，依然選擇引用《詩經》入詩作為說，則相對於其他文類，自也就可以合理認定其具有較高代表性了，這就是此文選擇詩作做為《詩經》傳播影響研究文獻的緣故。

　　《詩經》自周秦以來，即是傳統士子必讀的重要經典，經過幾千年來的學習與使用，某些《詩經》的文句、詞彙與概念，發展到陳肇興的時代，已成為不具來源判別意義的普通詞彙，這類出現在陳肇興詩作的詞彙，例如：蒼穹（穹蒼，頁202）、[23]死同穴（頁203）、淒淒（頁203）、彼蒼（頁204）、淒其（頁204）、鼓鐘（頁205）、離離（頁207）、蕭蕭（頁209）、樂土（頁

　　《詩經》典故之處。僅陳建忠：《書寫臺灣・臺灣書寫：賴和的文學與思想研究》提及「賴和的〈論詩〉（1924）一作應該最能體現他漢詩詩學的詩作，他以《詩經》的言志抒情貴在天真獨創為佳。」（頁85）

22 〔清〕覺羅勒德洪等修：《高宗純皇帝實錄》，《清實錄》（北京市：中華書局，1986年），第25冊，卷1295，頁392-395。

23 案：「頁205」即施懿琳主編《全臺詩》第九冊的頁碼，此僅在指明這類普遍性詞彙確實出現在陳肇興詩作內，故省去詩作標題，且僅錄出最先出現之頁碼，以省篇幅；再者因為押韻關係，故有些句子的次序倒反，下文相同形式者皆如此，不再一一註明。

210）、哀哀（頁212）、豈其（頁213）、伊誰（頁216）、飛蓬（頁217）、羆熊（熊羆，頁218）、伊人（頁224）、輾轉（頁203）、悠悠（頁230）、[24]劬勞（頁231）、傾城（頁231）、崔嵬（頁244）、湯湯（頁248）、炎炎（頁251）、峨峨（頁253）、願言（頁253）、終朝（頁256）、桑梓（頁261）、普天（溥天，頁262）、室家（頁263）、習習（頁268）、未已（頁268）、邂逅（頁269）、空谷（頁271）、靡靡（頁271）、涕泣（泣涕，頁271）、嗟爾（頁277）、棲遲（頁279）、翳薈（頁279）、皇皇（頁281）、娥眉（頁282）、契闊（頁282）、哀鳴（頁285）、跋涉（頁285）、元戎（頁286）、翩翩（頁291）、百歲（頁292）、漣漣（頁294）、在昔（頁295）、踟躕（頁297）、青衿（頁297）、三秋（頁301）、丁丁（頁302）、觥觥（頁303）、成城（頁304）、言訛（訛言，頁305）、萋萋（頁307）、婆娑（頁308）、旌旆（旆旌，頁308）、于歸（頁309）、未央（頁309）等。不過像「風雨」、「四海」、「蒼天」、「參差」、「雞鳴」、「鼓鐘」、「青蠅」、「東山」、「東征」、「墓門」等等之類，因較為常用故不納入討論。此外還有出現在十七首詩中的「干戈」一詞，[25]這應該與陳肇興身處並參與戴潮春的政治奪權戰爭相關。以上這些詞彙若放在散文中，則多數並不具備詩經學意義討論的可能，但由於傳統詩作與《詩經》難以擺脫的密切關聯，因此纔具備有詩經學討論意義，然也無法確定作者引用之際的原始意向，故依較嚴謹的認定標準，僅將這些詞彙當作經典發展過程中俗化的普通詞彙看待。

　　陳肇興的詩作，除前述與《詩經》相關的一般性詞彙外，可以確定係引用《詩經》文本字句或概念內涵者，其引用的表現則如下表：

---

24 陳肇興詩中「悠悠」出現七次：頁230、頁230、頁254、頁276、頁293、頁304、頁306等。

25 陳肇興詩作出現「干戈」一詞之處為：頁208、頁208、頁212、頁259、頁261、頁276、頁279、頁284、頁288、頁289、頁289、頁290、頁292、頁293、頁296、頁299、頁302等處。越是時間往後則出現的頻率越高，此當與面對戴潮春事件相關。

陳肇興詩作引用《詩經》文本表

頁碼	詩題	詩作文句	《詩經》出處
200	齋前觀穫	好繪豳風圖一幅,他年留待答昇平。	〈豳風·七月〉
201	米元章墨蹟歌,為張明經作	那得綿延四代間,法物留傳等瓊玖。	〈衛風·木瓜〉:投我以木李,報之以瓊玖。
203	五妃祠	可憐同死不同穴,芳草淒淒各一邱。	〈王風·大車〉:穀則異室,死則同穴;謂予不信,有如皦日。
204	赤嵌懷古歌	我來赤嵌訪古蹟,舞殿歌臺長禾麥。[26]	〈王風·黍離〉:彼黍離離,彼稷之苗。行邁靡靡,中心搖搖。
205	補博士弟子紀事三首之三	泮水芹初秀,官橋柳已勻。	〈魯頌·泮水〉:思樂泮水,薄采其芹。
206	賴氏莊五首之一	聞亂拋城市,遷家就友生。	〈小雅·伐木〉:相彼鳥矣,猶求友聲;矧伊人矣,不求友生。
207	感事	豈有同仇關切齒,並無小忿亦亡身。	〈秦風·無衣〉:王于興師,修我戈矛,與子同仇。
208	與韋鏡秋上舍話舊,即次其即事原韻,四首之一	那堪多難後,重話識君前。	〈小雅·出車〉:王事多難,維其棘矣!……王事多難,不遑啟居。
208	送韋鏡秋歸赤嵌	昔年花萼羨連枝,今在磺溪見白眉。	〈小雅·常棣〉:常棣之華,鄂不韡韡。
209	董濟亭夫子壽言二首之一	天妃此日降仙家,又見先生福履加。	〈周南·樛木〉:樂只君子,福履綏之。

---

26 案:此詩係用「麥秀黍離」之義。

頁碼	詩題	詩作文句	《詩經》出處
210	董濟亭夫子壽言二首之二	今日尼山傳勝會，介眉願進紫霞觴。	〈豳風·七月〉：為此春酒，以介眉壽。躋彼公堂，稱彼兕觥：萬壽無疆。
211-212	遊龍目井感賦百韻	靡靡踰阡陌，數里無煙炊。	〈王風·黍離〉：行邁靡靡，中心搖搖。
		亦復攜童孫，馳騁效騧驪。	〈秦風·小戎〉：騏駵是中，騧驪是驂。
		衣服置畛隰，農具去路岐。	〈周頌·載芟〉：千耦其耘，徂隰徂畛。
		冽彼山下泉，沙淤塞流澌。	〈曹風·下泉〉：冽彼下泉，浸彼苞蕭。
		苟能推心腹，四海皆塤篪。	〈小雅·何人斯〉：伯氏吹塤，仲氏吹篪。
		百歲永無患，福祿天爾綏。	〈小雅·鴛鴦〉：君子萬年，福祿綏之。
214	端陽二首之一	榴花照眼霞千樹，葛葉延齡酒百壺。	〈大雅·旱麓〉：莫莫葛藟，施于條枚。豈弟君子，求福不回。〈大雅·韓奕〉：顯父餞之，清酒百壺。
214	春田四詠·播種	誰將秔秫穊東皋，乘屋才閒播穀勞。	〈豳風·七月〉：亟其乘屋，其始播百穀。
214	春田四詠·分秧	不待鳴鳩終日喚，已看秧馬帶泥行。	〈小雅·小宛〉：宛彼鳴鳩，翰飛戾天。
215	秋田四詠·播種	浥露香秔爭出水，迎秋翠毯半含煙。	〈召南·行露〉：厭浥行露。豈不夙夜，謂行多露。
215	秋田四詠·分秧	不待鳴鳩喚插禾，秋天到處有秧歌。	〈小雅·小宛〉：宛彼鳴鳩，翰飛戾天。

頁碼	詩題	詩作文句	《詩經》出處
220	蘇學士南海笠屐圖	千秋仰止蛾眉山，海闊天空萬餘里。	〈小雅‧車舝〉：高山仰止，景行行止。
224	春興二首之一	滿地榆錢莫療饑，一春將盡雨霏霏。	〈小雅‧采薇〉：今我來思，雨雪霏霏。
224	春興二首之二	葉底和鳴鶯喚友，枝頭對語燕梳翎。	〈小雅‧伐木〉：嚶其鳴矣，求其友聲。
224	大墩與廖滄洲茂才夜話，即疊原韻奉答，三首之一	一別經年見，怡然慰采蕭。	〈王風‧采葛〉：彼采蕭兮。一日不見，如三秋兮。
227	再疊前韻留別滄洲，二首之一	他鄉重話別，愁聽馬蕭蕭。	〈小雅‧車攻〉：蕭蕭馬鳴，悠悠斾旌。
230	哭仲義弟四首之三	名山孰繼中郎業，蒿里偏吹仲氏篪。	〈小雅‧何人斯〉：伯氏吹壎，仲氏吹篪。
230	哭林氏姊四首之一	牙牀輾轉恨悠悠，為感吹篪病不瘳。	〈小雅‧何人斯〉：伯氏吹壎，仲氏吹篪。
231	哭林氏姊四首之二	嫁得黔婁猶不永，可知薄命是傾城。	〈大雅‧瞻卬〉：哲夫成城，哲婦傾城。
231	哭林氏姊四首之三	曾記孩提襁負時，十年鞠鬻仗扶持。	〈小雅‧蓼莪〉：父兮生我，母兮鞠我。拊我畜我，長我育我。
233	古香樓落成移居即事四首之二	昔日南村今北郭，此生卜宅總如鳩。	〈召南‧鵲巢〉：維鵲有巢，維鳩居之。
235	觀我四首之一：生	呱呱墜地數聲哀，頭角岐嶷面獨開。	〈大雅‧生民〉：鳥乃去矣，后稷呱矣。誕實匍匐，克岐克嶷，以就口食。
236	番社過年歌	摐金伐鼓聲淵淵，社番十月即過年。	〈小雅‧采芑〉：方叔率止，鉦人伐鼓，陳師鞠旅。顯允方

頁碼	詩題	詩作文句	《詩經》出處
			叔，伐鼓淵淵，振旅闐闐。
		物畜蕃滋風草死，乃箱萬萬倉千千。	〈小雅・甫田〉：乃求千斯倉，乃求萬斯箱。
239	赤嵌竹枝詞十五首之十五	寄語女兒貪黑齒，瓠犀曾及衛夫人。	〈衛風・碩人〉：領如蝤蠐，齒如瓠犀。
240	無題八首之五	洞口天桃空結子，墻頭飛絮已無家。	〈周南・桃夭〉：桃之夭夭，灼灼其華。
243	浴湯泉	彈冠一笑歸去來，白圭湯盤宜三復。	〈大雅・抑〉：白圭之玷，尚可磨也。
254	秋風曲	鳳凰樓上叫哀鴻，蟋蟀堂前飛燕子。燕子哀鴻相背飛，腸斷邊城未寄衣。	〈小雅・鴻雁〉：鴻雁于飛，哀鳴嗷嗷。〈唐風・蟋蟀〉：蟋蟀在堂，歲聿其莫。
255	紅菊四首之四	消瘦容光如靜女，蹣跚醉態似狂仙；幾回為汝拈彤管，賦就安陽紫菊篇。	〈邶風・靜女〉：靜女其孌，貽我彤管。彤管有煒，說懌女美。
261	揀中感事十二首之二	話到桑麻情似水，判成虞芮筆如霜。	〈大雅・緜〉：虞芮質厥成，文王厥厥生。
261	揀中感事十二首之四	胸有甲兵期自試，手無柯斧欲何如。	〈豳風・伐柯〉：伐柯如何？匪斧不克。
261	揀中感事十二首之五	農桑課俗都成畫，風雨懷人祇賦詩。	〈鄭風・風雨〉風雨，思君子也。
262	揀中感事十二首之十二	非關獨鶴招群忌，底事飛鴞在泮多。	〈魯頌・泮水〉：翩彼飛鴞，集于泮林。
268	北投埔義士林錫爵，招同林文翰舍人、邱石莊、	諸公矯矯人中豪，綢繆未雨真高誼。	〈魯頌・泮水〉：矯矯虎臣，在泮獻馘。〈豳風・鴟鴞〉：迨天之未陰

頁碼	詩題	詩作文句	《詩經》出處
	簡榮卿孝廉，洪玉崑明經及各巨姓頭人，宴集倚南軒，計議防亂事宜，即席賦贈		雨，徹彼桑土，綢繆牖戶。
269	三月十六日奉憲命，往南北投聯莊，遇亂避居牛牯嶺，即事述懷四首之二	愧非守土官，棲棲毋乃佞。	〈小雅·六月〉：六月棲棲，戎車既飭。
271	詠懷五首之二	感此百慮并，思君行役久。	〈魏風·陟岵〉：父曰嗟予子行役，夙夜無已。
272	詠懷五首之四	雞鳴非惡聲，去去勿回念。	〈鄭風·風雨〉：風雨淒淒，雞鳴喈喈。風雨如晦，雞鳴不已。
276	夏日偶成	蟰蛸在戶風初定，螻蟻遷家雨欲來。	〈豳風·東山〉：伊威在室，蟰蛸在戶。
277	土牛	一絲紅線下堯封，萬頃綠塍遵禹則；分疆立界嚴提防，不許斯民處實逼。[27]	〈小雅·信南山〉：信彼南山，維禹甸之；畇畇原隰，曾孫田之；我疆我理，南東其畝。
		醉後歸來兩眼昏，忽訝寢訛遺路側。	〈小雅·無羊〉：或降于阿，或飲于池，或寢或訛。

---

27 案：「禹則」之解，顧敏耀以鄭《箋》：「信乎彼南山之野，禹治而丘甸之……六十四井為甸，甸方八里，居一成之中，成方十里，出兵車一乘，以為賦法」作解，見顧敏耀：《陳肇興及其《陶村詩稿》》，頁275；顧敏耀選注：《陳肇興集》，頁227等兩處所論。唯此詩下一句曰「分疆立界嚴提防，不許斯民處實逼。」再則此詩所敘內容，乃漢移民侵奪原住民土地之事，則「禹則」所指當為「分疆立界」諸事，恐難謂與賦法相關也。

頁碼	詩題	詩作文句	《詩經》出處
278	憶故居四首之二	遷喬曾為賦閒居，五載經營奉板輿。	〈小雅・伐木〉：出自幽谷，遷于喬木。
279	感事漫興六首之二	為虺弗摧蛇又放，爭教海水不流紅。	〈小雅・斯干〉：維熊維羆，維虺維蛇。
280	感事漫興六首之六	寄語東征諸將吏，漫將紙上競奇功。	〈豳風・破斧〉：周公東征，四國是皇。
282	自許厝寮避賊至集集內山，次少陵北征韻	桓桓林總戎，昨日方簡卒。	〈周頌・桓〉：桓桓武王，保有厥士，于以四方，克定厥家。
		又聞募鄉兵，朝暮尤斯拔。	〈大雅・皇矣〉：帝省其山，柞棫斯拔，松柏斯兌。
		嗟予走空山，於今已五月。	〈魏風・陟岵〉：父曰嗟予子行役，夙夜無已。
		四顧遍豺狼，保身慎明哲。	〈大雅・烝民〉：既明且哲，以保其身。
284	感事述懷集杜二十首之七	四海猶多難，邊隅還用兵。	〈小雅・出車〉：王事多難，不遑啟居。豈不懷歸？畏此簡書。
286	九月十七日聞斗六失陷，總戎殉節，感賦二十韻	大億期無忝，重圍誓匪他。	〈小雅・小宛〉：夙興夜寐，毋忝爾所生。〈小雅・頍弁〉：豈伊異人，兄弟匪他。
287	顏協戎殉節詩	授命真無忝，當官更不撓。	〈小雅・小宛〉：夙興夜寐，毋忝爾所生。
288	次韻酬曾汝泉秀才	窮途得句歌當哭，多難逢君喜欲顛。	〈小雅・出車〉：王事多難，不遑啟居。
288	相逢行贈曾汝泉	底事因緣二字真，識君偏遲在多難。	〈小雅・出車〉：王事多難，不遑啟居。

頁碼	詩題	詩作文句	《詩經》出處
290	葭月二十六日喜晤石莊，兼話大甲官軍捷信	拔劍酒酣歌斫地，因君還欲賦同仇。	〈秦風・無衣〉：王于興師，脩我戈矛，與子同仇。
293	元旦	瓜田一畝芥花開，幾處穰穰鬥蝶來。	〈商頌・烈祖〉：自天降康，豐年穰穰。
		驚鬼擬糰羊髓飯，避兵難覓鵲巢灰。	〈召南・鵲巢〉：維鵲有巢，維鳩居之。
295	祭旗日示諸同志	由來率土臣，盡人可殺賊。	〈小雅・北山〉：率土之濱，莫非王臣。
		虞芮方質成，陳蔡忽遭厄。	〈大雅・緜〉：虞芮質厥成，文王蹶厥生。
		舉家來空山，志豈圖菽麥。	〈豳風・七月〉：黍稷重穋，禾麻菽麥。
		寄語謀義士，勉旃事兵革。	〈魏風・陟岵〉：上慎旃哉！猶來無止。
297	山中遣悶	有人謀棄甲，獨我賦無衣。	〈秦風・無衣〉
298	殉難三烈詩	獨從境外建旌旄，格鬥連山血濺袍。	〈小雅・出車〉：設此旐矣，建彼旄矣。
299	圍中得石莊書卻寄	搣金伐鼓戰方酣，何處飛來紙一函。	〈小雅・采芑〉：方叔率止，鉦人伐鼓，陳師鞠旅。顯允方叔，伐鼓淵淵，振旅闐闐。
302	再克集集，俘斬二百餘級，溪水為赤	番黎知報國，我輩況同仇。	〈秦風・無衣〉：王于興師，脩我戈矛，與子同仇。
303-304	感事述懷五排百韻，寄家雪洲兼鹿港香鄰諸友	自念鴻嗷澤，曾歌鹿食萍。	〈小雅・鴻雁〉：鴻雁于飛，哀鳴嗷嗷。〈小雅・鹿鳴〉：呦呦鹿鳴，

頁碼	詩題	詩作文句	《詩經》出處
			食野之苹。
		況爾參帷幄，當今仰國楨。	〈大雅・文王〉：王國克生，維周之楨。
		呼冤多杜宇，醫妒少鶬鶊。	〈豳風・七月〉：春日載陽，有鳴倉庚。〈豳風・東山〉：倉庚于飛，熠燿其羽。
		贈縞慚懸磬，投桃愧報瓊。	〈衛風・木瓜〉：投我以木桃，報之以瓊瑤。
		向陽葵脈脈，求友鳥嚶嚶。	〈小雅・伐木〉：嚶其鳴矣，求其友聲。
305	代柬沙連諸紳士	不有同仇賦，其如眾論何？	〈秦風・無衣〉：王于興師，脩我戈矛，與子同仇。
306	玉潭莊與黃實卿明經夜話	兩載棲棲困戎馬，滿腔熱血向誰灑。	〈小雅・六月〉：六月棲棲，戎車既飭。
308	哭房師潘瑤圃夫子	側身西望再拜哭，感恩何止歌鳴鹿。	〈小雅・鹿鳴〉
		肉食無謀藿食愁，陳兵還為賦同仇。	〈秦風・無衣〉：王于興師，脩我戈矛，與子同仇。
309-310	題烈婦張沈氏殉節事	蔦蘿泛長空，根莖無斷絕。	〈小雅・頍弁〉：蔦與女蘿，施于松柏。
		忽忽五年，載弄之璋。	〈小雅・斯干〉：載弄之璋。
		孤燈耿耿酸風吹，尺組畢命人不知。	〈邶風・柏舟〉：耿耿不寐，如有隱憂。
		生同衾，死同穴；青塚巢鴛鴦，飛鳴自成	〈王風・大車〉：穀則異室，死則同穴。謂予不信，有如曒

頁碼	詩題	詩作文句	《詩經》出處
		匹，謂予不信如皦日。	〈小雅‧小宛〉：題彼脊令，載飛載鳴。

在陳肇興存世的二〇九題四七七首詩作中，[28]除可確定上述五十四個詩題六十五首詩作的詩句，確實引述或化用了《詩經》的詞彙或概念入詩之外，另外還有出現在五首詩中的「艱難」一詞，[29]可確定除用以指生活與處境的艱辛困苦之外，同時也斷章取義的取用〈大雅‧抑〉「天方艱難，曰喪厥國」，朱熹《詩集傳》所謂「天運方此艱難，將喪厥國矣」，[30]指國家正處於困難危急之中的意思。以上即陳肇興詩作引述應用《詩經》文本及相關資訊的實況。

三　賴和古典詩作引述《詩經》文本考實

受到不少人推崇的「臺灣新文學之父」——賴和，不僅有許多臺灣新文學引進初期開創性的新文學創作，同時也創作了甚多的古典詩作。就客觀的學術角度來看，賴和常態性的古典詩作品，無論數量上非新文學作品所能比肩，[31]即使在實質的文學藝術成就上，應該也超越了新文學方面嘗試性的作

28　此為《全臺詩》第九冊收錄之數。林翠鳳謂「208題464首」，見《陳肇興及其《陶村詩稿》之研究》，頁228。顧敏耀謂「詩作數量總共464首。」見顧敏耀選注：《陳肇興集》，頁16。

29　出現「艱難」詞彙的詩作為：〈寄林文翰舍人三首之二〉（頁278）、〈感事述懷集杜二十首之七〉（頁284）、〈除夕〉（頁292）、〈感事述懷五排百韻寄家雪洲兼鹿港香鄰諸友〉（頁303）、〈玉潭莊與黃實卿明經夜話〉（頁306）等五首。

30　〔清〕王鴻緒等編：《詩經傳說彙纂‧大雅‧抑》（臺北市：維新書局，1978影印本），頁411。

31　施懿琳說：「賴和……在古典文學方面，近二千首的古典詩作品，同樣絲毫不遜於其他重要的傳統詩人。」見施懿琳：《從沈光文到賴和—臺灣古典文學的發展與特色》，頁562。據林瑞明教授的統計「賴和十年間的新文學活動，所發表的作品計有小說十六篇、新詩十二篇、隨筆散文十二篇，通訊、序文各一篇，總共四十二篇」而已。林瑞

品，只因以往古典詩作並未全部出版，[32]再加上研究者特定政治權力立場選擇的關係，因而並沒有受到該有的重視，甚至完全被忽視。[33]實則這類型的研究方式對賴和來說並不公平，因為這類學者的研究方式，等同於把賴和的創作，當成該研究者傳達個人意識形態的傀儡，因此愛怎麼裝扮就怎麼裝扮，至於這種裝扮與賴和本身的關係如何？則非這類研究者特別在意之事。本文希望從比較客觀的學術角度，觀察賴和古典詩作引用《詩經》相關資訊的實際表現，因此選擇「外部研究」的方式探討，並盡可能不涉入涉及意識形態的「內部研究」範圍。

　　賴和與陳肇興都有古典詩作傳世，但賴和與陳肇興的成長社會與學習環

明：《臺灣文學與時代精神：賴和研究論集》，頁74-75。花村：〈從舊詩詞起家的臺灣新文學之父：賴和〉說「按寫作時間和作品的質與量而言，舊詩在他作品中的地位，卻是絕對無法忽視的。」林荊南：〈忠烈祠裏的大文豪：賴和先生〉說：「賴和先生的文學，平心而論，新詩不如舊詩。……他的白話詩都有押韻。」賴和紀念館編：《賴和研究資料彙編》，頁136；頁267、頁270。陳建忠說：「賴和雖然以新文學成就著名，但他除了在青年時期以漢詩成名外，也在參與新文學運動的同時，終生須史未離開漢詩的文化語境。」見《書寫臺灣‧臺灣書寫：賴和的文學與思想研究》，頁67。

32　雖然葉榮鐘早就以「詩醫」稱賴和，但賴和古典詩作受到研究者全面性注意，當須仰賴林瑞明教授「投入十餘年精力在賴和遺稿的收集整理及文字年代的辨認上。」將其存世全部詩作公開之後。參閱賴悅顏：〈重建臺灣精神〉，林瑞明編：《賴和全集》，第4冊，頁4。基於此點基本認識，筆者因此礙難同意薛順雄教授發表〈賴和「抗日」漢語舊詩探析〉回應林教授提問時，提出的所謂「社會研究公器」說，詳見東海大學中文系編：《日治時期臺灣傳統文學論文集》（臺北市：文津出版社，2003年），頁26-27。因為〈讀臺灣通史十首〉之詩，林教授已整理編入《賴和漢詩初編》，頁255，就學術研究的基本原則而論，即使薛教授沒有參考林教授此書，但此詩既然是林教授最早整理提出，則當該要加腳註說明，不應該抹殺林教授整理與發揮之功，否則就有文獻回顧不夠確實的問題，是以認為薛教授的回應並不合宜。

33　李魁賢先生在〈賴和詩中的反抗精神〉一文中說：「賴和為新文學聲援，從此放棄舊詩，身體力行從事新文學創作，小說、新詩、隨筆的成績都相當可觀。賴和之反抗舊文學，是反抗舊體制一貫精神的發揮。」，見李篤恭編：《磺溪一完人：賴和先生百年冥誕紀念文集》，頁163。施懿琳說：「賴和漢詩的成就往往被忽略了；也緣於舊詩文自二○年代以後，尤其是新舊文學論戰後，逐漸成為一種『逝去的文學』，因此今人較罕回過頭來細看這些在臺灣曾經留下豐碩成果的文學遺產。」見施懿琳：《從沈光文到賴和──臺灣古典文學的發展與特色》，頁452。

境，卻有許多天差地別的不同：陳肇興完全成長且逝世於滿清時代；賴和則完全成長且於日本時代過世。賴和甫出生臺灣即割讓給日本，於是臺灣成為日本帝國的一部份，賴和不僅完全成長於日本帝國統治的社會環境，同時接受的也是日本正規的現代教育，生存於二十世紀初期的賴和，接受的日本現代教育學制，在內容、目的和教導方式上，自非生存於十九世紀中葉的陳肇興所能夢見。相對於陳肇興為取得功名必須熟讀《五經》，《五經》文本因此成為其寫作之際，不知不覺或不得不取用發揮的材料；[34]接受日本現代教育的賴和，追求的是現代教育制度下最熱門的醫科，學習《五經》對他來來說，僅是正式教育制度外的課外學習，即使不是可有可無或增加學習負擔的累贅，至少也絕不可能像陳肇興那樣的全心投入，是以賴和創作古典詩作之際，應當不太可能像陳肇興那樣，自然而然「莫逆於心」般的理所當然引用，是以賴和詩作引用《詩經》，就自覺選擇的程度而論，必然是較陳肇興更自覺的選擇。更不同的是賴和從小學習的「臺灣漢學」，實際上係用「閩南語」閱讀經書，[35]陳肇興當該是用清朝的「通行官話」閱讀經書，這在創作之際引用經書的方便性及必要性上自有差別，就引用的方便性與可能性上，陳肇性當該大大高過於賴和。從而可知賴和古典詩作引用《詩經》相關資訊的表現，如果就前文提及古典詩作本質上與《詩經》關係特別密切的層面來說並不特殊，但若是置放在沒有科舉功名引誘，也沒有現實生活需要，甚至明知「歐風美麗翻狂浪，漢學前程不值錢」的狀況下，[36]賴和詩作依然選擇引用《詩經》的實際作為，自然也就具有相當特殊學習的代表性意義，在《詩經》學習與傳播擴散的程度上，自是具有比陳肇興時代更強烈的實質意義，這也就是本文選擇賴和做為陳肇興比較對象的緣故。

---

34 廖一瑾：《臺灣詩史》（臺北市：文史哲出版社，1999年），頁294、頁297-298有說。

35 劉紅林曾提到「賴和……是土生土長的臺灣人，成人之前，並未離開臺灣，又生長在與大陸隔絕的日據時代，根本接觸不到當時的大陸北方官話，但白話文作品卻寫得相當出色，他在初習白話詩時所使用的語調，基本上是中國白話文的語調，……這對完全沒有語言環境的人來說，是非常不容易的。」見劉紅林：《臺灣新文學之父：賴和》（北京市：作家出版社，2006年），頁245。

36 賴和：〈感懷〉，林瑞明編：《賴和全集・漢詩卷》，頁111。

　　賴和雖然以新文學稱名，甚至也有揶揄批判某些古典詩作者的發言，[37] 但賴和並沒有因此而放棄古典詩的創作，同時在創作古典詩作之際更沒有脫離古典詩原有的語境，是以同樣也使用了許多一般古典詩作的常用詞彙，其中就有諸多已通俗一般化的《詩經》詞彙，這些詞彙至少有：老成（頁6）、[38] 蔓草（頁7）、鴛鴦（頁8）、遲遲（頁13）、婆娑（頁13）、悠悠（頁17）、萋萋（頁18）、離離（頁18）、蓬蓬（頁24）、傾城（頁37）、無邪（頁75）、踽踽（頁77）、浩浩（頁94）、搔首（頁94）、蕭蕭（頁104）、棲遲（頁132）、振羽（頁135）、崔嵬（頁137）、依依（頁155）、湯湯（頁176）、兢兢（頁176）、後生（頁270）、生民（頁336）、滔滔（頁372）、百福（頁388）、蒼穹（穹蒼，頁394）、逍遙（頁395）、式微（頁405）、洋洋（頁429）、顛沛（頁430）、未央（頁439）、委蛇（頁441）、繾綣（頁442）、空谷（頁453）、維新（頁460）、窈窕（頁461）、翩翩（頁470）、蛾眉（頁483）、寒泉（頁534）、豐年（頁535）等。除這些單獨出現在詩句中，比較難以確定確實是使用《詩經》意涵的詞彙外，實際可以判定使用《詩經》文本意義者則如下表。

賴和古典詩作引用《詩經》文本表

頁碼	詩題	詩作文句	《詩經》出處
11	休夏登校後，石詹二君亦各赴廈，賦此寄之一再寄	寒江葭露霜天月，夜夜相思入夢魂。	〈秦風・蒹葭〉：蒹葭蒼蒼，白露為霜。
22	憶家	輾轉獨夜思，頻入夢魂裡。	〈周南・關雎〉：悠哉悠哉，輾轉反側。

---

37 例如〈聞之景星慶雲為天之祥，聖人哲士乃世之寶，故吉祥現而天下咸寧，聖賢生則世人安樂，今也鄉有詩人聲聞異地，地以人傳因詩化，亦吾鄉之寶也，乃為詩人詩三章以紀之〉之類，林瑞明編：《賴和全集・漢詩卷》，頁418。另外頁429〈論詩〉亦可參考。

38 「頁6」係指林瑞明編：《賴和全集・漢詩卷》，第4、5冊的總頁碼；同時僅錄詞彙最先出現之處的頁碼，表格內內之頁碼亦同，以下皆是。

頁碼	詩題	詩作文句	《詩經》出處
27	小逸堂雜興	愛聽燕雀歸巢語，忘記關雎念未完。	〈周南・關雎〉
30	憶家	輾轉到更深，忽入魂夢裏。	〈周南・關雎〉：悠哉悠哉，輾轉反側。
32	夢回	夢回孤枕上，庭外吠驚尨。	〈召南・野有死麕〉：無使尨也吠。
33	芙蓉	怕對蒼葭吟彼美，盈盈一水最相思。	〈秦風・蒹葭〉：蒹葭蒼蒼，白露為霜。所謂伊人，在水一方。 〈陳風・東門之池〉：彼美淑姬，可與晤歌。
38	雨中涉溪	驚心懸惴惴，到岸氣忽豪。	〈小雅・小宛〉：惴惴小心，如臨於谷。
41	感懷	書雖苦讀無人賞，學未知名□友生。[39]	〈小雅・伐木〉：相彼鳥矣，猶求友聲；矧伊人矣，不求友生。
44	元日郊外	暖風淩靄日遲遲，錯落村莊繞竹籬	〈小雅・出車〉：春日遲遲，卉木萋萋。
53	寄錫烈兄	雲冷碧漠高，露白蒹葭蒼。	〈秦風・蒹葭〉：蒹葭蒼蒼，白露為霜。
		迴首家山秋思長，故人遙在水一方。	〈秦風・蒹葭〉：所謂伊人，在水一方。
60-61	寄小逸堂諸窗友	悠悠我心悲，欲涕旋復止。	〈鄭風・子衿〉：青青子衿，悠悠我心。

---

39 此句原作「學未知名友生」六字，根據頁145、頁178、頁198、頁292〈感懷〉；頁258〈中秋（中夜）〉均有「學不成名愧友生」一句，知此句當缺一字，缺字或者即「愧」字。

頁碼	詩題	詩作文句	《詩經》出處
		日日苦相思，相思曷有極。	〈唐風‧鴇羽〉：悠悠蒼天，曷其有極。
85	與石錫烈藝兄	夜對短檠憐寂寂，堦前寒雨正霏霏。	〈小雅‧采薇〉：今我來思，雨雪霏霏。
89	傷春	拂檻柳花風款款，過牆蛺蝶雨霏霏。	〈小雅‧采薇〉：今我來思，雨雪霏霏。
94	秋思	長空搔首思悠悠，北望中原淚暗流。	〈邶風‧雄雉〉：瞻彼日月，悠悠我思。
113	淒淒月色	此夕憂心同耿耿，綺筵樽酒對樓城	〈邶風‧柏舟〉：耿耿不寐，如有隱憂。
120	時值中秋佳節，憶著天外故人，恍惚別時景象，猶在目前，乃賦此寄之	寒江葭露霜天月，夜夜相思入夢魂。	〈秦風‧蒹葭〉：蒹葭蒼蒼，白露為霜。
129	憶家	輾轉獨夜思，隨入魂夢裏。	〈周南‧關雎〉：悠哉悠哉，輾轉反側。
145	感懷	心多煩惱同癡呆，學不成名愧友生。	〈小雅‧伐木〉：相彼鳥矣，猶求友聲；矧伊人矣，不求友生。
150	元日郊外	暖風淡靄日遲遲，村落籬邊梅一枝	〈小雅‧出車〉：春日遲遲，卉木萋萋。
150	元日郊外	暖風淡靄日遲遲，意爽神舒興適而	〈小雅‧出車〉：春日遲遲，卉木萋萋。
151	盡日無聊，招錫烈阿本遊水源地，道中得此	幽禽求友芳鳴樹，孤鳥驚人入碧空。	〈小雅‧伐木〉：出自幽谷，遷於喬木。嚶其鳴矣，求其友聲。
		幽禽求友鳴深樹，	〈小雅‧伐木〉：出自幽谷，

頁碼	詩題	詩作文句	《詩經》出處
		孤鳥驚人入遠空。	遷於喬木；嚶其鳴矣，求其友聲。
162	郊行	山花燦燦開，野鳥喈喈鳴。	〈周南·葛覃〉：集於灌木，其鳴喈喈。
168	憶家	輾轉到深更，忽入魂夢裏。	〈周南·關雎〉：悠哉悠哉，輾轉反側。
170	夢回	夢回孤枕上，庭外吠驚尨。	〈召南·野有死麕〉：無使尨也吠。
172	芙蓉	秋水伊人詩句在，相思無奈欲成癡。	〈秦風·蒹葭〉：所謂伊人，在水一方。
178	感懷	書雖苦讀終癡鈍，學不成名愧友生。	〈小雅·伐木〉：相彼鳥矣，猶求友聲；矧伊人矣，不求友生。
187	小逸堂雜興	愛聽燕雀歸巢語，忘記關雎念未完。	〈周南·關雎〉
189	憶家	輾轉到深更，忽入魂夢裏。	〈周南·關雎〉：悠哉悠哉，輾轉反側。
191	夢回	夢回孤枕上，庭外吠村尨。	〈召南·野有死麕〉：無使尨也吠。
192	芙蓉	莫對蒼葭吟彼美，盈盈一水最相思。	〈秦風·蒹葭〉：蒹葭蒼蒼，白露為霜。所謂伊人，在水一方。
198	感懷	詩雖苦作無人賞，學不成名愧友生。	〈小雅·伐木〉：相彼鳥矣，猶求友聲；矧伊人矣，不求友生。
202	別後寄錫烈藝兄--再寄	寒江葭露霜天月，夜夜相思入夢魂。	〈秦風·蒹葭〉：蒹葭蒼蒼，白露為霜。

頁碼	詩題	詩作文句	《詩經》出處
203	附書簡末，上石詹二藝兄	江上蒼葭垂白露，天涯望斷夕陽波。	〈秦風・蒹葭〉：蒹葭蒼蒼，白露為霜。
225	寄小逸諸藝兄	別後分南北，盈盈一水方。白雲迷夕日，綠草怯秋霜。	〈秦風・蒹葭〉：蒹葭蒼蒼，白露為霜。所謂伊人，在水一方。
242	俚歌・夜起	鳴鳩關關，世有江顏。荇菜參差，我求淑女。人兮不見，神馳千里。	〈周南・關雎〉：關關雎鳩，在河之洲。窈窕淑女，君子好逑。參差荇菜，左右流之。窈窕淑女，寤寐求之。求之不得，寤寐思服。悠哉悠哉，輾轉反側。
251	寄錫烈兄	雲冷天高碧，露白蒹葭蒼。	〈秦風・蒹葭〉：蒹葭蒼蒼，白露為霜。
		回首家山秋思長，故人遙在水一方。	〈秦風・蒹葭〉：所謂伊人，在水一方。
252	寄錫烈兄	回首家山秋思長，故人遙在水一方。	〈秦風・蒹葭〉：所謂伊人，在水一方。
		天碧纖雲淨，露白蒹葭蒼。	〈秦風・蒹葭〉：蒹葭蒼蒼，白露為霜。
258	中秋（中夜）	詩雖多作終何用，學不成名愧友生。	〈小雅・伐木〉：相彼鳥矣，猶求友聲；矧伊人矣，不求友生。
258	憶家	輾轉到更深，忽入魂夢裏。	〈周南・關雎〉：悠哉悠哉，輾轉反側。
268	夢回	夢回孤枕上，庭外吠驚狵。	〈召南・野有死麕〉：無使尨也吠。
270	芙蓉	怕對蒼葭吟彼美，盈盈一水最相思。	〈秦風・蒹葭〉：蒹葭蒼蒼，白露為霜。所謂伊人，在水一方。

頁碼	詩題	詩作文句	《詩經》出處
278	時值中秋佳節，憶天外故人，作詩四首寄之	寒江葭露霜天月，夜夜相思入夢魂。	〈秦風・蒹葭〉：蒹葭蒼蒼，白露為霜。
286	元日郊外	暖風淡靄日遲遲，村落籬邊梅一枝	〈小雅・出車〉：春日遲遲，卉木萋萋。
292	感懷	心多煩惱同癡呆，學不成名愧友生。	〈小雅・伐木〉：相彼鳥矣，猶求友聲；矧伊人矣，不求友生。
314	怕涼	露菊霜葭始好看，倚欄已怯袷衣單。	〈秦風・蒹葭〉：蒹葭蒼蒼，白露為霜。
314	得兒，蒙省白先生詩賀，依韻答之	吾生自覺尚非愚，解得窗前送白駒。	〈小雅・白駒〉：皎皎白駒，賁然來思。
344	世人	足快覺比脫兔疾，嗟彼何如人，何為入我室。	〈小雅・何人斯〉：彼何人斯，其心孔艱。胡逝我梁，不入我門。
347	庭前度牒	庭前度牒行尋詩，冷風淒淒夜遲遲。	〈鄭風・風雨〉：風雨淒淒，雞鳴喈喈。
369	大竹圍	夭桃灼灼草芊芊，竹裏誰家和管絃。	〈周南・桃夭〉：桃之夭夭，灼灼其華。
375	青年土匪	死者伏其辜，存者難彼恕。	〈小雅・雨無正〉：舍彼有罪，既伏其辜。
393	於同安見有結帳幕於市上，為人注射瑪琲者，趨之者更不斷	受者滋感悅，我淚滂沱垂。	〈陳風・澤陂〉：寤寐無為，涕泗滂沱。
394	別廈門	架上名花柳上鶯，依依不盡別離情。	〈小雅・采薇〉：昔我往矣，楊柳依依。

頁碼	詩題	詩作文句	《詩經》出處
394	歸去來	雄心鬱勃日無聊，坐羨交交鶯出谷。	〈秦風・黃鳥〉：交交黃鳥，止於棘。
395	和虛谷鬥棋作之一	一昔言難盡，三生友可求。	〈小雅・伐木〉：相彼鳥矣，猶求友聲；矧伊人矣，不求友生。
396	詠貞婦王氏香	可憐濃李夭桃貌，自有堅冰冷雪心。	〈周南・桃夭〉
		十指穿鍼能刺鳳，寸心匪石不通犀。	〈邶風・柏舟〉：我心匪石，不可轉也。
399	題節婦陳母林孺人二首並引	之死自憐天不吊，此心祇要子孫知。	〈鄘風・柏舟〉：之死矢靡它。母也天只！不諒人只！〈小雅・節南山〉：不弔昊天。
		當日持家憑十指，有人為補柏舟詩。	〈鄘風・柏舟〉
403	元旦寺廟行香	媽祖神宮奕奕新，善男信女往來頻。	〈魯頌・閟宮〉：新廟奕奕，奚斯所作。
407	弔延平郡王	一掬寒泉冽又清，瓣香垂淚拜延平。	〈曹風・下泉〉：冽彼下泉，浸彼苞稂。愾我寤嘆，念彼周京。
418	聞之景星慶雲為天之祥，聖人哲士乃世之寶，故吉祥現而天下咸寧，聖賢生則世人安樂，今也鄉有詩人，聲聞異地，地以人傳，因詩化，亦吾鄉之	非同應候小蟲聲，盛世朝陽作鳳鳴。閒和大官詩兩首，世人爭羨有光榮。	〈大雅・卷阿〉：鳳凰鳴矣，于彼高岡。梧桐生矣，于彼朝陽。
		雅頌能追三百篇，名聲久在世喧傳。詩成每使人抄誦，文字而今更值錢。	《三百篇》

頁碼	詩題	詩作文句	《詩經》出處
	寶也，乃為詩人詩三章以紀之		
419	詩葛藟藟[40]	遙遙世隔四千年，尚覺同心在眼前。我有生身莫我有，謂他人母亦堪憐。	〈王風・葛藟〉：終遠兄弟，謂他人母。謂他人母，亦莫我有。
423	我心惻	來季日尚遙，蒼天何有極。	〈唐風・鴇羽〉：悠悠蒼天，曷其有極。
		我聞心傷悲，為之替籌劃。	〈召南・草蟲〉：未見君子，我心傷悲。
424	囚繫臺中銀水殿	事業庸庸未見奇，平生詠檜亦無詩；但能少盡為人份，博得榮名轉自疑。	〈檜風〉
		事業功名未可知，即叫詠檜亦無詩；但能少盡為人份，獵得聲華轉自疑。	〈檜風〉
427	晚樵	芃芃薪樞一肩斜，緣徑穿雲趁暮鴉。	〈大雅・棫樸〉：芃芃棫樸，薪之槱之。
429	論詩	國風雅頌篇，大率皆言志；所貴在天真，詞華乃其次。	〈國風〉〈雅〉〈頌〉。
439	苦雨	今茲復何日，民勞汔小康。	〈大雅・民勞〉：民亦勞止，汔可小康。
452	詩五首	曾記花前共賞春，	〈周頌・清廟〉：濟濟多士，

---

40 此詩標題當依林瑞明編：《賴和漢詩初編》，頁263作〈讀詩葛藟〉較是。

頁碼	詩題	詩作文句	《詩經》出處
		一堂濟濟盡嘉賓。	秉文之德。
460	七夕	楊柳樓西月掛梢，庭前兒女語交交。	〈秦風・黃鳥〉：交交黃鳥，止於棘。
461	中秋日回憶	宜園新闢徑新開，賞月曾攜窈窕來	〈周南・關雎〉：窈窕淑女，君子好逑。
464	贈以專君	往昔薄君愧友生，今君厚我自多情。	〈小雅・伐木〉：矧伊人矣，不求友生。
470	紙鳶	紙鳶高放看翩翩，獨御長風欲戾天。	〈小雅・四牡〉：翩翩者鵻，載飛載下。〈大雅・旱麓〉：鳶飛戾天，魚躍于淵。
		四野風高一紙鳶，翩翩奮翮欲沖天。	〈小雅・四牡〉：翩翩者鵻，載飛載下。
473	寒意	芙蓉秋水兼葭露，已自朝來不耐看。	〈秦風・蒹葭〉。
499	新鶯	得意東風時弄舌，鼓簧葉底學交交。	〈秦風・黃鳥〉：交交黃鳥，止於棘。
		萬里遼西方入夢，綠楊枝上漫交交。	〈秦風・黃鳥〉：交交黃鳥，止於棘。
509	和笑儂	當頭幾見月華圓，藻荇參差斷復聯。	〈周南・關雎〉：參差荇菜，左右流之。
591	百歲人生	詩咏關雎事吉祥，天教淑女配才郎。	〈周南・關雎〉：關關雎鳩，在河之洲。窈窕淑女，君子好逑。
594	曾記花前	曾記花前共賞春，一堂濟濟集嘉賓。	〈周頌・清廟〉：濟濟多士，秉文之德。

頁碼	詩題	詩作文句	《詩經》出處
595	蕭蕭慰我[41]	蕭蕭慰我望霓心，響透窗紗韻逗琴。	〈鄭風·風雨〉：風雨瀟瀟。
595	九降風來	九降風來漸覺寒，無衣誰與共艱難。	〈秦風·無衣〉：豈曰無衣，與子同袍。
		晴陰未驗失先知，戶牖綢繆半自疑。	〈豳風·鴟鴞〉：迨天之未陰雨，徹彼桑土，綢繆牖戶。
597	書畫題詩	影漸西斜色漸昏，炎威赫赫更何存。	〈大雅·雲漢〉：赫赫炎炎，云我無所。
601	寒夜	但聽風聲已覺寒，終宵輾轉著難安。	〈周南·關雎〉：悠哉悠哉，輾轉反側。
601	苦雨	寒雨霏霏久不晴，違時亦自害農耕。	〈小雅·采薇〉：今我來思，雨雪霏霏。
603	疊韻和茂堤君	潭水情深勞夢寐，兼葭霜重憶容顏。	〈秦風·蒹葭〉

　　賴和的古典詩作，雖已經過林瑞明教授的整理，但還沒經過比較精細的校訂處理，是以其中頗多詩作與字句重複者，若暫且依收錄於《賴和全集·漢詩卷》者統計，並排除賴和抄錄他人的詩作，且同題詩作分別計數，則總共約一四三五題二五二一首詩。其中有七十九首引用《詩經》字句入詩，此外還有二首述及《詩經》相關的訊息。以上即賴和古典詩作引述《詩經》相關詞彙，以及依據其前後文，可以判定確實引述應用《詩經》文本與相關資訊的實況。

四　陳、賴古典詩作引述《詩經》文本之比較及分析

　　滿清時代的陳肇興與日本時代的賴和，這兩位生存時代相差一甲子，同

---

41 詩人每將「蕭蕭」與「瀟瀟」混用，此詩既是詠雨，則自當是兼風與雨的「瀟瀟」。

樣是土生土長的彰化詩人，但由於生存的時代不同，故而面對的社會環境自然不同，並且由於個人家庭狀況、學習過程與目的、事業經歷等等的不同，關懷的重心因此自也有差別。傳統中國科舉教育下擁有功名的陳肇興，面對了戴潮春事件；日本現代教育制度下執業醫生的賴和，面對統治差別待遇的問題，這是兩者生存環境上的不同。但若更深一層的分析，則兩人實際上面臨的同樣是官吏濫權、民眾不守法等法治不彰的違法問題，以及百姓貧窮的經濟問題，這些關懷大致都可以在詩作的內容上獲得證實，並且也有許多相當深入的二手研究成果，因此並不是本文研究的重心，本文主要是從「外部研究」的角度，觀察這兩位不同世代的彰化詩人，在古典詩作引用《詩經》資訊的表現上，是否存在異同之處。根據前述的初步觀察統計，則大概可以從以下幾方面加以說明。

　　首先就創作的形式要求與外在環境而論，陳肇興與賴和固然生長於兩個完全不同的世代，教育與學習環境差異甚大，個人經歷也大不相同，但在進行古典詩創作之際，雖然使用的詞彙稍有時代的差異，[42]但對《詩經》的認同與引用，即使是完全接受日本現代正規教育，且生存於毫無傳統中國科舉功名督促，並考入現代醫科就讀畢業的賴和，並沒有因此而在本質上有與陳肇興太大的差異，是以詩作依然有引用《詩經》為說者，詩句中依然出現許多其他傳統詩作常用的源自《詩經》文本的詞彙，這是兩人在古典詩作引用《詩經》資訊方面相同之處。

　　其次兩人的古典詩作之中，實際徵引《詩經》篇章的狀況，根據前述的探討分析歸納，則如下表統計所述：

---

42 例如賴和〈阿父五一壽慶〉有「他年祝還曆」一句，「還曆」自是日文「かんれき」，蓋指六十一歲之義。見林瑞明編：《賴和全集・漢詩卷》，頁414。

陳肇興與賴和古典詩作徵引《詩經》篇章比較表

風雅頌	周南				召南			邶風			鄘風				衛風		王風
詩篇名	關雎	葛覃	樛木	桃夭	鵲巢	行露	野有死麕	柏舟	雄雉	靜女	柏舟	碩人	木瓜	黍離	葛藟	采葛	大車
陳肇興	0	0	1	1	2	1	0	1	0	1	0	1	2	2	0	1	2
賴和	13	1	0	2	0	0	4	2	1	0	2	0	0	0	1	0	0

風雅頌	鄭風		魏風	唐風		秦風				陳風		檜風	曹風	豳風		
詩篇名	風雨	子衿	陟岵	蟋蟀	鴇羽	小戎	蒹葭	黃鳥	無衣	東門之池	澤陂	檜風	下泉	七月	鴟鴞	東山
陳肇興	2	1	3	1	1	1	0	0	6	0	0	0	1	5	1	2
賴和	2	0	0	0	1	0	19	4	1	1	1	2	1	0	1	0

風雅頌	豳風		小雅														
詩篇名	破斧	伐柯	鹿鳴	四牡	常棣	伐木	采薇	出車	六月	采芑	車攻	鴻雁	白駒	斯干	無羊	雨無正	小宛
陳肇興	1	1	2	0	1	4	1	5	2	2	1	2	0	2	1	0	5
賴和	0	0	0	2	0	10	4	4	0	0	0	0	1	0	0	1	1

風雅頌	小雅								大雅								
詩篇名	何人斯	蓼莪	北山	信南山	甫田	鴛鴦	頍弁	車舝	文王	緜	棫樸	旱麓	皇矣	生民	卷阿	民勞	抑
陳肇興	3	1	1	1	1	1	2	1	1	2	0	1	1	1	0	0	6
賴和	1	0	0	0	0	0	0	0	0	0	1	1	0	0	1	1	0

風雅頌	大雅				周頌			魯頌		商頌
詩篇名	雲漢	烝民	韓奕	瞻卬	清廟	載芟	桓	泮水	閟宮	烈祖
陳肇興	0	1	1	1	0	1	1	3	1	1
賴和	1	0	0	0	2	0	0	0	0	0

陳肇興在七十首詩中總共徵引了五十八個《詩經》的篇章，來自〈國風〉者二十四個篇章，來自〈小雅〉者二十個篇章，來自〈大雅〉者九個篇章，來自〈三頌〉者五個篇章。徵引最多的是〈秦風‧無衣〉和〈大雅‧抑〉，其次是：〈豳風‧七月〉、〈小雅‧出車〉、〈小雅‧小宛〉和〈小雅‧伐木〉等。〈秦風‧無衣〉、〈小雅‧出車〉和〈大雅‧抑〉都用在戰事上；〈豳風‧七月〉和〈小雅‧小宛〉用在農事上；〈小雅‧伐木〉用在友道上，仔細歸納陳肇興全部徵引《詩經》篇章的詩作，主要確實是以關於農事、戰事及友道相關內容者為主。賴和在七十九首詩中徵引了來自《詩經》的三十二個篇章，其中〈國風〉十八個，〈小雅〉八個，〈大雅〉五個，〈三頌〉一個。徵引最多的篇章是〈秦風‧蒹葭〉，其次是〈周南‧關雎〉和〈小雅‧伐木〉；再其次是〈召南‧野有死麕〉、〈小雅‧采薇〉和〈小雅‧出車〉等。〈秦風‧蒹葭〉、〈周南‧關雎〉、〈召南‧野有死麕〉、〈小雅‧采薇〉與〈小雅‧出車〉等，多用其懷思之義；〈小雅‧伐木〉則用在友道，詳細歸納賴和古典詩徵引《詩經》篇章的詩作，主要乃用於婚姻、懷思與友道的內容為主。這是兩者在徵引《詩經》篇章功能上的差別。再就徵引的形式而論，兩人均未徵引〈齊風〉的篇章；徵引篇章的來源，均以〈國風〉為最多，其他依次為〈小雅〉、〈大雅〉、〈三頌〉。陳肇興未引述〈陳風〉、〈檜風〉等的篇章；賴和沒有徵引〈衛風〉、〈魏風〉、〈魯頌〉、〈商頌〉等的篇章。陳肇興引述較多的〈豳風‧七月〉，賴和沒有徵引。賴和徵引較多的〈周南‧關雎〉、〈秦風‧蒹葭〉、〈召南‧野有死麕〉等，陳肇興沒有引述。這可看出兩人詩作關懷各自偏重的焦點問題。

其三就詩經學的角度加以觀察，明代以來朱熹（1130-1200）廢棄《毛

詩序》，重新解讀《詩經》的《詩集傳》解說，成為科舉考試的標準答案，即使到了清代，朱熹《詩集傳》的解說，依然是官方承認的《詩經》解說的主要答案，即使雍正帝（1678-1735，1722-1735在位）在雍正五年（1727）頒發的《詩經傳說彙纂》，曾對朱熹的某些解說提出質疑，但也只是使朱熹獨尊的局面稍微放寬而已。即使在乾隆帝時代，頒發了「分章多準康成，徵事率從《小序》」，[43] 以漢代毛鄭之說為主要依據，號稱乾隆帝「御纂」的《詩義折中》，同時也要求士子閱讀《十三經註疏》，[44] 但實際上整個清朝的科舉考試，朱熹對經書解說，自始至終都是官方最主要的依據。[45] 陳肇興既然是曾參與科舉考試的士子，不可能對此功令不知，是以被朱熹列入「淫詩」的三十個篇章，[46] 陳肇興應該也很清楚，但卻在詩作中徵引有〈邶風·靜女〉、〈衛風·木瓜〉、〈王風·采葛〉、〈王風·大車〉、〈鄭風·風雨〉、〈鄭風·子衿〉等六首，似乎並沒有接受朱熹解說的意思，但若翻閱當時士子必讀的《詩經傳說彙纂》與《詩義折中》兩書，則可知陳肇興徵引的這些所謂「淫詩」，在這兩部朝廷頒發的標準解說中，已經附加有不同於朱熹的解說，[47] 並不完全贊同朱熹的觀點。在根據陳肇興稱引〈大雅·抑〉明顯是用《詩集傳》而非《毛詩正義》之義，顯見陳肇興的《詩經》學見解，並沒有

---

43 〔清〕永瑢等編，王伯祥斷句：《四庫全書總目·欽定詩義折中提要》（北京市：中華書局，1992年），頁131。

44 清代朝廷頒發各省「尊經閣」的書，《詩經》方面為《詩經傳說彙纂》和《詩義折中》，《毛詩正義》則是責「令各省督撫購買，給予有尊經閣之府州學，交學官收存，以資諸生誦讀。」見〔清〕崑岡等編修：《清會典》（北京市：中華書局，1991影印本），卷32，頁271。

45 直到同治元年（1862）朝廷還在強調「凡校閱試藝，固宜恪遵功令，悉以程朱講義為宗」可知。〔清〕寶鋆等編：《穆宗毅皇帝實錄·同治元年三月十九日》，《清實錄》，第45冊，卷22，頁609。

46 此依程元敏老師之說，見《王柏之詩經學》（臺北：嘉新水泥公司文化基金會，1968），頁82-85。

47 〔清〕王鴻緒等編：《詩經傳說彙纂》，頁114、頁142、頁151、頁152、頁165-166、頁166等處。〔清〕傅恆等：《詩義折中》（臺北：臺灣商務印書館，1983影印文淵閣《四庫全書》本），第84冊，頁48、頁71-72、頁80、頁80-81、頁94、頁95等處。

脫離官方學術功令的範圍。至於成長於日本時代的賴和，當然不必遵從滿清皇朝的功令，但也僅見徵引〈鄭風・風雨〉、〈陳風・東門之池〉、〈陳風・澤陂〉等三首而已。詩作徵引《詩經》篇章，自與該詩意圖表述的內容相關，但賴和二千五百多首詩，徵引朱熹所稱淫詩的數量如此之少，恐怕也不能說毫無意義。再考察兩人詩作引述《詩經》文本使用的內容，實際上絕對多數屬於「斷章取義」式的取義，就是脫離整首詩的旨意，僅取該字句或段落單獨使用之義，這些字句的解說缺乏《詩經》學家派有效的判別功能，是以很難判斷其歸屬認同的學派。少數取用整首詩之義者，如陳肇興有〈邶風・柏舟〉、〈秦風・無衣〉、〈豳風・七月〉、〈小雅・鹿鳴〉等，根據其使用的意義，同樣缺乏有效判別《詩經》學家派的功能。賴和則有〈周南・關雎〉、〈邶風・柏舟〉、〈秦風・蒹葭〉、〈小雅・伐木〉，其中〈周南・關雎〉、〈邶風・柏舟〉、〈小雅・伐木〉等同樣缺乏判別的意義，但是從賴和取用〈秦風・蒹葭〉之義，係一般性「上下求之皆不得」的懷人思情之義，[48]而非政治性的「未能用周禮」之義，[49]則可知賴和係接受《詩集傳》的解說。分析兩人徵引《詩經》篇章取義的表現，總體來說比較缺乏有效支持使用毛鄭「漢學」之說的證據，同時從賴和徵引取義大致不出朱熹《詩集傳》之說的事實，當可推知賴和在日本時代接受的《詩經》學教育，當該與陳肇興相同，既非純粹的「漢學」也非純粹的「宋學」，而是滿清皇朝功令意義下消融「漢學」與「宋學」門戶之見，而各取所長的「清官學」。[50]就也就是透過陳、賴兩人古典詩作徵引《詩經》篇章文句的歸納分析後，表現出來的臺灣地區詩經學傳播的實際狀況。

　　經由前述實際分析陳、賴兩人古典詩作徵引《詩經》篇章及取義的實證性分析，可知賴和雖後於陳肇興一甲子出生，政治狀況已經改變，教育制度

48　〔清〕王鴻緒等編：《詩經傳說彙纂・秦風・蒹葭》，卷7，頁201。

49　〔漢〕毛亨傳，〔漢〕鄭玄箋，〔唐〕孔穎達等正義：《毛詩正義・秦風・蒹葭》（臺北市：藝文印書館，1981影印〔清〕江西南昌府學刊《重栞宋本毛詩注疏附校勘記》本），卷6，頁241。

50　〔清〕永瑢等編，王伯祥斷句：《四庫全書總目・經部總敘》，頁17。

已然不同，社會環境也大有差異，是否學習傳統中國經書，或者選用何家解說，都具有絕對性的選擇自由，但賴和接受的《詩經》學解說，竟然與陳肇興並沒有太大差別，從而可見傳統中國經學強韌的生命力，以及經學教導之深入社會人心。

五 結論

　　傳統中國的經學教育，起初確實如班固（西元32-92）所說，乃是因「（漢）武帝立五經博士，開弟子員，設科射策，勸以官祿」之後，方導致「傳業者寖盛，支葉藩滋」的盛況，這一切固然與「祿利之路」密切相關，[51]但經過上千年的承傳學習之後，經學的學習是否依然與功名祿利脫離不了關係？還是經過長期傳習滲透浸潤之後而有所改變呢？本文選擇接受科舉時代教育的陳肇興和接受現代教育的賴和等兩人的古典詩作，觀察其接受使用《詩經》的狀況，雖然主要是在分析探討《詩經》傳播的問題，但同時也意圖回答這個缺乏利祿引誘的狀況下，經學的學習是否即成為末路的問題。

　　經學研究可以有不同的側重，以往多數研究者多偏向於經學詮解的探討分析，這對於本質上講求「致用」的經學來說，不免有買櫝還珠的遺憾，本文因此轉移研究的重心，將研究的焦點轉向經學致用方面的研究，但經學致用層面的研究非常複雜，本文因此選擇以經學傳播的內容為探討的重心，但經學的內容包括《十三經》，探討《十三經》的學習傳播問題，當然不是一篇論文所能承擔，因此乃縮小研究的對象、區域和時間等範圍，選擇筆者生於斯長於斯的臺灣地區，有關《詩經》的學習傳播為探討內容，並以滿清時代接受傳統經學教育而有「臺灣詩史」之稱的陳肇興，以及日本時代接受現代教育而有「臺灣新文學之父」美稱的賴和，這兩位生存於經學在整體社會中有截然不同地位的詩人，比較其古典詩作引述使用《詩經》的表現，進行較為細部的實證性分析探討，以初步回答臺灣地區在不同政權統治時期《詩

---

51 〔漢〕班固：《漢書‧儒林傳贊》（臺北市：鼎文書局，1981點校本），卷88，頁3620。

經》學習傳播的相關疑問。經由從「外部研究」的角度，進行的實證性探討分析的結果，大致可以獲得以下的說明與結論：

陳肇興生存於滿清統治時代，此時經學的學習，主要當是做為獵取功名利祿的工具，因此只要有心於科舉功名，就不得不理所當然學習官方規定的標準教科書，就《詩經》的規定而言，主要是以尊朱熹《詩集傳》為宗的《詩經傳說彙纂》和以《詩序》為主的《詩義折中》，但主要還是以朱熹的解說為權威。詳細考察陳肇興四七七首詩作，除稱引六十個來自《詩經》的普通性詞彙外，其中有七十首確定稱引《詩經》之詩作，稱引《詩經》的詩作主要用在敘述戰事、農耕與友道。雖然也稱引有六首朱熹定為「淫詩」的篇章，但這些篇章在《詩經傳說彙纂》和《詩義折中》本就提供有不同於《詩集傳》的解說，唯從其〈大雅・抑〉文句之解說使用《詩集傳》之解觀之，則可推知在《詩經》學上，陳肇興雖非純粹的「宋學」，但也沒有資料可以證實他傾向於接受「漢學」。這是陳肇興詩作徵引《詩經》及其詩經學意義的狀況。

賴和生長於日本統治的時代，經學不是正規教育的學習項目，學習經學主要是基於家庭或個人的自由選擇，使用《詩經》解說的家派，自然可以隨心所欲的選取，並沒有任何特定的限制。閱讀篩選賴和二五二一首古典詩作，除稱引一般性源自《詩經》的四十一個普通詞彙外，確定有稱引《詩經》篇章文本為說者共有七十九首，徵引《詩經》入詩的古典詩作，主要用在表達陳述婚姻、懷念與友情方面的內容。詩中也稱引有三首所謂「淫詩」的篇章，但並沒有其他更積極性的證據，證明賴和反對朱熹《詩集傳》的「宋學」，傾向接受《毛詩正義》的「漢學」，反而從其古典詩作徵引最多次的〈秦風・蒹葭〉詩旨，明顯接受《詩集傳》解說的實情，瞭解賴和在《詩經》的解說上，傾向「宋學」的可能性較大。這是賴和古典詩作徵引《詩經》入詩為說及其詩經學意義的表現情形。

比較陳肇興與賴和古典詩作徵引《詩經》為用的實際表現，可以發現成長於彰化地區不同世代的兩位詩人，雖然環境的要求與教育制度完全不同，但是卻同樣有引述《詩經》為說的實際表現，這固然與古典詩作被認定源自

《詩經》有關,因此稱引《詩經》入詩並不特殊,但卻也可以實際瞭解兩人稱引《詩經》加強觀點陳述的功能;透過引述《詩經》篇章的不同,觀察到兩位詩人關懷的共同問題是官吏濫權、民眾不守法及百姓貧窮等的經濟問題;經由稱引《詩經》之際接受的詩旨,肯定兩者在《詩經》學的意義上,既非「漢學」也非「宋學」,而是滿清皇朝功令意義下的「官學」。同時經由前述諸項的比較說明,大致也可以證明即使沒有科舉利祿的誘惑,經學的學習並沒有因此而而成為末路。美國的五星上將麥克阿瑟(Douglas Mac Arthur, 1880-1964)在一九五一年四月十九日演講時,曾經引述了 Vaughn Monroe(1911-1973)主唱的〈Old Soldiers Never Die〉一句「老兵不死,唯有凋零」(Old soldiers never die, they just fade away)的歌詞為說,或者也可以借來說明經學在科舉制度廢除後的境況:雖不再是被矚目的主角,但也不會消失不見。

本文在經學致用的前提認知下,從「外部研究」的角度,探討臺灣彰化地區滿清時代的陳肇興和日本時代的賴和,兩位詩人在古典詩作中徵引《詩經》為說的實際表現,藉以探討《詩經》在臺灣地區不同政治環境下傳播的狀況。所得研究成果不僅對陳肇興與賴和古典詩作內容的解讀,提供了確實有益的參考資訊,同時對經學在不同政治環境下的處境,也提供了初步探討的成果。這些成果對於經學的研究者,尤其是詩經學的研究者,以及「彰化學」的研究者,當該都具有某些實際有效的參考價值,這當該就是本文寫作的價值所在。

<table>
<tr><td colspan="7" align="center">「第九屆中國經學國際學術研討會」議程表</td></tr>
<tr><td colspan="7" align="center">時間：民國 104 年 4 月 11 日、12 日（星期六、星期日）
地點：明道大學寒梅大樓國際會議廳</td></tr>
<tr><td colspan="7" align="center">民國 104 年 4 月 11 日（星期六）</td></tr>
<tr><td colspan="2" align="center">9：00
｜
9：30</td><td colspan="5" align="center">報到</td></tr>
</table>

	9：30 ｜ 10：00	開幕式			
		明道大學　郭秋勳校長 中國經學研究會　董金裕理事長 明道大學人文學院　蕭水順院長　　致詞 明道大學國學研究所　羅文玲所長			
		與會學者合影			

場次	時間	主持人	演講人	題目	
專題演講	10：00 ｜ 10：30	蕭水順 （明道大學人文學院院長）	胡楚生 （明道大學榮休講座教授）	顧亭林「通經致用」的為學精神	

10：30—10：50		休息時間		

場次	時間	主持人	發表人	題目	討論人
一	10：50 ｜ 12：10	李威熊 （逢甲大學中國文學系講座教授）	楊自平 （中央大學中國文學系教授）	論蘇軾《易》與王弼《易》、伊川《易》之異同	張麗珠 （明道大學國學研究所教授）
			韓格平 （北京師範大學古籍與傳統文化研究院教授）	元人現存《易》學著作的文本考察	孫劍秋 （臺北教育大學華語文教學研究所教授）
			黃忠天 （高雄師範大學經學研究所教授）	民國罕傳易學著作——劉鈺《易經卦爻辭本事考》述要	陳睿宏 （政治大學中國文學系副教授）

12：10—13：30		午餐		

場次	時間	主持人	發表人	題目	討論人
二		陳逢源 （政治大學中國文學系主任）		朱熹《論語集注》孔門系譜分析——以子夏、子貢、顏淵、曾子為考察範圍	吳冠宏 （東華大學中國語文學系教授）

場次	時間	主持人	發表人	題目	討論人
	13：30|15：15	胡楚生（明道大學榮休講座教授）	金培懿（臺灣師範大學國文學系教授）	近代日本之漢文教育問題與經書教科書化——以《論語》教材所做之考察	劉錦賢（中興大學中國文學系教授）
			秦兆雄（日本神戶市外國語大學教授）	日本解讀運用《論語》與《孟子》的社會文化背景	金培懿（臺灣師範大學國文學系教授）
			侯美珍（成功大學中國文學系教授）	明代鄉會試《尚書》義出題的考察	蔣秋華（中央研究院中國文哲研究所副研究員）
15：15—15：35				休息時間	

場次	時間	主持人	發表人	題目	討論人
	15：35|17：20	葉國良（臺灣大學中國文學系特聘教授）	張素卿（臺灣大學中國文學系教授）	惠棟《易》學著作稿抄本之價值舉隅	陳鴻森（中央研究院歷史語言研究所研究員）
			呂珍玉（東海大學中國文學系教授）	鄧翔《詩經繹參》述評	江乾益（中興大學中國文學系教授）
			蔣秋華（中央研究院中國文哲研究所副研究員）	試論章太炎對漢魏石經之研究	葉國良（臺灣大學中國文學系特聘教授）
			程克雅（東華大學中國語文學系副教授）	張國淦《漢石經碑圖·儀禮》與《儀禮異文表》勘證	邱德修（靜宜大學中國文學系兼任教授）
18：00—20：00				晚　宴	

民國 104 年 4 月 12 日（星期日）

場次	時間	主持人	發表人	題目	討論人
四	09：00|10：20	董金裕（政治大學中國文學系名譽教授）	杜忠誥（明道大學國學研究所講座教授）	《論語》「自行束脩」新疏	楊儒賓（清華大學中國語文學系教授）
			兵界勇（明道大學中國文學系助理教授）	論今本韓愈《論語筆解》的若干問題	車行健（政治大學中國文學系教授）
			陳金木（慈濟大學東方語文學系教授）	朱子疏解《論語·巧笑倩兮章》的學思歷程	魯瑞菁（靜宜大學中國文學系教授）
10：20—10：40				休息時間	

場次	時間	主持人	發表人	題目	討論人
五	10:40 ― 12:00	蔡信發 (銘傳大學應用中文系兼任教授)	林素英 (臺灣師範大學國文學系教授)	從〈武王踐阼〉論周初敬德明德之本：結合簡本與相關傳世文獻之討論	陳麗桂 (臺灣師範大學國文學系教授)
			吉田篤志 (日本大東文化大學文化學部副教授)	清華簡〈說命〉上篇釋讀	佐藤將之 (臺灣大學哲學系教授)
			齊婉先 (暨南國際大學華語文教學研究所助理教授)	二程以天理釋禮之經典詮釋與禮學思想建構	楊菁 (彰化師範大學國文學系副教授)

12:00―13:30	午餐

場次	時間	主持人	發表人	題目	討論人
六	13:30 ― 14:50	蔡根祥 (高雄師範大學經學研究所所長)	余其濬 (Trever McKay) (美國愛達荷州楊百翰大學訪問助理教授)	《史記》引《論語》考――兼論西方學者對《論語》成書的看法	林聰舜 (清華大學中國語文學系教授)
			傅熊 (Bernhard Fuehrer) (英國倫敦大學亞非學院教授)	國家政權與儒經――《孟子節文》與明太祖處理「真理」的方	楊濟襄 (中山大學中國文學系教授)
			馮勝利 (香港大學中文中國語言及文學系教授)	乾嘉「理必」與語言研究的科學屬性	莊雅州 (元智大學中國文學系兼任教授)

14:50―15:10	休息時間

場次	時間	主持人	發表人	題目	討論人
七	15:10 ― 16:00	陳維德 (明道大學國學研究所講座教授)	車行健 (政治大學中國文學系教授)	毛鄭《詩經》詮釋系統的形成及其詮釋學定位	劉文強 (中山大學中國文學系教授)
			楊晉龍 (中央研究院中國文哲研究所研究員)	臺灣清領時期中部地區詩人詩作引述《詩經》探論	鄭卜五 (高雄師範大學經學研究所教授)

閉幕式暨中國經學研究會會員大會

16:00―16:10	明道大學　　　　　　郭秋勳校長 中國經學研究會　　　董金裕理事長 明道大學人文學院　　蕭水順院長　　　致詞 明道大學國學研究所　羅文玲所長

經學研究叢書·臺灣高等經學研討論集叢刊　0502009

第九屆中國經學國際學術研討會論文選集

主　　　編	董金裕
編　　　輯	陳逢源
責任編輯	呂玉姍

發 行 人	林慶彰
總 經 理	梁錦興
總 編 輯	張晏瑞
編 輯 所	萬卷樓圖書股份有限公司
排　　版	林曉敏
印　　刷	百通科技股份有限公司
封面設計	斐類設計工作室

發　　行　萬卷樓圖書股份有限公司

臺北市羅斯福路二段 41 號 6 樓之 3

電話　(02)23216565

傳真　(02)23218698

電郵　SERVICE@WANJUAN.COM.TW

香港經銷　香港聯合書刊物流有限公司

電話　(852)21502100

傳真　(852)23560735

ISBN 978-986-478-312-0

2020 年 10 月初版三刷

2020 年 4 月初版二刷

2020 年 2 月初版一刷

定價：新臺幣 860 元

如何購買本書：

1. 劃撥購書，請透過以下郵政劃撥帳號：

帳號：15624015

戶名：萬卷樓圖書股份有限公司

2. 轉帳購書，請透過以下帳戶

合作金庫銀行　古亭分行

戶名：萬卷樓圖書股份有限公司

帳號：0877717092596

3. 網路購書，請透過萬卷樓網站

網址 WWW.WANJUAN.COM.TW

大量購書，請直接聯繫我們，將有專人為您服務。客服：(02)23216565 分機 610

如有缺頁、破損或裝訂錯誤，請寄回更換

版權所有·翻印必究

Copyright©2020 by WanJuanLou Books CO., Ltd.

All Right Reserved　　　　　**Printed in Taiwan**

國家圖書館出版品預行編目資料

中國經學國際學術研討會論文選集. 第九屆 / 董金裕主編. -- 初版. -- 臺北市：萬卷樓, 2020.02

面；　公分. -- (經學研究叢書. 臺灣高等經學研討論集叢刊)

ISBN 978-986-478-312-0(平裝)

1.經學 2.文集

090.7　　　　　　　　　　108015056